EXTRÊMES URGENCES

MARGARET CUTHBERT

EXTRÊMES URGENCES

roman

traduit de l'américain
par
JEAN ROSENTHAL

BERNARD GRASSET
PARIS

L'édition originale de cet ouvrage a été publiée par Pocket Books (Simon & Schuster Inc.),
à New York, en 1998, sous le titre :

THE SILENT CRADLE

Ce livre, avec tout mon cœur et tout mon amour,
est dédié à mon mari, le docteur Ronald A. Dritz.

Remerciements

J'aimerais remercier mes patientes de m'avoir enseigné le courage. Je veux aussi exprimer ma gratitude au programme de création littéraire de l'Université de Stanford, au programme d'aide aux jeunes romanciers du Centre de Berkeley, de l'Université de Californie, et au programme des auteurs de fiction de la Communauté des Ecrivains de Squaw Valley.

En ce qui concerne les appuis individuels : mille baisers aux professionnels de la littérature qui m'ont aidée à me transformer de médecin en romancière ; à la romancière Donna Levin qui a lu mon premier brouillon et qui m'a quand même gardée dans son cours ; à mon mentor, le romancier James N. Frey qui s'est acharné à forer dans mon crâne épais le chemin que devaient suivre mes personnages ; à Susan Trott, la romancière de Mill Valley, qui a senti quand mes quarante premières pages étaient assez bonnes pour les montrer à un agent, ce qu'elle a fait ; au plus grand agent littéraire du monde, Theresa Park qui, parce qu'elle a cru en moi et en mon héroïne, a lancé ma carrière d'écrivain sur un seul coup de fil ; au plus grand directeur littéraire du monde, Emily Bestler, qui m'a si bien révélé les joies de la réécriture que j'étais triste quand elle m'a annoncé que nous avions terminé et qui, avec Gina Centrello, le plus merveilleux éditeur du monde, a décidé d'acheter mon livre et de réaliser ainsi le rêve de toute ma vie.

Mille mercis aux divers membres de la profession médicale qui ont bien voulu partager avec moi leur savoir et leur expérience pour que je fasse bonne figure : le Dr Krishnamoorthy Yogam ; le

Dr Tracy Flanagan ; le Dr Edward Blumenstock ; le Dr Michael Katz ; le Dr Stuart Lovett ; le Dr Gil Duritz ; Evangeline « Dinky » Augustin, infirmière diplômée ; le Dr Gary Goldman ; le Dr Gregory Kelly ; le Dr Larry Caldwell ; le Dr Mary Siegel ; le Dr Clifford Schultz ; le Dr Coyness Ennix ; le Dr Leigh Iverson ; Frank Snell, infirmier-chef ; Larry Shots, infirmier-chef ; Beth Ilog, infirmière-chef ; le Dr Brian Richardson ; le Dr Richard Dailey ; Nancy Levine-Jordano, David Henderson, et tout le personnel de la Compagnie des Ambulances American Medical Response. Merci aux PDG et aux administrateurs qui ont pris du temps sur leurs journées pour répondre à mes questions ; à John Loden, Al Green, Wayne Moon, Anthony Wagner, Craig Sullivan, Gary Depolo, Jan Long, Ed Berger, Ron Marshall, Alan Fox, Susan Whiting, Gerald Saunders, Kristen Jones, Janelle McDonald et Annabelle Reeve. Tous mes remerciements aux plus brillants des policiers : le sergent Stephen Odum, le sergent Michael Holland, l'officier de police Joe Anderson. Et à mes amis écrivains : Susan Domingos, Elaine Avila, David Wimsett, Valerie Perry, Deb Cooksey, Diane Holt, Barbara McHugh, Eric Roher, Marilyn Day, Heather King, John Meeker, Leon Tsao, Paul Diebels, Carl Gonser, Stephen Linsley, Annagret Ogden, Donna Gillespie, Donal Brown, Bruce Hartford, Bob Hunt, Brad Newsham et Leigh Ann Varney. Bravo aux amis qui m'ont conseillée et encouragée depuis l'instant où cette histoire n'était que dans les langes jusqu'à aujourd'hui : Penny Mullinex, Veronica Bhonsle, Kathryn Torres, Nancy O'Donnell-Souza, Diane Walden, David Wendel, Judy Wendel, Hilary Schultz, Marilyn Loden, Mia Kelly, le Dr Carol Caldwell, Eric Kelly, Val Kelly, Ann Braunstein, Roya Maroof et Karen Russo.

Je tiens surtout à remercier mon mari et *plot-meister*, Ron Dritz, pour ses connaissances, sa patience, ses conseils et son amour pendant tout le temps où nous avons fait ce long voyage ensemble, page après page.

Prologue

— Je porte dans mon ventre le bébé du Seigneur ! gémit Nola Mahl. Mon destin est entre ses mains !

— C'est formidable, Miss Mahl, dit l'infirmier, Théodore McHenry, tandis que son frère jumeau et lui empoignaient les montants du chariot sur lequel était allongée Nola. Ne vous inquiétez pas. On est les superstars de Hillstar. Notre boulot est de vous transporter sans problème de la Clinique d'accouchement jusqu'à l'Hôpital de Berkeley Hills pour votre césarienne...

— Hé, bouge-toi un peu, grommela Léonard McHenry.

Théodore regarda Nola en souriant.

— Il paraît que votre bébé se présente par le siège. Il est malin, ce gosse. C'est bien normal de vouloir entrer dans le monde en atterrissant sur ses pieds, non ?

Ils s'efforçaient de la faire entrer dans l'ambulance avec ses cent vingt kilos répartis sur un mètre cinquante-trois, et elle n'était pas en état de répondre à cette question : elle se contenta de baiser le crucifix jaune phosphorescent pendu à son cou par un lacet de chaussure. Après tout, c'était en Dieu qu'elle avait foi, pas en l'homme.

Voilà que, juste à cet instant, Dieu souleva le chariot dans les airs – plus près du Ciel, songea-t-elle. Dieu pouvait tout faire. Il suffisait de croire.

Théodore resta avec elle dans la cabine arrière où son chariot était arrimé au plancher. Léonard, vêtu du même survêtement bleu marine que son frère, sauta à terre et claqua les portières.

Aussitôt les yeux d'un noir de jais de Nola inspectèrent fébrilement les lieux : un espace si réduit, observa-t-elle, et si nu. Aucune image de bébés angéliques gambadant au plafond, pas de doux accents de violon sortant des murs couleur saumon. A la Clinique aux bâtiments couverts de lierre, il y avait les deux, sans parler des bonbons à la cerise – les préférés de Nola – sur la table de chevet. Au lieu de cela, l'ambulance avait des casiers bleus où s'entassaient des paquets enveloppés dans du plastique, des rampes lumineuses dont l'éclat lui faisait mal aux yeux.

Mais ça sentait bon. Ça sentait le propre. Comme l'alcool à 90°. Depuis neuf mois, elle se frictionnait le ventre à l'alcool. Elle voulait accoucher du bébé le plus propre qu'on eût jamais mis au monde. La propreté, ça venait juste après la piété, et elle vivait pour être proche de Dieu.

Elle entendit le moteur démarrer et elle sentit la secousse quand l'ambulance s'ébranla. Théodore, ses yeux gris souriant toujours, lui attacha doucement un masque en plastique vert sur le visage avant d'ouvrir une vanne sur la paroi à sa droite.

En sentant cette bouffée d'air qui avait une drôle d'odeur, Nola leva le nez et essaya de repousser le masque.

— C'est le plastique, expliqua Théodore en remettant le masque en place.

Par-dessus l'appareil, Nola apercevait son crâne chauve et rond qui brillait sous les lumières, et un visage couvert de taches de rousseur barré d'une grosse moustache rousse : l'exacte réplique de son frère, sauf qu'il n'était pas tout à fait aussi corpulent.

— L'oxygène n'a pas d'odeur, Miss Mahl, précisa Théodore. Vous n'avez qu'à respirer normalement. C'est bon pour le bébé.

D'un des casiers au-dessus d'elle, il retira une nouvelle poche à transfusion.

— C'est votre premier? demanda-t-il en déchirant l'emballage en plastique.

Il retira le tuyau du sac vide provenant de la Clinique et en enfonça l'embout dans la nouvelle poche qu'il avait prise dans le casier bleu. Il tourna ensuite une vis en plastique fixée au tuyau. Une solution saline se mit à s'écouler comme un robinet qui fuit.

— J'ai deux gosses moi-même, reprit-il en froissant l'emballage en plastique pour le fourrer dans une niche de la paroi à côté de lui.

— Tu as deux nains qui mendient, cria Léonard de la place du chauffeur. On n'entend rien d'autre que donne, donne, donne, toute la journée...

Tout en gloussant, Théodore tourna une nouvelle fois la vanne d'oxygène. Nola sentit une bouffée lui gicler de nouveau en plein visage. Elle n'aimait toujours pas l'odeur, mais elle inspira profondément, pour le bien du bébé.

— Voilà, c'est ça, fit Théodore. (Il souleva la chemise verte qui la recouvrait et posa contre son ventre une version miniature du palet de hockey qu'on lui avait appliqué à la clinique.) Bon. Maintenant, restez bien tranquille. C'est le moment de voir un peu comment va votre petit bonhomme...

— Oh, non, pas de gosses pour moi ! chantonnait Léonard.

— Hé, mets un peu la sourdine ! fit Théodore. Il écouta de nouveau, les yeux fermés.

Il appuya plus fort l'appareil contre l'abdomen de Nola : elle le déplaça jusqu'à l'endroit où Jenny, l'infirmière de la Clinique, avait trouvé le rythme cardiaque normal seulement quelques minutes plus tôt...

Tout à coup, elle repoussa les mains de Théodore. Jaillissant de nulle part, une horrible douleur la déchirait. La souffrance la prenait d'un côté du ventre à l'autre et, tout aussi brusquement, plongea entre ses jambes.

Elle étreignit son crucifix, mais la douleur empirait. Le lâchant, elle porta ses mains à son bassin mais la douleur changea de direction et vint lui brûler la poitrine. Les mains de Nola se crispèrent sur son thorax mais une nouvelle fois la douleur s'était déplacée. Elle s'étalait maintenant dans tout son ventre, comme vingt flèches flamboyantes tirées droit de l'Enfer. Puis elle fut prise de nausées et une sueur glacée la baigna. Elle essaya cette « respiration forcée » dont elle avait entendu parler à la télé, mais en vain.

Elle tapa sur les mains de Théodore. « J'ai mal ! J'ai mal ! » Mais ses paroles ne dépassèrent pas le masque en plastique. Elle cria plus fort, mais Théodore continuait à faire glisser le palet de hockey sur son corps. Des filets de sueur ruisselaient sur son crâne chauve. Il avait un regard affolé.

Elle finit par arracher le masque. Pendant tout ce temps, elle n'avait pas entendu une seule fois le pouls du bébé.

— Qu'est-ce qu'il y a ? Mon bébé... !

— Hé, demanda Léonard, qu'est-ce qui se passe là-bas derrière ?

— Respirez ! ordonna Théodore en lui plaquant le masque sur le visage. Votre bébé a besoin de ça... plus que jamais !

— Non... !

De son coude droit elle le frappa en pleine mâchoire. Il trébucha et vint s'affaler contre la paroi de l'ambulance. Elle arracha le masque et le jeta derrière elle.

— Sauvez mon bébé !

— Théo, cria Léonard, qu'est-ce que vous foutez tous les deux ? Est-ce que le bébé arrive déjà... ?

— Oh, mon Dieu ! cria Théodore. Ça n'est pas possible ! Ça ne va pas recommencer...

— Je vous en prie, sauvez mon bébé ! Doux Jé... !

— Théo ? Qu'est-ce que tu racontes... ?

— Le pouls du bébé, connard ! Je ne trouve plus le pouls du bébé !

— Oh, non ! Encore un... ?

— Fonce, Léo... !

— Seigneur Jésus ! hurla Nola les mains crispées sur son ventre, sauvez-nous tous ! Oh, ça fait mal ! Ça fait mal ! Ça fait mal !

CHAPITRE PREMIER

— Poussez ! dit le Dr Rae Duprey à sa patiente, Angel Lloyd.

— Bon sang, sortez-le de là... sortez-le ! hurlait Angel.

— Voyons, pousse, mon chou, dit Max, le mari d'Angel.

— Pousse donc, toi, si tu crois que c'est si facile !

Assise sur un tabouret entre les cuisses pâles d'Angel, Rae eut un petit rire. Elle s'approcha, utilisant une compresse stérile pour essuyer les gouttes de sang sur le périnée d'Angel. Le haut du crâne du bébé descendait magnifiquement. Une nouvelle contraction s'amorçait.

— C'est bien, allez-y, doucement maintenant, fit Rae d'une voix douce.

— Aaiieee ! cria Angel. Je vous en prie, Rae, sortez-le ! Ne restez pas là assise à regarder ! Faites-moi une césarienne... faites quelque chose !

— Je t'avais dit de te faire faire cette péridurale, mon chou, dit Max en épongeant son front ruisselant.

— Tais-toi. Et cesse de m'appeler mon chou !

Là-dessus, la tête du bébé émergea, couverte de cheveux noirs tout mouillés. Et, comme le cou se tendait, apparut un visage rose et fripé.

Rae regarda les deux grands yeux d'un bleu d'ardoise qui la fixaient d'un air interrogateur. Du bout de son doigt ganté, elle toucha le bout du nez du bébé. Puis elle lui nettoya le nez et la bouche avec une petite pompe bleue.

— Le voyage a été dur, hein ? dit-elle au petit visage.

Une demi-heure plus tard, Rae avait pris une douche et s'était enveloppée dans un drap de bain. Menue, avec son mètre cinquante-sept et ses quarante-huit kilos, elle avait un corps souple de danseuse. Ses yeux marron clair, très espacés en amande comme ceux d'un léopard, fixaient droit devant elle la blancheur crue des murs. En soupirant, elle les ferma quelques secondes, pensant aux deux bébés qui l'avaient fait veiller toute la nuit. Un sourire envahit son visage. Bien sûr, elle était épuisée, mais les mères et les bébés se portaient bien, et cela, se dit-elle dans ce calme d'avant l'aube, c'était tout ce qui comptait.

Elle s'assit sur le banc de bois du vestiaire. Elle tenait à la main un dictaphone sur lequel elle se mit à enregistrer sa liste de courses. Non pas qu'elle eût beaucoup de temps pour courir les magasins. Son poste de médecin-chef adjointe du prestigieux service de gynécologie-obstétrique à l'Hôpital de Berkeley Hills lui laissait peu de temps pour une vie personnelle. Alors, quand elle faisait des courses, elle n'avait pas envie de traîner.

Elle aurait encore moins de temps quand elle deviendrait chef du service : l'objectif qu'elle poursuivait depuis si longtemps. Ça sera pour janvier, se dit-elle avec satisfaction : dans moins de trois mois. Non seulement elle serait la première femme médecin-chef de l'hôpital, mais la première Noire. Ç'avait été dur d'y arriver mais, pour elle, cela valait tous les sacrifices qu'elle avait pu faire.

— Et des os pour Léopold, dit-elle dans l'appareil pour conclure sa liste. (Léopold était son labrador noir.)

Le vestiaire sentait le savon, le déodorant, l'eau de toilette de Rae, et la vapeur de sa douche brûlante flottait encore. Elle entendit soudain, de l'autre côté de la porte, le vrombissement d'un aspirateur. Le bruit s'amplifia et, quand Rae leva les yeux, elle vit que la porte s'était ouverte : Bernie Brown, l'infirmière-chef de la maternité et la meilleure amie de Rae, entra dans la salle.

— Seigneur, quelle nuit ! s'exclama Bernie. Et cette Angel qui nous jouait *L'Exorciste*.

— Si tu me disais vraiment ce que tu ressens, Bernie, lança Rae.

Elle parlait de la même voix chantante que sa mère, née à La Nouvelle-Orléans. C'était seulement en salle d'opération qu'elle aboyait des ordres comme un adjudant dans un mauvais jour.

— On ne mêle pas le Seigneur à ça, ajouta-t-elle d'un ton plus grave.

La mère de Rae était morte d'une hémorragie en accouchant d'un bébé mort-né à l'arrière d'une ambulance. A treize ans, Rae avait été témoin de toute la scène et, à l'enterrement, elle avait pris deux décisions. La première, c'était qu'elle deviendrait la meilleure obstétricienne du monde de façon qu'aucune femme n'ait jamais à subir ce qu'avait enduré sa mère. La seconde, c'était que désormais Dieu n'était plus de son côté car comment aurait-il pu l'être s'il avait laissé mourir sa mère de cette façon ?

A dater de ce jour, elle avait cessé d'être une petite fille. A l'enterrement de sa mère, son père, un homme sévère, lui avait interdit de pleurer. Elle avait donc ravalé son chagrin et l'avait enfoui au plus profond de son âme. Puis, méthodiquement, méticuleusement, elle s'était consacrée à son ambition. Jamais elle n'avait regardé en arrière. Pas une fois.

Bernie toisa Rae du haut de son mètre quatre-vingts.

— Allons, Rae. Je sais que tu es de mon avis : Angel, c'était beaucoup, même pour toi. Reconnais-le. Tu es trop vieille pour ces séances de nuit.

Rae étira au-dessus de sa tête ses bras minces et bâilla.

— Je ne suis jamais fatiguée, dit-elle. Qui est fatigué à trente-huit ans... ?

— Nous, répliqua Bernie.

Rae avait horreur de dire son âge, même à Bernie. Sa mère était morte à trente-huit ans. Elle s'empressa de changer de sujet.

— N'est-ce pas que le bébé d'Angel était mignon à croquer ? demanda-t-elle. Tu as vu ces grands yeux qui nous dévisageaient en disant : « Salut. Je suis le bébé d'Angel. Et vous, c'est qui ? » Comment est-ce que je pourrais être fatiguée après quelque chose comme ça ?

— Je ne sais vraiment pas combien de temps encore je ferai ces gardes de nuit, l'interrompit Bernie en revenant à son sujet.

— Bah, je me sens aussi en forme qu'un nouveau-né, Bernie, je me sens gaie comme un pinson... chantonna-t-elle.

Elle attendit que son amie reprenne le refrain.

— Je n'ai pas envie de chanter, déclara Bernie. Et j'en ai marre de cette chanson.

— Oh ? fit-elle en croisant ses jambes nues.

Elle connaissait les sautes d'humeur de Bernie, mais elle la savait tout aussi excitée qu'elle après un accouchement réussi.

— Je ne t'ai jamais entendue te plaindre.

— Il se pourrait que je perde ma place, dit Bernie en s'adossant au placard et en croisant les bras sur sa poitrine.

— Tu ne vas pas recommencer, Bernie, fit Rae avec un grand soupir. Tu ne devrais vraiment pas écouter toutes ces rumeurs. Ça n'est rien de plus.

Bernie vint s'affaler auprès de Rae.

— Mais oui, fit-elle en plongeant la main dans sa canadienne pour en tirer un bout de papier. Et ça, c'est quoi ? demanda-t-elle en le tendant à Rae.

C'était du papier à en-tête de l'hôpital. Rae lut le mémo tout haut.

— « En raison de la baisse du chiffre d'affaires, l'Hôpital de Berkeley Hills devra réduire de 15 % le budget de chaque service. La direction fera tous ses efforts pour éviter le départ du personnel indispensable. Nous vous tiendrons informés. »

— Mais ils ne vont pas faire de coupes sombres dans ce service, dit Rae en rendant la note à Bernie qui la fourra de nouveau dans sa poche.

— Cesse de te cacher la tête dans le sable, veux-tu, chérie ? répliqua-t-elle. S'il y a un service qui a des problèmes, c'est bien le nôtre. La Clinique d'accouchement nous tue. Nous devrions peut-être suivre le mouvement, mettre de la musique douce et coller des fleurs dans toutes les chambres, nous débarrasser de ces murs blancs et de ces ordinateurs...

— La Clinique d'accouchement, dit Rae en la regardant dans les yeux, ça n'est que de la poudre aux yeux, Bernie.

— La poudre aux yeux, je peux m'en arranger. Mais cette boîte nous fait du mal. Et si tu avais deux sous de bon sens, tu changerais d'avis et tu essaierais toi-même d'avoir une place là-bas.

— Jamais...

— Nous, les infirmières, reprit Bernie en tenant son pouce à deux centimètres de son index, nous sommes à peu près à ça d'une lettre de licenciement. Tu as lu le mémo. Ils ne plaisantent pas, mon chou.

— Mais, fit Rae en se frappant le front avec son dictaphone, ils ne peuvent même pas faire de césariennes là-bas, Bernie...

Bernie lui arracha le dictaphone des mains et dit dans le micro :

— Mettre des bébés au monde, ma jolie, c'est un métier, pas une vocation divine.

— Je n'ai jamais dit que ça l'était, riposta Rae.

— Et ça n'est pas la bagarre avec le Conseil d'Administration de ce matin qui va changer quoi que ce soit, ajouta Bernie.

— Le Conseil n'est pas idiot, fit Rae. C'est sur l'obstétrique que s'est bâti cet hôpital. Quand la réunion sera terminée, nous allons engager et non pas licencier des infirmières, et personne, je dis bien personne, ne va virer des gens ici. Pas si j'ai mon mot à dire.

— Ce n'est pas ce que racontait Bo...

— Qu'est-ce qu'on en a à faire de ce qu'a pu raconter Bo... Tu lui as parlé ? fit Rae en cessant de braquer son dictaphone sur Bernie.

Malgré elle, elle se crispa. Bo Michaels était le directeur médical de la Clinique d'accouchement, le chef du service d'Obstétrique de l'hôpital et l'ex-petit ami de Rae.

— Tu ferais mieux de me croire quand je te dis que je lui ai parlé, déclara Bernie. Nous lui avons toutes parlé. Il nous propose des gardes de jour bien mieux payées.

— Tu te fiches de moi...

— Une couverture sociale complète à partir du premier jour, ajouta Bernie.

— Je crois que tu n'as parlé à personne, fit Rae en levant les yeux au ciel. Surtout pas à Bo. C'est à cause de lui si ta place est menacée aujourd'hui. C'est lui qui a démarré la Clinique d'accouchement et qui a fait tout son possible pour y attirer de la clientèle...

— Comment se fait-il que chaque fois qu'on se met à parler de Bo, on se dispute ? l'interrompit Bernie.

Rae lança le dictaphone dans son placard. Elle sentait sa bonne humeur se dissiper aussi rapidement que la buée de sa douche.

Elle secoua la tête, comme si elle essayait de chasser Bo de ses pensées.

— Bah, ça n'a pas d'importance. Je ne crois pas que tu veuilles avoir à faire avec lui...

— Avec ce qu'il propose, tu ferais mieux d'y croire, affirma Bernie.

Cette discussion à propos de Bo Michaels mettait Rae mal à l'aise. Elle voulut changer de sujet mais Bernie la devança.

— Ecoute, mon chou, si quelqu'un a *besoin* de lui parler, c'est toi. Il est temps de vous réconcilier et de reconnaître que tu t'es trompée sur les projets de Bo. Tu te rappelles comme nous pensions toutes les deux que la Clinique d'accouchement était une plaisanterie il y a un an ? Eh bien, ma chérie, le dindon de la farce aujourd'hui, c'est nous. La Clinique d'accouchement est maintenant la Mecque de l'obstétrique, et pas l'Hôpital de Berkeley Hills... Allons, pourquoi est-ce que tu fais la gueule, Rae ? Ne me regarde pas comme ça. Vous étiez amis autrefois : bon sang, tu as vécu avec ce type ?

— Mais je n'étais pas sa salariée !

Bernie ouvrit la bouche, commença à dire quelque chose, puis se contenta d'émettre un long sifflement. Les bras toujours croisés sur la poitrine, elle dit :

— Bon, je vais mettre ça sur le compte de la fatigue. Peut-être que tu devrais t'abstenir d'aller à la réunion du Conseil et dormir un peu.

— Je ferais des cauchemars sur toi et Bo travaillant ensemble.

— Comme tu voudras, fit Bernie en s'éloignant.

— Hé, fit Rae en rattrapant Bernie par sa canadienne. Je te demande pardon. C'est simplement qu'un an après, fit-elle en haussant les épaules, ça me touche encore.

— Ça s'appelle l'amour, dit Bernie. A–M–O–U–R.

— Plus maintenant, soupira Rae. Peut-être plus jamais. En tout cas, c'est la conclusion à laquelle je suis parvenue après avoir raconté ma vie à un psy.

— Ah, fit Bernie en haussant un sourcil, tu as fini par suivre mon conseil.

Rae se pencha pour prendre une paire de bas dans son placard. Elle voulait cesser de parler de Bo et revenir au problème du moment.

— Et le fait qu'ils ne puissent pas pratiquer de césariennes là-bas, Bernie ? demanda-t-elle. Et le fait qu'ils n'aient pas leur propre service d'ambulances ? Tu ne supportes même pas qu'une de nos patientes doive commencer son travail en salle 17. Et pourquoi ? Parce que la 17 est la plus éloignée de la salle d'op. Chaque fois qu'il faut faire traverser tout le couloir à une patiente pour l'emmener là-bas, tu n'arrêtes pas de hurler que nous ne poussons pas le chariot assez vite ! Alors qu'est-ce que tu me racontes ? Que tu vas aller travailler à la Clinique d'accouchement ? La salle 17 n'est qu'à quelques mètres de la table d'opération. Ce foutu Centre est au diable de l'autre côté de la rue.

— Tu es déjà allée à la Clinique, Rae ? C'est magnifique et ils font du bon travail là-bas, dit-elle en faisant semblant d'examiner ses ongles rouge sang.

— Non, mais...

— D'accord, d'accord, ma chérie, fit Bernie en levant la main dans un geste apaisant. Si on laissait tomber pour l'instant ? Je suis fatiguée. Tu l'es aussi. Et je ne vais pas te laisser m'engueuler quand la personne à qui tu en veux vraiment, c'est Bo.

— Je croyais qu'on avait fini de parler de lui.

— Peut-être un jour, fit Bernie en tapotant l'épaule nue de Rae, peut-être que tu me diras *exactement* ce qui a coupé le cordon entre vous deux.

— Je t'ai tout raconté.

— C'est seulement ce que tu m'as dit un million de fois.

— Crois-moi, fit Rae en tapotant la main de Bernie, tu n'as pas besoin de savoir...

— Mais si, Rae, fit Bernie en haussant le ton. Autrefois, on rigolait toutes les deux et on se peignait les ongles des pieds comme si demain ne devait jamais arriver. Mais aujourd'hui, tout ce qu'on fait c'est discuter et, au milieu de chaque discussion, il y a Bo. Alors, bon sang, qu'est-ce qui se passe ? Qu'est-ce qu'il y a de si épouvantable que tu ne puisses pas me le dire ?

— Bon, bon ! cria Rae en écartant Bernie. Donne-moi une seconde, tu veux ?

Elle n'avait jamais voulu confier à personne la cause de sa rupture avec Bo. Mais une fois de plus Bernie avait raison : la cacher empoisonnait leur amitié. Elle baissa les yeux.

— Si je te dictais une lettre, Bernie ?

— Et si je te claquais le beignet pour te faire parler ?

Rae se tut de nouveau. Elle écoutait le vrombissement de l'aspirateur.

— Tu entends ça ?

— Quoi ?

— Mais écoute, bon sang !

— Bon, bon, répondit Bernie en fermant les yeux comme si elle se concentrait. Ça m'a l'air d'être un aspirateur.

— J'ai entendu ce bruit-là dans ma tête chaque jour pendant un an, dit Rae. Ça me rendait folle. Il m'a fallu toutes mes forces pour le faire cesser.

— Tu entendais un aspirateur dans le cabinet de ton psy ? fit Bernie en plissant les yeux.

— D'une certaine façon, oui.

— Là, je ne te suis plus, fit Bernie. Qu'est-ce qu'un aspirateur a à voir avec toi et Bo ?

— J'ai fait une fausse couche, annonça calmement Rae.

Le bruit de l'aspirateur s'éloigna. Rae avait horreur du silence qu'il laissa derrière lui. Elle croyait entendre le bruit de son cœur qui battait dans sa tête. Personne à part Bo, l'infirmière et un gynécologue d'une autre ville n'était au courant de la grossesse de Rae.

— Eh bien, fit Rae, dis quelque chose.

— Pourquoi ne m'en as-tu pas parlé ?

— C'est pour ça que Bo m'a quittée.

— Bo t'a quittée parce que tu as fait une fausse couche ?

— Un soir, reprit Rae, j'ai oublié de prendre ma pilule. Je n'avais jamais compté avoir d'enfants, tu le sais. C'est arrivé, je l'ai dit à Bo et il est devenu fou...

— Bo ne veut pas d'enfants, dit Bernie en se rasseyant auprès de Rae.

Rae regarda le sol et soupira.

— C'est Bo qui a changé d'avis là-dessus. Nous avions tous les jours des discussions à ce propos. Je ne savais plus où j'en étais. J'étais incapable de me décider. Mais tomber enceinte, ça n'est pas pareil. Il a fini par me poser un ultimatum... Là-dessus, j'ai commencé à saigner. L'échographie a montré qu'il y avait un œuf clair. Bo m'a reproché ma fausse couche. Il a dit que je ne m'étais jamais donné la peine de ralentir un peu... Bref, je n'ai jamais eu à prendre la décision. Il m'a fallu quand même une demi-douzaine de séances avec un psy pour voir clair dans tout ça.

Bernie lança à Rae un regard incrédule.

— Alors, tu t'es fait faire un curetage toute seule ?

— Après, Bo a dit qu'il était désolé. Il voulait qu'on essaie encore une fois. Mais nous avions déjà des problèmes avant ma grossesse, Bernie. Bo était devenu plus un homme d'affaires qu'un médecin. La clinique en est la preuve. Bien sûr, l'argent qu'il en tire lui permet de donner plein de fric à des œuvres et à des laboratoires qui font des recherches sur les déficiences congénitales. Sa philanthropie s'adresse aux étrangers, pas à son entourage. Et quand il s'agissait de vivre avec lui, eh bien, disons que nos cœurs ne dialoguaient pas. Je fais ce que je fais parce que j'aime ça. Il fait ce qu'il fait parce que ça lui rapporte... Quoi qu'il en soit, c'est le passé. Tout ce que je veux, maintenant, c'est devenir médecin-chef de notre service et m'assurer que tout se passe bien ici. Je voudrais que tu reconsidères ta candidature à un poste à la Clinique d'accouchement. Attends au moins que j'aie vu les gens du Conseil d'Administration ce matin et que j'aie essayé de leur faire comprendre la situation.

Bernie se pencha pour serrer Rae dans ses bras.

— Tu ne gardes plus de secret maintenant, d'accord, Rae ?

— Non, plus de secret, acquiesça Rae contre l'épaule de son amie.

— Eh bien, fit Bernie d'un ton las, je pense que je devrais rentrer maintenant. Appelle-moi ce soir, d'accord ? Non, appelle et laisse un message sur mon répondeur après la réunion du Conseil. La première chose que j'aurai envie de savoir quand je vais me réveiller, c'est si j'ai encore un travail ou pas.

Rae tapota la main de Bernie posée sur son épaule.

— Tu sais maintenant pourquoi Bo m'ignore quand il me voit, dit Rae.

— Maintenant, fit Bernie avec un pâle sourire, je sais pourquoi il a l'air incapable de vivre sans toi.

Après le départ de Bernie, Rae laissa la fatigue l'envahir. En bâillant, elle regarda la pendule : 6 heures 55. Elle était restée debout toute la nuit. Elle ferait mieux de se dépêcher si elle voulait s'habiller, manger un morceau et rejoindre la réunion du Conseil d'Administration de l'hôpital à huit heures. Elle enfila ses bas, puis décrocha une robe bleu marine. Elle avait toujours quelques vêtements de rechange au cas où elle ne pourrait pas rentrer chez elle après une nuit de garde.

— Docteur Duprey ! Vous êtes encore là ?

Ça venait du téléphone intérieur. Rae reconnut aussitôt la voix.

— Désolée, Trish, dit-elle dans l'appareil en plaisantant. Le Dr Duprey est partie il y a dix minutes.

— Docteur Duprey, on n'arrive pas à trouver le Dr Michaels... !

— Je suis sûre que vous pourrez le trouver à la Clinique... commença Rae.

— ... et une de ses patientes vient d'arriver en ambulance de la Clinique d'accouchement ! Le bébé a un pouls dans les soixante qui ne remonte pas ! Elle n'a qu'un centimètre de dilatation...

Rae arracha la serviette dans laquelle elle était drapée et empoigna dans un placard vitré une blouse et un pantalon propres de chirurgien.

— Elle est sur la table ?

— Il lui faut une césarienne... vous venez ?

— Installez-la sur la table ! lança Rae. Voyez si vous pouvez trouver Bernie, s'empressa-t-elle d'ajouter.

Elle savait qu'il devait y avoir de bonnes infirmières disponibles dans l'équipe de jour, mais, de jour comme de nuit, Bernie était la meilleure.

Le téléphone intérieur s'était tu. Rae ne savait pas si Trish l'avait entendue demander Bernie. Mais, en moins de trente secondes, elle était habillée et dévalait le couloir blanc et nu pour gagner le bloc opératoire.

Oubliée la guerre entre la Clinique d'accouchement et l'Hôpital. Elle avait un bébé à sauver.

CHAPITRE DEUX

Rae retrouvait mieux son chemin dans la maternité en forme de U de l'Hôpital de Berkeley Hills qu'elle ne connaissait sa propre maison. Mais, comme toujours, elle prenait les tournants trop vite et, au premier virage, elle entra en collision avec le chariot que poussait Claudia, la femme de ménage de jour.

— Pardon ! cria Rae en retrouvant son équilibre et en continuant à courir.

— Cette fois-ci, lui cria Claudia, je veux une fille !

Rae fonctionnait à l'adrénaline. Elle n'avait rien mangé depuis la veille. En moins de soixante secondes, elle s'était brossé les mains, avait enfilé blouse et gants et elle était sur une plate-forme auprès de la table d'opération sur laquelle la patiente anesthésiée gisait, inconsciente. Dès qu'on l'aurait intubée, Rae pourrait commencer.

Ses doigts fins tenaient le manche bleu d'un scalpel aussi délicatement que l'archet de son bien-aimé violon chez elle. Elle abaissa la lame argentée étincelante un centimètre exactement au-dessus du ventre de la patiente. On l'avait badigeonné d'une solution de teinture d'iode et sa peau brillait maintenant comme une citrouille. Elle imaginait déjà les teintes des couches de tissus sous l'épiderme. A l'extérieur, les gens semblaient si différents, songea-t-elle. Mais, à l'intérieur, ils étaient tous de la même couleur.

— Vous ne pouvez pas encore ouvrir, lui dit son assistante, Eva Major, une jeune panseuse qui n'était mariée que depuis quatre mois.

Eva fit pivoter la rampe scialytique pour la braquer sur

l'emplacement exact où Rae allait faire son incision. Quatre infirmières de la maternité et deux du service de pédiatrie s'affairaient à brancher la pompe aspirante, à compter les tampons et les paquets d'agrafes et à régler les cadrans sur le chariot de réanimation du nouveau-né.

— Ah oui ? Regardez-moi.

— Mais, docteur Duprey...

Rae tourna la tête : elle lut 7 heures 3 à la pendule digitale fixée au mur. Elle n'avait aucune intention d'inciser la patiente avant que l'anesthésiste ait terminé d'intuber.

— Quel est le pouls maintenant ? s'écria-t-elle au milieu de toute cette agitation.

— Dans les soixante-dix ! répondit une voix.

— Bo est arrivé ?

— Pas encore vu !

Ça ne la gênait pas d'être la seule obstétricienne, mais cela l'agaçait d'attendre que l'anesthésiste ait terminé d'intuber la patiente.

— Allons, Charley ! cria-t-elle. (Le Dr Charley Grant travaillait dans l'équipe de nuit : elle apercevait le haut de son bonnet bleu de chirurgien de l'autre côté du champ opératoire.) Je ne peux pas inciser sans vous...

— Je m'appelle Hartman. Sam Hartman, l'entendit-elle répondre. Désolé. Charley est parti.

— Vous avez oublié le changement d'équipe, murmura Eva.

— Sam Hartman ? interrogea-t-elle sur le même ton. Qui diable est ce type ?

Eva haussa les épaules.

— Très bien, docteur Hartman, dit Rae en sentant les secondes s'écouler trop rapidement, mais il faut que nous remontions un peu ce chiffre...

— Encore cinq secondes...

— Nous n'en avons pas une...

Non, se dit-elle en frappant le sol avec sa chaussure de tennis, le bousculer ne ferait que le rendre nerveux. Elle leva les yeux vers la pendule : 7 heures 4. La garde de Charley s'était terminée à 7 heures.

Sam Hartman... Sam Hartman ? Puis elle se souvint. C'était le nouveau chef de l'équipe d'anesthésie cardiaque recruté à Harvard pour travailler au programme de chirurgie cardiaque de l'Hôpital en pleine expansion. Un fait de plus qui venait alimenter les rumeurs sur les licenciements envisagés à la maternité. La chirurgie cardiaque était devenue soudain le chouchou de l'hôpital.

Mais qu'est-ce que fichait donc un anesthésiste en cardiologie dans un service de maternité ? Et pourquoi diable Charley n'avait-il pu rester ?

— Ça fait combien de temps que le pouls est bas ? demanda-t-elle à l'infirmière.

— Il l'était déjà quand elle est arrivée ici.

— Combien de temps ?

— Sept minutes... Non ! Huit !

— Merde, marmonna Rae. Merde, merde, merde !

L'adrénaline qui l'avait aidée à faire le trajet des vestiaires à la salle d'opération jouait maintenant des tours à son muscle cardiaque. Son cœur battait à grands coups dans sa poitrine. Elle avait le souffle court. Elle ne pensait qu'à une chose : le travail de l'obstétricien consistait à sauver la mère et le bébé. *Sauver la vie ! Sauver la vie !* C'était son mantra, sa raison de vivre.

Elle s'impatientait. Elle avait un bébé à tirer d'affaire et pas beaucoup de temps. Elle était persuadée qu'une fois qu'elle aurait commencé, elle pourrait mettre le bébé au monde en un temps record. Trente secondes, à tout casser.

Non, disons soixante secondes, songea-t-elle en palpant le ventre de la patiente. Opérer sur de grosses femmes prenait toujours plus longtemps. Il y avait plus de graisse et de tissu à inciser et à écarter. Plus de sang partout. Elle savait aussi que la taille de la patiente était la raison pour laquelle ce type transplanté de Harvard mettait une éternité. Le seul geste de faire plier le cou à quelqu'un d'un peu fort était un exploit. Mais, elle avait beau comprendre, elle ne pouvait réprimer ses réactions : elle avait besoin de faire autre chose que de tenir à la main son scalpel étincelant.

— Docteur Hartman, lança-t-elle, vos cinq secondes sont passées.

Mais Sam Hartman ne répondit pas. Cela l'exaspéra davantage encore. Elle jeta furtivement un nouveau coup d'œil à la pendule. Toujours 7 heures 5, mais trente secondes de plus s'étaient écoulées !

Furieuse d'avoir à détourner encore les yeux du ventre de la patiente, elle jeta un coup d'œil par-dessus le champ. Elle allait houspiller encore Hartman mais elle vit enfin la sonde d'intubation du respirateur disparaître entre les dents de la femme. Puis il glissa sa main gauche jusqu'au ballon et le pressa. Sous sa main libre, Rae sentit la poitrine de la patiente se soulever et retomber : le tube était enfin en place.

— Go ! cria-t-il, mais elle avait déjà fait la première incision.

Elle découpa la peau horizontalement entre les os iliaques. D'un second coup, elle trancha les douze centimètres de graisse. Du troisième coup de bistouri elle fendit la couche fasciale, toute blanche et brillante, où les muscles convergeaient.

— Tenez, dit-elle à Eva en lui tendant le scalpel. (Les tissus profonds étaient doux comme du beurre. Il serait plus rapide de les déchirer avec les doigts que de les couper avec la lame et, dans une situation d'urgence, ce serait tout aussi sûr.)

Tirant avec ses deux petites mains dans des directions opposées, elle arracha le tissu conjonctif blanc des muscles droits, d'abord d'un côté à l'autre, puis de haut en bas. Elle aperçut alors la mince membrane entre les muscles intestinaux et la déchira aussi. Elle plongea ensuite ses deux index dans l'ouverture transparente de la cavité abdominale, l'ouvrit et écarta la masse gluante des intestins.

— Tire un peu plus fort sur cet écarteur, Eva, dit Rae. Nous travaillons ici dans un trou très profond.

Elle avait des crampes dans les doigts et les muscles de son cou la brûlaient. Des boules de graisse fondaient sur le dessus de ses gants et tout devenait glissant. Elle apercevait maintenant la masse rose du muscle de l'utérus. De l'index, elle y perça un trou puis l'élargit, en prenant soin de ne pas faire éclater le réseau des petits vaisseaux sanguins gonflés qui couraient sur les bords. Un déluge de liquide amniotique d'un vert brunâtre jaillit et vint se répandre sur le champ opératoire. La couleur lui révéla que le bébé avait lâché dans la poche d'eau son premier transit intestinal. Et si un peu de ce liquide nocif atteignait les poumons du bébé, cela pourrait déclencher une terrible pneumonie chimique et provoquer la mort.

— Parfait, il ne nous manquait plus que du méconium, dit-elle, espérant que le bébé n'avait pas déjà inhalé dans ses poumons le redoutable fluide.

Soudain, elle chancela. Sous ses pieds, la plate-forme se mit à osciller. Une vague d'étourdissements déferla sur elle, sans doute la déshydratation, car elle n'avait pas bu grand-chose de toute la nuit. Rae inspira profondément, comme si aspirer davantage d'air dans ses poumons allait compenser le manque de sommeil, d'eau et de nourriture.

— Que quelqu'un me dise quelle heure il est ! cria-t-elle, espérant que personne ne remarquerait dans quel état elle se trouvait. (Elle plongea les mains dans l'utérus de la patiente et se mit à chercher la tête du bébé.)

— 7 heures 6 ! lui répondit-on.

Encore une minute ! se dit Rae. Encore soixante secondes !

Le champ opératoire baignait dans un flot de sang et de méconium. On ne sait pourquoi, Eva qui, après Bernie était la meilleure infirmière de l'unité, n'arrivait pas très bien à étancher le flot.

— N'aie pas peur d'aller un plus vite, Eva, dit-elle.

— Ça sent drôle, murmura Eva.

Rae se demanda si quelqu'un qui n'appartenait pas au corps médical savait que chirurgiens et infirmières parlaient souvent d'autre chose que de chirurgie au cours d'une intervention. Mais elle n'était pas d'humeur à bavarder pour l'instant.

— Ça me rappelle l'alcool à 90°. En grande quantité, fit Eva au bord de la nausée.

Rae sentait l'odeur aussi.

— Comment ont-ils dit que ce bébé se présentait ? demanda-t-elle en plongeant vers la partie supérieure de l'utérus.

— Trish ne vous l'a pas dit ? demanda Eva. Par le siège.

— Elle a probablement essayé, mais j'ai raccroché, dit Rae. Alors, où sont les pieds ?

Elle plongea plus haut, cherchant avec plus d'insistance.

— Je ne me sens vraiment pas bien, docteur Duprey...

— Prépare-moi les ciseaux. Nous devrions sortir le bébé d'ici dix secondes tout au plus.

— ... et je voulais justement vous dire...

— Et prépare-moi aussi des clamps...

— ... Je suis désolée, docteur Duprey, je ne me sens pas bien...

— Moi non plus, Eva...

— Je vous en prie, docteur Duprey ! Je suis enceinte de deux mois !

— Mon Dieu ! fit Rae.

Elle avait fini par trouver les pieds du bébé à l'intérieur de la matrice, tout en haut sur la droite, sous le foie. La tête flottait vers la gauche, juste sous la rate.

— Regarde, Eva. Tu vois ? Le bébé se présente par l'arrière et de travers. Mon Dieu, c'est ce qu'il y a de pire. Absolument de pire.

Son cœur battait plus vite que jamais. *Reste calme, Rae*, se dit-elle. *Reste calme !*

— Je crois que j'ai besoin de m'allonger...

— Dans une minute, d'accord ? Humecte-moi juste une de ces serviettes. De toute façon, nous allons le retourner et l'accoucher par le siège.

Elle était navrée pour Eva mais, pour l'instant, elle ne pouvait penser qu'à la santé du bébé. Elle fourragea jusqu'au moment où ses doigts rencontrèrent la minuscule épine dorsale, puis ils suivirent la colonne vers la jambe jusqu'à ce qu'elle trouvât un pied.

— Maintenant, on y va, dit-elle.

Elle remonta ses doigts d'un centimètre et demi et saisit la cheville du bébé. Du moins ce qu'elle crut être une cheville.

— Bon sang !

— Ça n'est pas la main ? murmura Eva.

— Je sais, je sais !

Jurant sous cape, elle repoussa les doigts du bébé dans l'utérus. Seuls les obstétriciens savent à quel point il est facile de confondre mains et pieds au cours d'une césarienne. Elle plongea les mains plus haut. Les vapeurs d'alcool lui faisaient monter les larmes aux yeux.

— Viens, petit bébé, dit-elle. Donne-moi un coup de main. Tu ne le sais pas encore, mais on est ensemble sur ce coup-là.

Elle avait maintenant le bras si enfoncé à l'intérieur du corps de la patiente qu'elle aurait pu littéralement tomber dedans. Elle fouilla encore et cette fois, pas d'erreur, elle amena une cheville. Elle trouva l'autre pied et le saisit à son tour.

De la main droite, elle empoigna les deux chevilles. Elle tira jusqu'au moment où les fesses et le dos du bébé apparurent. Elle continua jusqu'au moment où elle aperçut le repère le plus important dans un accouchement par le siège, les omoplates.

— Ça m'a l'air d'être un garçon, observa Sam.

— Exact, dit Rae. (*Un vrai génie*, songea-t-elle.)

Prenant des mains d'Eva la serviette bleue humide, elle l'enroula autour des hanches du bébé. Elle le fit pivoter d'un côté et, quand elle aperçut son aisselle, elle se servit de l'index de sa main droite pour tirer doucement sur le bras et la main. Elle fit tourner le bébé de 180 degrés et répéta la manœuvre de l'autre côté.

— Encore deux ou trois secondes...

Elle regarda la pendule. 7 heures 8. Deux minutes de plus étaient déjà passées.

Plus vite ! se dit-elle. Il fallait travailler *plus vite* ! Un bébé avec un pouls dans les soixante-dix ne pouvait pas survivre bien longtemps dans l'utérus. Elle avait maintenant réussi à sortir le corps de celui-là jusqu'au niveau des épaules. Mais, lorsqu'elle voulut faire passer la tête, elle constata que l'utérus s'était refermé autour de son cou comme la corde d'un pendu.

— Eva, dit-elle en désignant la zone juste sous le sein gauche de la patiente, maintenez-lui la tête penchée en appuyant...

— Docteur Duprey, je...

— Non, pas là. Ici...

Mais la main d'Eva glissa dans la direction opposée. Levant les yeux, Rae vit l'infirmière se rapetisser soudain jusqu'au moment où elle disparut lentement de l'autre côté du champ opératoire.

— Eva ! cria-t-elle en plongeant vers elle.

— Elle est tombée dans les pommes ! annonça une des autres infirmières.

Là-dessus, le drap stérile se mit à glisser de la table et le plateau d'instruments bascula.

— Attention ! cria Rae.

Elle essaya de rattraper le plateau mais il s'écrasa sur le sol avec la plupart du matériel posé dessus. Elle ne réussit qu'à saisir une paire de clamps ainsi que les ciseaux qui servaient à couper le cordon.

Mais je ne suis pas prête à couper le cordon ! se dit-elle. Elle n'avait même pas encore fait sortir la tête... !

— Est-ce que quelqu'un s'occupe d'Eva ?

— Je la tiens ! cria Sam.

— ... et que quelqu'un vienne la remplacer !

Elle jeta un coup d'œil à la pendule et sentit une vague d'affolement déferler, une émotion qu'elle n'avait jamais connue dans une salle d'opération. 7 heures 9. Encore une minute de passée. Elle croyait entendre le bébé dans l'utérus de sa mère lui crier : « Sauve-moi ! Sauve-moi ! »

La sueur maintenant lui baignait les aisselles et le dos. Pire, elle n'arrivait pas à voir si quelqu'un était en train de passer une blouse stérile.

— J'ai dit que j'avais besoin de quelqu'un pour remplacer Eva !

Elle savait qu'une infirmière devait être en train de se préparer et elle s'en voulait de crier. Mais c'était plus fort qu'elle. Elle ne se préoccupait que d'une chose. Le bébé. Les secondes passaient dont chacune était comme une piqûre d'aiguille dans sa nuque. Elle avait des crampes dans les doigts. Des brûlures encore plus marquées dans le haut du dos et les épaules. Elle finit par trouver le minuscule espace qui séparait le visage du bébé de la paroi de l'utérus, même si la tête était encore coincée à l'intérieur. Elle glissa délicatement les doigts dans la petite bouche. Pressant l'index contre le palais fragile, elle essaya une autre manœuvre classique dans les accouchements par le siège et elle tira. Rien : la tête était toujours coincée.

— Un coup de main, docteur ?

La voix était celle de Bernie, qui avait déjà passé sa blouse et ses gants.

— Il serait temps, dit Rae tandis que Bernie s'approchait du côté de la table où Eva quelques instants plus tôt s'était évanouie.

— Dire que, pour un peu, j'étais rentrée chez moi sans histoire, fit Bernie d'un ton amer.

— Maintiens l'utérus ouvert et appuie ici, dit Rae, comme si son amie avait toujours été là.

Bernie se mit en position et Rae examina de nouveau la situation. Elle regarda le corps du bébé : ses jambes et ses bras blancs étaient drapés autour des cuisses de sa mère. Il avait le cou un peu étiré à l'orifice de l'incision de l'utérus et sa tête était cachée par les muscles roses de la matrice. Quelques gouttelettes de méconium, comme des fourmis vertes, parsemaient la partie exposée de son corps.

Rae remit en place ses doigts crispés. Une douleur lui traversa l'avant-bras jusqu'au coude.

— Doucement, se répéta-t-elle avec assurance. Vas-y maintenant.

Elle tira prudemment mais avec toute la détermination qu'elle pouvait rassembler.

— Pourquoi est-ce que tu n'agrandis pas l'incision ? interrogea Bernie.

— Non, on a la place, insista-t-elle.

D'ailleurs, voilà qu'apparut le menton du bébé, puis les lèvres, le nez, les yeux et enfin le front. Elle déroula rapidement les trois boucles de cordon ombilical qui emprisonnaient le cou du bébé. Elle aspira le méconium qu'il avait dans le nez et dans la bouche.

— Ciseaux !

Elle coupa le cordon, puis prit dans ses bras frêles l'énorme bébé. Sa grosse tête pendait d'un air souffreteux contre la poitrine de Rae. Ses bras et ses jambes pendaient mollement. Pire : il avait les paupières entrouvertes, ce qui laissait voir deux pupilles ternes qui roulaient d'un côté à l'autre, comme des billes.

Elle franchit en courant les deux mètres séparant la table d'opération du chariot de réanimation. Les infirmières, qui attendaient toutes son verdict, s'écartèrent. Personne ne disait rien. On n'entendait que le bip du scope cardiaque de la mère et le chuintement du respirateur.

Ruisselante de sueur, elle déposa le bébé sur le matelas blanc du chariot. Puis elle regarda la pendule : 7 heures 10. Ce fut comme si elle avait reçu un coup de maillet entre les yeux. Elle était entrée dans la salle d'opération à 7 heures 3. Elle avait pratiqué la première incision à 7 heures 5. Trente à soixante secondes à tout casser pour opérer, s'était-elle promis. Elle constatait maintenant que ce qui aurait dû lui prendre tout au plus une minute en avait demandé cinq. Et elle savait que chaque minute que le bébé passait à l'intérieur de l'utérus avec un pouls dans les soixante réduisait ses chances d'être un enfant normal à l'âge de l'école maternelle.

Pour le pédiatre et les infirmières qui préparaient la réanimation du bébé, Rae gardait un air calme et confiant. Mais, au fond d'elle-même, elle suppliait en silence : allons, petit bébé. Souviens-toi, toi et moi, ensemble. On a tenu le coup jusque-là. On peut y arriver. On peut y arriver !

En regardant travailler ses collègues, Rae croisa les bras sur sa blouse maculée de sang et de méconium. Elle sentait la tiédeur des deux liquides filtrer jusqu'à sa peau. Elle avait envie de tendre la main pour toucher le bébé dont la peau était devenue grise comme un ciel d'hiver. Mais elle se retint car c'était maintenant le pédiatre, le Dr Arnie Driver qui était chargé de la réanimation. Bon sang, se dit-elle, pourquoi fallait-il que ce soit Arnie ? Il avait peut-être le meilleur diagnostic de son service, mais il était assurément le pédiatre le plus incompétent sur le plan technique de toute l'équipe.

Driver était un énorme gaillard dont les cheveux blonds bouclés se retroussaient maintenant sous les bords de sa calotte bleue de chirurgien. Non seulement il était pédiatre à plein temps, mais il était aussi le médecin-chef, directeur de l'Hôpital. Mais ses vraies passions, c'étaient le golf et le billard. Et il détestait les femmes médecins.

Rae pianotait nerveusement contre ses bras en voyant Arnie glisser un tuyau d'une vingtaine de centimètres dans la gorge du bébé. Mais au lieu de fixer le tuyau à la poche du respirateur à l'avant du chariot de réanimation, Arnie jura sous cape et le retira. Il plissa le front, puis essaya une nouvelle fois de l'introduire.

Rae l'avait bien vu. Le tuyau était dans l'œsophage du bébé, pas dans la trachée. Elle se tourna vers l'équipe derrière elle.

— Appelez le néonatalogiste ! dit-elle sèchement. Dites-lui qu'on a besoin d'un coup de main ici...

— Je peux très bien faire ça ! dit Arnie en se tournant vers Jessica Howe, l'infirmière de la maternité dont le pouce et l'index droits marquaient le rythme du pouls du bébé. Alors, aboya Arnie, est-ce que le pouls remonte ou pas ?

Rae arracha ses gants ensanglantés et passa les doigts sur la cage thoracique du bébé. Il avait la peau tiède, sèche et d'une couleur terreuse. Derrière les os minuscules, elle sentit la lente palpitation de son cœur.

Les doigts de Jessica pianotaient de plus en plus lentement.

— Toujours dans les soixante-dix.

Rae chercha du regard la néonatalogue : mais le Dr Catherine Drake n'était pas dans la salle.

— Bon sang, Arnie, enfoncez-lui ça ! dit Rae.

Sans répondre, Arnie continuait à tâtonner avec son tuyau. Elle avait envie d'arracher de ses grosses mains le petit segment de plastique et de le plonger elle-même dans la gorge du bébé. Si elle avait su s'y prendre, elle l'aurait fait sur-le-champ. Mais ce talent-là était le fait des pédiatres.

La pendule annonçait 7 heures 11. Rae poussa un soupir de soulagement quand elle vit la main d'Arnie sur le ballon gris. De toute évidence, se dit-elle, il a fini par introduire la canule dans la trachée. Mais, quand il pressa le ballon, rien ne se passa. La poitrine du bébé ne se souleva pas.

— Vous êtes toujours dans l'œsophage ! s'exclama-t-elle.

Le décompte de Jessica ralentissait.

— Soixante-douze. Soixante. Quarante-huit...

Rae poussa Arnie.

— Commencez la réa cardio-pulmonaire maintenant ! ordonna-t-elle. Jessica, prenez le masque pour ventiler le bébé. Je vais lui faire un massage cardiaque...

— Hé... ! cria Arnie.

Sans s'occuper de lui, Rae s'approcha du chariot. Elle ne savait peut-être pas intuber un bébé, mais elle connaissait les principes fondamentaux de la réanimation : le cœur de ce bébé devait pomper plus vite s'ils voulaient le garder en vie.

— Qu'est-ce que vous foutez ? demanda Arnie.

Les deux premiers doigts de la main droite de Rae appuyèrent contre le sternum du bébé, s'enfonçant comme s'il s'agissait d'une poupée en plastique. Elle pompa au rythme de cent vingt compressions par minute. On avait l'impression qu'à tout moment la petite plaque osseuse qui réunissait les côtes allait se briser.

— Qu'est-ce que vous croyez que je fais ? riposta-t-elle.

Son regard était fixé sur la poitrine du bébé.

— Un et deux et trois... comptait-elle tout haut, essayant de maintenir un rythme régulier.

Puis, se tournant vers Arnie, elle dit :

— Trouvez-moi quelqu'un qui sache mettre ce foutu tuyau au bon endroit...

Arnie écarta Jessica sans laisser à l'infirmière le temps de couvrir le bébé avec le masque. Il introduisit une nouvelle fois le tuyau dans sa gorge et pressa de nouveau la poche du respirateur.

— Maintenant, j'y suis !

Mais la poitrine du bébé ne bougeait toujours pas.

— Merde ! fit Rae.

— Docteur... ?

— Quoi, Bernie... !

— Notre patiente là-bas...

Bon sang ! se dit Rae. Elle avait complètement oublié la mère !

— Bo n'est pas encore arrivé ?

— Non...

— Alors, rappelez-le ! Et prévenez-moi si elle commence à saigner !

Rae savait que, dès lors que la patiente ne saignait pas beaucoup, elle pouvait se permettre de rester où elle était. Bernie était une infirmière hors pair. Si la patiente présentait le moindre signe inquiétant, elle alerterait aussitôt Rae.

— Je n'entends toujours aucun bruit de respiration, docteur Driver, déclara Jessica en appuyant le petit disque argenté d'un stéthoscope de pédiatre contre le thorax du bébé.

— Donnez-moi ça ! dit-il, furieux.

Une goutte de sueur ruisselant du front d'Arnie tomba sur le bras de Rae au moment où il arrachait le stéthoscope des mains de Jessica. Il plaqua l'appareil contre la poitrine du bébé et colla les écouteurs contre ses oreilles.

— Nom de Dieu, je dois être dedans !

— La néonatalogiste sera ici dans cinq minutes ! cria quelqu'un.

— Appelez l'anesthésiste ! lança Rae.

— Impossible ! Frank est coincé par un accouchement à la ventouse dans la salle 17 !

— Nous ne serions pas dans ce merdier si vous n'aviez pas pris tout votre temps...

— Arnie, répliqua Rae, vous avez vos problèmes.

— Nom de Dieu, dit Arnie en faisant un nouvel essai, je n'arrive pas à entrer ce foutu machin...

Rae se demandait quoi faire. Puis elle se souvint. Le nouveau type de Harvard. Il avait été formé à intuber les adultes. Elle ne pouvait qu'espérer qu'il savait intuber un nouveau-né.

— Hé, Hartman ! cria-t-elle, venez par ici !

Elle sentit aussitôt un corps dur et mince se presser contre le sien tandis qu'il se glissait parmi les autres qui entouraient le chariot de réanimation.

— Continuez à écouter, dit-il en faisant un signe de tête à Jessica et en prenant le tuyau des mains d'Arnie. Et continuez à pomper, docteur Duprey. Descendez à un centimètre, un centimètre et demi, pas plus. Pas moins. Gardez un rythme régulier de 120 par minute. Et, quoi que vous fassiez, n'ôtez pas vos doigts de cette poitrine...

Rae n'avait pas besoin qu'on lui dise ce qu'il fallait faire, mais elle garda ses réflexions pour elle.

— Je vous assure, je n'y voyais foutrement rien ! répéta Arnie en s'écartant.

Retenant son souffle, Rae regarda Sam tenter de glisser le tuyau dans la gorge du bébé.

— Alors ? demanda-t-elle. (Sous ses doigts, les lèvres du bébé prenaient une coloration de plus en plus foncée : on aurait presque dit des perles noires au lieu de la tendre couleur des fraises d'été.)

Tout en continuant de presser sur le sternum du bébé, elle était consternée de voir qu'il avait le reste du corps aussi bleu. Ses paupières n'étaient qu'entrouvertes sur un regard vide. Lui pomper inlassablement le thorax ne servait à rien à moins qu'on n'arrive à lui faire parvenir un peu d'oxygène jusqu'au cerveau.

Bon sang ! se dit-elle. Au début de la réanimation, elle s'était demandé comment serait le bébé à l'âge de cinq ans. Maintenant, elle pensait seulement qu'il ne serait peut-être plus là demain.

— Ce que nous avons ici, c'est un cas aigu de laryngospasme, dit Sam de son ton tranquille.

Rae appréciait son calme après toutes les vociférations qui s'étaient échangées entre Arnie et elle.

— Docteur Driver, demanda Sam, est-ce que l'oxygène est ouvert à fond ?

— Ça gicle, dit Arnie.

Sam fit tourner le tuyau en plastique du respirateur entre ses doigts comme un petit bâton.

— De quel genre de conduit s'agit-il exactement ?

— Quel genre de conduit... C'est un conduit de respirateur ! cria Arnie. J'ai pris un calibre 3,5... !

Rae se pencha vers le matelas et aperçut l'emballage déchiré du tuyau qui s'enfonçait maintenant dans la gorge du bébé.

— Bon Dieu, Arnie, vous ne savez pas lire ? Un calibre 3,5, vous parlez ! C'est un *4,5* que vous lui avez collé !

— Pas étonnant que ça n'entrait pas, dit Sam. Et ça explique aussi le spasme.

Il retira le conduit et plaça sur le visage du bébé un masque à oxygène. Il pressa la poche à air : la poitrine du bébé s'éleva et s'abaissa, mais à peine.

— C'est mieux que rien, mais un conduit de la bonne taille aurait fait l'affaire.

Arnie saisit l'emballage.

— Ne me dites pas...

— Que quelqu'un apporte au docteur Hartman une sonde d'intubation de calibre 3,5 ! cria Rae.

— J'y vais ! fit Hannah Brokonsky, une petite infirmière blond décoloré qui voletait comme un oiseau-mouche.

Hannah se précipita à l'autre bout de la salle et se planta devant les placards métalliques informatisés qui s'étageaient du sol au plafond. Elle n'avait qu'à taper le nom de l'article qu'elle voulait sur un clavier et la porte du casier approprié s'ouvrirait automatiquement.

— Quel calibre ? demanda Hannah.

— 3,5 ! cria Rae.

Les doigts de Hannah coururent sur les touches. En une seconde, un casier s'ouvrit. Elle y plongea la main. Elle se tourna vers Rae en ouvrant de grands yeux :

— On n'en a plus !

— Oh, bonté divine ! s'écria Arnie.

— Jessica, remplacez-moi, dit Rae en bousculant Arnie.

Elle tapa rapidement une nouvelle série de lettres. Elle passait tellement de temps à l'Hôpital de Berkeley Hills qu'elle le connaissait par cœur. Récemment, le réapprovisionnement des casiers avait été un problème. Les erreurs étaient courantes. Les fournitures bien souvent n'étaient pas à leur place. Mais tout cela changerait, se dit-elle, dès qu'elle deviendrait chef du service.

Rae se doutait que le tuyau était simplement dans le mauvais casier. Et, évidemment, dans le casier des conduits de calibre 4,5 se trouvait celui de 3,5 dont Sam avait besoin pour sauver le bébé. Tout en se précipitant vers le chariot, elle arracha l'emballage en plastique. Tendant à Sam le conduit de la bonne taille, elle poussa Arnie et reprit son massage cardiaque. Pendant son absence, Arnie l'avait remplacée.

Sam ôta le masque du visage du bébé et introduisit dans sa gorge le laryngoscope. Le tuyau, plus petit, disparut aussitôt derrière les cordes vocales. Rae observait avec attention. A travers la visière en plastique devant le visage de Sam, elle distinguait les traits de son visage. Quelques rides autour des yeux, d'autres moins nombreuses sur son front. Les rides s'effacèrent : il était apparemment satisfait de la position du tuyau.

Mais, lorsqu'il pressa la poche d'air, la poitrine du bébé ne bougea pas.

Rae ouvrit de grands yeux incrédules.

— Vous avez pourtant dû l'entrer !

— Une minute, murmura Sam.

Il repositionna le tuyau. Rae retint son souffle. Sam pressa de nouveau la poche. Cette fois la poitrine du bébé se souleva et s'abaissa et le mouvement continua tandis qu'il pompait. Elle scruta le visage de Sam, guettant un hochement de tête qui la rassurerait. Mais ses yeux d'un bleu pâle restaient fixés sur le visage du bébé. Il continuait à presser la poche comme s'il s'en servait pour emplir ses propres poumons.

— J'entends quelque chose maintenant ! dit Jessica en déplaçant son stéthoscope sur le thorax du bébé. (Son pouce et son index pianotaient plus vite maintenant.)

— Continuez à écouter, dit Sam.

Rae poursuivait son massage cardiaque. Elle attendait que l'enfant donne un signe de vie. Une crispation de la joue. Un bref mouvement du gros orteil. Mais le bébé restait immobile comme s'il faisait partie du chariot de réanimation.

— Le pouls est à cent ! annonça Jessica.

Ses doigts pianotaient plus rapidement que Rae ne les avait jamais vus faire depuis le début de la réanimation.

— Arrêtez le massage, docteur Duprey, dit Sam.

Rae s'interrompit mais elle gardait les doigts posés sur la poitrine du bébé.

— Ça y est, bébé, dit Jessica en enfonçant plus profondément les écouteurs du stéthoscope dans ses oreilles. Allez, mon chou, vas-y...

Un lourd silence planait. Quelques secondes passèrent, interminables.

Et puis, juste au moment où Rae croyait que le pouls du bébé avait de nouveau chuté, Jessica ouvrit de grands yeux et cria :

— Dieu Tout-Puissant ! Il revient !

— Bon, fit Sam.

— Vous êtes sûre ? demanda Rae.

— Tenez, écoutez vous-même.

D'une main avide, Rae saisit le stéthoscope. Elle enfonça les écouteurs dans ses oreilles.

— Quel rythme ?

— Il a un pouls de 152.

Et, en effet, Rae entendit le cœur du bébé qui galopait comme un poney et le bruissement de l'air dans ses poumons. Tout d'un coup, elle se sentit molle comme une méduse. Pour ne pas s'effondrer, elle resserra son étreinte sur le côté du chariot.

Peu lui importait que Sam dût encore presser la poche pour emplir les poumons du bébé ni que, une fois installé dans la maternité, il reste relié à un appareil d'assistance respiratoire pendant quelques heures au moins. Tout ce qu'elle savait, c'était que le petit cœur battait tout seul et que, maintenant, l'oxygène qu'on lui administrerait non seulement remplirait ses poumons mais alimenterait son cerveau.

Arnie épongea son front de taureau.

— Je vais appeler la pouponnière et leur dire que nous arrivons.

Mais, à son premier pas, il heurta Hannah qui se tenait auprès de Rae.

— La prochaine fois, Hannah, donnez-moi donc ce que je vous demande.

— Je vous ai donné ce que vous m'avez demandé, docteur Driver !

— Docteur Duprey, appela Bernie.

— J'arrive.

Elle jeta un dernier coup d'œil au bébé. Sam avait entrecroisé deux bouts d'albuplast par-dessus le tuyau en plastique pour le maintenir sur la bouche du bébé. Elle se pencha et toucha sa petite main, comme si la vie de son propre corps allait à travers ses doigts ruisseler dans celui du bébé. Puis elle tourna les talons et revint rapidement vers la table d'opération.

Elle passa une blouse propre et une autre paire de gants et regarda la pendule, 7 heures 15. Le bébé était né à 7 heures 10. Cinq minutes pour réanimer le bébé, ajoutées aux cinq minutes de l'opération : ça faisait dix minutes au total. Dix minutes, c'était le temps maximum qu'un bébé pouvait supporter sans apport d'oxygène à son cerveau... Non, se dit-elle. Elle n'allait pas penser à ça pour l'instant. Elle n'avait pas encore fini. Elle remonta sur la plate-forme.

Bernie avait essuyé un peu du sang et du méconium et placé des clamps sur des drains le long des bords déchirés de l'utérus. Rae leva les yeux et regarda Bernie. Celle-ci tourna vers elle un regard plein d'une calme compréhension. Cela faisait dix ans qu'elles travaillaient ensemble. Elles se comprenaient sans échanger un mot.

— Merci, dit simplement Rae.

— Je t'en prie, répondit Bernie avec un sourire.

C'était réconfortant d'avoir sa meilleure amie si près d'elle. Rae prit une profonde inspiration, puis exhala rapidement pour chasser de son esprit tout ce qui ne concernait pas l'opération. Elle plongea les mains dans l'utérus pour en extraire le placenta. Mais il n'y avait plus rien : de toute évidence, Bernie s'en était déjà chargée. L'utérus ressemblait à un crâne chauve, rose et brillant, avec les ovaires blancs qui dépassaient de chaque côté comme des oreilles.

— A ton avis, qu'est-ce qui s'est passé ? demanda Bernie en tendant à Rae un porte-aiguilles.

— Je n'en sais rien, mais je suis sûre que ces trois boucles de cordon autour de son cou n'ont rien arrangé, répondit Rae, et elle se mit à recoudre sans un geste inutile. (Elle était le meilleur chirurgien obstétricien de son service. Le temps que ses collègues fassent un point de suture, elle en avait terminé quatre. Là où elles occupaient la salle d'opération pendant six minutes, elle effectuait les mêmes gestes en deux minutes. Elle termina de recoudre si rapidement que les parois de l'utérus de la patiente et la paroi abdominale se remirent en place comme spontanément.)

Bernie lui tendit le pistolet à agrafes et elle planta quinze agrafes d'argent pour refermer la plaie. Puis elle pressa le ventre pour chasser du vagin tous les caillots qui pouvaient rester dans l'utérus. Ensuite elle posa le pansement : des tampons de gaze et de l'albuplast blanc.

— Nous aurions pu l'avoir sur la table bien plus tôt si elle avait été à l'Hôpital dès le début, dit Rae, sans chercher à masquer la colère qui vibrait dans sa voix.

— Peut-être que le pouls du bébé a chuté quand elle partait de chez elle, dit Bernie.

— Je parle sérieusement, Bernie. Si à la Clinique d'accouchement on ne peut pas pratiquer de césarienne, alors ils ne devraient pas faire d'accouchement.

— D'accord, Rae, d'accord. Mais si je suis licenciée, c'est toi qui me feras vivre et qui m'assureras le niveau de vie auquel je suis habituée, tu comprends ? La prochaine fois que tu feras tes commissions, il faudra que tu t'occupes de Léopold et de ton humble servante.

— Oh, non, gémit Rae. J'ai oublié la réunion... Quelle heure est-il ?

— 7 heures 19.

— Docteur, annonça Sam, votre patiente se réveille.

Rae était toujours sur la plate-forme. Elle se pencha pour voir le visage de la femme dont elle venait de refermer la plaie. Un crucifix pendait autour de son cou, attaché à ce qui sembla à Rae être un lacet de chaussure de tennis en guise de collier.

Quel visage paisible, se dit-elle. Angélique. Des sourcils sombres comme des filaments de charbon ressortant sur le rose des joues.

— Comment s'appelle-t-elle, docteur Hartman ? demanda-t-elle.

— Ça n'est pas *votre* patiente ? répliqua Sam.

Là-dessus, la femme ouvrit les yeux. Son regard hésita avant de se poser sur le visage de Rae.

— Bonjour. Je suis le docteur Rae Du...

— Bonjour, docteur Rae. Je suis Nola Mahl, la Mère Bénie.

Rae entendit Sam étouffer un rire. Elle le foudroya du regard et il lui sourit.

— Pardon, dit-il.

Il avait les yeux emplis de la même compassion, de la calme compréhension qu'exprimait seulement quelques minutes plus tôt le regard de Bernie. Sam était un inconnu. Pourtant, il avait l'air de comprendre ce qu'elle comprenait et, malgré son petit rire, il se préoccupait tout autant du sort du bébé de Nola.

— C'est bon, docteur Hartman. Pas la peine de vous excuser.

— Sam. Appelez-moi Sam.

Rae sentit sur le dessus de sa main le contact d'une paume tiède. Baissant les yeux, elle vit les doigts boudinés de Nola posés sur les siens. Nola leva sa tête blonde et regarda autour d'elle.

— Docteur Rae, comment va mon bébé Jésus? Comment va mon petit garçon?

Rae sentit sa gorge se serrer.

— Votre petit garçon est né il y a dix minutes. Il est avec les médecins dans notre pouponnière où on lui donne quelques soins supplémentaires. On va vous emmener dans la salle de réveil. Vous pourrez le voir plus tard, dès que vous serez mieux réveillée.

Nola s'était rendormie.

Rae fit un pas pour s'en aller, mais elle avait oublié qu'elle était sur la plate-forme. Elle trouva le vide sous ses pieds et se sentit tomber. Sam la saisit par le coude. Elle essaya de se dégager, mais il la tint solidement jusqu'à ce qu'elle fût bien en équilibre sur ses deux pieds.

Gênée, elle se redressa.

— Ça va bien, ça va bien.

Elle se dépouilla de sa blouse et de ses gants et les aida à installer Nola sur le chariot. Puis elle nota quelques instructions sur sa feuille.

— Merci, tout le monde, lança-t-elle à l'équipe tandis qu'on entraînait Nola dans le couloir.

Rae maintenant était toute seule. Elle regarda lentement autour d'elle, comme si elle voyait la salle d'op pour la première fois. On aurait dit un champ de bataille. Il y avait du sang et du méconium par terre, le sol était jonché de tampons et d'emballages plastiques. La pièce sentait encore le sang, le liquide amniotique et la sueur. Rien de tout cela ne gênait Rae. Ce qui la tracassait, c'était le silence. Car, à aucun moment, avant, pendant et après l'opération, les murs de la salle n'avaient retenti du cri douloureux du nouveau-né.

Les portes de la salle d'opération s'ouvrirent et Claudia, la vieille femme de ménage noire que Rae avait bousculée quelques minutes plus tôt, entra d'un pas traînant avec son chariot et son balai. Claudia avait par-dessus son uniforme blanc une blouse chirurgicale bleue, la même que celle avec laquelle Rae venait d'opérer.

— Comment ça va, mon chou ? demanda Claudia.

Comme d'habitude, ses vieux yeux gris brillaient d'une lueur douce et joyeuse.

— Vous m'avez trouvé cette fille que je vous ai demandée, hein ?

Rae posa une main sur l'épaule de Claudia.

— Pas tout à fait.

Claudia secoua la tête et fit claquer sa langue.

— La prochaine fois, donnez-moi une fille.

Rae sortit du bloc opératoire et se dirigea vers le vestiaire. Là, elle comptait reprendre une douche, passer sa tenue de ville, et si quelqu'un à la réunion du Conseil faisait ne serait-ce qu'une allusion au licenciement d'une seule personne de son service, elle était prête à lui botter les fesses à toute volée.

CHAPITRE TROIS

Le Conseil d'Administration était la plus haute autorité de l'Hôpital de Berkeley Hills. Il comprenait plus de profanes que de médecins et représentait un établissement hospitalier à but non lucratif responsable de la santé des 120 000 résidents de Berkeley. Rae, de son côté, représentait les obstétriciens de son service, au nombre de quarante-cinq, des hommes pour les deux tiers, et dont la majorité opérait aussi bien à l'Hôpital qu'à la Clinique d'accouchement.

L'hôpital proprement dit était un bâtiment de sept étages de béton et de verre, avec 350 lits et un jardin en terrasse qui offrait une vue panoramique sur toute la Baie de San Francisco. Mais on l'avait construit haut dans le nord des collines de Berkeley comme symbole de la médecine de pointe et non pour la vue. Et voilà pourquoi Rae avait choisi la maternité du deuxième étage pour accoucher les bébés de ses patientes – plutôt que Stanford ou l'Université de San Francisco où elle avait fait son stage, plutôt que Harvard ou la clinique Mayo qui voulait l'engager quand elle avait terminé ses études.

Mais le coût de la médecine de pointe avait dépassé les rentrées d'argent dans les années 80 et la « gestion des soins », la formule fourre-tout pour soigner les gens en dépensant moins d'argent, avait frappé de plein fouet dans les années 90. Conséquence : la plupart des résultats financiers des hôpitaux, dont Berkeley Hills, avaient chuté en flèche. La technologie, que tout le monde réclamait, si cela signifiait la différence entre la vie et la mort avait dépassé les moyens des porte-monnaie.

Rae assurément le comprenait, tout comme les sévères décisions budgétaires que le Conseil devait prendre : par exemple, réduire les fournitures, diminuer les heures d'ouverture de la cafétéria, serrer la vis sur les instruments chirurgicaux que Rae et ses collègues utilisaient en salle d'opération. Malgré cela, l'hôpital continuait à perdre de l'argent.

Le Conseil avait donc décidé de baisser les salaires et de sabrer les effectifs du personnel non soignant. Les licenciements commencèrent avec ceux qui travaillaient à l'entretien et aux cuisines, puis ce furent les infirmiers, les employés de salle et les cadres subalternes. Mais les financiers dirent aux gens du service de prévoyance que les primes d'assurance maladie étaient encore trop élevées. Ne voulant pas voir baisser leurs résultats, les organismes de prévoyance comme le Groupe Perfecta, que Rae détestait, réduisirent les primes qu'ils demandaient à leurs employeurs – et à ceux qui achetaient les soins médicaux – en réduisant encore davantage les versements effectués aux médecins et aux hôpitaux.

Les services de prévoyance justifiaient ces mesures en prétendant que les médecins et les hôpitaux avaient fait grimper la part des frais bruts à carrément dix-sept pour cent.

Cela voulait dire en gros que, chaque fois que dans le pays on dépensait six dollars, un dollar était consacré aux soins médicaux. Le Conseil était donc obligé de réduire encore les frais. Et la prochaine coupe prévue ne concernait pas seulement le salaire des infirmières mais, comme le redoutaient Bernie et les autres, leur emploi même. Elle n'allait pas permettre cela, se dit Rae avec détermination tout en se changeant pour aller à la séance du Conseil.

Pour ce genre d'activité, elle avait des toilettes simples : des robes droites avec des fermetures à glissière dans le dos qui permettaient de se changer facilement. Comme celle qu'elle passait maintenant, un modèle en gabardine noire avec un col montant, des manches longues et une veste noire assortie. Ses perles montées en boucles d'oreilles étaient encore à la place où elle les avait rangées la veille. Elle passa une minute ou deux à se maquiller, puis chaussa des escarpins de daim noir. Pour finir, elle donna un coup de brosse à ses cheveux noirs coupés court, attrapa son sac dans son placard, fourra sa blouse dans la poubelle à linge sale et se dirigea vers la salle de réunion.

Elle dévala rapidement les trois étages. Elle rencontra, montant péniblement les escaliers, le Dr Mattie Henshaw, une obstétricienne qui travaillait à plein temps à l'hôpital, enceinte aujourd'hui de huit mois de son troisième enfant.

— Les ascenseurs sont encore en panne ou bien tu cherches la difficulté ? lança Rae.

Elle s'arrêta pour administrer à Mattie une petite tape amicale sur le ventre et sentit le bébé donner un coup de pied sous la blouse blanche.

— Les deux, fit Mattie en souriant. Je m'en vais faire une césarienne. J'ai des triplés qui m'attendent. A part une halte aux toilettes, tout ce qu'il me faut, c'est que la salle d'op soit prête. Mais, avec toutes les infirmières qui s'en vont à la Clinique d'accouchement, c'est un miracle s'il nous reste assez de personnel pour faire le travail.

— On n'en est pas encore là, dit Rae.

Mattie empoigna la rampe et poursuivit son ascension.

— Mais si, dit-elle. J'ai entendu parler de coupes budgétaires.

— Je m'en vais justement en discuter au Conseil.

— Cogne, Rae. Si quelqu'un en est capable, c'est bien toi.

Rae sourit toute seule en débouchant de la cage d'escalier pour traverser le hall de l'hôpital. C'était bon d'avoir un vote de confiance de sa collègue.

Le hall de l'Hôpital de Berkeley Hills, tout comme la maternité du deuxième étage, avait été conçu pour attirer le public du XXIe siècle. Un mobilier tout en verre et en chrome. Une moquette comme un énorme échiquier de carrés noirs et argent. Cet aspect futuriste manquait peut-être de chaleur mais il reflétait l'assurance d'un hôpital qui savait disposer des médecins les plus brillants, des meilleures infirmières de l'Etat, et de l'équipement médical le plus perfectionné du monde.

Jusqu'à une époque récente, ces cracks – médecins et infirmières – avaient vu leurs services bien payés. Mais, à mesure que les revenus du personnel médical chutaient – tout comme pour les enseignants, les banquiers et les aiguilleurs du ciel –, les meilleurs d'entre eux menaçaient de s'en aller et le nombre des candidatures diminuait à vue d'œil.

Des baies allant du sol au plafond constituaient les murs du hall.

Une verrière occupait la partie du plafond qui se prolongeait au-delà du premier étage. Pour Rae, les jours où elle ne parvenait pas à mettre le nez hors de l'hôpital, ce soleil qui ruisselait de partout était une bénédiction.

Mais ce matin-là, elle ne voyait dehors qu'une brume épaisse et grise.

Médecins et infirmières circulaient l'air affairé, la plupart en blouse blanche et en uniforme, ou bien, pour ceux qui arrivaient ou étaient sur le point de sortir, en gros chandails, manteaux et gants. Des femmes çà et là poussaient des voitures d'enfant où des bébés dormaient paisiblement. Il y avait des Blancs et des Noirs, des Asiatiques et des Hispaniques. Il y avait des pauvres et des riches et tout ce qu'on pouvait imaginer d'intermédiaire. Rae aimait cette diversité de cultures, de langues et de revenus qui prouvait que parfois toutes sortes de gens pouvaient travailler ensemble sous le même toit.

Elle adressa un chaleureux sourire à tous ceux qu'elle reconnaissait. Rae avait travaillé dur pour se faire une réputation. Beaucoup de gens la connaissaient et la respectaient. Qu'ils l'aiment bien ou non n'était pas si important, mais ça rendait certainement le travail plus agréable. En passant devant un chariot de repas, l'odeur du café lui fit venir l'eau à la bouche. Elle mourait d'envie de s'arrêter pour en prendre une tasse. Mais sa montre indiquait 7 heures 54. D'ailleurs, il y aurait du café là-bas. Elle hâta le pas.

Elle finit par arriver au bout du hall. Sur sa droite, un couloir dallé de marbre menait à la salle du Conseil. Elle s'y engouffra et se retrouva de nouveau seule. Apparemment. Car malgré tous ses efforts pour ne pas y penser, le souvenir du bébé de Nola lui revenait sans cesse à l'esprit. Comment allait-il ? Avait-il commencé à respirer sans assistance ?

— J'ai essayé de vous joindre, Rae.

Rae n'eut pas besoin de se retourner pour savoir qui lui avait adressé la parole. Cette voix basse, c'était celle de Walker. Walker Stuart, le PDG de l'Hôpital de Berkeley Hills.

— J'étais là-haut toute la nuit. Qu'est-ce qu'il y a ? dit Rae en attendant que Walker l'ait rejointe.

A la seule vue de Walker, elle se sentit mieux. Elle sourit et lui tapota le dos. A cinquante-deux ans, Walker était son ami et son mentor. Il avait été vice-président de l'hôpital où elle avait fait son stage et il était PDG de l'Hôpital de Berkeley Hills depuis cinq ans. Il n'était pas médecin mais s'intéressait autant qu'elle aux patients.

— Pas étonnant que vous ne m'ayez pas rappelé, dit-il. J'ai laissé un message sur votre répondeur.

Avec son mètre quatre-vingt-dix, Walker la dominait largement. Elle devait faire un pas et demi pour chacun des siens. Il marchait, ses yeux verts au regard pénétrant fixés devant lui. Pas une mèche de ses cheveux argentés ne dépassait et sa barbe blanche était impeccablement taillée. Comme toujours, il était vêtu avec le plus grand soin : costume bleu marine de coupe italienne, chemise blanche immaculée, cravate bordeaux et bleu et des richelieu noirs bien cirés...

Walker habitait une vaste demeure de style Tudor dans un quartier élégant de la ville de Piedmont. Marié depuis vingt-sept ans, il avait deux filles dont l'aînée avait un bébé prénommé Agatha que Rae avait mis au monde.

— J'ai pourtant un bip, dit Rae en tapotant son sac. Qu'est-ce qu'il y avait de si important ?

Elle aurait voulu parler à Walker de la césarienne de Nola. L'incident de la sonde d'intubation la tracassait. Cela tracasserait Walker aussi s'il était au courant. Il tenait avant tout à la qualité des soins. Mais son air tendu la fit hésiter. Manifestement, il avait assez de problèmes pour ce matin.

Elle attendit donc qu'il parle. Ils étaient au milieu du couloir dallé de marbre qui menait à la salle du Conseil, le saint des saints de l'hôpital. Evidemment, il y avait des gens qui trouvaient que Walker y était allé un peu fort quand, cinq ans auparavant, il avait pris la barre comme PDG de l'hôpital et avait dépensé tant d'argent pour « requinquer la baraque ». Mais l'argent en ce temps-là ne manquait pas et, estimait Rae, si un cadre agréable faisait du Conseil d'Administration une meilleure entité décisionnaire, alors, très bien. Même si le Conseil n'avait pas à improviser comme Rae le faisait souvent en salle d'op, il prenait des décisions tout aussi importantes dont les conséquences étaient tout aussi sérieuses.

— Ecoutez, dit-il, je ne pouvais pas risquer d'appeler votre répondeur hier soir ou ce matin. Je ne suis pas censé vous dire ça maintenant : ça pourrait me coûter ma place.

Il s'arrêta pour regarder autour de lui. Rae constata qu'en dehors d'eux, le couloir était désert. Inquiète, elle dit :

— J'écoute.

— Voilà, fit Walker. J'ai appris ce qui s'était passé avec cette patiente en salle d'op ce matin – j'en ai eu du moins une version.

Rae n'avait pas besoin que Walker s'explique. Dans un hôpital, les rumeurs se répandent rapidement.

— Ça ne peut pas être ce dont vous vouliez me parler puisque l'opération n'a eu lieu que ce matin, et que que vous me cherchiez hier soir, dit Rae.

— Tout se tient, dit Walker. Enfin, ça se pourrait.

Rae lui donna en trente secondes sa version de la césarienne de Nola Mahl et de la réanimation effectuée par l'équipe.

— Heureusement que vous étiez de garde, dit-il. Et, croyez-moi, si je dois mettre moi-même ces sondes d'intubation – ou Dieu sait comment ça s'appelle – dans les casiers...

— Pour commencer, Nola aurait dû être hospitalisée chez nous, déclara Rae. Vous auriez dû la voir. Comment une patiente comme elle a pu se retrouver à la Clinique d'accouchement, c'est une chose que j'ai bien l'intention de découvrir. Et maintenant le Conseil veut licencier nos infirmières...

— Il n'y a pas que ça, dit Walker. C'est pourquoi j'essayais de vous trouver.

Rae plissa les yeux. Il y avait dans la voix de Walker un accent menaçant.

— Ce qui veut dire ? interrogea-t-elle.

— Hier soir, il y a eu une réunion du Comité financier. Une réunion d'urgence. Voyez-vous...

Mais avant que Walker ait pu continuer, Rae entendit : « Ah, Walker, je pourrais vous dire un mot rapidement ? »

Rae vit Walker se tourner vers Heidi O'Neil, la présidente du Conseil d'Administration.

Walker s'adressa à Rae à voix basse tandis que Heidi, en tailleur rouge strict et corsage de soie blanche, se dirigeait vers eux.

— A propos de Nola... c'était bien le nom de votre patiente, n'est-ce pas ?

Rae acquiesça en regardant Heidi approcher.

— Walker, je vous en prie, il faut que je vous parle avant la réunion.

— Est-ce que cette histoire, fit doucement Walker, est une chose que vous pourriez raconter au Conseil ?

— Qu'est-ce que vous voulez dire ? interrogea Rae, essayant de lire dans les pensées de Walker.

— J'aurai peut-être besoin que vous leur parliez de Nola au cas où les choses s'envenimeraient.

Rae n'aimait pas son ton, ni son regard nerveux.

— Je ne pourrais pas citer son nom, dit lentement Rae.

— Mais vous pourriez raconter l'incident ?

— Walker, qu'est-ce que c'est que tout ça ? Qu'est-ce qui pourrait s'envenimer ?

Mais Walker n'eut pas l'occasion de lui répondre, Heidi les rejoignait et prenait Walker par le bras.

— Je n'ai pas l'habitude de courir après les hommes, dit-elle avec un sourire.

— Bonjour à la plus grande banquière du monde, dit Walker. Qu'est-ce que je peux faire pour vous ?

— Vous permettez que je l'accapare un instant, Rae ? demanda Heidi.

Rae lança à Walker un coup d'œil inquiet. En tant que présidente du Conseil d'Administration, Heidi était la patronne de Walker. Rae devait être prudente. Elle ne voulait surtout pas lui attirer d'ennuis alors qu'il essayait de l'aider.

— Rendez-moi simplement en bon état à mon amie le docteur Duprey, Heidi, dit Walker en se laissant entraîner vers la haute porte chromée de la salle du Conseil.

Rae les regarda s'éloigner tous les deux. Que voulait-il lui dire ? Et, se demanda-t-elle, quel rapport avec Nola Mahl ?

Rae était arrivée à la réunion inquiète pour l'avenir de Bernie et des autres infirmières de la maternité. Elle avait espéré l'appui de Walker, mais elle se demandait maintenant s'il n'avait pas plus besoin d'elle qu'elle de lui. Se sentant anormalement prise au dépourvu et pas du tout comme la négociatrice bien préparée qu'elle s'attendait à être, elle entra dans la salle du Conseil. Comme la porte se refermait derrière elle, elle eut soudain la certitude que sauver la place de Bernie allait se révéler le moindre de ses problèmes.

CHAPITRE QUATRE

Dans la salle du Conseil se trouvait une longue table en verre rectangulaire, entourée de trente chaises capitonnées. Aux murs, dans des cadres, des photos en noir et blanc des anciens présidents. Comme on pouvait s'y attendre, il n'y avait que des portraits de Blancs d'environ cinquante-cinq ans.

Il flottait dans la grande salle une odeur de café et de beignets fraîchement cuits. Walker, sa conversation avec Heidi terminée, était allé s'asseoir, visiblement secoué. Ses doigts nerveux pianotaient sur le plateau de verre. Il prit dans la poche de sa veste un petit carnet relié de cuir et, l'air soucieux, y inscrivit quelques notes.

Inquiète, Rae l'observait de sa place au fond de la salle. Elle essaya de se détendre et se carra sur sa chaise. Le capitonnage était doux sous ses jambes et son dos, si doux en fait que, si elle n'avait pas été entourée par les membres du Conseil, elle aurait pu céder à son épuisement et s'endormir.

Un petit homme sec et nerveux, sanglé dans un costume croisé, se laissa tomber à la place vide auprès d'elle.

— Bonjour, dit Rae.

— Vous trouvez ? répliqua-t-il.

Il ouvrit sa serviette, en tira un flacon de médicament et avala un comprimé. Puis, tout aussi rapidement, il entreprit d'en extraire une liasse de papiers qu'il se mit à lire. Rae poussa un soupir. Sans doute un antiacide pour ses brûlures d'estomac, se dit-elle. Bien fait pour lui.

Il y avait un pot de café devant elle. Elle emplit une tasse. Peut-être pourrait-elle en proposer à son voisin. Ou peut-être valait-il mieux le laisser tranquille. Elle était nouvelle au Conseil. On n'avait que récemment demandé au médecin-chef adjoint du service d'obstétrique d'assister aux réunions – et encore, pour fournir des renseignements, et non pour prendre part aux votes.

Et où est Bo ? se dit-elle en regardant autour d'elle. Etre en même temps directeur médical de la Clinique d'accouchement et médecin-chef du service d'Obstétrique de l'hôpital créait un conflit d'intérêts évident. Rae savait que dès l'instant où elle serait nommée à la tête du service, elle ferait changer les statuts pour interdire à un directeur de la Clinique d'accouchement d'occuper un poste dans le service.

Elle but une gorgée de café : tiède et sans goût. Cela la rendait irritable de ne pas avoir de café chaud et elle regrettait maintenant de ne pas s'être arrêtée pour en boire dans le hall. Elle grignota un beignet servi sur une petite assiette en porcelaine et examina les autres membres du Conseil, dont beaucoup avaient déjà pris place autour de la table.

Les membres non médecins du Conseil possédaient pour la plupart leurs propres affaires. Les administrateurs ne touchaient pas de jeton de présence. Et pourtant, ils étaient là, à huit heures un vendredi matin, pour aider à résoudre les problèmes de l'hôpital.

Pas d'autre Noir dans la salle. Rae en avait l'habitude. Depuis qu'elle avait quitté les établissements d'enseignement public de Los Angeles, elle était souvent « la seule », « la seule Noire ». C'était maintenant pour elle une seconde nature. Un avantage : elle s'en rendait compte. Etre différente lui avait appris à être coriace, habile et indépendante.

Le dernier à pénétrer dans la salle fut un homme vêtu d'une blouse chirurgicale bleue par-dessus sa tenue blanche. Rae reconnut aussitôt le flamboyant Dr Marco Donavelli. Marco était chef du service de chirurgie cardiaque à l'Hôpital de Berkeley Hills et ses amis l'avaient affectueusement surnommé Marco le Magnifique ou, tout simplement, Il Magnifico. Rae se doutait que Heidi l'avait attendu avant d'ouvrir la séance. Après tout, le programme cardiaque de Marco rapportait des millions de dollars à l'hôpital.

Walker, qui avait alors besoin de quelqu'un pour lancer le programme cardiaque, avait recruté Marco. Ayant entendu parler des recherches qu'il entreprenait à Harvard et de son talent exceptionnel, il lui avait écrit en lui promettant le poste de chef du service de Chirurgie cardiaque, avec pratiquement toute liberté. Marco n'avait pas déçu Walker. Il se chargeait des premières opérations que les autres chirurgiens cardiaques n'osaient pas tenter, des reprises pour lesquelles ses confrères ne voulaient même pas servir de chirurgiens *assistants*.

Sur le plan postopératoire, les patients de Marco s'en tiraient mieux que les patients opérés par les autres chirurgiens cardiaques. C'était ce qui plaisait le plus à Rae. Depuis qu'il était venu rejoindre l'équipe de l'Hôpital de Berkeley Hills, il avait fait – presque à lui seul – d'un programme peu connu l'un des meilleurs de la région de San Francisco.

L'autre raison pour laquelle on l'appelait Il Magnifico était sa réputation auprès des infirmières. Nul n'en tombait plus que Marco. Ce n'était pas seulement son allure qui le rendait si désirable, même s'il était assez bel homme, avec son épaisse crinière blonde, ses yeux verts enfoncés dans leurs orbites et ses traits fins de Toscan.

Ce qui attirait dans son lit la plupart des infirmières, c'était son habileté en salle d'opération. A ce qu'on disait, il consacrait autant d'attention à satisfaire ses maîtresses qu'à réparer un cœur défaillant.

Rae l'avait souvent observé : les salles d'op étaient un vivier d'aventures amoureuses. Etre sans cesse en contact avec la mort vous donnait envie de toucher quelqu'un de bien vivant... Pour se prouver qu'on l'était soi-même.

Si Marco était le premier à assumer la responsabilité de la réussite du programme de chirurgie cardiaque, il niait énergiquement ses exploits auprès du personnel soignant. Il y était bien obligé : après tout, il avait quarante-huit ans et était marié avec quatre enfants. Sa femme n'était pas idiote : s'il lui en donnait le motif, elle lui arracherait une pension alimentaire qui le laisserait sur le flanc.

Assez pensé à la vie privée de Marco, se dit Rae. Maintenant qu'il était arrivé, pourquoi Heidi n'ouvrait-elle pas la séance ? Rae regarda la pendule. 8 heures 10. Heidi attendait-elle quelqu'un d'autre ? Puis une pensée lui traversa l'esprit : pourquoi avait-on invité Marco à la réunion du Conseil ? La personne qui aurait dû être là, ce n'était pas le chef du service de Chirurgie cardiaque, mais bien le responsable de la chirurgie *générale* qui, comme Rae, était membre du Conseil sans avoir le droit de vote.

Là-dessus, on frappa à la porte. Chacun leva la tête avec curiosité. Aucun membre du Conseil ne frappait jamais avant d'entrer dans la salle. Heidi se leva pour aller ouvrir. Walker avait remis son carnet dans la poche de son veston.

— Ah, docteur Hartman, j'avais peur que vous ne puissiez pas être des nôtres, dit Heidi.

— Moi aussi, dit Sam Hartman.

Rae se redressa sur sa chaise. Tiens, qu'est-ce qu'il venait faire ici, celui-là ?

— Sam, mettez-vous là, dit Marco en désignant à Sam une chaise vide comme s'ils étaient tous les deux à un match de base-ball.

Sam vint s'asseoir auprès de Marco tandis que le chirurgien lui versait du café. Surprenant le regard de Rae, il leva sa tasse dans sa direction. Elle détourna la tête, gênée qu'il l'eût vue le dévisager.

— Mesdames et messieurs, déclara Heidi O'Neil, je déclare maintenant la séance ouverte.

Calme-toi, Rae. Sois prête.

Elle regarda Walker. Il lui fit un petit signe de tête et but une gorgée de café.

On entendit les rapports habituels, puis Heidi en vint rapidement au problème en question.

— Maintenant, mesdames et messieurs, le Comité financier s'est réuni hier soir. On a estimé que, malgré notre place au premier rang dans l'Etat de Californie, nous n'avions plus les moyens de procéder à des accouchements ici, à l'Hôpital de Berkeley Hills. Aussi, à compter du 1er janvier, l'Hôpital de Berkeley Hills va-t-il fermer son unité de maternité et se concentrer sur le développement du service de Chirurgie cardiaque. Y a-t-il à ce sujet une proposition ?

— Quoi ? balbutia Rae.

Mais à l'instant même où Rae posait sa question, quelqu'un à l'autre bout de la salle dit :

— Je propose qu'en janvier nous fermions le service d'Obstétrique.

— Quelqu'un appuie-t-il cette proposition ?

— Moi, dit l'homme assis à côté de Rae.

— Hé ! fit Rae.

— Tous ceux qui sont en faveur de cette motion, dit Heidi comme si Rae n'avait pas parlé, veuillez lever la main droite. N'oubliez pas que ceci concerne uniquement les membres ayant droit de vote.

— Excusez-moi !

Tandis que des mains se levaient tout autour d'elle, Rae claqua des paumes contre le verre de la table. Elle se leva brusquement, renversant au passage sa tasse de café.

— Docteur Duprey, voulez-vous vous asseoir...

— Mais qu'est-ce qui se passe ici ? cria Rae.

Elle essuya le café renversé avec une serviette tout en jetant autour d'elle des regards furibonds. Quand elle baissa les yeux, un filet de café avait ruisselé jusqu'au petit homme nerveux assis à côté d'elle. Il s'empressa de mettre au sec son porte-documents.

— Pardon, fit Rae à l'homme, puis elle se tourna vers Heidi. Comment ça, nous ne pouvons pas procéder à des accouchements ici ? Où ça : ici ?

— Ici même, fit Heidi. A l'Hôpital de Berkeley Hills. Au deuxième étage. Le Comité financier s'est déjà réuni et a voté sur cette question. Le présent vote n'est qu'une formalité...

— Quelle question ? fit Rae en interrompant Heidi. Quel vote ? Qui a voté pour quoi ?

Rae était hors d'elle. Avait-elle bien entendu ? Est-ce qu'on se proposait vraiment de fermer le service d'Obstétrique de l'Hôpital de Berkeley Hills ? Heidi ne voulait-elle pas dire que, tout au plus, on envisageait de supprimer deux ou trois postes d'infirmière ?

Elle se tourna vers Walker qui était maintenant debout.

— Walker ? C'est vrai ?

C'était donc ça qu'il voulait lui dire, songea-t-elle. Et il le lui aurait bel et bien dit si Heidi ne l'avait pas interrompu avant la réunion.

— Il n'y a pas que ça, Rae, fit Walker.

— Alors, que quelqu'un me dise ce qu'il y a... commença Rae.

Mais, sans laisser à Rae le temps de continuer, quelqu'un d'autre s'éclaircit la voix. Elle se retourna brusquement vers Marco.

— Une précision, madame le Président, dit-il. Peut-être le Dr Duprey veut-elle simplement souligner qu'on est passé au vote avant de discuter.

Heidi tressaillit comme si Marco l'avait giflée, ce qui était exactement ce que Rae avait envie de faire.

— Quelqu'un veut-il discuter ? demanda Heidi d'un ton las.

Rae n'en croyait pas ses oreilles. Discuter ? se dit-elle. Elle avait un tas de choses à discuter, mais elle était si bouleversée – si profondément choquée – que c'était à peine si elle pouvait parler. D'ailleurs, pendant les quelques secondes suivantes, tout ce qu'elle put faire, ce fut d'examiner les autres membres du Conseil. La plupart avaient déjà levé la main pour approuver la proposition de Heidi et maintenant, en la voyant les regarder, leurs mains retombaient comme des masses de plomb.

— Enfin, commença Rae, vous n'êtes pas sérieux ?

— Le Dr Donavelli ne vous a rien dit ? fit Heidi, en tirant sur le revers de sa veste.

Rae regarda une nouvelle fois Marco qui croisa les mains avec un calme de prélat.

— Pourquoi ne répondez-vous pas quand on vous laisse un message ? demanda-t-il. J'ai dû vous appeler dix fois.

Rae était hors d'elle.

— Je vous ai rappelé chaque fois, dit-elle d'un ton glacial. C'est vous qui étiez trop occupé pour me parler.

Marco leva la main et Heidi lui donna la parole.

— Je tiens à préciser, dit Marco, que j'ai pu parler au *chef* du service d'Obstétrique et que le Dr Bo Michaels est pleinement conscient de la nécessité de fermer l'unité d'obstétrique de cet hôpital. Il le comprend parfaitement. Il respecte le Conseil, pour la difficile décision que celui-ci a dû prendre.

— Bo ! cria Rae, folle de rage. C'est insensé... commença-t-elle.

— Le Dr Donavelli a encore la parole, l'interrompit Heidi.

— Plus maintenant ! lança Rae. Vous êtes tous complètement fous ! Vous ne pouvez pas fermer comme ça la maternité ! Et Bo, qu'il aille au diable. Vous ne comprenez donc pas qu'il nous trahit pour sa foutue Clinique d'accouchement !

— Docteur Duprey, observa Heidi, puis-je vous rappeler que

vous n'avez pas le droit de vote? Vous êtes ici pour fournir des renseignements...

— Qu'est-ce que vous vous imaginez que je fais? Je vous informe que vous êtes tous devenus timbrés.

Elle s'arrêta pour regarder Marco, toujours assis là avec son grand sourire. Etait-ce lui qui avait mijoté tout cela? Bo était-il impliqué? L'idée lui vint alors que ce n'était pas possible. La Clinique d'accouchement avait *besoin* de l'hôpital pour les césariennes.

— Docteur Duprey, déclara Heidi, vous dépassez les bornes.

Rae se força à se calmer. Si elle voulait aboutir à quelque chose, il lui fallait maîtriser ses émotions.

— Puis-je avoir la parole? demanda-t-elle.

Heidi se tourna vers le petit homme assis auprès de Rae et celle-ci le vit secouer négativement la tête.

— Peut-être vaudrait-il mieux que nous poursuivions, commença Heidi.

— Je vous en prie, fit Rae. J'ai juste besoin d'éclaircir un point!

Heidi se tourna de nouveau vers l'homme, mais il était trop occupé à avaler un nouveau comprimé et à s'essuyer le front du revers de la main.

— Eh bien, de quoi s'agit-il? demanda Heidi, d'un ton exaspéré.

Rae savait qu'elle n'avait qu'une seule chance de faire changer d'avis le Conseil sur cette proposition ridicule. Elle prit une profonde inspiration...

— Nous n'avons pas toute la journée, ajouta Heidi.

— Avec tout le respect que je dois à mon collègue, le Dr Donavelli, commença Rae, il me semble qu'il a dû faire erreur sur le sentiment de notre chef de service, le Dr Bo Michaels.

Rae n'arrivait pas à croire qu'elle prenait la défense de Bo. Qu'il attende un peu qu'elle ait mis la main sur lui, songea-t-elle.

— Oh, je ne crois pas, dit Marco.

— Bon sang, fit Rae, j'ai la parole.

Du regard, elle quêta la confirmation de Heidi. Celle-ci se tenait la tête à deux mains.

— Continuez, dit-elle. Continuez.

— La raison pour laquelle le Dr Donavelli a pu commettre une erreur sur ce point, c'est que le Dr Michaels a besoin de notre unité pour pratiquer des césariennes. Vous savez tous, j'en suis certaine, que la Clinique d'accouchement est seulement autorisée à pratiquer des accouchements par voies naturelles...

Ce fut au tour de Marco de se lever.

— Madame le Président, je pourrais peut-être faire gagner du temps au Conseil et préciser un point pour le Dr Duprey...

— Le Dr Donavelli a la parole, déclara Heidi.

— Mais... commença Rae.

— Le Dr Donavelli a la parole ! cria Heidi.

Rae se rassit. Sam Hartman, assis à la droite de Marco, la contemplait d'un air compatissant. Mais à quoi bon la compassion ?

— Apparemment, dit Marco, le chef du service d'Obstétrique et son assistante ont un problème de communication. Car, sinon, le Dr Duprey saurait que le Dr Michaels a réglé ce petit détail et que la Clinique d'accouchement aura recours pour les urgences à l'Hôpital municipal de Berkeley...

— L'Hôpital municipal ? Ce taudis ? s'écria Rae.

— C'est un hôpital qui a bonne réputation, dit Marco.

— Mais il est à cinq kilomètres de la Clinique d'accouchement ! fit Rae. Et, que je sache, votre femme n'a accouché d'aucun de ses enfants là-bas, Marco ! C'est bien trop loin pour servir dans les cas d'urgence ! On ne peut pas soumettre les patientes à des délais de ce genre. Une sur cinq nous vient de la Clinique d'accouchement ! Alors, vous envisagez de procéder à des césariennes dans l'ambulance pendant le trajet ?

— Le personnel de la Clinique d'accouchement ne semble pas partager vos inquiétudes, dit Marco.

— Le personnel de la Clinique d'accouchement ! s'exclama Rae. Rien ne m'a jamais montré qu'ils se soucient de ce qui arrive à leurs patientes !

— En voilà assez, docteur Duprey ! fit Heidi. Asseyez-vous et taisez-vous, ou je vous demanderai de sortir...

— Je ne m'assiérai pas plus que je ne me tairai ! Si vous voulez que je sorte, il faudra me jeter dehors ! Je ne vais pas vous laisser fermer mon service !

On entendit une petite toux discrète et Rae regarda dans la direction de Walker.

— Puis-je avoir la parole ? demanda-t-il.

Rae essaya de se calmer. Walker assurément allait régler cela. Il avait déclaré à Rae que les choses pourraient se gâter, qu'il aurait peut-être besoin de lui faire raconter l'épisode de Nola...

— Mr Stuart a la parole, dit Heidi. Docteur Duprey, c'est votre dernier avertissement.

A cet instant, un bip se fit entendre et Marco se leva.

— Excusez-moi, dit-il. Il faut que je réponde à un appel.

— En tant que Président-directeur général de cet hôpital, commença Walker, je porte deux casquettes. Le Conseil, fit-il en saluant de la tête Heidi, est mon employeur. Si je veux garder mon poste, il faut que je fasse plaisir au Conseil. D'un autre côté – et il se tourna vers Rae – j'ai une responsabilité envers les médecins et les infirmières qui travaillent ici. Il arrive parfois que les désirs du Conseil et ceux du personnel médical aillent dans des directions différentes. Mais, avant tout, les deux parties doivent faire ce qui est dans l'intérêt des patients...

— Et c'est de s'assurer qu'ils bénéficient immédiatement des soins dont ils ont besoin, interrompit Rae.

— Docteur Duprey... commença Heidi.

— Heidi, fit Walker, laissez-la terminer. Nous avons tous pu apprendre ce qui s'est passé hier soir. Donnez-lui l'occasion d'exposer sa version des faits. Le moins que nous puissions faire, c'est de l'entendre.

Tous les regards se tournèrent vers Rae. Rae comprit : Walker lui donnait l'occasion d'expliquer l'incident concernant Nola Mahl. Elle s'avança, le cœur battant, l'esprit encore plein des souvenirs de la césarienne de Nola et, debout auprès de Walker, elle commença.

— Ce matin, une femme nous est arrivée de la Clinique d'accouchement. Je ne sais pas exactement ce qui s'est passé là-bas, mais je peux vous assurer que, si elle avait été ici, dans notre unité, elle bercerait aujourd'hui son bébé dans ses bras alors qu'il est en couveuse avec un tuyau qui lui descend dans la gorge, à lutter pour sa vie en réanimation néonatale. La mère a dû être transportée de la Clinique d'accouchement – après avoir *attendu* l'arrivée d'une ambulance – puis placée sur un chariot, qu'on a fait rouler dans le couloir de la Clinique, on lui a fait franchir la porte, on l'a chargée à l'arrière d'une ambulance et on lui a fait traverser la rue jusqu'à notre salle d'urgences. Une fois ici, elle a dû attendre l'ascenseur, d'être transportée jusqu'au deuxième étage, roulée dans notre couloir, attendre d'être amenée dans notre bloc opératoire, placée sur notre table d'opération et enfin être opérée par notre équipe qui ne savait absolument rien d'elle mais qui, en même temps, était censée sauver la vie de son bébé.

Je ne sais pas combien d'étapes je viens de vous énumérer, mais si cette patiente s'était trouvée à l'Hôpital de Berkeley Hills, elle n'aurait été transportée qu'une seule fois. De son lit à la table d'opération. Cela, mesdames et messieurs, ne représente que deux étapes. Mais voilà que vous autres proposez d'ajouter à ce transfert *cinq kilomètres.* Eh bien, allez donc expliquer ça au bébé qui est là-haut. Allez donc le dire à sa mère qui n'arrête pas de demander de ses nouvelles. Si vous êtes capables de vivre avec ça, alors, allez-y et votez la fermeture du service d'Obstétrique de cet hôpital. Et ne manquez pas de dire à ce petit bébé là-haut, pourquoi c'est une si bonne idée.

Un silence total s'était fait dans la salle et Rae craignait que les membres du Conseil n'entendent les battements de son cœur dans sa poitrine. Elle regarda les visages autour d'elle. Personne ne parlait. Quand son regard se posa sur le visage de Sam, il sourit et leva un pouce pour dire bravo.

— Pour ma part, dit Sam, je suis d'accord avec le Dr Duprey.

— Eh bien, moi, fichtre pas !

C'était le petit homme assis à côté de Rae. Il fit violemment claquer le fermoir de son porte-documents.

— Laissez-moi régler cela, John, fit Heidi.

— Assez de mélo, dit l'homme.

Il tira sur sa cravate d'un air agacé, comme s'il avait du mal à respirer, puis son regard fit le tour de la table.

— Je ne permettrai pas qu'une obstétricienne sentimentale laisse couler cet hôpital, commença-t-il.

— Une obstétricienne sentimentale ? l'interrompit Rae. Et qui êtes-vous donc ?

— John Vincent est le président du Comité financier, dit Walker. John, je vous présente le Dr Rae Duprey.

— Je sais qui elle est...

— Je vous avais dit que le Dr Duprey se battrait bec et ongles pour sauver son service, continua Walker. Et, après avoir écouté le cas qu'elle vient de nous présenter, qui peut lui en vouloir ?

— Et vous, dit John, en braquant son doigt sur Walker, vous aviez dit que vous nous soutiendriez si elle essayait. Traître. Menteur. (Il se tourna vers Heidi.) Je vous avais dit qu'on ne pouvait pas lui faire confiance.

— John, je vous en prie ! fit Heidi.

Bon sang, qu'est-ce qui se passe ici ? se demanda Rae, stupéfaite.

— Je n'ai jamais dit cela. J'ai affirmé que nous devrions envisager toutes les options. Maintenant, si vous vouliez seulement écouter...

— J'en ai assez d'écouter ! Vous allez nous rouler dans la farine encore une fois, espèce de salopard !

John frappa du poing sur la table.

— Nous nous sommes mis d'accord hier soir, vous vous souvenez ? A ce moment-là, vous nous avez suivis ! Et maintenant, vous vous dégonflez ! La Clinique d'accouchement nous bouffe tout cru. Arrêtons nos pertes et faisons cesser cette hémorragie ! Et ne laissons plus une assistante idéaliste nous mettre des bâtons dans les roues !

— C'est de moi que vous parlez ? lança Rae.

— Certainement !

— Alors, adressez-vous à moi directement. Je suis là.

— Est-ce que je peux terminer ? demanda Walker.

— Non ! fit John. Nous avons déjà décidé...

— Laissez-le finir, dit Rae. Il y a plusieurs options et je ne vais pas laisser ce comité fermer mon service.

Tout le monde se mit à parler à la fois. Heidi réclama le silence. Rae regagna sa place et se rassit.

— La parole est à Walker, annonça Heidi.

— Merci, dit Walker. Comme je vous le disais, je représente les deux parties. Ce que j'ai à dire concerne le Dr Duprey et tous ceux dans cette salle qui peuvent être d'accord avec elle. John Vincent a d'excellentes raisons pour proposer que nous cessions les accouchements ici à l'Hôpital de Berkeley Hills.

— Walker ! balbutia Rae.

— Rae, dit Walker, écoutez-moi. Je suis parfaitement d'accord avec vous. Mais il y a un moment où nous devons affronter la réalité. Votre service d'Obstétrique ne s'en tire pas. Nous avons puisé de l'argent dans les autres départements rien que pour assurer le fonctionnement du vôtre. Mais votre service est en train de ruiner toute la santé financière de cet hôpital. Qu'est-ce que vous voulez, Rae ? Voulez-vous voir tout le bateau couler pour essayer d'empêcher votre service de se noyer ?

Rae secoua la tête d'un air consterné. Elle se sentait prise au piège. Ce que disait Walker tenait debout. Ce qu'elle avait dit de Nola Mahl avait un sens aussi.

Elle leva la tête et regarda Walker droit dans les yeux.

— Ce que je veux, dit-elle d'un ton maintenant calme, c'est ne pas laisser arriver à quelqu'un d'autre ce qui est arrivé au bébé de Nola Mahl.

Une nouvelle fois, personne ne parla pendant quelques secondes. Rae, ayant vidé son cœur, n'avait plus rien à dire.

— Non ! fit John Vincent en déboutonnant son col. Ne l'écoutez pas ! Vous ne comprenez donc pas ce qu'elle fait ? Elle fait appel à votre compassion, pas à votre intellect. Vous avez tous une responsabilité fiscale devant la municipalité de Berkeley. Vous gardez la maternité de cet hôpital et, dans six mois, nous sommes de l'histoire ancienne ! Vous pouvez fermer le service d'Obstétrique et développer celui de Chirurgie cardiaque ou bien garder l'obstétrique et fermer l'hôpital ! Voilà vos choix !

John s'arrêta soudain de parler. Son visage était d'une pâleur de cendre, il avait les mains crispées sur sa poitrine.

— John ! cria Heidi.

Ecartant Walker, elle se précipita vers le bout de la table où était assise Rae. Mais John s'était déjà affalé sur le plateau de verre. Rae le redressa : il avait les lèvres bleues et un filet de vomi ruisselait au coin de sa bouche.

Sam se retrouva auprès de Rae, pour l'aider.

— Appelez le standard ! cria Rae en palpant le cou de John.

Elle ne sentait aucun pouls dans sa carotide. John Vincent n'avait pas de brûlures d'estomac : il avait une crise cardiaque !

— Nous avons là un arrêt cardiaque ! lança-t-elle.

— Oh, non ! cria Heidi.

— Ecartez-vous ! aboya Sam.

Les membres du Conseil reculèrent leurs sièges, et Rae aida Sam à allonger John sur la moquette. Sam essuya le filet de vomi et Rae, à quatre pattes, se pencha sur sa poitrine. La paume d'une main appuyée sur l'autre, elle lui massa le cœur tandis que Sam soutenait la tête de John en lui serrant les lèvres.

Sam posa les lèvres sur la bouche de John et lui souffla une bouffée d'air. Rae continuait le massage cardiaque tout en comptant tout haut.

— Un... deux... trois...

Mais sa seule pensée, tout en sentant le sternum se comprimer sous la pression de ses mains, c'était que John Vincent voulait fermer son service. Et voilà maintenant qu'elle était là à essayer de lui sauver la vie.

CHAPITRE CINQ

Environ une demi-heure plus tard, Rae était assise en face de Walker dans son bureau : une pièce immaculée, sobrement meublée, avec une table en verre, de gros fauteuils de cuir, un ordinateur, une moquette d'un blanc nacré et une vitrine. Contrairement à bien des bureaux d'administrateur, il n'y avait sur celui de Walker aucun papier qui traînait, aucun crayon qui ne fût taillé, aucun livre ouvert. Tout était net et bien rangé. Chaque chose à sa place. La seule photo encadrée était celle de sa petite-fille, Agatha, âgée maintenant de six mois.

Mais, pour une fois, Rae ne se sentait pas du tout à sa place dans cette pièce bien en ordre. Après les événements du matin – depuis le bébé de Nola jusqu'à l'arrêt cardiaque de John Vincent – elle avait l'impression que plus rien dans la vie n'était en ordre.

Elle tenait dans sa main un petit berceau de satin rouge, un cadeau qu'elle avait offert à Walker six mois plus tôt de la part de son service. En tant que PDG, Walker avait acheté des appareils d'assistance cardiaque sophistiqués, des systèmes de surveillance continue et des installations informatiques perfectionnées. Il avait fait aménager de nouvelles salles de travail et engagé les meilleures infirmières de l'Etat. Il avait fait refaire tous les vestiaires et le salon. Il avait fait ajouter de nouvelles chambres individuelles pour les jeunes mères et créé une vidéothèque pour les nouveaux parents. Il avait augmenté le nombre d'employés de salle, le personnel d'entretien, et recruté de nouvelles infirmières diplômées. Et, le plus étonnant de tout, il avait fait cela en cinq ans.

Au fond du berceau, il y avait un petit compartiment avec une boîte à musique où Rae avait placé une petite carte sur laquelle on pouvait lire « Merci » et c'était signé « Les bébés ». Le compartiment était fermé à clé, mais peu importait à Rae : elle n'était pas d'humeur à remonter le mécanisme pour écouter la musique. C'est drôle, se dit-elle, tandis que du bout des doigts elle caressait la douceur du satin, c'était la musique qui l'avait d'abord attirée vers ce berceau : une berceuse de Brahms. Si douce, si tendre, si sécurisante...

Mais rien dans la vie n'était sécurisant.

Intellectuellement, elle comprenait pourquoi Walker, à la réunion du Conseil, avait dû souligner les deux points de vue opposés. Mais, sur le plan affectif, elle regrettait qu'il n'ait pas soutenu sa position à cent pour cent.

— Je devrais vous reprendre ça, ronchonna-t-elle en reposant le berceau sur le bureau de Walker.

Mais il était encore au téléphone avec une infirmière du service de cardiologie, à se renseigner sur l'état de John Vincent.

— Merci, merci beaucoup, dit Walker avant de raccrocher.

Il vint s'asseoir derrière son bureau en face de Rae et dit :

— Je vous demande pardon, je ne vous ai pas entendue.

Rae désigna de la tête le berceau. Elle ne pouvait pas lui reprendre un cadeau qu'il avait mérité du temps où n'existait pas la gestion des soins.

— Je disais que je ne me rappelle pas la dernière fois où vous avez sorti ça de votre vitrine.

— Moi non plus. Je ne sais même pas pourquoi il n'y est pas maintenant.

Il se leva de son fauteuil et, lui reprenant le berceau, alla le remettre sur l'étagère centrale de la vitrine puis, tirant une clé de la poche de son veston, il referma la porte vitrée.

— Voilà, dit-il. C'est là ta place.

Il se tourna vers Rae en souriant.

— Au fait, John va se remettre sans problème. Félicitations. Vous lui avez sauvé la vie.

— Je ne voulais pas vous demander, fit Rae avec un certain soulagement. J'avais peur...

— Qu'il ne s'en tire pas...

— Ou peut-être qu'il s'en tire, dit-elle, d'un ton penaud.

Son coude posé sur le bras du fauteuil, elle appuya son menton sur sa paume.

— Je sais que ça paraît horrible, reprit-elle, mais à un certain niveau, je le pense vraiment. John veut fermer notre maternité, Walker. Tous ces petits chiffres qu'il malaxe chaque jour lui inspirent des conclusions. Et vous, vous le soutenez.

— Non, fit Walker en revenant jusqu'à son fauteuil, c'est enfantin, ce que vous dites là.

Walker avait raison, mais l'avenir de son service était en jeu. Alors, qu'allait-il faire maintenant ? Et elle, qu'allait-elle faire ?

— Je suppose, poursuivit Rae, que je suis contente d'apprendre qu'il va s'en tirer. Mais mon service... il veut fermer mon service, Walker, et développer celui de Marco. Ça n'est pas exactement le topo auquel je pensais.

Walker croisa les bras sur sa poitrine.

— Mais, Rae, écoutez... commença-t-il.

— Mettre au monde des bébés, Walker, c'est ma vie, l'interrompit Rae.

Elle sentait la colère monter de nouveau en elle mais gardait un ton calme.

Elle se leva et se mit à arpenter le bureau. S'arrêtant pour regarder ses paumes, elle dit :

— Je sens encore ses côtes contre mes mains, Walker. Des côtes fines, friables. Je me disais que j'allais lui écraser la cage thoracique. J'en avais envie.

— Vous êtes dingue, fit Walker en riant, vous savez ?

— Je parle sérieusement, Walker.

Walker se frotta la barbe puis passa ses mains dans ses cheveux.

— Mais non. Ça n'est pas votre style. (Il marqua un temps.) Ecoutez, je sais ce que mettre au monde des bébés signifie pour vous, Rae...

— Je veux qu'on garde mon service, Walker. Je ne veux vraiment rien entendre d'autre. Même la Clinique d'accouchement a besoin de nous pour continuer à exister. (Elle s'interrompit pour frictionner les muscles crispés de sa nuque.) Je n'arrive pas à croire que je suis en train de dire ça.

— Je suis convaincu que vous et moi n'étions pas les seuls à cette table à vouloir qu'on continue ici à mettre des bébés au monde.

Rae marchait de long en large. Elle n'en voulait pas à Walker. Mais les patientes et les bébés ? Qui donc parlait pour eux ? Elle ne pouvait pas laisser le Conseil fermer la première maternité de l'Etat. Elle ne pouvait pas laisser les femmes de la Clinique d'accouchement être forcées de faire un trajet en ambulance de cinq kilomètres jusqu'à l'Hôpital municipal pour une césarienne.

— Asseyez-vous, dit Walker en lui désignant le fauteuil. Je vais vous dire quelque chose.

Rae se posa au bord du fauteuil.

— J'ai présenté la position du Comité financier pour une seule raison : pour gagner du temps. Le temps dont j'ai besoin pour régler cette histoire.

— J'écoute, dit Rae en se redressant.

Le ton assuré de Walker captait son attention.

— Mais tout d'abord, reprit-il, laissez-moi vous expliquer autre chose. (Il revint vers la vitrine.) Vous vous rappelez quand vous m'avez offert ceci ? demanda-t-il en tapotant la vitre devant le berceau. Aucun autre cadeau – à part mes enfants – n'a jamais compté plus pour moi.

Il s'assit dans un fauteuil près de celui de Rae. Le menton appuyé sur sa main, elle regardait par la fenêtre. Elle apercevait la Clinique d'accouchement juste de l'autre côté de la rue.

— Comment un établissement pareil pourrait-il nous obliger à fermer notre maternité ?

— Pour le moment, Rae, oubliez ce que le Conseil me fera si le service d'Obstétrique reste ouvert. Je vous ai dit que cet hôpital était mon empire. Vous n'êtes pas la seule à croire à ce qu'il représente. Les femmes sont plus en sûreté ici que nulle part ailleurs sur cette planète. Je ne vous ai jamais dit cela, Rae, mais vous vous souvenez comment vous avez vu votre mère mourir à l'arrière de cette foutue ambulance ?

— Ce n'est pas de ça que nous parlons, Walker.

— Néanmoins... croyez-vous un instant que je veuille voir les femmes de Berkeley exposées à souffrir comme elle ? Comme la femme de ce matin... comment s'appelait-elle déjà ?

— Nola Mahl, dit Rae en se redressant.

— Oui, Nola Mahl. Bref, je sais ce que c'est que d'accoucher dans un hôpital médiocre, de voir des médecins et des infirmières médiocres s'occuper de ceux qu'on aime. Vous savez que je voulais être médecin. Bon sang, quel PDG d'hôpital ne l'a pas voulu ? J'ai passé mes examens de physique et chimie et de maths. Mais, quand on en est arrivé à la biologie, eh bien, disons que le sang n'est pas ma spécialité. Alors, je me suis dit : quel autre moyen pourrais-je trouver pour prendre des décisions qui concernent la santé des gens ? C'est alors que j'ai décidé de devenir administrateur d'hôpital.

— Je sais tout cela, Walker...

— Mais ce que vous ne savez pas, Rae, dit-il, c'est ce qui concerne ma première femme. Je ne vous ai jamais parlé d'elle. Elle s'appelait Florence. Je n'avais que vingt et un ans et elle aussi.

— Vous avez été marié avant Denise ? interrogea Rae, surprise.

— Denise ne le sait même pas.

Walker s'était de nouveau levé et regardait par la fenêtre. Il tournait le dos à Rae.

— Florence était belle. Je l'aimais. Quand elle est tombée enceinte, je l'ai épousée immédiatement. Mais voilà, nous n'étions que des gosses, vraiment. Qu'est-ce que nous connaissions des médecins et des hôpitaux ? Elle était pauvre. J'étais pauvre. Quant à nos parents... eh bien, disons que ni les siens ni les miens ne sont venus au mariage. Bref, au beau milieu de sa grossesse, elle a commencé à saigner. Pas beaucoup, mais c'était incontestablement du sang. Comme je vous l'ai dit, le sang n'est pas ma spécialité, mais même moi je savais qu'une femme enceinte ne devait pas avoir de saignements au cinquième mois.

C'était presque l'hiver. Un jour froid, comme aujourd'hui. Je savais que nous n'avions pas les moyens d'aller dans un hôpital privé. Nous venions tout juste l'un comme l'autre de terminer le collège et ni l'un ni l'autre n'avait d'assurance maladie. Alors, je me suis empressé de l'emmener à l'hôpital du comté. Une petite baraque délabrée dont la salle des urgences – pleine d'ivrognes – sentait les lieux d'aisances. Nous sommes restés assis dans cette foutue salle d'attente pendant six heures avant qu'on nous appelle, et puis nous avons encore attendu dans une salle d'examens glacée avant qu'on reçoive Florence. A ce moment-là, il était trop tard. Elle avait, nous l'avons découvert plus tard, une malformation de l'utérus. Le docteur, complètement débordé, a même reconnu que si on avait examiné Florence tout de suite et si on avait fait une petite intervention, elle aurait gardé le bébé. Mais ça ne s'est pas passé comme ça. On ne l'a pas examinée tout de suite, on n'a jamais pratiqué l'intervention. Alors, le bébé a juste glissé dehors, en plein milieu de cette saleté de salle.

— Je suis désolée, Walker...

— Naturellement, le bébé est mort tout de suite. Le mariage est mort deux ans plus tard. J'étais anéanti. Je voulais désespérément réparer une injustice. Les gens désespérés font des choses désespérées, Rae. Bref, j'ai décidé sur-le-champ qu'un jour je dirigerais le meilleur hôpital de l'Etat de Californie. J'en orienterais la politique. Je déciderais combien de temps une patiente devrait attendre et où elle devrait le faire.

Walker soupira, puis se retourna vers Rae.

— Mais même moi, Rae, il a fallu que j'affronte les faits, reprit-il. Même moi, je vais peut-être devoir renoncer à mes rêves de voir la plus formidable maternité du monde. Vous comprenez, Rae, la santé de mon hôpital tout entier doit passer d'abord. Je dois me souvenir que l'obstétrique n'est qu'un service de cet hôpital. D'ailleurs, si tout l'établissement coule, vous aussi vous serez sans travail.

— Je pourrai toujours me faire une autre clientèle, pratiquer des accouchements ailleurs, dit Rae.

— Oui, je le pense, dit Walker en se frottant la barbe. Seulement ailleurs, ce ne serait pas l'Hôpital de Berkeley Hills.

Rae se leva pour venir s'asseoir au bord du bureau de Walker. Ses escarpins se balançaient au-dessus du sol. De l'autre côté de la fenêtre, le brouillard s'était levé et un pâle soleil filtrait.

— Il doit bien y avoir un autre moyen, dit Rae.

— Il y en a toujours, dit Walker. Le pire scénario, c'est que le service d'Obstétrique ferme, que le service de Marco se développe et rapporte des tonnes d'argent et qu'on rouvre l'obstétrique.

La pendule du bureau de Walker sonna neuf heures. Avant cela, la pièce était aussi silencieuse que le petit berceau dans la vitrine. Rae haussa les épaules.

— Je suppose que vous avez déjà essayé de racheter à Bo la Clinique d'accouchement, demanda-t-elle.

— Trois fois, dit Walker.

— Et j'imagine que vous avez essayé d'acheter les autres médecins ?

— Evidemment.

— Hmm.

Rae réfléchit quelques secondes encore puis, brusquement, elle se redressa. Elle avait un plan.

— Eh bien alors, fit-elle, je suppose qu'il va falloir...

Elle n'avait pas terminé sa phrase qu'on frappait à la porte.

— Entrez, cria Walker.

Heidi O'Neil s'avança. Rae sauta à bas du bureau de Walker et regagna son fauteuil.

Heidi avait les yeux rouges et gonflés.

— Bonté divine, Heidi, fit Walker. Asseyez-vous.

— John est mort, annonça Heidi en s'essuyant les yeux.

— Mais Walker vient d'appeler la réa, dit Rae.

— Peu m'importe qu'il ait appelé personnellement Dieu lui-même ! John est mort, vous m'entendez ? M–O–R–T. Mort. Il a eu une autre crise cardiaque.

— Mais... fit Rae en s'affalant dans son fauteuil.

— Mais quoi ? Vous vous en foutez pas mal ! D'abord, c'est à cause de vous qu'il a eu cette crise cardiaque.

— De moi ?

— Heidi, demanda Walker, qu'est-ce que vous racontez ?

— Vous êtes autant à blâmer qu'elle !

Furieuse, Heidi prit un Kleenex dans son porte-documents, puis leva la main pour arrêter Walker qui s'apprêtait à dire quelque chose.

— Fermez la maternité, vous avez dit ça aussi, Walker, poursuivit Heidi. Investissez dans la chirurgie cardiaque. C'est même vous qui avez eu l'idée d'inviter le Dr Donavelli et le Dr Hartman à la séance du Conseil pour montrer votre bonne foi.

— Je suis désolé pour John, Heidi, dit Walker. Je ne savais même pas qu'il avait des problèmes cardiaques.

— Personne ne le savait, fit Heidi en se mouchant. Personne, reprit-elle, sauf son médecin et moi. Mais John ne voulait pas nous écouter. Je me demande maintenant combien d'autres vies nous allons perdre avec cette foutaise d'obstétrique.

Heidi porta le Kleenex à ses lèvres et détourna la tête.

— Je suis désolée aussi, Heidi, fit Rae.

C'est vrai qu'elle était désolée, mais ce qui l'intéressait aussi, c'étaient les rapports entre Heidi et John en dehors de la salle du Conseil. De toute évidence, ils ne discutaient pas que de l'avenir de l'hôpital. Mais même si c'était le cas, il y avait peu de chances pour que Rae amène Heidi à garder la maternité de l'hôpital.

— Oh, qu'est-ce que ça change maintenant ? répliqua Heidi.

Personne ne parla pendant quelques secondes. Dehors, le ciel s'assombrissait de nouveau. Rae se leva, s'approcha de Heidi et posa une main sur son épaule.

— Je suis vraiment désolée pour John, déclara-t-elle. Et je suis navrée si j'ai contribué à l'énerver. Mais, Heidi, je vous en prie. Quand les choses se seront calmées, discutons encore. Ce n'est pas le meilleur moment maintenant, mais je suis sûre que plus tard nous pourrons trouver un moyen d'amener mes confrères à cesser de pratiquer des accouchements à la Clinique pour commencer à accoucher leurs patientes ici...

— Je me fous pas mal de vos confrères, lança Heidi.

Rae, qui savait que les patients confrontés à une nouvelle terrible étaient capables de dire n'importe quoi, poursuivit :

— Mais vous vous intéressez à ce problème, Heidi. Vous le vivez comme ça ne vous est jamais arrivé. Je vous ai entendue parler si fièrement de la maternité. C'est ici que la femme de votre fils a accouché, n'est-ce pas ? Votre mère a été opérée par un de nos gynécologues, je ne me trompe pas ? Vous surtout, Heidi, en tant que présidente du Conseil d'Administration de cet hôpital, vous savez à quel point c'est important d'avoir la meilleure et la plus sûre maternité du monde. C'est pour ça que j'accouche mes patientes ici. C'est pour ça que Walker est le PDG de cet hôpital. Et c'est pour ça, Heidi, que vous présidez notre Conseil d'Administration. Il n'est pas possible, Heidi, que vous vous laissiez entraîner à fermer notre deuxième étage.

Rae attendait une réaction de Heidi. Mais celle-ci gardait les yeux fermés, comme si elle s'était endormie.

— Heidi ? demanda Rae.

— Vous avez terminé ? répondit Heidi, les yeux toujours fermés.

— Je crois que oui, dit Rae.

— Dites-moi donc comment, dit Heidi en ouvrant les yeux, je

suis censée garder votre précieux petit service sans fermer tout le reste ?

Rae exhala lentement. Il fallait être prudente : c'était sa grande chance. Elle s'assit au bord de son fauteuil.

— Sans aucun doute, c'est ici le meilleur endroit pour qu'une femme ait son bébé. Ici, nous pouvons tout faire, Heidi, tout ce qu'il faut à une femme pour accoucher sans risque. C'est pourquoi nous sommes ici. La santé de la communauté, c'est notre responsabilité. Si nous n'assurons pas cela, qui le fera ? Le public compte sur nous...

— Le public, fit Heidi avec un petit rire. Mais oui.

— Ecoutez, Heidi, dit Rae. Les gens s'intéressent aux bébés. Le public peut avoir des désaccords sur l'éducation, la religion, ou le meilleur président pour le pays. Mais tout le monde reconnaît que la seule espèce de bébés que nous voulons, ce sont des bébés sains. Une jeune mère veut un beau bébé, pas un bébé malade... comme celui dont je vous ai parlé au Conseil.

Rae marqua un temps pour voir si ses propos affectaient Heidi.

— Allez-y, allez-y, fit Heidi.

— Peut-être que le public ne comprend pas à quel point c'est important d'accoucher dans un établissement où on peut pratiquer sur place des césariennes, assura Rae. Peut-être la femme moyenne ne voit-elle pas qu'elle court le risque d'en passer par une césarienne, peut-être même une césarienne d'urgence où chaque minute compte. Alors, si nous pouvions leur expliquer que nos résultats sont meilleurs que ceux de la Clinique d'accouchement, elles prendraient leur décision et reviendraient ici.

— Vous ne croyez pas que nous en avons discuté ? demanda Heidi. Vous ne croyez pas que j'ai posé la même question à John ? Mais la vérité, c'est que la Clinique d'accouchement a d'excellents résultats. Les bébés nés là-bas sont tout aussi sains que les nôtres.

— Alors, demanda Rae d'un ton qui montait, comment expliquez-vous le bébé de Nola ?

— Le cas d'un seul bébé ne veut pas dire que tout l'établissement soit une catastrophe.

— Mais si elle avait été ici, si elle n'avait pas eu à attendre une ambulance pour l'amener...

— Assez ! lança Heidi. Nous avons déjà évoqué tout cela.

— Mais vous ne comprenez pas ! cria Rae. Un trajet en ambulance, ça signifie des minutes de perdues, des minutes qui peuvent faire la différence entre la vie et la mort.

— Je crois, dit Walker en se levant, que le Dr Duprey ne demande qu'un peu plus de temps, Heidi. D'ailleurs, après ce qui s'est passé ce matin, je crois que tout le monde a besoin de se calmer avant qu'on remette la question aux voix. Vous aussi, Heidi, il va vous falloir du temps. John comptait beaucoup pour vous. Il comptait beaucoup pour nous tous.

Rae était reconnaissante à Walker d'avoir pris sa défense. En regardant Heidi, elle comprit soudain ce que c'était que de détenir le pouvoir. Peut-être un jour pourrait-elle essayer de devenir présidente du Conseil d'Administration de l'hôpital, si cela signifiait qu'elle serait mieux placée pour protéger la vie des femmes et des bébés. Mais, pour l'instant, elle devait attendre la décision de l'actuelle présidente. Rae ne pouvait qu'espérer que Heidi fasse passer les bébés avant les dollars. Gérer un hôpital, ça n'était pas comme gérer une banque.

— Combien de temps vous faut-il ? demanda Heidi.

Elle avait les yeux secs et elle se redressa dans son fauteuil.

— Trois mois, dit Rae. Donnez-moi trois mois.

Heidi fourra son Kleenex dans son sac à main. Elle se leva et lissa les plis de son tailleur.

— Vous avez deux semaines, annonça-t-elle. John a dit que nous devrions fermer dans six mois si nous ne changions pas de politique. Je serais consternée qu'il soit mort pour rien.

— Mais c'est impossible, protesta Rae. Il n'y a pas moyen...

— Alors, fit Heidi en soupirant, oubliez ça.

— C'est la meilleure proposition que nous ayons eue de toute la matinée, intervint Walker.

— Mais... commença Rae.

— Bon Dieu, Rae, Heidi vous offre une nouvelle chance. Et ce n'est pas comme si vous deviez partir de zéro. Vous avez déjà Nola Mahl.

Les pensées se bousculaient dans l'esprit de Rae. Deux semaines pour convaincre ses confrères d'accoucher toutes leurs patientes à l'hôpital ? Ridicule. D'un autre côté, Walker avait raison. Deux semaines, c'était mieux que rien.

— D'accord, Heidi, fit Rae. Deux semaines et les affaires reprennent.

— Sinon, dit Heidi d'un ton sévère, je demande à ce qu'on vote. Et il n'y aura pas de discussion.

— Nous vous en sommes reconnaissants, dit Walker.

— Merci, Heidi, fit Rae.

— Je regrette certaines des choses que j'ai dites tout à l'heure, déclara Heidi. Et, ma foi, je regrette ce que John a dit de vous : je vous remercie, et remerciez le Dr Hartman la prochaine fois que vous le verrez d'avoir essayé de sauver la vie de John. J'ai au moins pu lui parler avant...

— Oubliez ça, dit Rae en hochant la tête.

Après le départ de Heidi, Walker et Rae restèrent un moment assis sans rien dire. Puis Rae finit par se lever.

— Walker, y a-t-il autre chose que vous ne m'ayez pas dit ? Je veux dire : à propos de mon service ?

— Dieu m'en garde, dit-il. Je ne crois pas que mes nerfs pourraient le supporter. (Il marqua un temps puis reprit.) Vous savez que les chances sont contre vous.

— Ça a été le cas durant presque toute ma vie, répliqua Rae.

— Soyez prudente, d'accord ? Il y a pas mal de gens qui n'approuveront pas ce que vous faites.

— J'ai les bébés de mon côté, déclara Rae. C'est tout ce qu'il me faut.

— Bon, gloussa Walker. Allez-vous-en d'ici. Je plains le pauvre diable qui essaiera de vous combattre.

Rae sortit du bureau en se disant que Walker avait raison. Les chances étaient contre elle, mais quel autre choix avait-elle ?

CHAPITRE SIX

L'Hôpital de Berkeley Hills avait le meilleur service de réanimation néonatale de l'Etat. Rae avait espéré trouver là quelque réconfort en se penchant sur le bébé de Nola. Mais, malgré ses talents, le personnel soignant n'avait pas réussi à ce que le bébé bouge un doigt de la main, remue le gros orteil ou cligne une paupière. Il restait allongé là, sa poitrine se soulevant et s'abaissant au rythme de l'appareil respiratoire.

Le nouveau-né gisait prostré sur un matelas à fleurs à l'intérieur de sa couveuse. Des bandes Velcro maintenaient en place ses bras et ses jambes potelés. Des tuyaux gros comme des spaghetti sortaient du tronçon sectionné de son cordon ombilical. Un tuyau analogue sortait d'une veine le long de son crâne. Un petit bout de papier aluminium rouge découpé en forme de cœur était collé sur son torse pour surveiller la température du corps.

Rae songea tristement que le bébé ressemblait plus à un cobaye qu'à un patient.

— Personne ne devrait avoir à débuter dans la vie de cette façon, dit-elle en touchant la peau tiède d'un des petits doigts minuscules.

— Quoi donc, Rae ? demanda le Dr Catherine Drake, la néonatalogue, en regardant par-dessus ses lunettes à monture noire pour régler l'appareil respiratoire.

Auprès d'elle se trouvait Jessica Howe, l'infirmière de la pouponnière qui avait aidé au début de la réanimation. Autour d'elles, d'autres couveuses avec d'autres petits bébés malades.

— J'ai dit : quelle façon de terminer une semaine.

— Et comment, renchérit Catherine.

— Alors, qu'est-ce que tu en penses ?

— On ne sait jamais avec des cas de ce genre. On pourrait rester dans le flou pendant des semaines... Excuse-moi, Rae... Jessica, est-ce qu'on a maintenant ces dosages des gaz dans le sang ?

Jessica traversa la pièce et pressa quelques touches sur le clavier d'un ordinateur. Une imprimante se mit aussitôt à cracher un rapport.

— J'ai été bloquée par des réunions toute la matinée, dit Rae. As-tu appris quelque chose sur ce qui est arrivé à la mère avant qu'on la transporte ici ?

— Nous sommes toujours les derniers à connaître l'histoire, dit Catherine en secouant la tête. Dommage que les bébés ne puissent pas nous parler.

— Je me disais la même chose.

— Quoi qu'il en soit, s'il tient le coup un moment, nous devrions en savoir plus sur ses chances dans soixante-douze heures.

D'un geste las, elle remonta ses lunettes sur l'arête de son nez tandis que Jessica revenait avec la sortie d'imprimante.

Soixante-douze heures ? se dit Rae, ses doigts pianotant avec angoisse sur les montants métalliques de la couveuse. Soixante-douze heures, c'était beaucoup trop long. Ça voulait dire qu'elle ne saurait rien avant lundi. Elle voulait savoir *maintenant* que le bébé avait une chance.

Catherine lut le rapport, sa bouche se crispa, elle se frotta les paupières.

— Comme tu disais, fit-elle en tendant la feuille à Rae, quelle façon de terminer la semaine.

Rae parcourut la page, espérant trouver un pH supérieur à 7,10, qui lui indiquerait que le bébé n'avait pas souffert à un point dangereux d'un manque d'oxygénation du cerveau. Mais ses espoirs s'évanouirent quand elle lut le rapport.

— 6,8 ? dit-elle.

Elle sentit aussitôt son pouls s'accélérer. Ses mains se mirent à trembler. Non, se dit-elle. Le pauvre bébé. Elle relut le rapport. Les mêmes chiffres étaient là sous ses yeux. Le niveau d'oxygène était bien trop bas, le pourcentage de dioxyde de carbone bien trop élevé : chacun était exactement à l'opposé de ce qu'il aurait dû être.

Elle jeta un coup d'œil aux autres données. Son cœur se serra plus encore quand elle comprit que l'anoxie prolongée avait également provoqué une sévère acidose métabolique. Elle se frotta les yeux, imaginant à quoi pourrait ressembler le bébé dans une dizaine d'années. Le regard vide, la tête bringuebalante, les mains crispées comme des griffes contre sa poitrine.

En soupirant, elle rendit la feuille à Catherine.

— J'avais espéré de meilleures nouvelles. Il faut encore que j'aille parler à la mère.

— Il est vivant, tu peux lui dire ça, conclut Catherine en passant le rapport à Jessica.

Elle se pencha pour réaligner les tuyaux sortant du cordon ombilical sectionné.

— A peine, dit Jessica en glissant le rapport dans le dossier du bébé fixé au côté de la couveuse. Il n'avait pas l'ombre d'une chance. Son rythme cardiaque était presque inexistant quand ils l'ont amené de la Clinique d'accouchement...

— Pas du tout, dit une autre infirmière.

Se retournant, Rae aperçut Eileen Tan qui s'approchait pour se joindre à la conversation. Eileen était à peine plus grande que Rae. Elle avait les cheveux coupés au carré et de profondes fossettes.

— Le rythme cardiaque du bébé était tout à fait normal dans l'ambulance, précisa Eileen.

— Ça n'est pas ce qu'on m'a dit, déclara Jessica.

Rae les regarda tour à tour. Chacune semblait sûre d'elle.

— A qui as-tu parlé, Jessica ?

— A Sylvia, évidemment.

— Sylvia ? fit Rae, repassant dans sa tête le nom de toutes les infirmières de la maternité.

— Naturellement vous connaissez Sylvia, docteur Duprey, fit Jessica. Sylvia Height. C'est l'infirmière en chef de jour aux Urgences.

— Oh, cette Sylvia-là.

— Eh bien, elle se trompe, affirma Eileen. J'ai parlé avec...

— Jessica, fit Catherine les interrompant, appelle l'endoscopie et demande un scanner pour lundi matin à la première heure. Et tâche d'avoir un électrocardiogramme juste après. (Elle ôta ses gants.) Je t'appellerai plus tard, Rae, si ça évolue.

— Appelle-moi, même si ça n'est pas le cas.

Elle regarda Catherine Drake sortir en boitillant de la salle. Il y avait six mois à peine, elle s'était cassé la hanche dans un accident de moto et on lui avait mis une prothèse. Rae l'avait toujours admirée. Même ses propres infirmités ne l'empêchaient pas de s'occuper des bébés les plus malades de l'hôpital.

Du moins, songea-t-elle, pourrait-elle dire à Nola Mahl que son bébé était vraiment dans les meilleures mains. C'était déjà quelque chose. Peut-être pas beaucoup, étant donné son état, mais c'était toujours mieux que le consternant dosage des gaz du sang.

Tandis que Jessica était au téléphone, pour programmer les examens demandés par Catherine, elle se tourna vers Eileen.

— Vous disiez ?

— Je connais Léo mieux que personne, affirma Eileen. Il ne me mentirait pas. Peu importe ce que Sally ou Dieu sait qui a dit à Jessica. Les jumeaux m'ont assuré que ce bébé était en pleine forme quand ils ont quitté la Clinique...

— Les jumeaux ?

— Les jumeaux, ce sont les infirmiers. Léo et Théo – je veux dire Léonard et Théodore. Ils étaient dans l'ambulance qui a amené la patiente ici.

— Et l'un d'eux a dit que le rythme cardiaque du bébé était normal quand ils ont quitté la Clinique d'accouchement ?

— C'est exact.

— Oh, ces infirmiers, fit Jessica en raccrochant le téléphone. Pas étonnant qu'elle prenne leur défense.

Du pouce, Jessica désigna Eileen.

— Docteur Duprey, Léo est son petit ami. Elle croirait n'importe quoi si c'était lui qui le disait.

— Qu'est-ce que c'est censé vouloir dire ? fit Eileen.

— Jessica, appela Catherine Drake.

Rae se retourna et vit la néonatalogue passer la tête dans la pièce.

— Désolée de vous interrompre, mesdames, annonça Catherine, mais j'ai besoin de Jessica à la post-réa.

— Ce bébé avait des problèmes bien avant d'arriver ici, siffla Jessica en se dirigeant vers la porte. Vous n'avez qu'à demander à Sylvia. Elle vous dira comment ça s'est passé.

Jessica partie, Rae sentit la main d'Eileen sur son épaule.

— Et si Léo est mon petit ami ? dit celle-ci. Ça ne fait pas de lui un menteur.

— Personne n'a dit que quelqu'un mentait.

— Je vous assure, docteur Duprey. Léo est un très bon infirmier...

— Je n'en doute pas, Eileen.

— Jamais il ne me mentirait. Il m'a affirmé que le rythme cardiaque du bébé était parfaitement normal quand ils ont déposé la patiente à notre service d'urgences.

— Eileen, si vous continuez à le défendre, je m'en vais commencer à croire Jessica.

— Vous ne pouvez pas croire Jessica ! dit Eileen avec un grand soupir. Ecoutez, conclut-elle en baissant la voix et en regardant autour d'elle pour voir si personne n'écoutait. Jessica est encore dans tous ses états parce qu'elle sortait avec le frère de Léo jusqu'au jour où elle a découvert qu'il était marié. Je suis bien placée pour le savoir : nous sortions tous les quatre ensemble. Théo a même deux gosses.

S'il y avait une chose qui n'intéressait pas Rae, c'était qu'on la mette au courant des dernières histoires de coucherie des infirmières.

— Ce que je veux savoir, c'est si quelqu'un s'occupait du bébé – et non pas à quel moment il y a eu des problèmes.

Elle s'arrêta pour envisager les deux versions contradictoires. Ou bien disait vrai Eileen, ou bien Jessica, mais pas les deux.

— Ecoutez, reprit-elle, je vais parler aux infirmières de la Clinique d'accouchement, vous savez, à celles qui se sont occupées du transfert de la patiente, ensuite je parlerai à Léo et à son frère... comment avez-vous dit qu'il s'appelait déjà ?

— Théodore. On l'appelle Théo. Léo et Théo McHenry. Et Théo est l'aîné.

— Et ils étaient tous les deux dans l'ambulance ?

Elle avait des gargouillements d'estomac. Il fallait qu'elle mange quelque chose, se dit-elle.

— Théo était à l'arrière avec la patiente, poursuivit Eileen. Il est toujours à l'arrière... hé, ça va, docteur Duprey ?

Victime d'un étourdissement, Rae avait saisi soudain le bord de la couveuse. Elle fit tomber le dossier dont la pince heurta le carrelage avec bruit.

— J'ai juste besoin d'avaler quelque chose, dit-elle en se penchant.

Les feuilles du dossier s'étaient répandues par terre. Eileen se pencha pour l'aider à les ramasser.

— Tenez, dit-elle en prenant un formulaire parmi les autres.

Rae remit les documents à leur place, puis examina celui qu'Eileen avait à la main : c'était un rapport d'ambulance.

— Vous voyez ? fit Eileen en désignant une des cases. C'est bien précisé ici. Le rythme cardiaque du bébé était normal pendant le transport en ambulance. 152 pulsations par minute.

— Oui, en effet.

Rae examina de nouveau les chiffres. Elle secoua la tête, recula d'un pas et attendit une seconde que son vertige se dissipe. Puis elle regarda la signature de l'infirmier. On aurait dit deux chenilles en pleine copulation.

— C'est l'écriture de votre petit ami, Eileen ? Terrible, pire que la mienne.

— Je reconnaîtrais sa signature n'importe où, dit fièrement Eileen en rougissant.

— Si vous m'écriviez son nom... d'une façon lisible ? Et celui de son frère. Je n'arrive pas à déchiffrer ça. Mettez-moi leur nom de famille aussi.

Tandis qu'Eileen griffonnait les renseignements sur un bloc, Rae parcourut le reste du dossier. Il y avait un formulaire rempli par une infirmière de la Clinique d'accouchement. Quand elle eut terminé, elle en déduisit que Nola Mahl avait apparemment reçu là-bas les soins appropriés.

A deux exceptions près.

D'abord, dans la case intitulée PRÉSENTATION, on avait écrit le mot *siège*, et pourtant Rae avait trouvé le bébé en position transversale lors de la césarienne. Ensuite, la case marquée RYTHME CARDIAQUE FŒTAL était vide. Rien. Pas même un point d'interrogation. Et Rae, elle, sentait un gros point d'interrogation se former dans son esprit. Pourquoi une infirmière n'avait-elle pas noté le rythme cardiaque du bébé ? C'était la procédure classique, la première chose qu'on faisait. A moins...

Rae lut la signature au bas de la page, à côté des initiales *J.D.* Elle plissa les yeux et examina la feuille sous tous les angles avant de déchiffrer l'écriture. Jenny, finit-elle par décider, c'était le premier nom de la signature. Rae l'examina encore quelques secondes avant de finir par renoncer à décrypter le reste. Le nom de famille de Jenny restait indéchiffrable.

Avec un peu de chance, se dit Rae, il n'y aura qu'une seule Jenny qui travaille à la Clinique. Elle l'appellerait dès qu'elle pourrait. Là-dessus, la porte de la pouponnière s'ouvrit et Bernie entra dans la salle. Rae la croyait partie depuis longtemps, mais elle fut contente de la voir.

— Comment va-t-il ? demanda Bernie en se plantant auprès de Rae et du bébé de Nola. Qu'est-ce qu'ils ont dit... Hé, Rae, le bébé a meilleure mine que toi.

— Merci, fit Rae en frictionnant les muscles las de sa nuque. C'est ce qu'on m'a dit. Au fait, Bernie, est-ce que tu sais...

— Tenez, fit Eileen en les interrompant pour tendre un bout de papier à Rae. Je vous assure, docteur Duprey, Léo est...

— Mais oui, mais oui, fit Rae d'un ton las. Un très bon infirmier.

Eileen eut un sourire penaud.

— Je crois que j'en ai fait un peu trop, dit-elle. Mais, docteur Duprey, merci de m'avoir écoutée. Si vous avez d'autres questions, je suis dans les parages.

— De quoi s'agit-il? demanda Bernie tandis qu'Eileen s'éloignait.

Rae lut les noms inscrits sur le papier qu'Eileen lui avait remis. Léonard et Théodore McHenry.

— C'est exactement ce que je compte découvrir, dit-elle en pliant la feuille en deux avant de la fourrer dans la poche de sa chemise blanche.

— Comment va notre bébé ? demanda Bernie.

— Nous ne saurons rien avant lundi au plus tôt. Pour l'instant, il est toujours sous assistance respiratoire. On va lui faire un scanner et un électrocardiogramme.

— En tout cas, il est mignon comme tout, fit Bernie.

— Et en vie.

Le seul fait de voir Bernie pleine d'espoir réconfortait Rae.

Comme l'avait dit Catherine Drake, si le bébé pouvait tenir le coup...

Rae allait demander à Bernie si elle connaissait Jenny, quand la porte de la pouponnière s'ouvrit une nouvelle fois. Elle vit entrer la haute et élégante silhouette de Bo Michaels, ancien associé de Rae quand elle exerçait dans le privé, ancien partenaire dans la vie et aujourd'hui chef de son service et directeur médical de la Clinique d'accouchement.

La même clinique, se dit Rae, où, à en croire le petit ami infirmier d'Eileen, le bébé de Nola avait un rythme cardiaque normal et où, selon Sylvia, ce n'était pas le cas. Et là où une infirmière du nom de Jenny n'avait pas noté du tout le rythme cardiaque fœtal.

— Oh oh, chuchota Bernie, je n'aime pas la façon dont Bo nous regarde.

Rae poussa un soupir. Voir Bo l'emplissait toujours d'émotions mêlées. Elle savait qu'elle ne l'aimait plus mais elle éprouvait encore pour lui des sentiments forts. Cela s'était senti dans sa conversation avec Bernie au début de la matinée. Ce qui la préoccupait maintenant, c'était sa promesse à Heidi, de faire tout son possible pour que les médecins cessent de pratiquer des accouchements à la Clinique d'accouchement.

La clinique de Bo. C'était lui qui l'avait fait démarrer, lui qui en était propriétaire, lui qui avait amené les autres médecins à venir y travailler. Le seul qu'il n'avait pas pu emmener là-bas, c'était Rae. Voilà maintenant qu'elle allait lancer une attaque en règle contre l'établissement, cette clinique qu'il appelait son bébé.

Pourtant, que pouvait-elle faire d'autre ? C'était à cause de sa Clinique d'accouchement que le Conseil voulait fermer le service d'Obstétrique de l'Hôpital. Pas question qu'elle laisse faire ça sans se battre – sans se battre de toutes ses forces. Elle savait au fond de son cœur qu'il était plus sûr pour les femmes d'accoucher dans son hôpital. Dépendre d'un transport en ambulance était tout simplement trop dangereux. Ça n'avait assurément pas marché pour sa mère.

Bo s'approcha et Rae sentit les muscles de son dos se crisper. Il la regardait de ses grands yeux bruns. Sa bouche – la même qui l'embrassait avec tant de tendresse – était serrée. Il se dirigea vers elle, bousculant presque une infirmière qui ne s'écartait pas assez vite.

Rae prit une profonde inspiration, tapota Bernie dans le dos et dit :

— Tu penses toujours que Bo a l'air de ne pas pouvoir vivre sans moi ?

— Plus que jamais, répondit Bernie.

— Je suis vraiment navré d'avoir manqué la césarienne, Rae, dit Bo en s'approchant d'elle.

Il portait un blazer bleu marine, une chemise bleu clair et un pantalon beige. Peut-être avait-il perdu quelques kilos depuis leur rupture, se dit Rae, ce qui ne faisait qu'accentuer ses traits aigus et ses yeux un peu creux.

Mal à l'aise, Rae passa de l'autre côté de la couveuse. Jetant un coup d'œil au nouveau-né, elle dit :

— Nous ne saurons pas avant quelque temps comment il va évoluer.

Bo, en face de Rae, examina le bébé pendant quelques secondes.

— J'étais chez moi – sous la douche – quand on m'a bipé, dit-il. Malheureusement, je n'ai rien entendu. D'habitude, ils téléphonent... En tout cas, je suis juste venu pour te remercier d'avoir fait de ton mieux.

Rae fronça les sourcils. De son mieux ?

Bo brusquement leva la tête vers Rae.

— Tu as une minute ? demanda-t-il. (Puis, se tournant vers Bernie, il dit :) Ça vous ennuierait que je lui parle en privé ?

— Je n'ai pas beaucoup de temps, Bo, dit Rae sans laisser à Bernie le temps de répondre.

— Personne ne le sait mieux que moi, fit-il avec un petit sourire.

— Si je te retrouvais dans la salle de réveil, Rae ? suggéra Bernie.

Après le départ de son amie, Rae désigna une petite salle de conférence séparée de la pouponnière par une paroi vitrée.

— Parfait, dit Bo.

A l'intérieur, il y avait une table ronde en verre entourée de six chaises métalliques, avec un téléphone, un rayonnage plein de revues pédiatriques et un canapé. Rae se laissa tomber sur le divan tandis que Bo se tournait vers elle. Elle sentait qu'il pesait chaque mot avant de parler. Sa peau brune était lisse comme celle d'une pomme caramélisée. Il était mince et en forme : à quarante-trois ans, cinq ans de plus qu'elle, il ne présentait aucun signe de vieillissement. Une mèche grisonnante par-ci par-là, peut-être une ou deux rides au coin des yeux.

— Je ne veux rien dire devant Bernie, dit enfin Bo. Mais tu comprends, d'après ce qu'on m'a dit, il semble que je pourrais avoir... enfin, bon sang, Rae, ma Clinique d'accouchement a envoyé ici un bébé normal et on me raconte maintenant que nous avons un légume sur les bras.

— Je cherche aussi à comprendre ce qui s'est passé, Bo, répondit Rae en lissant les plis de sa robe. Il semble y avoir divergence à propos du moment où le rythme cardiaque du bébé a plongé.

— Je te suis vraiment reconnaissante d'avoir tant essayé de nous aider, dit Bo, comme si Rae n'avait rien dit. Mais, voilà, mon équipe est très préoccupée et j'ai besoin de savoir. Est-ce que tu as vraiment attrapé une main au lieu d'un pied ? Est-ce que tu n'as pas écouté Eva quand elle t'a dit comme elle se sentait mal ? Et la tête du bébé... on m'a dit que tu aurais pu avoir plus de place en agrandissant l'incision...

— Qui t'a raconté ça ? l'interrompit Rae.

Mais Bo ne répondit pas.

— Au lieu de t'inquiéter de ma technique, pourquoi n'envoies-tu pas tes patientes ici plus tôt ? demanda-t-elle d'un ton narquois en se levant. Mieux encore, pourquoi ne limites-tu pas tes accouchements aux patientes à risques faibles ? ajouta-t-elle en se dirigeant vers la porte.

— Je n'en ai pas terminé, dit Bo.

— Oh, je crois savoir où nous mène cette conversation, dit Rae avec calme. Appelle-moi quand tu voudras entendre ma version de l'affaire.

Bo s'approcha d'elle et posa le bras contre la porte. Ils étaient si près qu'elle sentait le léger parfum de son eau de toilette, ce qui déclenchait des souvenirs indésirables. Elle recula. Elle se sentait plus en sûreté en étant moins près. Bo poussa un soupir et secoua la tête.

— Je suis désolé, Rae. Ce n'est pas comme ça que je voulais que ça se passe.

Rae attendit.

— Ce n'est pas de Nola que je parle maintenant, dit Bo. Tu sais comme les gens bavardent ici. Je tiens à te protéger. J'ai toujours voulu te protéger. Simplement, tu rends parfois ça si difficile.

Il alla jusqu'au divan et s'assit.

— Tu comprends, bien sûr, que ça me tracasse, dit Bo, mais il y a autre chose dont je voulais te parler. C'était la véritable raison pour laquelle je voulais te trouver ce matin. Là-dessus j'ai appris ce qui s'était passé en salle d'op.

— Tu n'as pas entendu ma version, fit Rae l'interrompant. Tu veux l'entendre maintenant ?

Comme il ne répondait pas, elle repartit vers la porte.

— Je pensais bien que non, dit-elle.

— Bon Dieu, Rae ! Tu ne veux donc jamais écouter ?

— Bon, dit-elle, tout ça ne rime à rien. Je t'ai dit pour commencer que je n'avais pas beaucoup de temps. Il faut encore que je découvre ce qui est arrivé à Nola avant qu'on l'ait transportée ici.

— Je t'en prie, Rae, poursuivit Bo. Jetons nos blouses de docteur un moment, d'accord ?

Rae croisa les bras sur sa poitrine.

— Je me suis levé, poursuivit Bo, après une nuit où je n'ai pas fermé l'œil, avec l'intention de te voir le plus tôt possible. Pas étonnant que je n'aie pas entendu mon bip : je pensais à ce que j'avais à te dire. J'ai quelque chose d'important à t'expliquer, mais tu rends toujours les choses aussi dures...

— Tu as déjà fait quelques déclarations assez dures...

— Tu voudrais bien cesser pendant deux secondes d'être le *docteur* Duprey ? Je t'en prie...

Rae soupira. Même si Bo travaillait soixante-dix à quatre-vingts heures par semaine, il avait l'habitude d'accuser Rae de se conduire toujours comme un médecin, jamais comme une « personne ». Comme s'il y avait une différence, songea-t-elle amèrement.

— Je suis venu... commença Bo, puis il hésita comme s'il cherchait ses mots. Je suis venu te demander d'essayer encore une fois.

— D'essayer quoi...

— Tu veux bien me laisser terminer ? Je veux savoir, j'ai besoin de savoir si... si toi et moi... si nous pouvions essayer d'être ensemble, comme au bon vieux temps.

— Tu veux qu'on reprenne un cabinet tous les deux ? fit Rae en secouant la tête d'un air incrédule.

— Je veux qu'on soit ensemble, qu'on vive ensemble, comme on le faisait jusqu'au jour où Dieu sait quoi est venu tout foutre en l'air.

— Vivre ensemble ? murmura Rae.

— Voilà, je l'ai dit. Et je suis content de l'avoir dit... Je t'en prie, ne me regarde pas comme ça...

Rae le dévisageait en ouvrant de grands yeux incrédules.

— C'est assez dur comme ça, Rae. J'ai eu tort, d'accord ? Ce n'est pas un bébé que je veux, c'est toi.

Elle ne se souvenait pas d'avoir éprouvé un tel désarroi. Qu'est-ce qu'il racontait ? Voilà un an qu'ils avaient rompu et, depuis lors, il ne lui avait adressé la parole que quand c'était strictement nécessaire et de façon toujours sèche.

— Je t'en prie, dis quelque chose...

— Je suis vannée, Bo, fit-elle en se frottant le front. Et ce que tu dis ne rime à rien.

— Je parle sérieusement, Rae. Bon, nous ne sommes pas d'accord sur tout : les enfants, la Clinique d'accouchement, les draps en toile plutôt qu'en flanelle. Mais il faut bien que tu en conviennes avec moi : tu es seule. Je suis seul. Tu as encore besoin de moi. Et moi, j'ai besoin de toi, tu me manques.

— Assez...

— Et je sais que je te manque.

— Tu ne...

Rae s'arrêta. Elle n'avait jamais menti à Bo et elle n'avait aucune raison de commencer maintenant.

— D'accord, ça me manque de ne pas être avec quelqu'un, Bo. Alors, je dors toute seule. Mais j'ai évolué... tu devrais en faire autant.

Là-dessus, la porte de la salle de conférence s'ouvrit et un livreur passa la tête à l'intérieur.

— Des fleurs pour le Dr Duprey, annonça-t-il.

Il tendit à Rae un bouquet de roses rouges et jaunes.

— De la part du Dr Bo Michaels, fit-il avec entrain. Bonne journée.

— Bo, commença Rae.

Les fleurs étaient magnifiques et elles embaumaient. Mais les roses jaunes mêlées aux fleurs rouge sang donnèrent la nausée à

Rae. Elle ferma les yeux et, pendant un affreux moment, elle se retrouva à treize ans : utilisant le chandail jaune que sa mère lui avait tricoté pour essuyer le sang dans l'ambulance. Elle ouvrit les yeux et essaya de tendre le bouquet à Bo.

— Merci, mais je ne peux pas accepter.

— Ce sont juste des fleurs envoyées par un ami, protesta Bo.

Rae s'approcha de la table en verre et déposa les fleurs. En les mettant dans le vase, elle se piqua le doigt sur une épine. Du sang perla aussitôt.

— Il faut vraiment que j'y aille, Bo.

Bo s'approcha d'elle et lui souleva le menton.

— Je t'en prie, murmura-t-il d'une voix plus douce qu'elle ne lui en avait jamais connu. On peut y arriver, Rae. Je t'en prie, au moins réfléchis-y. Peut-être que je ne serai plus si disposé à te donner une autre chance...

C'était donc ça, se dit Rae : Bo fixait de nouveau ses conditions. Elle s'écarta.

— C'est toi qui m'as quittée, Bo, tu te souviens ?

— Je ne savais plus où j'en étais, répondit-il.

Elle suça son doigt et, voyant que le saignement avait cessé, porta sa main droite à sa nuque. Elle avait tous les muscles des épaules noués.

— Ne recommençons pas cette discussion, Bo, dit-elle. Pourquoi ne pas laisser tomber ?

— Tu disais que ça te manquait de n'avoir personne dans ta vie, fit Bo. C'est une raison suffisante pour faire une nouvelle tentative, non ? Etre médecin, ça ne sera jamais assez pour toi. Tu as besoin d'un homme dans ta vie. Tu as besoin de *moi*.

Elle se rappelait son père ayant la même discussion avec sa mère, une discussion sur le « besoin ». Son père avait convaincu la mère de Rae qu'elle avait « besoin » d'avoir un fils pour que la famille soit complète. Six filles, apparemment, ça ne suffisait pas. Sa mère avait perdu cette discussion et voilà où ça l'avait menée : morte à l'arrière d'une ambulance. Et le bébé mort-né enterré avec elle.

— Il faut que j'y aille, lui dit Rae.

— Ne me repousse pas une nouvelle fois, dit Bo, solidement planté sur ses pieds, les bras croisés sur sa poitrine.

— Tu aurais dû commencer par ne pas me demander, dit Rae, plus calme maintenant.

Tout d'un coup, sa mère lui manquait. Elle lui manquait depuis des années. Et voilà maintenant que Bo utilisait cet argument pour la reconquérir. Eh bien, se dit-elle, sa mère avait beau lui manquer, ce n'était pas cela qui allait la lui rendre, et même si Bo lui manquait, ça ne ferait pas revenir ce qu'ils avaient connu jadis...

— Alors, dit Bo, je n'aurais peut-être pas dû te défendre. On raconte que tu as délibérément essayé de tuer ce gosse...

— Quoi ? demanda-t-elle, incrédule.

— On m'a dit que tout allait bien jusqu'au moment où tu l'as pris en main.

— Maintenant, dit Rae d'un geste écœuré, voilà que tu m'accuses d'avoir essayé de tuer quelqu'un ! Espèce d'hypocrite ! Ce bébé était presque mort quand il est arrivé ici !

Elle s'en voulait plus qu'elle n'en voulait à Bo. Elle aurait dû s'en douter. Mais, à cause des sentiments qu'elle éprouvait encore pour lui, elle avait baissé sa garde, ce qui était une erreur.

— Tout ce que je sais, c'est que mes infirmières ont déclaré que le bébé était parfait ! cria Bo, furieux. Et, quoi qu'il arrive, je ne te laisserai pas donner mauvaise réputation à mon établissement pour une faute que tu as commise !

Elle prit une profonde inspiration, en essayant de se calmer. Son établissement. Ses comptes. C'était toujours ce qui passait en premier pour Bo.

— Je me demande, fit-elle avec une fureur à peine contenue, quel tour aurait pris cette petite conversation si j'étais tombée à genoux quand tu as dit que tu m'aimais ? Je me demande ce qui serait arrivé si j'avais dit : « Oui, Bo, mon chéri, j'ai rêvé du jour où tu me demanderais de revenir ? » Je comprends maintenant que tout ça n'a rien à voir avec moi, ni avec Nola, ni avec son bébé ni personne. Ce qui t'intéresse, c'est d'obtenir ce que tu veux et, si tu n'y arrives pas, tu te mets à attaquer tout ce qui t'entoure. Que je revienne avec toi ou pas n'est pas le problème. Que le bébé se révèle être un légume ou non, tu t'en moques. Mais, Bon Dieu, Bo, pas moi !

— Cesse, Rae.

— Maintenant, fit-elle en levant la main pour l'interrompre, à moi de poser les questions. D'abord, pourquoi est-ce qu'une patiente à si haut risque a-t-elle été admise à la Clinique d'accouchement ? Si je me souviens bien, la Clinique n'est que pour les femmes à faible risque. Ensuite, pourquoi ton équipe a-t-elle dit que le bébé se présentait par le siège, alors qu'il était transverse ? Et pourquoi ton équipe n'a-t-elle pas fait venir un autre médecin si on n'arrivait pas à te trouver ? Notre service n'a promis de soutenir ta petite entreprise que si l'un de vous vient ici opérer.

— Je te l'ai dit. Ils ont cru que j'avais reçu le message sur mon bip.

— Est-ce qu'ils ne devraient pas attendre d'avoir de tes nouvelles avant de rien supposer ?

— Même si j'avais reçu le message, il n'y avait pas d'urgence.

— Pas d'urgence ? Tu es fou ? Le bébé avait un rythme cardiaque de soixante quand il est arrivé et tu dis qu'il n'y avait pas d'urgence ? Qu'est-ce que tu t'imagines donc qui se serait produit si je n'avais pas été là ? Tu penses que tu as un légume sur les bras ? Tu aurais eu un foutu cadavre si tout le monde avait attendu que tu rappliques !

Elle avait de plus en plus de mal à parler. La colère lui paralysait la gorge.

— Je ferais mieux de partir, dit-elle en se reprenant, avant de dire quelque chose que je regretterais.

— Alors, tu ne veux même pas envisager...

— Envisager quoi ? lança-t-elle.

— Que toi et moi, on se remette ensemble ?

Elle secoua la tête avec stupéfaction. Cette fois, quand elle empoigna le bouton de la porte, elle le tourna.

— Rae, je t'en prie...

Mais elle était sortie avant qu'il ait pu terminer sa phrase.

Devant la salle de conférence, Bernie, qui apparemment n'était pas sortie de la pouponnière, s'avança vers Rae.

— Ça avait l'air d'un 7,9 sur l'échelle de Richter, dit-elle.

— Je croyais que tu devais me retrouver dans la salle de réveil, répliqua Rae.

Elle apercevait Bo, assis sur une des chaises métalliques, la tête dans ses mains, les coudes sur la table. Elle se détourna, frictionnant les muscles endoloris de sa nuque, puis elle remarqua que toutes les autres infirmières du service de réanimation néonatale avaient, elles aussi, suivi ce drame matinal. Elles s'empressèrent de détourner la tête et de se remettre à leurs occupations tandis que Bernie et elle sortaient dans le couloir.

— La bonne nouvelle, dit Rae désireuse de changer de sujet, c'est que tu as toujours une place.

— Au travail, Doc, fit Bernie en tapant sur l'épaule de Rae. Peut-être qu'un jour, tu seras présidente du Conseil d'Administration.

— Bernie, connais-tu une infirmière du nom de Jenny qui travaille à la Clinique d'accouchement ?

— Jenny qui ? fit Bernie en ajustant son bonnet.

— As-tu entendu parler d'un couple de jumeaux ambulanciers ?

— Ça doit être Léo et Théo.

— Oui.

— Non, je n'ai pas entendu grand-chose. (Elle sourit et donna un coup de coude dans les côtes de Rae.) Je sais qu'ils sont nouveaux et qu'ils brisent pas mal de cœurs par ici.

— Nouveaux ?

— Oui. Ils n'ont commencé que cette année avec Hillstar.

— Hillstar ?

— Oui, tu devrais vraiment sortir davantage. Hillstar, c'est le nom de leur compagnie d'ambulances. Nous avons un contrat avec eux pour assurer le transfert jusqu'ici des patientes de la Clinique d'accouchement. Les jumeaux ne sont pas mon type, mais ils sont certainement beaux gosses.

— Bernie, tu veux me rendre un service ? Avant de partir, pourrais-tu trouver tout ce que tu peux à leur sujet ? Il faut que j'aille voir Nola à la salle de réveil. Mais quand j'aurai fini là-bas, il faudra que j'appelle... Comment as-tu dit que s'appelait la compagnie ?

— Hillstar.

— Il faudra que j'appelle Hillstar et que je leur pose quelques questions. Et, si tu as le temps, peux-tu me trouver le nom de famille de cette Jenny à la Clinique d'accouchement ? C'est elle qui s'est occupée de Nola...

— Bien sûr, fit Bernie. Au fait... pourquoi me demandes-tu pour les jumeaux ?

— Il y a quelque chose dans toute cette histoire de Nola qui me paraît bizarre.

— La Sainte Mère ? C'est comme ça qu'elle parlait d'elle quand elle s'est réveillée ?

— Exactement.

— Mais tu pensais que le bébé a eu des problèmes à cause du cordon qui faisait trois fois le tour de son cou, fit Bernie d'un air surpris.

— J'ai dit que ça n'avait rien arrangé. Maintenant, écoute, Bernie, et que ça reste entre nous pour l'instant, d'accord ? Il semble y avoir divergences sur le moment où le rythme cardiaque du bébé a chuté.

— On m'a dit qu'il était très bien quand Nola a quitté la Clinique...

— Et moi, on m'a dit le contraire. Tu vois ce que je veux dire ?

Elles arrivaient devant l'escalier au fond du couloir. Bernie tourna à gauche et se mit à gravir les marches.

— Hé, lui cria Rae, où vas-tu ?

— C'est toi qui veux que je me rancarde sur les jumeaux, répondit-elle. Pour ça, il va me falloir un peu de caféine. Tout le monde sait que le café est bien meilleur au Pavillon 4.

Avant que Rae ait pu répliquer, Bernie était déjà au milieu de l'escalier.

Une fois Bernie partie, Rae repensa à sa conversation avec Bo. Elle se demanda qui avait parlé à Bo de son intervention sur Nola Mahl. Même si ses conclusions étaient erronées, il en savait autant que s'il avait été auprès de la table d'opération, sur le chariot de réanimation, comme s'il n'avait pas quitté Nola d'une semelle.

Tout en suivant le couloir, elle passa rapidement en revue dans sa tête la liste des possibilités. Elle élimina aussitôt Bernie, même si c'était elle qui avait conseillé à Rae d'agrandir l'incision utérine. Pas question que Bernie ait parlé à Bo de l'opération. Alors qui d'autre avait pu le mettre au courant ?

Rae arrivait maintenant devant les deux ascenseurs de service. C'était peut-être Eva, mais Eva s'était évanouie avant que l'opération ne fût terminée. Etait-ce Jessica, l'infirmière de la pouponnière qui avait aidé à ranimer Nola ? Non, se dit Rae, Jessica l'aimait bien. Et Jessica avait horreur de la Clinique d'accouchement qui détournait une si grande part de la clientèle de l'Hôpital.

Hannah ? Non, trop timide. Nola ? Allons donc.

L'image de toutes les autres infirmières qui se trouvaient dans la salle d'opération se brouillait maintenant dans l'esprit de Rae, comme une photo terriblement floue. Et puis, il y avait eu tant de gens qui s'affairaient pour essayer de sauver le bébé de Nola.

Peut-être Marco ? Marco et Bo étaient bons amis. Et maintenant, avec le Conseil qui menaçait de fermer le service de Rae et de déverser l'argent dans le programme de chirurgie cardiaque de Marco... Pourquoi Marco n'aurait-il pas passé un rapide coup de fil à Bo pour lui raconter l'opération de Nola ? Quelqu'un de proche de Marco, qui avait assisté à l'opération, aurait pu la lui raconter. Etait-ce une des infirmières qui couchaient avec lui ? Ou bien était-ce...

Mais oui, le nouvel anesthésiste, se dit Rae. Sam Harter, quelque chose comme ça. Non, Sam Hartman. Bien sûr. Le Dr Hartman, avant tout, s'occupait des cœurs. Mais il était anesthésiste en cardiologie. C'était Marco qui l'avait recruté. Alors, qu'est-ce qu'un anesthésiste en cardiologie faisait avec une patiente en plein travail ? Les opérations cardiaques se faisaient en sous-sol, dans le grand bloc.

Sam aurait pu raconter à Marco ce qui s'était passé, et Marco aurait pu le répéter à Bo. Ou bien, Sam aurait pu le dire lui-même à Bo. Mais, Rae s'en souvenait, Sam semblait être de son côté à elle. En fait, il était le seul au Conseil d'Administration à l'avoir soutenue dans son opposition à la fermeture éventuelle de la maternité.

Rae secoua la tête. Elle était désemparée, épuisée et frustrée. Pourquoi s'inquiétait-elle tant de savoir qui avait prévenu Bo, d'ailleurs ? L'important, c'était que Bo était au courant. Et il comptait bien maintenant citer le cas de Nola comme un exemple de l'incompétence de Rae alors qu'elle avait compté s'en servir pour montrer que lui, Bo, dirigeait une clinique d'accouchement incompétente. Ça n'allait pas être facile de tenir la promesse faite à Heidi. Peut-être était-ce la raison pour laquelle Walker lui avait conseillé d'être prudente. Bon, elle était prévenue.

Elle chercha quelqu'un d'autre susceptible de tout raconter à Bo.

Arnie Driver, le pédiatre... Pourquoi pas ? Après tout, Rae l'avait humilié plus d'une fois durant la réanimation du bébé. Elle espérait pourtant que ce n'était pas lui. Arnie se ferait un plaisir d'utiliser Bo pour s'attaquer à elle ou à n'importe quelle femme médecin. Avec Arnie, tout était toujours si personnel. Respecter les règles, ça ne comptait pas pour lui. Ce qui importait, c'était de se venger.

Mon Dieu, se dit Rae tout en se dirigeant vers les ascenseurs, faites que ce ne soit pas Arnie. Elle préférait un combat à la loyale mais, s'il le fallait, elle pouvait utiliser les coups bas comme n'importe qui. Même comme Arnie Driver.

Deux pas plus loin, Rae s'arrêta brusquement. Elle crut avoir entendu un bruit venant de derrière les portes. Elle recula et resta plantée là, essayant d'en trouver la source. Elle finit par coller son oreille à la porte de gauche. Mais ça semblait maintenant venir de celle de droite. Elle s'approcha et tendit de nouveau l'oreille. Les bruits se firent plus distincts : quelqu'un poussait des cris.

Soudain la porte de l'ascenseur s'ouvrit avec fracas. Deux infirmiers – les jumeaux, observa Rae – et l'infirmière des urgences, Sylvia Height, entouraient un chariot d'ambulance. Sur celui-ci, une femme enceinte aux cheveux d'un noir corbeau plaqués sur son visage ruisselant de larmes. La femme avait les cuisses écartées et Rae aperçut la tête d'un bébé qui n'était que partiellement venu au monde.

— Continuez à pousser, Meredith ! dit Sylvia.

— Je ne peux pas *m'arrêter* de pousser ! hurla la patiente.

Les jumeaux poussèrent le chariot dans le couloir.

— Sylvia ! cria Rae dans le brouhaha.

Sylvia se tourna vers Rae. Elle avait les yeux exorbités de terreur, son visage exprimait le plus complet désarroi.

— Dans la salle d'urgences, la tête n'était pas encore à la vulve, s'empressa-t-elle d'expliquer. Puis, tout à coup, la tête a jailli et voilà maintenant que les épaules sont coincées.

Une dystocie de l'épaule ! songea Rae. Le cauchemar des obstétriciens.

— Attendez la prochaine contraction, dit Rae en courant auprès du chariot. (Elle calcula rapidement dans sa tête que la salle d'accouchement était encore à une cinquantaine de mètres. S'ils faisaient vite...)

— Vous ne comprenez pas ! fit Sylvia. On dirait qu'elle n'a qu'une seule contraction continue !

Les infirmiers s'étaient brusquement arrêtés, comme s'ils pensaient que c'était ce que Rae voulait. Elle ne voulait pas du tout qu'ils s'arrêtent. Elle n'avait d'autre choix que d'essayer d'accoucher le bébé immédiatement. Chaque seconde comptait. Mais elle voulait être proche d'une source d'oxygène une fois que le bébé serait sorti. A tout le moins, le bébé en aurait besoin.

— Ne vous arrêtez pas ! cria-t-elle.

Sur le chariot, la femme tournait violemment la tête d'un côté à l'autre, secouée de sanglots qu'elle n'arrivait pas à maîtriser.

— Mon bébé, mon bébé ! sanglotait-elle. Je vous en prie, aidez ma petite fille !

Rae empoigna le montant du chariot qui dévalait le couloir et se hissa sur le matelas. Ce fut seulement quand elle sentit un courant d'air dans l'arrière de ses jambes qu'elle se rappela qu'elle avait toujours sa robe noire. Elle s'agenouilla auprès de la patiente. Meredith, se dit Rae, c'était comme ça que Sylvia l'avait appelée.

Rae empoigna les genoux de Meredith, puis la regarda droit dans les yeux. Elle n'avait que deux secondes pour établir le rapport qui leur permettrait de franchir ensemble ce mauvais pas.

— Je suis le docteur Duprey, dit-elle d'une voix apaisante. Ça va aller. Remontez vos jambes, oui, c'est ça.

— Il y a quelque chose qui ne va pas, gémit Meredith.

Faire fléchir les cuisses de Meredith, c'était la première manœuvre pour surmonter une dystocie des épaules.

— Je sais que ça fait peur, dit Rae, mais gardez les jambes remontées.

S'étant assurée que Meredith suivait bien ses instructions, Rae demanda à Sylvia :

— Depuis combien de temps est-ce que la tête est sortie ?

— Au moins trois minutes ! dit Sylvia tout en suivant le chariot.

Ça voulait dire trois minutes que le sang ne coulait plus par le cordon ombilical, songea Rae. Trois minutes sans que l'oxygène arrive au cerveau du bébé. Encore un moment et le bébé mourrait.

Maintenant que Meredith avait bien relevé les jambes, Rae tira sur la tête du bébé. Rien. Les épaules restaient bloquées derrière l'os pubien.

— Tiens bon, petite fille, dit Rae en tenant d'une main la tête du bébé, tout en regardant une paire de ciseaux qui pendait le long du pantalon blanc de Sylvia.

— Sylvia, dit-elle aussi calmement qu'elle en était capable, passez-moi ces ciseaux. Il va me falloir plus d'espace. Il faut que je fasse une épisiotomie.

Le chariot tourna un coin serré et Rae faillit tomber par terre. Elle lâcha la tête du bébé juste le temps de se cramponner au montant.

— Vous ne pouvez pas faire ça sans anesthésie ! protesta Sylvia.

— Ne vous inquiétez pas pour ça. Les ciseaux ! Je vous en prie.

— Mais...

— Donnez-lui ces Bon Dieu de ciseaux ! dit l'un des infirmiers.

Rae sentait les secondes s'écouler. Elle pinçait du bout des doigts la chair tendre de Meredith : un vieux truc que lui avait enseigné un de ses professeurs quand elle était interne au CHU de Californie. Il arriverait une fois, lui avait-il dit, où Rae devrait pratiquer une épisiotomie sans rien contre la douleur que le pincement énergique de ses doigts.

Toujours à genoux, Rae souleva la tête du bébé – une tête encore plus grosse que celle de l'enfant de Nola – pour exposer la peau qu'il faudrait inciser. Rapidement, elle écarta les épaisses lames des ciseaux de Sylvia, puis trancha dans le tissu d'un rose presque violacé à l'ouverture du vagin. Du sang jaillit aussitôt sur ses mains, sur ses genoux, sur sa robe et sur ses bas. Meredith s'était remise à crier, mais Rae savait que ses hurlements étaient provoqués par les contractions incessantes et non par l'incision qu'elle venait de faire.

— Je suis absolument désolée, Meredith, dit-elle. Donnez-moi un coup de main maintenant, fit-elle d'une voix aussi apaisante que possible.

Maintenant qu'elle avait plus d'espace, elle posa ses paumes nues sur chaque joue du bébé. Elle tira encore sur la tête, prenant soin de ne pas endommager les nerfs délicats du plexus brachial qui allait de la moelle épinière au cou. Mais, malgré l'espace plus large et ses prudentes tractions, elle ne parvenait toujours pas à faire émerger les épaules de l'enfant.

— Merde ! murmura-t-elle.

Le chariot avait maintenant franchi les doubles portes de la salle d'accouchement. D'autres infirmières arrivèrent à la rescousse. Un jeune couple avec une valise s'écarta précipitamment.

— C'est la patiente de la Clinique d'accouchement ? demanda quelqu'un derrière le comptoir.

— Oui ! répondit Sylvia.

La Clinique d'accouchement ? se dit Rae. Incroyable ! Encore !

— Ça fait mal, ça fait mal, ça fait mal ! clama Meredith.

— Il nous faut une salle d'accouchement ! dit Rae. Laquelle est ouverte ?

— Trois patientes en travail viennent d'arriver ! cria quelqu'un. Il n'y a pas de salle disponible et les salles d'op sont bloquées avec des triplés et une intubation post-partum ! Le pavillon Est est encore en travaux.

Rae sauta à bas du chariot. Elle sentait sur sa robe et sur sa peau le sang chaud et poisseux de Meredith.

— Alors, nous allons l'emmener dans la salle de réveil, dit-elle en saisissant la poignée du chariot.

La solution n'était pas une césarienne. A ce stade avancé, on ne pouvait pas repousser à l'intérieur la tête du bébé. Puisque faire replier les jambes de la patiente et pratiquer une épisiotomie n'avaient donné aucun résultat, elle allait essayer de dégager l'épaule postérieure du bébé. Pour cela, il lui faudrait installer Meredith sur une table d'accouchement, ou du moins la déplacer jusqu'à l'extrémité du chariot pour avoir un espace dégagé sous la tête. Si ça ne marchait pas, elle serait alors forcée de briser une des clavicules, même si cela voulait dire que le bras resterait irréparablement endommagé.

— Par ici ! cria-t-elle une fois qu'elle fut dans la salle de réveil. Elle fit signe aux infirmiers de pousser le chariot jusqu'à un endroit dégagé juste derrière la porte. C'était près de la paroi où se trouvait la prise d'oxygène. Parfait !

— Docteur Rae ! Docteur Rae ! Où est mon bébé Jésus ? Mon bébé Jésus, docteur Rae ! Où est mon petit garçon ?

C'était la voix de Nola Mahl. Mais Rae ne pouvait pas s'arrêter pour lui répondre. Puis elle se souvint. Nola venait de la Clinique d'accouchement. Meredith venait de la Clinique d'accouchement. Foutue Clinique, se dit-elle en bloquant le frein du chariot. Et foutu Bo !

Des deux mains, elle empoigna les fesses nues de Meredith qui, les yeux bien fermés, se tenait toujours les genoux.

— Poussons-la au bout du chariot ! cria Rae. Vite avec l'oxygène ! Et faites venir quelqu'un de la pouponnière !

— Docteur Rae ! Docteur Rae ! criait de nouveau Nola.

Rae plongea la main droite dans le corps de Meredith. Elle n'avait pas beaucoup de place. Le bébé était coincé contre le bassin aussi solidement qu'un bouchon dans une bouteille.

L'utérus continuait à se contracter comme s'il allait exploser : et, comprit Rae, c'était exactement ce qui allait se passer si elle ne faisait pas sortir les épaules du bébé. La pression augmentait derrière lui. Trop de pression et l'utérus ne manquerait pas d'éclater. Une rupture d'utérus pouvait fort bien tuer la mère et l'enfant. Rae ne pouvait pas laisser cela se produire. « Sauver la vie ! Sauver la vie ! », murmura Rae, comme si elle psalmodiait dans un rêve.

Le bout de ses doigts rencontra la cage thoracique du bébé et, collé contre elle, son bras. Elle s'en empara et essaya de faire glisser le coude à l'extérieur. Cela ferait sortir l'épaule postérieure et ensuite le reste du corps suivrait. Mais le bras ne bougeait pas. L'épaule restait coincée. Il n'y avait tout simplement pas de passage suffisant. Elle n'avait pas le choix : elle allait devoir briser la clavicule du bébé. Rapidement, elle remonta du coude jusqu'à l'épaule. Elle retint son souffle et ferma les yeux. Puis, entre ses deux doigts, elle cassa le petit os. Elle le sentit, elle l'entendit rompre. Elle était au bord de la nausée.

On pouvait maintenant bouger le bras dans n'importe quel sens. Elle le saisit et le ramena sur la poitrine du bébé. Le petit coude sortit le premier, suivi d'une main minuscule, et enfin le bras tout entier. Il pendait là, auprès de la tête du bébé, tout de travers. De nouveau, elle serra les deux côtés de la tête. De rose, le visage était devenu bleu. Elle tira. Elle vit aussitôt l'épaule postérieure jaillir. Puis l'autre. Puis le reste du corps suivit. Des acclamations montèrent de l'équipe d'infirmières. La patiente retomba sur le chariot, hors d'haleine.

— C'est une fille ! cria l'homme à la valise.

— Sortez-le de là, celui-là ! dit Rae.

Elle se saisit du bébé et se tourna vers Frank, l'anesthésiste, un grand Anglais noir qui était arrivé dans la salle de réveil quelques secondes seulement avant le chariot de réanimation. De ses mains tremblantes, elle posa le bébé sur le matelas. Elle ne pouvait pas se réjouir avant de savoir s'il allait bien. Frank appliqua aussitôt le masque à oxygène sur le petit visage. Rae s'attendait à voir une répétition de ce qui était arrivé au bébé de Nola.

Mais, à sa surprise et à son grand soulagement, elle vit la petite fille rosir dès que Frank lui eut administré les premières bouffées d'oxygène. Puis son petit cri : « Ah wah ! Ah wah ! » piailla-t-elle, même si le son était étouffé sous le masque. Elle agita violemment ses petites jambes potelées. En fait, tous ses membres s'agitaient, sauf son petit bras gauche.

— Elle est mignonne, dit Frank avec son fort accent britannique. Bientôt, elle nous fera des sauts périlleux.

Rae fit à Frank son plus beau sourire. Quel bonheur ! Mettre au monde un bébé en bonne santé, c'était ça sa vie. Elle se mit à donner des claques dans le dos de Frank et s'arrêta en voyant sa main ensanglantée.

— La meilleure nouvelle de la matinée, dit-elle, en s'essuyant la main sur le matelas.

— Docteur Rae ! Vite, docteur Rae, car Jésus va se lever dans trois jours. Laissez-moi me lever avec lui, car c'est mon Maître !

Se retournant, Rae vit Nola appuyée sur ses coudes, juchée sur un chariot à l'autre bout de la salle. Elle leva alors les yeux vers la pendule au mur. Presque dix heures. Tout cela n'est quand même pas arrivé en moins de trois heures, se dit-elle en examinant de nouveau la pendule. Deux patientes de la Clinique d'accouchement. Deux bébés en mauvaise posture. Deux accouchements avec souffrance fœtale. Son exultation disparut aussitôt.

— Juste une minute, Nola, dit-elle, s'affaissant dans un fauteuil.

Elle ouvrit les yeux en sentant la forte odeur du café. Devant elle, un gobelet de plastique. Elle suivit le bras musclé qui le tenait et son regard remonta jusqu'à un visage d'homme.

— Eh bien, on dirait que vous en avez besoin, dit Sam Hartman.

Elle tendit la main et ses doigts touchèrent les siens quand elle saisit le gobelet.

— En fait, dit-elle, j'ai aussi besoin de certaines réponses. Il faut que quelqu'un m'explique ce qui peut bien se passer ici.

CHAPITRE SEPT

Rae avala son café en deux gorgées.

— J'ai horreur du café des machines, dit-elle.

— Tenez, goûtez donc ça, dit Sam en lui tendant la moitié d'un beignet.

— Je ferais mieux de laver un peu de ce sang.

Après avoir utilisé le lavabo de la salle de réveil pour se laver les mains et les jambes, Rae se laissa tomber dans un fauteuil derrière un bureau qui servait à rédiger les ordonnances. Sam lui tendit le beignet. Elle avait tellement faim qu'elle faillit l'avaler d'un coup.

— Ça ira, mais je préfère ceux au chocolat, dit-elle pour le taquiner.

— Hmm, fit Sam.

Rae s'essuya la bouche du revers de la main. Elle allait lui demander ce qu'il faisait aux accouchements, quand elle entendit :

— Docteur Rae ! Docteur Rae !

C'était Nola. Encore.

— On vous appelle, dit Sam en regardant du côté de Nola. Ne vous inquiétez pas, je viens de l'examiner. Comme vous pouvez le voir, elle est en vie et en voix.

Rae fit un signe de la main à Nola qui lui répondit.

— J'aimerais avoir de bonnes nouvelles à lui donner.

Elle fit quelques pas, puis se retourna et regarda Sam qui s'éloignait dans la direction opposée, de l'air le plus insouciant du monde.

— Hé, dit-elle, Hartman.

Il se tourna vers elle.

— Pardon. Je voulais juste vous remercier pour le café – et pour le beignet. Je me sens mieux maintenant.

— C'est tout ce qui compte, fit-il avec un grand sourire.

— Oh, vous voilà !

Marco Donavelli fit son entrée dans la salle de réveil. Il était en blouse blanche. Rae ne lui avait toujours pas pardonné de l'avoir rabrouée à la séance du Conseil et d'avoir défendu la fermeture de son service.

— On est perdu, Marco ? demanda-t-elle.

— On dirait que mon principal collaborateur a quelque chose qui l'intéresse à l'étage de la maternité, dit Marco en faisant un grand sourire à Sam.

— Je venais juste examiner ma patiente, répondit Sam.

— Comme doit le faire tout bon médecin, fit Marco en donnant une tape sur le dos de Sam. Docteur Duprey, je vous présente le docteur Sam Hartman. Le meilleur endormeur à l'ouest des Dolomites. Il n'est pas donné, mais, bah, qu'est-ce qu'une poignée de lires entre amis ? Bref, on m'a dit, mon bon Sammy, fit-il en prenant Sam par le bras, que vous étiez monté ici examiner une patiente. Désolé de vous déranger. Nous ne vous avons pas demandé de diriger l'anesthésie cardiaque pour vous coller à l'étage de la maternité avec un tas de dames qui hurlent à perdre haleine. C'est vrai que l'unité du Dr Duprey manque un peu de personnel et nous croyons sincèrement qu'il faut aider nos confrères dans le besoin, quel que soit le service où ils travaillent. N'est-ce pas, cher docteur Duprey ?

Planté devant Rae, Marco lui souriait. Elle leva la main et lui tapota la poitrine avec une tendresse moqueuse.

— On devrait vous canoniser, Marco, dit-elle.

Sur le visage de Marco, le sourire eut une brève défaillance, puis réapparut plus rayonnant que jamais.

— Bon, bon, vous m'en voulez toujours. Eh bien, je vous fais mes excuses. Est-ce que c'est mieux ? J'essayais de vous trouver. J'ai pensé vous envoyer un télégramme, mais ça m'a paru un peu excessif, vous ne trouvez pas ? Bref, montrez-moi que je suis pardonné et venez à un petit dîner que je donne à la maison ce soir. Notre ami ici présent viendra. Vous vous rendez compte : il renonce à son vendredi soir pour moi. Qu'est-ce que vous dites de ça ?

Le visage de Marco, soigneusement hâlé dans les instituts de bronzage de Berkeley, était tout sourire. Ses yeux, sombres comme des émeraudes, annonçaient à Rae qu'il ne s'agissait pas d'une invitation amicale. Quel genre de piège lui réservait-il ? Quel tort supplémentaire pouvait-il causer à son service ?

Sam toussota.

— J'aimerais bien que vous veniez, dit-il.

— Vous voyez, voilà qui est réglé, dit Marco.

— Elle n'a pas dit oui, l'interrompit Sam.

— Bien sûr que si, lança Marco d'une voix de stentor. N'est-ce pas, Rae ?

Rae avait assisté dans le passé à plusieurs des soirées de Marco, mais toujours avec Bo. C'étaient des réceptions extravagantes, en général des dîners assis de dix ou douze personnes. Tout le monde savait que certains des plus importants contacts entre médecins se faisaient entre deux gorgées des superbes alcools français de Marco. Et, maintenant que le Conseil avait pratiquement mis en balance le sort de son service d'Obstétrique et celui de Chirurgie cardiaque de Marco, Rae se devait, pour l'avenir de son équipe et le sien, non seulement de se rendre à l'invitation de Marco, mais de coudoyer tous ceux qui se trouveraient là-bas.

— Je ne voudrais pas manquer ça, dit Rae avec un enthousiasme qu'elle devait peut-être, songea-t-elle, au beignet de Sam et à la caféine. A quelle heure voudriez-vous que je vienne ?

— Chez Marco le Magnifique, dit-il en agitant son index, on sert les cocktails à partir de huit heures.

Il eut un grand rire comme si personne n'appréciait mieux que lui les plaisanteries faites à ses dépens.

— Attention, Marco, fit Rae. J'ai eu assez d'emmerdements ce matin. Veillez à bien choisir mon voisin.

— Vous aurez même droit au bout de table.

— Ha, ha, dit-elle sèchement. (Puis elle tourna les talons.)

— Rae, attendez.

C'était Sam. Il s'approcha rapidement.

— Je suis content que vous veniez ce soir. J'aimerais venir vous chercher, si vous permettez.

Rae ne répondit pas tout de suite. Elle se contenta de le regarder comme si elle n'avait pas bien entendu. Lui proposait-il d'être son cavalier ? Ma foi oui, c'était évident. Mais il avait fait sa connaissance ce matin même. C'était à peine s'ils avaient échangé cent mots.

— Oh, commença Rae, je crois...

— Je peux passer vous prendre à 7 heures 45.

— On dirait que vous savez où j'habite, fit Rae. Je ne sais pas si je dois en être flattée ou inquiète.

Rae devait en convenir, elle aimait la franchise de Sam. La plupart des hommes étaient intimidés par le fait qu'elle était médecin, et ceux qui ne l'étaient pas avaient toujours l'air de tourner autour du pot avant de l'inviter à sortir. Sam Hartman, en revanche, semblait être un homme qui savait ce qu'il voulait. Et puis il y avait quelque chose d'attirant et même de sensuel chez lui. Peut-être était-ce son demi-sourire, sa façon de la regarder comme s'ils partageaient un délicieux secret. Peut-être était-ce la façon dont il semblait voir jusqu'au tréfonds de son âme, se dit-elle, se rappelant cet instant de parfaite compréhension dans la salle d'op, après la césarienne de Nola.

— Je pense que vous n'habitez pas loin d'ici, dit Sam. J'ai entendu ce que vous disiez à la réunion du Conseil. Je pense que vous habitez près de l'Hôpital pour ne pas risquer de manquer un accouchement.

Il était donc également intuitif. Elle se prit à sourire.

— C'est pour ça que j'ai une voiture rapide, dit-elle. De zéro à cent en quatre secondes, trois.

— Plus ça va vite, mieux ça vaut, dit Sam.

— Je vous verrai donc à huit heures moins le quart, docteur Hartman, fit Rae en souriant. (Rae donna à Sam son adresse et son numéro de téléphone.) Vous ne les notez pas ? demanda-t-elle.

— Ce serait difficile d'oublier ces chiffres-là, dit Sam en se tapotant le front.

Elle le regarda s'éloigner.

Juste au moment où Sam franchissait la porte, Bo Michaels entra. Il vint droit sur elle et, à en juger par son air sérieux, elle comprit qu'il n'était pas venu discuter de leur vie privée.

— Je suis venu te poser quelques questions, dit-il.

— Moi aussi j'en ai quelques-unes pour toi, dit-elle. Mais pour l'instant j'ai deux patientes qui réclament mon attention.

— Ça fait deux bébés que tu bousilles.

Rae regarda autour d'elle pour voir qui était dans la salle avec eux. Dans un coin, Nola, dans le coin opposé, Meredith. Betty Green, une infirmière de la salle de réveil, changeait la poche à perfusion de Meredith. Sinon, Bo et elle étaient seuls. Elle parla quand même à voix basse pour que lui seul puisse l'entendre.

— Bon Dieu, Bo, fit-elle, qu'est-ce qui se passe là-bas ? Deux patientes ont été envoyées ce matin de la Clinique d'accouchement pour des césariennes de routine. Il arrive un bébé avec un rythme cardiaque presque inexistant et l'autre patiente débarque en hurlant parce qu'elle n'arrive pas à faire passer les épaules de son bébé. Et tu viens me dire que tu as des questions à me poser ! Je te conseille de retourner voir ce qui s'est passé dans ton établissement. Parce que je peux t'assurer que je vais le faire et que je m'en vais contrôler chaque détail jusqu'au moment où j'aurai l'assurance que toi et ta petite clinique n'avez rien fait qui puisse nuire à ces patientes.

— Je vois, dit Bo.

Rae n'aimait pas le ton de sa voix.

— Tu vois quoi ? demanda-t-elle.

— Je vois que je ne me suis pas trompé sur ce qui s'est passé à la séance du Conseil. Je vois que tu n'as pas pu attendre de mettre les mains sur une autre patiente de la Clinique d'accouchement. Qu'est-ce que tu fais, Rae ? Tu traînes à la porte des urgences en attendant l'arrivée de notre ambulance ? Est-ce que ça compte tellement pour toi d'être bientôt le nouveau chef du service ? Ton ambition a toujours été évidente, Rae. Mais je n'avais jamais pensé que tu la pousserais aussi loin. Je viens d'avoir une conversation avec Arnie Driver. C'est lui qui m'a parlé de ta césarienne de ce matin. Il m'a conseillé de demander une enquête officielle.

— Une quoi ? balbutia Rae.

— Une enquête officielle, poursuivit Bo, pour te faire rayer du personnel.

— Pour quel motif ? demanda Rae, incrédule.

— Pour le motif que tu es prête à n'importe quoi pour qu'on ferme la Clinique d'accouchement, puisque ça signifie la survie de ton propre service.

— Qu'est-ce que tu appelles n'importe quoi ? interrogea-t-elle.

Bo se tourna calmement vers sa gauche en désignant de la tête Nola, puis sur sa droite en désignant Meredith. Là-dessus, il sortit. Rae allait se précipiter derrière lui, mais elle savait qu'essayer de lui parler quand il se conduisait comme un crétin était inutile. Elle s'approcha donc pour s'occuper de Meredith.

Meredith serrait sa fille contre sa poitrine. Frank avait enveloppé le bébé dans une couverture rose avant de quitter la salle de réveil. Ce bon vieux Frank, songea Rae.

Rae sourit du regard fasciné qui brillait dans les grands yeux noirs du bébé tandis qu'il contemplait le visage de sa mère. Tout comme ceux de Meredith, les siens avait de longs cils bruns. Meredith tenait son bébé dans ses bras comme si personne d'autre au monde n'existait. Rae savait qu'il n'y a pas de lien aussi précieux que celui qui existe entre une mère et son nouveau-né. Elle attendit donc patiemment au pied du chariot, ne voulant pas violer la sérénité de cet instant. Ce fut seulement quand Meredith finit par lever les yeux que Rae déclara :

— Bonjour, je suis le docteur Duprey. C'est moi qui ai mis au monde votre fille.

Meredith lui sourit, puis examina de nouveau le visage de sa fille.

— J'espère qu'elle va aller bien, dit-elle.

Rae envisageait avec appréhension ce qu'elle avait à dire à sa malade. Mais pas moyen d'y échapper. C'était toujours mieux d'être franc.

— Je suis désolée, commença Rae, mais j'ai dû casser le bras de votre fille. Vous comprenez, elle avait ce que nous appelons une dystocie de l'épaule et...

— Je sais ce que vous avez fait.

— J'ai d'abord essayé tout ce que je pouvais...

— Et je vous en suis reconnaissante. Très reconnaissante.

— Quelque chose me dit, fit Rae en haussant un sourcil, que vous savez ce que c'est qu'une dystocie de l'épaule.

— Je ne le sais que trop bien, dit Meredith. C'est ce qui fait le plus peur en obstétrique.

— Vous êtes toubib ?

Meredith écarta de son visage ses cheveux noirs et eut un petit rire.

— Mieux que ça, dit-elle. Je suis infirmière au service des accouchements de l'Hôpital municipal. Je sais ce qui se serait passé si vous n'aviez pas réussi à extraire mon bébé. C'est mon second, docteur Duprey. Jamais je ne me serais attendue à ce qu'il arrive quelque chose comme une dystocie de l'épaule. Il est vrai que mes amies disaient toutes que celle-ci avait l'air deux fois plus grosse que mon fils.

Meredith souleva le bébé dans ses bras comme si elle soupesait un sac de patates.

— On dirait qu'elles avaient raison, fit-elle.

Rae se sentit soulagée. Même si elle croyait que la sincérité avec ses patientes était toujours la meilleure solution, elle redoutait cependant un peu leur réaction. Maintenant, elle pouvait librement questionner Meredith sur ce qui lui était arrivé avant son admission à l'hôpital. Le fait qu'elle eût déjà une certaine culture médicale rendrait la conversation plus facile.

— Vous savez, Mrs Bey... commença Rae.

— Meredith, je vous en prie.

— Meredith. Et, s'il vous plaît, appelez-moi Rae. J'avais une trouille... j'étais inquiète à l'idée de vous expliquer ce qui s'était passé. J'avais peur que vous ne compreniez pas pourquoi j'avais dû faire ce que j'ai fait.

— Je le savais, fit Meredith avec un nouveau rire. Mais je suis heureuse. En obstétrique, il arrive tout le temps des choses qui vous font peur. Seulement je n'ai jamais cru que ça m'arriverait. Dieu merci, vous étiez devant cet ascenseur.

— Ça ne vous ennuierait pas si je m'arrêtais un peu plus tard dans la journée pour vous poser quelques questions ? demanda Rae.

— Si ça m'ennuierait ? Bien sûr que non ! D'ailleurs, j'aimerais bien une photo de vous avec ma fille. Ça te plairait aussi, Cynthia ?

— Un joli nom, observa Rae.

— C'était le prénom de ma mère.

— Docteur Rae ! Docteur Rae !

— C'est une de vos patientes ? demanda Meredith. Elle n'a pas arrêté de crier « Docteur Rae » toute la matinée.

Rae acquiesça.

— J'arrive, Nola ! lança-t-elle.

Rae remercia encore Meredith, jeta un dernier coup d'œil au

bébé qui dormait paisiblement, puis parcourut la dizaine de mètres qui la séparaient de Nola. Ses tresses blondes emmêlées lui pendaient sur le visage. Elle portait un peignoir vert citron que Rae reconnut : c'était ce que portaient les patientes de la Clinique d'accouchement.

— Comment va mon bébé Jésus ? demanda Nola.

Rae eut un pâle sourire. Comme elle l'avait fait avec Meredith, elle décida d'être franche avec Nola.

— Pas trop bien, Miss Mahl. A vrai dire, il est très malade. Son rythme cardiaque était très bas quand il est arrivé ici. Et il a encore du mal à respirer. Nous le maintenons sous assistance respiratoire.

— Mais mon bébé, docteur Rae ? Comment va mon petit bébé ?

C'était déjà assez difficile d'expliquer les choses à une patiente normale, mais le faire à une femme comme Nola frisait l'impossible, se dit Rae. De toute évidence, cette Nola était folle. Mais, dans cette ville, la ligne de démarcation était floue entre les folles comme Nola et ceux qu'elle rendait fous comme Rae. Elle prit une profonde inspiration et fit un nouvel effort pour que Nola comprenne.

— C'est ce que j'essaie de vous dire, Miss Mahl. Il est à la pouponnière. Il est très malade.

Nola se redressa dans son lit. Elle tourna vers Rae un regard anxieux.

— Il va mourir ? demanda-t-elle.

Rae avala sa salive. Qui est donc cette femme ? se demanda-t-elle. Nola Mahl assurément souffrait d'une affection mentale, elle était à tout le moins au bord de la normalité. Mais, comme Rae l'avait vu dans la salle d'opération la première fois qu'elle avait contemplé son visage, il y avait dans son expression une sorte de détachement de ce monde, comme si elle voyait des choses que personne d'autre n'apercevait. Non pas les illusions des schizophrènes ou de quelqu'un en crise de delirium tremens, mais le genre de visions qu'avaient les héros dans les livres d'histoire de son enfance, les livres qu'elle lisait avant d'être précipitée dans l'âge adulte à treize ans. Rae se força à sourire.

— J'espère que non, Miss Mahl.

Elle ne pouvait pas continuer. Sa gorge se serrait.

Nola tendit la main et tapota le visage de Rae. Sa main tiède aux gros doigts fit du bien à celle-ci. Aucune patiente ne lui avait jamais fait ça. A vrai dire, personne, depuis un an, ne lui avait touché le visage de cette façon. Tout ce qu'elle avait eu, comme contact physique, c'était de temps en temps une embrassade de Bernie et les coups de langue de son labrador noir, Léopold.

— Merci, Miss Mahl.

Elle était venue réconforter Nola et voilà que c'était Nola, après lui avoir posé la question la plus dure que puisse formuler une patiente, qui réconfortait Rae comme si c'était l'enfant de Rae dont la vie était en jeu.

Elle avala de nouveau sa salive, incapable de trouver ses mots.

Nola plongea la main sous son peignoir vert citron et exhiba un crucifix phosphorescent. Rae se rappela l'avoir vu à son cou en salle d'opération. Nola baisa le crucifix, puis le plaça dans la main de Rae.

— Ne craignez rien, dit-elle, car mon garçon est le Bébé Jésus et dans trois jours il se lèvera pour sauver le monde.

Depuis près de trente ans, Rae ne s'était pas tournée vers Dieu afin de l'implorer pour elle ou qui que ce soit d'autre. Elle n'éprouva aucune soudaine inspiration à tenir le crucifix et à constater combien tout le système de croyance de cette femme étrange reposait dessus. Et même, cela la mit résolument mal à l'aise. Tout à coup elle eut très chaud. Il fallait qu'elle sorte de cette pièce.

Elle rendit le crucifix à Nola.

— Reposez-vous maintenant, dit-elle. Je reviendrai vous voir plus tard.

Nola eut son sourire éthéré et ferma les yeux, comme si elle était en paix avec le monde entier. Si seulement je pouvais éprouver le millionième de ce que ressent Nola, songea Rae en se dirigeant vers la porte. Si seulement, si seulement, si seulement...

— Mal ! Mal !

Rae se retourna.

— Mal ! Mal !

Elle revint en courant vers Nola. Mais celle-ci, secouée de soubresauts sur le chariot, demandait à grands cris au Seigneur de la sauver d'on ne sait quoi.

— Qu'est-ce qu'il y a, Nola ? demanda Rae. Où avez-vous mal ?

Elle repoussa rapidement le drap qui recouvrait le corps de la femme et examina son pansement.

— Betty, vous lui avez donné un calmant? demanda Rae à l'infirmière de la salle de réveil.

Le pansement paraît bien, se dit Rae. Nola avait l'utérus ferme et bien en place.

— Je crois qu'elle crie son nom, dit Betty en s'approchant du chariot avec une nouvelle poche à perfusion. Je lui ai fait une piqûre de morphine il y a cinq minutes.

Mais Nola était encore plus excitée. Elle agitait les bras en tous sens et Rae craignait de la voir se blesser sur les montants métalliques.

— Posez cette poche et aidez-moi, dit Rae à Betty tout en essayant à la fois d'esquiver et de saisir les bras de Nola. Elle parvint à lui attraper les poignets : ils étaient brûlants et baignés de sueur.

— Ça va bien, Nola, dit-elle. Tout va bien.

Nola soudain se calma et retomba contre l'oreiller. Elle referma les yeux comme si elle s'était endormie. Rae secoua la tête, stupéfaite. Elle n'avait aucune idée de ce qui se passait avec cette femme. Betty et elle s'éloignèrent pour aller s'adosser au bureau.

— Vous croyez vraiment que c'était son nom qu'elle criait? demanda Rae.

— Qui sait? répondit Betty. Depuis qu'elle est arrivée ici elle n'a pas cessé de crier votre nom et celui de Dieu. M-A-H-L, ça ressemble à M-A-L. Avec elle, je m'attends à tout.

Rae haussa les épaules et regarda sa montre.

— Ecoutez, j'ai je ne sais combien de patientes dans ma salle d'attente. Assurez-vous seulement que Nola reste calme, dit-elle en se levant. Si vous avez besoin de quelque chose, appelez-moi.

— Vous voulez dire à votre cabinet?

Rae jeta un nouveau coup d'œil à sa montre. Elle avait cinq minutes avant son premier rendez-vous.

— Exact. Il faut juste que j'aille prendre un peu l'air avant de m'y remettre.

— Vous vous surmenez, dit Betty d'un ton soucieux.

— Betty, mon chou, fit Rae avec un petit rire, c'est la routine aujourd'hui.

Jetant un dernier regard à Nola endormie, Rae sortit de la salle de réveil.

Après s'être une nouvelle fois rapidement douchée et changée, Rae se pencha au balcon du jardin en terrasse du septième étage de l'Hôpital, qui dominait la Baie de San Francisco. La fraîcheur du petit matin ne s'était pas encore dissipée, et l'air entourant l'hôpital perché sur les collines du nord de Berkeley était encore frisquet. Mais Rae accueillait presque avec gratitude le froid. Elle avait besoin de temps pour réfléchir. Les événements des trois dernières heures semblaient liés entre eux. Mais comment ?

Au sud, elle apercevait le grand immeuble de trente étages d'Emeryville, où elle habitait depuis un an, un building plein de veuves et de veufs, de divorcées ou, comme dans le cas de Rae, de célibataires qui n'avaient jamais eu le temps ni l'envie de se marier. Elle imaginait Léopold en train de l'attendre dans l'espoir que d'un instant à l'autre elle allait franchir la porte. Mais, comme souvent Rae ne rentrait pas chez elle le matin, Léopold devrait se contenter de Harvey Polk, le professeur de violon de Rae qui habitait dans l'immeuble de l'autre côté du couloir.

Elle avait appelé son cabinet avant de sortir. Par chance, sa patiente de dix heures avait annulé son rendez-vous. Rae avait donc encore un quart d'heure avant d'être obligée de partir. Son regard s'arrêta sur les trois étages de la Clinique d'accouchement, juste de l'autre côté de la rue. C'était à cause de Nola Mahl et de Meredith Bey que Rae était montée au jardin en terrasse. Ce qu'elle voulait voir, du haut de son septième étage, c'était le parking des ambulances de la Clinique d'accouchement et le trajet qu'elles empruntaient jusqu'à l'hôpital. Elle apercevait l'ambulance blanche avec son étoile dorée bordée de bleu. D'après Bernie, la compagnie s'appelait Hillstar.

Elle regarda l'ambulance sortir du parking. Elle releva à sa montre l'heure de départ. Il ne lui fallut que soixante secondes pour s'arrêter devant l'entrée des urgences de son hôpital. Soixante secondes. Pas plus. Même sans se presser.

— Dis donc, chérie, tu vas te geler les fesses là-haut !

Rae sut que c'était Bernie sans même avoir à se retourner. Le regard encore fixé sur l'ambulance, elle lui fit un geste de la main.

— Oh, fit Bernie depuis le pas de la porte, tu sais que je ne vais pas dehors au-dessus du rez-de-chaussée.

— C'est important, dit Rae en se retournant.

Elle attendit quelques secondes que Bernie se décide. Celle-ci finit par s'avancer à petits pas jusqu'à Rae, sans tourner la tête, en regardant droit devant elle. Rae désigna les trottoirs sept étages plus bas.

— Regarde.

— Sûrement pas, protesta Bernie, mais elle baissa lentement les yeux vers la Clinique d'accouchement.

Rae attendit que Bernie lise ses pensées mais, comme Bernie ne disait rien, Rae lui désigna le bâtiment avec agacement.

— C'est ridicule, dit Bernie. Vas-tu enfin me dire ce que tu vois que je suis censée voir aussi alors que tu sais que je ne peux pas le voir parce que je ne veux pas regarder ce que tu veux que je voie en bas ?

— L'ambulance, Bernie. Tu vois, celle avec l'étoile d'or.

— C'est de ça que je suis venue te parler. Mais je ne reste pas ici une seconde de plus.

— Bernie, reprit Rae en consultant de nouveau sa montre, ça n'a pris à l'ambulance que soixante secondes pour faire le trajet de la Clinique d'accouchement jusqu'ici.

— Bonté divine, ma petite, et combien de temps croyais-tu que ça prendrait ?

Rae se retourna pour s'adosser à la balustrade. Elle frissonnait, mais ce n'était pas de froid. Elle n'aimait pas ce qu'elle avait vu, ni ce qu'elle commençait à soupçonner.

— Soixante secondes, répéta-t-elle. Voyons, qu'est-ce qui aurait pu changer de façon aussi spectaculaire en soixante secondes ?

— Mon chou, je ne te suis plus...

— Réfléchis. Deux patientes ont été envoyées ici pour des césariennes de routine. « De routine », ça signifie que leurs bébés allaient bien, qu'il n'y avait pas de souffrance fœtale...

— En tout cas, c'est censé vouloir dire ça, l'interrompit Bernie.

— Mais en moins de soixante secondes, le bébé de Nola arrive avec un rythme cardiaque pratiquement inexistant et l'autre patiente... c'est vrai, tu n'es pas au courant pour la dystocie de l'épaule ?

— Ne sous-estime jamais notre téléphone arabe, ricana Bernie.

— Bref, reprit Rae en hochant la tête, selon Sylvia – c'est l'infirmière des urgences – le rythme cardiaque de ce bébé avait chuté juste avant que les épaules se coincent. Je commence à avoir l'impression, Bernie, que ces patientes avaient de sérieux problèmes à la Clinique *avant* qu'elles en partent, avant même que l'ambulance arrive ici.

— Oh, Rae, je ne pense pas. La Clinique nous expédiera une patiente même si elle n'a qu'une escarbille dans l'œil.

— Je n'en suis plus si certaine. Je pense qu'ils ont peut-être une raison de chercher à transférer ici le plus grand nombre de leurs patientes. Ils ont un taux de transfert de 20 %, tu le savais, Bernie ? Etant donné ce que j'ai appris ce matin à la séance du Conseil, je ne crois pas que la Clinique puisse se permettre encore bien longtemps de nous envoyer une patiente sur cinq. Pas s'ils doivent utiliser en secours l'Hôpital municipal.

— En secours pour quoi ?

Rae se rappela qu'elle n'était pas autorisée à parler de la fermeture éventuelle de son service, ni du projet de laisser la Clinique d'accouchement faire pratiquer les césariennes par l'Hôpital municipal.

— Je crois, poursuivit-elle, que la Clinique prend des risques supplémentaires en admettant des femmes qui ne devraient pas être là, ou en laissant des femmes en travail juste un peu trop longtemps dans l'espoir d'obtenir un accouchement par les voies naturelles. Ce matin, ils ont été coincés, alors nous nous sommes retrouvés avec leurs catastrophes, et maintenant ils veulent nous faire porter le chapeau.

Bernie se pencha par-dessus la balustrade une ou deux secondes.

— Ç'a l'air d'avoir été une sacrée séance au Conseil, ce matin, dit Bernie. (Puis elle ajouta :) Ils auraient dû construire ce jardin en terrasse au rez-de-chaussée.

Rae repensa à la réunion et à la conversation qui avait suivi, dans le bureau de Walker. Et à John Vincent qui était sans doute maintenant dans un tiroir à la morgue de l'Hôpital.

— Le président du Comité financier du Conseil a eu une crise cardiaque, annonça Rae.

— C'est ce qu'on m'a dit, fit Bernie. Ça ne va pas t'empêcher d'examiner deux dossiers pour deux patientes de la Clinique d'accouchement, et de voir un peu comment les choses se sont passées là-bas, n'est-ce pas, Rae ?

— Exactement.

— Je ne comprends pas, reprit Bernie qui essayait de se réchauffer en se frottant les mains. Tu viens de dire qu'à ton avis la Clinique a mis trop longtemps à transférer les patientes. Si c'est le cas, ça devrait être facile à prouver.

— Mais voilà, fit Rae en tapotant sa montre, il y a un problème avec ma théorie.

— Là, je perds vraiment les pédales...

— Meredith dit que tout allait bien jusqu'à ce qu'elle arrive ici, expliqua Rae. On l'a envoyée ici parce que cela faisait deux heures qu'elle poussait sans résultat : plus que toute la première phase du travail.

— Mais d'une durée totalement acceptable, fit Bernie.

— Oui, mais...

— D'ailleurs, l'interrompit Bernie, s'il y avait eu un problème avec le rythme cardiaque de son bébé pendant qu'elle était encore là-bas, Meredith le saurait.

— D'accord. Mais tout ne colle pas. Je viens de quitter Nola...

— Nola ? Celle-là, elle est un peu givrée.

— Mais, dans la salle de réveil... j'aurais voulu que tu la voies. Quelque chose lui a fait perdre la boule.

— Ça n'a pas dû être bien difficile...

Rae eut un petit sourire, puis redevint grave. Elle raconta à Bernie la crise de Nola.

— Betty a cru qu'elle criait son nom de famille, dit Rae.

— C'est une possibilité, observa Bernie. Ou peut-être que simplement elle souffrait.

— Bon, parce que d'abord elle était assise dans son lit comme si elle s'apprêtait à lire un livre. Et puis les choses ont changé.

Rae promenait son index sur ses lèvres.

— J'y repense, Bernie, je suis convaincue qu'elle disait M-A-L, non pas M-A-H-L. Ce que je ne comprends pas, c'est *pourquoi*... J'ai vérifié son pansement, examiné le fond de l'utérus. Tout était normal. Et puis, tout d'un coup elle est devenue muette comme une carpe.

— Mais Nola est folle.

— Je crois qu'elle en sait plus qu'elle ne le laisse paraître, Bernie. Ou qu'elle n'est capable de nous dire, ajouta-t-elle d'un ton amer.

— Je ne sais pas pourquoi tu t'obstines sur Nola quand tu as Meredith qui t'affirme que tout allait comme sur des roulettes jusqu'au moment où elle est arrivée ici, reprit Bernie. C'est *nous* que ça fait paraître un peu bizarres, pas la Clinique d'accouchement. Alors, secouons-nous un peu, tu veux? D'ailleurs, j'ai quelque chose à te dire qui pourrait jeter quelque lumière sur ce petit problème.

Même si ce que disait Bernie tenait debout, Rae n'arrivait pas à chasser l'impression que la crise de Nola signifiait plus qu'il n'y paraissait.

— Tu veux dire que je ne devrais pas me fier à la parole de la « Sainte Mère », contre celle d'une infirmière d'obstétrique ?

— Chérie, tu commences à comprendre. Laisse-moi te raconter ce que j'ai découvert sur la mystérieuse Jenny sur qui tu m'avais demandé de me renseigner. Elle est toute nouvelle. Elle ne connaît rien à rien...

— Ah, ça expliquerait certaines choses.

— Et ça n'est pas tout, poursuivit Bernie. Mais je ne m'en vais pas te raconter ça debout dans le froid. Viens. Mettons-nous à l'intérieur comme deux personnes sensées.

— Et les infirmiers? interrogea Rae en emboîtant le pas à Bernie. Est-ce que tu as eu des renseignements sur eux ?

— Seulement si le fait de me voir claquer au nez une portière d'ambulance peut s'appeler « renseignement ».

— Oh ? fit Rae en haussant un sourcil.

— Viens, dépêche-toi, gémit Bernie en se dirigeant vers la sortie. Pas un mot de plus avant que je me dégèle les pieds.

— Le tuyau sur Miss Jenny, dit Bernie en ouvrant la porte vitrée qui donnait de la terrasse sur la salle de Cardiologie, c'est qu'elle travaille à mi-temps pour la Clinique *et* à mi-temps pour l'Hôpital municipal. Jenny a récemment eu un bébé – accouchée par Bo, bien sûr. Mais elle est encore très nouvelle et tout le monde à l'Hôpital municipal espère qu'elle va retomber enceinte pour qu'elle puisse repartir en congé de maternité.

— Vraiment ? demanda Rae, en écoutant avec soin.

Sur sa droite, une série de portes argentées avec l'inscription : UNITÉ DE SOINS CORONARIENS.

— Elle est idiote.

Rae fronça les sourcils. Malgré toute l'envie qu'elle avait d'entendre qu'une infirmière vraisemblablement peu qualifiée s'était occupée de Nola, elle avait du mal à croire les révélations de Bernie.

— Bo ne laisserait pas quelqu'un comme ça mettre les pieds dans sa clinique, et encore moins dans une de ses salles d'accouchement, dit-elle.

— Attends le meilleur, dit Bernie en agitant son doigt. Notre petite Miss Jenny a cette bonne vieille Tante Freda pour protéger ses charmantes petites fesses.

Rae se frotta les yeux. Elle était épuisée et tout ça commençait à ressembler à un mauvais feuilleton. Mais elle ne pouvait s'empêcher de penser aux bébés de Nola et de Meredith.

— Qui est Tante Freda ?

— Freda Austin, c'est la tantine de Jenny. Une formidable infirmière mais une sacrée virago. Jenny est la seule vraie famille qu'elle ait.

Intriguée, Rae sentit son intérêt se ranimer. L'idée commençait à prendre forme dans son esprit.

— Ne me dis pas que Freda travaille dans les deux établissements elle aussi ?

De toute évidence, se dit Rae, Bo comptait sur le Conseil d'Administration de l'Hôpital pour fermer son service à elle. En fait, il devait en être si sûr qu'il avait engagé deux infirmières pour assurer la liaison lors des futurs transferts entre la Clinique d'accouchement et l'Hôpital municipal.

Comme si elle allait le laisser faire ! se dit-elle. Comme si elle allait laisser qui que ce soit essayer de fermer son service. Rae hâta le pas, évitant un infirmier du service de Diététique qui poussait devant lui un grand chariot de petits déjeuners bourré de boîtes de lait utilisées et de beignets à demi croqués.

— Rae, tu me caches encore quelque chose. Je vois tes pensées tourner dans ta tête.

— Es-tu sûre que Jenny est aussi mauvaise que tu le dis ?

Elle nota dans sa tête d'en apprendre le plus possible sur les antécédents de toutes les infirmières. Mais non, ce serait une tâche trop ardue, se dit-elle. D'ailleurs, combien d'infirmières travaillaient donc à la Clinique ?

— Je veux dire, reprit Rae, qu'il y a d'autres infirmières que Bo aurait pu recruter, d'accord ? Tu ne m'as pas dit que Bo essayait de te décider, toi et les autres, à venir travailler pour lui ? J'ai vu Mattie Henshaw ce matin. A l'entendre, un grand nombre de nos infirmières ont déjà signé des contrats pour travailler à la Clinique.

— Rae, je viens d'avoir une idée. Pourquoi Bo utiliserait-il l'Hôpital municipal quand il nous a, nous ?

— Hé, je n'ai pas dit...

— Oh, mais si. Tu croyais que je n'avais pas remarqué ton petit lapsus là-haut, sur cette terrasse, hein ?

Rae garda le silence.

— Quoi qu'il en soit, si Bo utilise l'Hôpital municipal en secours, il doit avoir une bonne raison. A-t-il obtenu de ces gens-là des conditions plus favorables ou je ne sais quoi ? Pourquoi va-t-il faire cinq kilomètres quand il n'a qu'à faire traverser la rue à ses patientes ? Allons, Rae. Tu as promis. Plus de secrets entre nous.

L'accord de Rae avec Heidi était confidentiel. Si Heidi apprenait que Rae en avait parlé à quelqu'un, elle pourrait tout annuler et demander qu'on vote le lendemain.

— Rae ?

Mais, se dit Rae en regardant le front plissé de Bernie, il fallait bien qu'elle se fie à quelqu'un. A quoi bon avoir une amie intime si on ne pouvait pas tout lui dire ? Et elle avait imposé ce qui se révélait être une tension inutile à leurs rapports en ne disant pas carrément à Bernie pourquoi elle avait rompu avec Bo. Elle avait besoin de Bernie pour l'aider à sauver les bébés.

— D'accord, d'accord.

Après avoir pris une profonde inspiration, elle raconta à Bernie la séance du Conseil, le vote, l'intervention de John Vincent ainsi que son arrêt cardiaque et la promesse qu'elle avait faite à Heidi de trouver un moyen de décider les obstétriciens à ramener leurs patientes à faibles risques vers l'Hôpital de Berkeley Hills.

— Deux semaines, hein ? dit Bernie avec un sifflement. Pour quelqu'un de petit, on peut dire que tu vises haut.

— Tu comprends maintenant pourquoi je me suis posé des questions sur Jenny. Maintenant, après Nola puis Meredith, deux cas difficiles coup sur coup, je veux tout savoir sur les soins qu'on donne là-bas.

Bernie prit un air grave.

— Jenny a laissé un bébé dans une salle d'attente à l'Hôpital municipal. Et elle a oublié où elle l'avait mis.

— Non, elle a fait ça ? fit Rae qui ne savait plus si elle devait se sentir choquée ou éclater de rire.

— Par chance, reprit Bernie, Tante Freda a découvert le bébé avant que ça fasse un drame. La mère n'a jamais rien su, mais toutes les infirmières étaient au courant. Il paraît que Jenny s'est améliorée depuis qu'elle a son bébé. Mais on ne sait jamais quand ses crises d'amnésie peuvent la reprendre.

Rae se rappela la case vide sur la feuille d'admission de Nola à la Clinique d'accouchement. Elle rapporta l'histoire à Bernie.

— Mais, comme tu disais, Rae, il faudra plus qu'une infirmière qui fait des conneries là-bas pour convaincre ces obstinés confrères de nous revenir.

— Il ne s'agit plus de ça, Bernie.

Bernie la contempla un moment, puis dit :

— Tu es sûre que le Conseil veut supprimer tout notre service ? Ecoute, tu n'as pas fermé l'œil de la nuit. Peut-être que durant cette séance du Conseil, ton cerveau s'est endormi quelques minutes. Le mémo que je t'ai montré disait seulement que l'Hôpital envisageait de licencier quelques-unes d'entre nous, pas *toutes*, Rae.

Le ton de Bernie, le regard de ses grands yeux, tout cela disait à Rae qu'elle avait fini par comprendre.

— Je ne pense pas qu'une seule mauvaise infirmière soit le problème, Bernie, déclara-t-elle. Il s'agit de quelque chose de plus sérieux et, dès que j'aurai compris les similitudes entre le cas de Nola et celui de Meredith, je saurai de quoi il s'agit. Alors, dit-elle en prenant une profonde inspiration et en se passant la main dans les cheveux, je vais faire une petite visite à la Clinique à l'heure du déjeuner. Avec un peu de chance, Jenny sera là. Ça t'amuse de m'accompagner ?

Bernie, le visage défait, contemplait la moquette.

— Je suis crevée. Et il faut que je travaille ce soir.

— Tu sais, dit Rae, en passant un bras autour des épaules de Bernie, je ne vais pas les laisser nous fermer. Bo est fou de s'imaginer ça. C'est déjà assez moche qu'il impose à ses patientes un trajet en ambulance pour traverser la rue. Pas question que je laisse ses patientes – n'importe lesquelles ! – faire *cinq kilomètres* pour une césarienne.

— A t'entendre, on croirait que tu protèges les patientes de la Clinique, fit Bernie, furieuse. C'est à cause de cet établissement que nous allons perdre nos places.

— Les bébés ne savent pas où on les met au monde, Bernie. Tu vas m'aider, n'est-ce pas ? Tu pourrais bien être la seule qui...

Elle fut brusquement interrompue par le bruit des portes qui claquaient.

— Ecartez-moi ce chariot ! cria une voix féminine.

Rae se tourna vers le service des Soins coronariens et vit un vieil homme allongé sur un chariot flanqué de deux infirmières et d'un kiné respiratoire.

L'homme avait un masque à oxygène sur le visage. Le corps couvert d'un drap blanc. Des tuyaux à perfusion en plastique partaient de son cou, de ses bras et de ses jambes.

Les portes s'ouvrirent une nouvelle fois. A quelques mètres de Rae se dressait Sam Hartman. Il tourna la tête dans la direction de Dusty, l'instrumentiste, en criant :

— Dites à la salle d'op qu'on arrive et au responsable du respirateur de se préparer !

— Est-ce que ce n'est pas... ?

— Mon rendez-vous de ce soir ? dit Rae.

Bernie ouvrit de grands yeux. Rae regarda les infirmières pousser rapidement le chariot vers les ascenseurs de service et Sam Hartman s'engouffrer dans l'escalier voisin.

— Alors, on fait des galipettes avec l'ennemi ? dit Bernie.

— Marco m'a invitée à son dîner mondain annuel, expliqua Rae. Sam a proposé de m'emmener, voilà tout. C'est strictement professionnel. Je ne peux pas faire ça toute seule, Bernie. Il faut que je raisonne un peu certains de ces types de la Chirurgie cardiaque. Il faut que je persuade les autres obstétriciens de ramener leurs patientes ici, et je dois convaincre les cardiologues qu'ils ont autant besoin de nous que nous avons besoin d'eux. C'est pour ça que je vais à la soirée. Qui crois-tu qu'il y aura chez Marco ? La seule raison pour laquelle il m'a invitée, c'est pour sauver les apparences. Il m'a fait chier à la séance du Conseil. Alors, il essaie de jouer les gentils. Eh bien, je vais profiter de ça pour discuter avec quelques-uns de ses copains et en rallier certains à ma cause. Pourquoi ne pas commencer par Sam ? D'après ce que j'ai vu ce matin, Marco et lui sont copains, mais je parie que je peux mettre un peu de bisbille entre eux.

— Hmm, dit Bernie.

— Ne t'en prends pas à moi, Bernie.

— Hé ! lâche-moi les baskets. Je peux faire « Hmm » si j'en ai envie.

— Eh bien, ça ne me plaît pas.

En vérité, Rae se demandait si c'était une bonne idée d'avoir accepté l'offre de Sam de la conduire à la soirée. Manifestement, elle l'intéressait mais, si séduisant qu'il fût, le romanesque était la dernière chose à quoi elle pensait. Elle avait besoin de lui pour obtenir certaines informations. C'était un grand garçon. Il pourrait se débrouiller tout seul. D'un autre côté, songea-t-elle, peut-être allait-elle l'appeler pour lui dire qu'elle irait de son côté en voiture à la soirée. Pourquoi compliquer encore les choses ?

— Alors, Bernie ? demanda-t-elle en se dirigeant vers l'ascenseur et en se disant qu'elle penserait à Sam Hartman plus tard. Tu veux bien m'aider ?

Bernie semblait de nouveau réfléchir. Elle fourra les mains dans les poches de sa canadienne. Elle s'arrêta et exhiba la note qu'elle avait montrée à Rae ce matin-là. C'était rare de voir le visage de Bernie exprimer la colère, mais là, son regard s'était assombri. Sa bouche se crispa. Elle acquiesça avec véhémence.

— Compte sur moi. Personne ne me prendra ma place sans que je me batte.

Rae poussa un soupir de soulagement. Et dire que si elle n'avait pas fait confiance à Bernie, pour lui raconter ce qui s'était passé au Conseil, elle se serait retrouvée à faire ces recherches toute seule.

— Rae, est-ce que Bo a jamais dit où diable il se trouvait pendant la césarienne de Nola ? Tu dis qu'il te court après. Ce serait intéressant de voir sa réaction.

L'ascenseur arriva. Rae entra dans la cabine, suivie de Bernie.

— Au point où nous en sommes, Bernie, ça n'a sans doute pas d'importance. Mais je suis d'accord. Et si Bo me cherche des crosses, il va tomber sur un os.

— Il t'aime encore, tu sais.

L'ascenseur s'arrêta et d'autres personnes montèrent. Rae profita de ce qu'elles n'étaient plus seules pour ne pas relever la déclaration de Bernie.

— D'abord, dit-elle en suivant son amie dans le couloir, je vais à mon cabinet. Entre deux rendez-vous j'appellerai la Clinique pour arranger une petite visite à midi.

— Si tu faisais d'abord une petite sieste ? Tu as l'air prête à t'effondrer.

— Je ne suis pas de garde cet après-midi. Je dormirai après ma visite. D'ailleurs, il faut que je me repose pour la soirée de Marco. Dieu sait ce qu'il mijote.

Quand Rae sortit de l'hôpital, la journée promettait d'être encore plus froide que la veille. Pourtant, de l'autre côté de la Baie, le soleil brillait sur les gratte-ciel de San Francisco qui étincelaient sous le ciel bleu.

— Eh bien, Rae, appelle-moi quand tu auras besoin de moi. Et là-bas, n'oublie pas de surveiller tes arrières. Et quoi que tu fasses, ne te mets pas Freda à dos.

Rae regarda de l'autre côté de la rue l'immeuble de huit étages où elle avait son cabinet. Au dernier étage, dans l'angle nord-ouest. Juste à côté, la Clinique d'accouchement. L'enfant chéri de Bo.

— Tu m'as entendue, Rae ?

— Freda ferait mieux de ne pas me faire chier, dit Rae. Elle est peut-être la tantine de Jenny, mais à moi elle n'est rien.

Elle dit au revoir à Bernie et se dirigea vers son cabinet.

CHAPITRE HUIT

Recevoir toutes ses patientes, après ce début de matinée chaotique, se révéla pratiquement impossible. Il semblait y avoir des urgences partout. Une patiente avait fait une fausse-couche alors qu'elle désirait tant un bébé. Une autre éclata en sanglots en apprenant qu'elle était enceinte – pour la quatrième fois. Et puis il y avait aussi ses patientes de gynécologie : l'une présentait les premiers symptômes d'un cancer du col de l'utérus. Le fibrome d'une autre avait doublé en un an. Et, pour couronner le tout, une pauvre femme mariée depuis dix ans à un voyageur de commerce avait une inflammation du vagin due à des parasites.

— Une maladie vénérienne ! s'exclama-t-elle.

Rae passa le quart d'heure suivant à s'efforcer de la convaincre de ne pas tuer son mari.

A 11 heures 55, Bobbie Cruz, la secrétaire de Rae, passa la tête dans le cabinet de consultation. Assise à son bureau, Rae terminait un déjeuner sur le pouce – une pomme et un yaourt – entre sa dernière patiente et son rendez-vous à midi à la Clinique d'accouchement.

— Vous disiez que vous ne vouliez pas être en retard, lui rappela Bobbie.

Ça faisait dix ans que Bobbie travaillait pour Rae. Elle faisait partie des meubles.

— Si je ne suis pas de retour lundi, lui lança Rae, prévenez la police.

Le sourire de Bobbie disparut. Elle eut l'air inquiet.

— Rae, dit-elle, vous savez, les gens parlent...

Rae se leva de son fauteuil et attrapa son sac.

— Mon professeur de violon m'a dit qu'on doit s'inquiéter seulement quand les gens *cessent* de parler de vous.

— Je sais que vous n'avez pas cherché à faire du mal à ces bébés, dit Bobbie.

Rae sentit sa gorge se serrer.

— Passez un bon week-end, Bobbie.

Le téléphone arabe fonctionne bien, se dit Rae.

Elle sortit de son bureau et traversa la rue pour gagner la Clinique d'accouchement.

Jenny King, une jeune femme d'une vingtaine d'années, en survêtement vert citron, fit visiter l'établissement à Rae. Cela commença par une promenade dans le jardin où deux patientes aux premiers stades du travail prenaient le thé sous un chêne.

— Nous ne les admettons en salle de travail qu'à quatre centimètres de dilatation, précisa Jenny avec fierté. C'est une façon de faire des économies.

Ensuite, elle guida Rae vers un perron de brique conduisant dans le grand hall aux murs peints dans des tons saumon et où des accents de violon emplissaient l'air. Il y avait même des bébés peints au plafond.

— Vous aimez ? demanda Jenny en entraînant Rae vers un ascenseur.

Rae trouva Jenny adorable avec ses airs de petite fille. Elle aurait voulu la trouver antipathique, mais elle n'y parvenait pas. Elle aurait voulu aussi détester la Clinique d'accouchement. Le problème, c'était qu'elle comprenait pourquoi les patientes venaient accoucher là. Contrairement à son hôpital, la Clinique était chaleureuse et accueillante. Les couleurs douces, la musique apaisante.

— Depuis combien de temps travaillez-vous ici ? demanda-t-elle.

Jenny lui raconta comment elle avait été recrutée un an auparavant pour travailler à mi-temps juste après son école d'infirmière. Donc, se dit-elle tout en souriant à la jeune femme, Bo prévoyait depuis quelque temps déjà d'utiliser l'Hôpital municipal. Il savait manifestement qu'il pouvait rafler assez de clientèle à l'hôpital de Rae pour obliger le Conseil à fermer son service. Pendant tout ce temps, c'était lui leur chef de service, et il utilisait ses relations à son profit. Aucune loi n'interdisait à un médecin d'être à la fois chef d'un service et d'ouvrir sa propre clinique d'accouchement. Pas plus qu'on ne forçait les autres obstétriciens du service de Rae à pratiquer leurs accouchements à la Clinique. N'empêche, tout cela sentait terriblement le conflit d'intérêts. Pourquoi n'y avait-elle pas fait davantage attention deux ans plus tôt ? Ses confrères n'avaient pas amené leurs patientes à la Clinique d'accouchement du jour au lendemain. En vérité, elle avait sous-estimé l'attrait que pouvait représenter l'établissement. Elle croyait que les patientes préféreraient au confort la sécurité de pouvoir bénéficier d'une césarienne en urgence au bout du couloir. Il est vrai que celles qu'on laissait accoucher là-bas étaient des cas à faibles risques : s'imaginaient-elles seulement devoir recourir à une césarienne... ?

— Ah, nous y voici, annonça Jenny quand l'ascenseur s'arrêta.

Rae avança sur un parquet bien ciré, en bois clair. Quatre patientes, en blouse citron vert, allaient et venaient, un peu essoufflées, au bras d'une partenaire ou s'adossant à de gros fauteuils capitonnés de tissu couleur pêche.

— Freda est dans la salle des urgences, déclara Jenny.

Elle l'entraîna vers des portes où s'inscrivaient des noms comme Camélia et Lilas. Derrière l'une d'elles elle entendit le cri d'un bébé. Cela la fit sourire : l'idée de donner une claque sur les fesses d'un nouveau-né l'emplissait toujours de joie. Son visage redevint sérieux lorsqu'elle se rappela sa mission.

— Combien d'accouchements pratiquez-vous ici en un mois ?

Malgré son épuisement, elle essayait de tout noter. Elle constata qu'on avait tout fait pour l'agrément des patientes : fauteuils confortables, deux téléphones, placards bien remplis et canapés pour les membres de la famille.

— Nous accouchons beaucoup, dit Jenny. Nous sommes de plus en plus occupés. C'est merveilleux, non ?

— Super, répondit Rae.

Elle suivit Jenny dans la salle des urgences. Il n'y avait qu'un seul lit inoccupé. Assise à un bureau, une infirmière dégingandée aux cheveux blonds coupés court. *Tante Freda,* se dit Rae.

— Freda, dit Jenny, voici le docteur Duprey.

Les yeux noirs au regard froid de Freda examinèrent Rae de la tête aux pieds. Elle lui tendit la main et Freda la serra comme un homme, puis elle demanda d'un ton bourru :

— Eh bien ?

Rae se força à garder le sourire. Bernie l'avait mise en garde à propos de l'infirmière-chef, mais elle pensait que Freda aurait attendu au moins deux minutes avant d'être désagréable.

— Bel endroit, dit Rae en inspectant la pièce.

De grandes baies vitrées. Des bonbons dans une coupe. Un fauteuil à bascule dans un coin. Partout des décorations de Halloween.

— Je peux m'asseoir ?

Freda lui désigna le fauteuil.

— Je suis venue vous parler de Nola Mahl et de Meredith Bey, dit Rae.

— Vous êtes ici pour nous faire fermer, dit sèchement Freda en s'appuyant contre le mur.

Rae s'efforça de garder son calme. De toute évidence, Bo avait déjà parlé à cette femme. Elle décida qu'il était inutile de jouer au chat et à la souris avec elle.

— Alors, demanda-t-elle, qu'est-ce qui est arrivé à ces patientes ?

— Ça dépend de ce que vous leur avez fait, répliqua Freda.

Avant son rendez-vous, Rae avait demandé à Eileen Tan, l'infirmière de la pouponnière, de lui faxer une copie du dossier de Nola Mahl à partir de son séjour à la salle des urgences. Elle la tira de son sac et la tendit à Jenny.

— On dirait qu'il y a eu une omission. C'est bien votre écriture ?

— Ma foi, fit Jenny en prenant le document.

— Donne-moi ça, dit Freda en lui arrachant la feuille des mains. (Elle l'examina puis dévisagea Rae.) Où voulez-vous en venir ?

— Le bébé était transverse. Il ne se présentait pas par le siège.

Freda examina de nouveau le document.

— Pas du tout. Je l'ai examiné moi-même. Je reconnais des pieds quand je les tâte. Vous reconnaissez les pieds quand vous les tâtez, docteur Duprey ?

Jenny étouffa un rire. Rae regarda la jeune infirmière, puis de nouveau Freda. Manifestement, Bo leur avait aussi parlé de l'intervention. Elle décida de se montrer plus prudente. Bernie l'avait prévenue. Freda était tenace, non seulement pour protéger Jenny mais pour protéger la Clinique.

— Rien d'autre, docteur? dit Freda, le visage dur comme la pierre.

Rae opta pour une autre tactique. Pourquoi donner prise à son interlocutrice ? Un animal acculé ne peut que se battre. Elle se mit à glousser. Freda haussa un sourcil et attendit.

— Eh bien, je vois que j'ai affaire à forte partie, fit Rae avec entrain. Freda, votre réputation est légendaire. Je regrette de ne pas avoir quelqu'un comme vous pour diriger notre service d'Accouchement.

— Essayer de m'avoir par la flatterie ne marchera pas non plus, docteur Duprey, dit Freda en rendant le rapport à Rae. Je suis insensible à la flatterie. Je sais pourquoi vous êtes ici, alors, à moins que vous n'ayez d'autres questions, reprenons chacune notre travail.

Mais Rae s'aperçut que le pâle visage de Freda avait rosi. Le compliment de Rae avait touché un point faible comme elle savait que toutes les bonnes infirmières en avaient. Elle reprit le document.

— Ma foi, non, je n'ai vraiment pas d'autres questions. Oh, peut-être juste une. Je voulais simplement m'assurer que Jenny n'aurait pas d'autres ennuis.

— Jenny ? demanda Freda.

— J'ai des ennuis ? demanda Jenny.

Rae avait enfin toute l'attention de Freda. Lentement, elle replia la feuille.

— Jenny a oublié de noter le rythme cardiaque du bébé. Normalement, ça pourrait n'être qu'un détail mineur mais, comme vous le savez, il se peut que le bébé de Nola ne s'en tire pas.

— Laissez-moi revoir ça, dit Freda.

Rae lui tendit le formulaire. Le visage de Freda s'empourpra.

— Jenny, je t'avais bien dit de noter le rythme cardiaque fœtal.

Jenny à son tour examina la feuille.

— Oh, je comptais le faire, ma tante, après avoir appelé les ambulanciers, je crois que j'ai oublié.

— Ça ne prouve rien, déclara Freda en rendant le papier à Rae. Nous avons le tracé original du rythme cardiaque fœtal. Il montre que le bébé de Nola était en parfaite santé quand elle est partie.

— Je sais cela, dit Rae. Mais, dites-moi, reprit-elle en se tournant vers Jenny, ce n'est pas la première fois que vous oubliez de faire quelque chose d'important, n'est-ce pas ?

Jenny prit un air affolé.

— Egarer un bébé dans une maternité, c'est une faute grave.

— Ma tante ! gémit Jenny, désemparée.

— Tout ce que je veux savoir, c'est ce qui est arrivé à Nola Mahl, dit Rae. Et à Meredith Bey.

— Ensuite, dit Freda à Rae, vous partirez ?

Rae ne dit ni oui ni non. Elle savait qu'elle tenait l'infirmière et elle savait que Freda le savait aussi.

— Nola Mahl, commença Freda, n'était pas une de nos patientes, docteur Duprey. Comme vous le savez, nous n'admettons ici que des patientes à faibles risques, et toutes doivent avoir suivi une surveillance prénatale avec un médecin. Je doute que Miss Mahl ait jamais vu un docteur de toute sa grossesse. Elle a débarqué chez nous au premier stade du travail. Vous savez pertinemment que la loi nous interdit de renvoyer une patiente en travail sans avoir procédé à un examen complet. Pourquoi est-elle venue ici au lieu d'aller directement à votre hôpital, cela me dépasse. Quoi qu'il en soit, elle s'est présentée seule à notre porte. Nous n'avions pas d'autre choix que de l'admettre.

Rae promena le regard autour d'elle. Un endroit si réconfortant, se dit-elle.

— C'est rudement joli ici.

— Merci, dit Freda en souriant pour la première fois. Bref, c'est Jenny qui l'a examinée la première. Elle était inquiète de la façon dont le bébé se présentait. Elle m'a demandé de l'examiner à mon tour. Je jure qu'il se présentait par le siège.

— Et le rythme cardiaque de son bébé était absolument parfait, ajouta Jenny.

Rae haussa un sourcil incrédule.

— Je vous assure, docteur Duprey, fit Jenny. Naturellement, le tracé du rythme cardiaque fœtal est parti pour nos archives, mais s'il était encore ici, je pourrais vous montrer que le bébé de Nola avait un rythme cardiaque de 152 pulsations par minute.

— Vraiment ? Vous voyez une foule de patientes. Comment vous souvenez-vous si bien du rythme cardiaque de leurs bébés ?

— Parce que celle-ci était bizarre.

Rae frappa le bout de son escarpin de daim contre le plancher. Elle ne pouvait pas dire le contraire.

— Racontez-moi comment vous procédez ici.

Elle écouta soigneusement Freda lui expliquer la politique de la Clinique d'accouchement pour les soins des patientes en travail. Rae fut frappée par la méticuleuse attention accordée aux détails. Malheureusement, plus Freda multipliait les explications, plus Rae se sentait mal. Certes, elle était heureuse d'apprendre que les patientes recevaient d'excellents soins, mais cela n'arrangeait pas ses affaires. Dans certains domaines, les soins prodigués à la Clinique étaient meilleurs que ceux de son hôpital. Comment Bo avait-il réussi à soigner comme il le fallait ses patientes à bien moindre coût ? Les infirmières passaient plus de temps avec chacune d'elles. Le rapport infirmières/patientes était de une pour une. Contrairement à l'Hôpital de Berkeley Hills où les restrictions budgétaires avaient contraint une infirmière à s'occuper de deux patientes à la fois. Et puis la Clinique avait aussi un obstétricien à demeure. Pas étonnant que mes confrères fassent accoucher leurs patientes ici, se dit-elle.

Mais il était quand même arrivé *quelque chose* à Nola. Et à Meredith Bey. Quels que soient les problèmes, ils ne pouvaient que s'aggraver durant un transport en ambulance, surtout si elle devait parcourir cinq kilomètres pour arriver à la salle d'opération la plus proche.

Freda conclut en disant :

— J'espère que le bébé de Nola va s'en tirer. Bizarrement, je suis très attachée à Miss Mahl.

Rae se leva du fauteuil à bascule. Elle se mit à inspecter la pièce.

— Nola a eu un comportement très bizarre dans notre salle de réveil.

— Elle était plutôt bizarre ici aussi, renchérit Jenny.

— Vous cherchez quelque chose de particulier, docteur Duprey ? interrogea Freda.

Si seulement, songea Rae. Elle essaya de se rappeler ce qui s'était passé dans la salle de réveil et qui avait provoqué la crise de Nola. Sûrement pas sa présence. Nola avait vu Rae dans la salle d'opération et tout s'était bien passé. Etait-ce Betty qui avait énervé Nola ? Aurait-il pu s'agir de quelque chose que Betty faisait ou avait fait? Cela aurait-il pu réactiver dans l'esprit de Nola quelque chose qui était arrivé à la Clinique d'accouchement?

Rae s'arrêta devant un placard ouvert. A l'intérieur, des poches à perfusion étaient soigneusement entassées. A côté des poches, des bocaux de bonbons. Des bonbons à la cerise.

— Comment Nola a-t-elle réagi quand vous avez commencé sa perfusion? demanda-t-elle en prenant une des poches de glucose à cinq pour cent et de Ringer lacté.

— Un vrai petit ange, dit Jenny. J'ai commencé l'intraveineuse moi-même et elle n'a pas bronché.

— Vous êtes sûre? demanda Rae en plissant les yeux.

— Elle a même dit aux ambulanciers que c'était bon pour son bébé, précisa Freda. Pourquoi? Qu'est-ce qui s'est passé?

Rae, se souvenant qu'elle ne devait faire confiance à personne ayant un rapport avec la Clinique ou avec le service de Cardiologie de son hôpital, décida de garder le silence. Elle était pourtant tentée d'en parler à Freda et à Jenny car elle éprouvait malgré elle un certain respect pour ces infirmières qui s'intéressaient tant à leurs patientes. Mais elle devait aussi voir les choses dans leur ensemble.

— Il ne s'est rien passé, vraiment. Vous connaissez Nola. Elle fonctionne sur un plan différent.

Elle leur posa des questions sur Meredith Bey. Freda expliqua que Meredith avait été transportée à l'hôpital pour une césarienne de routine. Meredith poussait depuis deux heures, mais il était évident que le bébé ne sortait pas normalement.

— Elle avait accouché de son premier bébé sans problème, ajouta Freda. Qui aurait cru qu'elle aurait des difficultés?

Rae avait l'impression que la situation avait empiré depuis qu'elle avait commencé la visite. Au début, elle soupçonnait sincèrement qu'il se passait là des choses regrettables, ou que Freda et Jenny avaient gardé trop longtemps leurs patientes. Mais maintenant, même ses soupçons s'étaient pratiquement dissipés. Pis encore, elle éprouvait une sympathie instinctive pour ces deux femmes. Comment était-elle censée lutter contre des gens qu'elle aimait bien?

— Qui a commencé la perfusion de Meredith? demanda Rae comme Freda avait fini de parler.

— C'est moi qui ai commencé l'intraveineuse de Mrs Bey, déclara Freda. Pourquoi, il y a un problème?

Rae secoua la tête.

— Juste encore une question : est-il vrai – je parle des bruits qui courent – que vous comptez tous utiliser l'Hôpital municipal pour vos césariennes ?

Freda regarda Jenny qui baissa les yeux.

— Je vous conseille d'en parler au Dr Michaels, dit Freda.

— Je l'ai déjà fait, dit Rae en se rembrunissant.

Elle regarda les infirmières qui la regardèrent à leur tour.

— Eh bien, dit Rae en se frottant les mains, je crois que je vais y aller.

Freda raccompagna Rae jusqu'à la porte.

— Vous ne direz rien à personne à propos de Jenny ? murmura Freda.

Rae sentait là un conflit. Elle ferait ce qu'il faudrait pour qu'on ne ferme pas son service. Pourtant, elle compatissait, Freda n'avait pour toute famille qu'une jeune infirmière, laquelle n'avait vraiment rien fait de mal, mais qui avait omis de noter le rythme cardiaque fœtal, ce qui pourrait dans l'avenir aider Rae. Le dossier de Rae était bien mince : tout ce qu'elle avait pour l'instant, c'était une nouvelle venue incompétente.

— Est-ce que je peux vous appeler si j'ai besoin de vous ? Les choses pourraient vraiment se gâter, il faut que je sache où vous vous situez.

— Je suis pour la Clinique d'accouchement.

— Alors, dit Rae en serrant la main de Freda, je ne peux rien vous promettre. C'est drôle que nous nous retrouvions chacune d'un côté de la barrière.

En regardant Freda repartir vers la salle des urgences, Rae sentit ce qu'il y avait d'amer et de poignant chez cette femme. Elle reprit l'ascenseur jusqu'au rez-de-chaussée et téléphona chez elle d'une cabine publique pour consulter son répondeur. Avec un peu de chance, Bernie aurait laissé le nom de quelqu'un à contacter chez Hillstar. Juste au moment où elle composait le dernier chiffre, une femme enceinte, manifestement désemparée, entra dans le hall, accompagnée d'un homme beaucoup plus jeune.

— Est-ce que je peux voir mon médecin ? demanda-t-elle d'une voix tremblante. Je crois que c'est sur le point d'arriver.

Rae raccrocha et s'avança rapidement vers la patiente. Mais une infirmière l'avait devancée, portant le survêtement vert citron de la Clinique.

— Je m'occupe d'elle, docteur Duprey, fit-elle.

— Donna ? s'étonna Rae.

Donna Wilson faisait les gardes de nuit à la maternité de l'Hôpital.

— C'est bien, maintenant respirez là-dedans, expliquait Donna à la femme en l'escortant vers la porte de l'ascenseur.

Elle pressa un bouton et les portes s'ouvrirent aussitôt. Une autre infirmière était dans la cabine pour aider la patiente à monter. Donna vint rejoindre Rae dans le hall.

— Vous pouvez refermer la bouche, docteur Duprey, fit Donna. Tous les gens de l'Hôpital qui me voient font la même tête. Mais quand votre employeur vous traite par-dessus la jambe, surtout après qu'on s'est cassé le cul pendant quinze ans, il est temps de plier bagage.

— Mais vous étiez l'adversaire la plus résolue de la Clinique, dit Rae, qui n'arrivait pas à croire qu'une des infirmières les plus respectées de la maternité de l'Hôpital ait déserté. Vous trouviez que cette idée de faire traverser la rue à des patientes en travail était ridicule.

— Pas aussi ridicule que de récompenser mes quinze ans de service – sans avoir jamais manqué une nuit, vous savez – par une lettre de licenciement. L'Hôpital de Berkeley Hills n'est plus mon ami, docteur Duprey. J'espère que la Clinique d'accouchement va le bouffer tout cru.

— Vous ne parlez pas sérieusement...

— Maintenant, fit Donna en interrompant Rae, je travaille de jour, et ici j'ai six semaines de congés payés dès ma première année. A bientôt, docteur Duprey. Embrassez Trish et toutes les filles pour moi.

— Mais on ne vous a pas licenciée ! lui cria Rae tandis que Donna s'engouffrait dans l'ascenseur.

— Dites aussi à Bernie que le café est meilleur ici ! cria Donna cependant que les portes se refermaient.

— Bon Dieu, marmonna Rae.

Elle revint vers la cabine téléphonique et appela les renseignements.

— Je voudrais le numéro de la Compagnie des Ambulances Hillstar, demanda-t-elle.

On le lui donna mais la ligne était occupée. Ce n'était pas son jour, décidément.

Mais ça n'avait pas été un bon jour pour le bébé de Nola non plus. Et ç'avait bien failli être une mauvaise journée aussi pour le bébé de Meredith. Elle décida de ne pas se soucier de l'étiquette et de rendre visite aux ambulanciers. Peut-être pourraient-ils jeter quelque lumière sur la situation.

Dehors, Rae dut porter sa main en visière. Le temps s'était étonnamment réchauffé depuis le matin. La question était maintenant de savoir si elle devait rentrer chez elle et s'endormir dans la flaque de lumière qui ne manquerait pas de baigner son lit ou bien se mettre en quête des infirmiers. Elle décida que le sommeil pouvait attendre. Peut-être une conversation avec les infirmiers l'aiderait-elle à comprendre ce qui était véritablement arrivé à Nola Mahl et à Meredith Bey.

Rae s'engagea sur le passage clouté, pensant toujours au mystère des bébés malades. Elle entendit un coup de klaxon et un crissement de pneus, et resta comme une biche figée dans le faisceau des phares d'une Jaguar bleu marine qui fonçait droit sur elle.

La Jag stoppa à moins d'un mètre. Au volant, Arnie Driver, le pédiatre qui n'avait pas réussi à intuber convenablement le bébé de Nola. Il abaissa la vitre du passager et passa dehors sa grosse tête blonde. La peau rose de son crâne luisait au soleil.

— Pardon, dit-il en braquant son cigare vers le ciel. Avec cette lumière, on ne voit pas grand-chose.

Rae ne s'arrêta pas. Elle en voulait à Arnie d'avoir demandé l'enquête. Pis encore, elle avait perdu son peu de respect pour lui quand il avait failli laisser mourir le bébé de Nola.

— Hé, lui lança-t-il en approchant lentement sa Jag, j'espère que Bo vous a dit que l'enquête, c'était son idée.

Rae s'arrêta. Cette fois, elle regarda à droite, puis à gauche avant de repartir. L'idée de Bo, songea-t-elle. Qui lui mentait? Bo ou Arnie?

— Je voulais juste que vous le sachiez, ajouta Arnie.

Il repartit en trombe et Rae entendit les échos de son rire.

Salaud, se dit-elle. Mais elle avait des sujets de préoccupation plus importants qu'Arnie Driver. Elle se planta devant l'hôpital en forme de U. Juste devant elle, une sculpture de dix mètres de haut. Trois colonnes d'acier. Un hommage à l'avenir : des colonnes dressées vers le ciel comme vers la seule limite à l'esprit d'invention de l'homme. Hier encore, Rae aimait assez la masse puissante de l'acier. Mais est-ce que les futures mères aiment cela, se demanda-t-elle, ou trouvent-elles cela intimidant ? Peut-être l'Hôpital devrait-il songer à ajouter une fontaine comme celle de la Clinique d'accouchement. Quelque chose qui adoucisse un peu l'ensemble.

Non, se dit Rae en secouant la tête et en repartant. Mieux valait une maternité parfaitement équipée plutôt que des chambres trop léchées et aux noms de fleurs. L'important, c'était la salle d'opération. Mais la loi était la loi : seul un hôpital avait ce droit.

Rae s'arrêta une nouvelle fois. A sa droite, l'ambulance Hillstar était garée devant l'entrée des Urgences. Les portes arrière étaient ouvertes et, planté là, un des jumeaux ambulanciers qui avait amené Meredith Bey et qui, à en croire Eileen Tan, avait aussi transporté Nola Mahl. Les souvenirs de la mort de sa mère envahirent la mémoire de Rae. Bien sûr, elle était souvent passée auprès d'une ambulance, mais toujours rapidement. Si elle voulait questionner le chauffeur à propos de Nola et Meredith, elle allait devoir s'approcher – pour quelques minutes au moins.

La tête haute, Rae se dirigea vers l'ambulance. Sa robe de cachemire gris qui lui avait tenu chaud sur la terrasse la faisait maintenant transpirer. Ou bien était-ce l'énervement ? Quoi qu'il en soit, elle voulait parler aux ambulanciers et en finir avec ça.

— Bonjour, c'est vous qui avez amené la femme avec la dystocie de l'épaule ? dit Rae en tendant la main. Je suis le docteur Rae Duprey.

Le jumeau, dont la plaque annonçait LÉONARD, lui serra la main de son énorme paume. Même sous les manches de son survêtement bleu marine, on devinait ses biceps.

— Léonard McHenry, dit l'infirmier.

Il jetait des coups d'œil à droite et à gauche, comme s'il attendait quelqu'un. Et maintenant ? se demanda Rae. Elle voulait lui poser quelques questions. Il s'éventa avec sa main.

— On dirait qu'après tout ça va se réchauffer, dit-elle.

— Mon frère va revenir tout de suite, fit Léonard, jetant autour de lui des regards nerveux.

— Je sais que vous êtes occupé, dit-elle. Je voulais juste vous demander une ou deux choses.

— Tiens, tiens, c'est le docteur Duprey !

Rae tourna la tête et vit l'autre jumeau approcher. Sur sa plaque on lisait THÉODORE. Il est nettement moins étoffé que son frère, se dit-elle, mais quand elle lui serra la main, elle observa qu'il avait une poigne tout aussi solide. Par chance, ce jumeau-là lui sourit comme un vieil ami.

— Je voulais vous remercier de m'avoir aidée pour Meredith Bey, dit-elle, se détendant un peu. A part une faiblesse passagère de l'épaule, son bébé ira très bien.

— Content d'avoir pu vous rendre service, fit Théodore.

— Théo, fit Léonard, il faut qu'on y aille.

Rae vit Léonard lancer à Théodore un coup d'œil de mise en garde. Sans doute un code secret entre jumeaux, songea Rae.

— Avec mon frère, dit Théodore en le désignant du pouce, c'est toujours le travail et jamais la rigolade. Tiens, vous voudriez faire un tour dans notre engin ? La plus belle ambulance de Hillstar.

Monter à l'intérieur d'une ambulance était la dernière chose dont Rae avait envie. Elle sentit ses genoux se dérober sous elle.

— Ça va, docteur Duprey ?

— Ça a l'air bien aménagé, dit-elle.

Elle fit semblant d'admirer la cabine arrière, mais elle sentait monter une sueur froide. Son cœur se mit à battre plus vite : même après toutes ces années, les souvenirs étaient trop vifs. Sa mère sanglée sur un chariot. Le bébé qui ne voulait pas crier. Le spectacle de tout ce sang. Rae utilisant son chandail jaune pour éponger partout mais ne réussissant qu'à se maculer. Les gémissements de sa mère, puis ses hurlements. Et le silence. Un silence assourdissant.

— Une autre fois, dit Rae en croisant les bras sur sa poitrine et en espérant que les jumeaux n'avaient pas vu le tremblement de ses mains.

Mais le froncement de sourcils de Théodore lui révéla qu'il avait remarqué quelque chose. Peut-être avait-elle un peu pâli. Quoi qu'il en soit, cela expliquait sans doute le regard impénétrable de

Théodore à Léonard qui répondit par un hochement de tête. Un jour, se dit-elle, il faudra que je domine cette appréhension et que j'entre dans une ambulance. Mais pas aujourd'hui. Pour le moment, il lui fallait trouver un autre moyen d'obtenir des réponses à ses questions.

— Au lieu d'aller faire un tour, dit Rae, ça vous ennuierait de tout simplement me dire s'il n'est rien arrivé d'anormal à Nola Mahl ou à Meredith Bey pendant le trajet jusqu'ici ?

— Voyons, laquelle était Nola Mahl ? demanda Théodore, son regard tourné une nouvelle fois vers Léonard.

— Il n'est rien arrivé à personne, répondit Léonard.

— Nola, c'était celle qui avait le crucifix, dit Rae.

Personne ne peut oublier quelqu'un comme Nola, songea-t-elle.

— Oh, oui, fit Théodore. La 50-150. Une vraie dingue. Pourquoi vous nous demandez ça ?

— Il faut qu'on y aille, fit Léonard. Il n'est rien arrivé.

— Oh, mais si, fit Théodore. Tu te souviens d'elle, Léonard. Celle qui disait qu'elle allait mettre au monde le fils de Dieu.

Théodore sourit. Rae rit à son tour. Elle était contente qu'au moins un des deux jumeaux fût disposé à répondre à ses questions. Mais pourquoi tous ces coups d'œil à la dérobée ? A moins... à moins que les soupçons évoqués par Jessica à la pouponnière sur le moment où le rythme cardiaque du bébé avait chuté ne soient fondés.

— C'est celle-là, fit lentement Rae. Rien d'autre dont vous vous souveniez à propos d'elle ou de Meredith Bey ?

— Je me souviens qu'il faut qu'on soit à la Clinique à peu près maintenant, dit Léonard.

— Ah, mon frère, fit Théodore. Bon, vous l'avez entendu, docteur Duprey, reprit-il en claquant la portière de l'ambulance. Je pense qu'on ferait mieux d'y aller.

— Vous êtes certains qu'il n'y avait rien d'anormal ? Je veux dire : est-ce qu'elles souffraient beaucoup pendant le trajet ? Est-ce que les contractions étaient rapprochées ?

— Il y avait juste ce drôle de crucifix, fit Théodore en secouant la tête. A part ça, tout allait bien avec ces deux patientes. J'ai vérifié moi-même le rythme cardiaque des bébés : normal pour les deux.

— Je n'ai pas dit qu'il y avait un problème avec les rythmes cardiaques, intervint Rae.

— Non, mais vous alliez le faire, pas vrai ?

— Vous l'avez contrôlé souvent ? demanda Rae en souriant.

— Une fois, ça suffit pour un trajet aussi court. Alors, sauf si vous voulez qu'il y ait du grabuge entre Léo et moi, poursuivit Théodore comme si Rae n'avait rien dit, je ferais mieux de faire ce qu'il dit.

Rae donna sa carte à chaque jumeau.

— Juste au cas où vous vous rappelleriez quelque chose. Oh... et est-ce que Nola a eu une drôle de réaction quand vous avez branché la perfusion ?

— Théo n'a rien branché du tout, dit Léonard. Ils font ça à la Clinique.

— C'est exact, dit Théodore.

Rae étudia un visage, puis l'autre. Ses conversations avec des milliers de malades l'avaient amenée à repérer les gens qui mentaient. Elle décida qu'elle ne croyait ni l'un ni l'autre des jumeaux. Et elle savait qu'ils le savaient. Mais elle ne voulait pas rompre la communication. Les deux frères étaient visiblement très soudés, chacun soutiendrait l'autre.

— Appelez-moi si vous vous souvenez de quelque chose, dit-elle.

— Entendu, toubib, fit Théodore en examinant sa carte.

Rae attendit qu'il lance une nouvelle fois à Léonard son petit coup d'œil complice, mais rien. C'est alors qu'elle remarqua sa mâchoire droite enflée. Pas grand-chose, mais une légère rougeur et un gonflement sur la pommette.

— Comment vous êtes-vous fait ça ? demanda-t-elle.

— Allons, viens, lança Léonard.

— J'ai reçu le poing d'une patiente, fit Théodore en riant, quand j'ai essayé de lui mettre le masque à oxygène. Mais qu'est-ce qu'on peut attendre d'une 50-150 ?

— C'est Nola qui vous a frappé ? demanda Rae.

Elle se rappelait sa crise dans la salle de réveil quand Betty avait essayé de lui changer la poche à perfusion. Comme Théodore hochait la tête, Rae dit d'un ton railleur :

— Je crois qu'elle a sa façon de faire savoir quand elle n'est pas contente.

— Ça, vous pouvez le dire.

Rae remercia les jumeaux de lui avoir parlé et les regarda s'éloigner. Puis elle se dirigea vers la salle des urgences où elle fut aussitôt assaillie par des relents de vomi et de corps mal lavés. Elle retint son souffle quelques secondes jusqu'au moment où elle se retrouva dans le hall, et se dirigea vers le deuxième étage. Elle regrettait de ne pas avoir eu le courage d'aller inspecter l'ambulance. Avec un peu de chance, Théodore le lui reproposerait.

Mais que pouvaient donc savoir les infirmiers qui aurait expliqué ce qui était arrivé à Nola et Meredith ? Que pouvait-il se passer à l'intérieur d'une ambulance ? On mettait aux patientes un masque à oxygène, on leur donnait un peu d'eau sucrée, on contrôlait le rythme cardiaque du bébé. Si on leur avait fait autre chose, Meredith au moins l'aurait remarqué.

Bah, que les jumeaux soient au courant ou non d'un détail important n'est qu'un aspect du problème, se dit Rae. Même si elle avait du mal à se l'avouer, son plus grand obstacle serait d'entrer dans l'ambulance afin de vérifier les choses par elle-même.

Après le chaos du matin, Rae fut heureuse de constater que les choses s'étaient calmées à la maternité. Il n'y avait que deux noms de patientes en travail sur le tableau informatisé, derrière le bureau de l'infirmière. Rae pianota sur un clavier d'ordinateur pour voir dans quelles chambres se trouvaient Nola et Meredith.

— Vous êtes encore ici, docteur Duprey ? demanda Trish Barrow, l'infirmière de service qui la première avait appelé Rae à propos de Nola. Trish portait des lunettes à monture rouge, et ses cheveux châtains étaient ramenés en chignon sur sa nuque. Rae la trouvait un peu trop collet monté et très protectrice envers son équipe. Mais c'était une sacrément bonne infirmière et, pour Rae, rien d'autre ne comptait.

Elle jeta un coup d'œil à la pendule : 13 heures 15.

Elle salua Trish de la main et continua vers le pavillon des accouchées, juste à côté des salles de travail. Partout on percevait les traces des idées de Walker : les couloirs étaient larges et peints en blanc comme partout. Mais la moquette avait des carrés argent et noir. Le bureau des infirmières, avec sa batterie d'écrans d'ordinateurs, de télécopieurs et de téléphones, abritait les appareils les plus modernes et toute la technologie de pointe. Mais, se demanda Rae tout en se rapprochant du râtelier où étaient accrochés les dossiers des patientes, où est donc l'infirmière de service ? Les téléphones sonnaient, mais personne ne répondait. Pas de doute : son service, tout son hôpital était en proie à de sérieux problèmes financiers.

— Bon sang, est-ce que quelqu'un va répondre au téléphone !

Rae se tourna vers la droite et aperçut, dissimulé derrière les dossiers, le Dr Marshall White. Petit comme un jockey, il souriait rarement. Peut-être était-ce parce que, à soixante-sept ans, il devait encore se lever au milieu de la nuit pour mettre au monde des bébés. La gestion des soins, se dit Rae non sans quelque amertume, a modifié les plans de retraite de bien des médecins.

Marshall reposa son stylo près d'un dossier sur le comptoir.

— Cette baraque s'en va à vau-l'eau, dit-il. Plus personne ne répond au téléphone. La moitié des appels des patients restent sans réponse.

Rae s'approcha du téléphone.

— Marshall, dit-elle en décrochant, vous pratiquez des accouchements à la Clinique. Avez-vous récemment remarqué des problèmes à propos des transferts de patientes ?

Elle porta le combiné à son oreille, mais elle n'eut que la tonalité.

— Trop tard, dit-elle.

— Pas étonnant qu'ils envoient toutes leurs patientes là-bas, dit-il. La Clinique au moins a du personnel pour répondre au téléphone.

— Je veux dire, insista Rae en raccrochant, est-ce qu'un plus grand nombre de vos patientes a été transféré de la Clinique pour des raisons de souffrance fœtale ? Avez-vous observé une augmentation du nombre de vos césariennes ?

— Qu'est-ce qu'elles ont, mes césariennes ?

— Rien, Marshall, dit Rae d'un ton apaisant. Je cherche juste à me renseigner sur les cas de souffrance fœtale et sur la Clinique.

— Et la détresse du médecin ?

Puis, regardant autour de lui, il demanda :

— Pouvez-vous me dire où est passée l'infirmière du service ? Je veux que ces ordonnances partent maintenant, pas pendant la garde de nuit.

Le téléphone se remit à sonner.

— Je vais le prendre !

C'était enfin l'infirmière, Leslie Meyers, une femme d'une vingtaine d'années avec un diamant au milieu de la langue.

— Où étiez-vous ? demanda Marshall.

Leslie se contenta de porter ses doigts à ses lèvres tout en écoutant ce qu'on lui disait au téléphone. Marshall leva les yeux au ciel et reposa rageusement son dossier.

— Si vous voulez mon avis, Rae, je ferais mieux de faire accoucher toutes mes patientes à la Clinique.

Là-dessus, il sortit en trombe. Leslie raccrocha et demanda :

— Qu'est-ce qu'il y a ?

Rae se laissa tomber sur un fauteuil auprès d'elle et prit les dossiers de Nola et de Meredith. La tête lourde, elle feuilleta les pages.

— Qu'est-ce qui se passe, docteur Duprey ?

— C'est justement ce que j'aimerais savoir, dit Rae.

— Dites donc, demanda Leslie, vous avez entendu parler des triplées ?

— Les triplées du docteur Henshaw ?

— Trois filles, dit Leslie, rayonnante. Toutes pesant plus de cinq livres. Par césarienne, bien sûr.

Leslie jeta un coup d'œil par-dessus l'épaule de Rae pendant que celle-ci examinait le dossier de Nola.

— Celle-là, elle a vraiment pété les plombs.

— Leslie, fit Rae en hochant la tête, est-ce que vous gardez ici un journal des accouchements ? Je pourrais retourner en salle mais je ne crois pas que je sois capable de tenir debout pour l'instant.

— Bien sûr, fit Leslie en pressant quelques touches de son ordinateur. Vous cherchez quelqu'un en particulier ? demanda-t-elle tandis que des noms s'inscrivaient sur l'écran.

Rae approcha son fauteuil et fit défiler les noms.

— Je ne sais pas encore.

— Parfait.

— Je peux vous emprunter un bout de papier ? demanda Rae.

— C'est ma tournée, fit Leslie en lui tendant un bloc.

On voyait sur l'écran le nom des patientes qui avaient accouché, avec la date, leur numéro de dossier, le sexe du bébé, le nom du médecin accoucheur, le mode d'accouchement avec le poids du bébé et le score d'Apgar. On voyait aussi combien de fois une femme avait mis des enfants au monde. Ce qu'on ne voyait pas, c'était si le sujet était une patiente de la Clinique d'accouchement transférée à l'Hôpital ou une femme qui avait toujours été hospitalisée là. Les patientes de la Clinique étaient souvent transférées dans le service de Rae pour qu'on puisse surveiller le travail, et pas seulement pour des césariennes.

— Merde, murmura Rae.

— Mauvaises nouvelles ? demanda Leslie.

— Il n'y a pas moyen de distinguer une patiente de la Clinique des autres ?

— Est-ce qu'elles ne sont pas toutes pareilles une fois qu'elles arrivent ici ? répondit Leslie.

Rae eut un soupir exaspéré. Puis elle nota le nom des patientes qui au cours des six derniers mois avaient accouché de bébés ayant des scores d'Apgar bas. Le score d'Apgar est gradué de zéro à dix. Un score inférieur à sept signifie que le bébé a dû être réanimé au moment de la naissance. Comme celui de Nola qui était né avec un score d'Apgar de un.

Rae compta une trentaine de bébés nés avec des scores d'Apgar bas au cours des six derniers mois : mais nombre d'entre eux étaient des prématurés et les chiffres bas n'avaient rien d'étonnant dans ces cas-là. Rae nota le nom des autres : une vingtaine. La raison de ces scores bas n'était pas claire. Tout ce qu'elle avait à faire maintenant, c'était appeler les Archives et demander qu'on lui sorte les dossiers. A elle de découvrir d'où venaient les patientes.

Elle se laissa retomber dans son fauteuil et se frotta les yeux. Examiner les dossiers un par un n'était pas une tâche qu'elle envisageait avec entrain.

— Tenez, voilà ! s'exclama Leslie.

Rae ouvrit un œil.

— Vous aviez raison, docteur Duprey. Il y a un code spécial.

Rae se pencha pour regarder l'écran.

— Vous voyez ici ? fit Leslie. Il y a une petite étoile auprès des noms des patientes qui ont commencé à la Clinique mais qui se sont retrouvées ici.

— Leslie ! gémit Rae.

Elle ne savait pas si elle devait embrasser l'infirmière ou la tuer. Elle laissa retomber sa tête et ferma les yeux. Elle venait de perdre une heure entière. Si elle en avait eu la force, elle aurait étranglé Leslie de ses mains nues. Elle ouvrit les yeux et se pencha pour examiner l'écran.

— Pourquoi ne me l'avez-vous pas dit plus tôt ?

— Mais c'est ce que j'essaie de vous expliquer, fit Leslie. Ce code spécial n'était pas là il y a deux semaines. Et c'est ce que je voulais dire quand je vous expliquais qu'il n'y avait pas moyen de distinguer les patientes venant de la Clinique. Ça doit être quelqu'un de la T.I. qui l'a ajouté.

— Qu'est-ce que c'est que la T.I. ?

— La Technologie de l'Information. Vous savez, ces types qui préfèrent coucher avec leurs souris plutôt qu'avec nous.

— Montrez-moi ça, dit Rae.

Elle se mit à noter les noms agrémentés d'étoiles. Tout en écrivant, elle sentit une vague d'appréhension monter en elle. Au cours des deux derniers mois seulement, huit patientes de la Clinique avaient eu des bébés dont le score d'Apgar était bas, et toutes, à en croire l'ordinateur, étaient suivies par le Dr Bo Michaels.

Rae inspecta de nouveau l'écran. Du temps où Bo et elle étaient ensemble, Bo mettait rarement au monde un bébé malade. Et maintenant, huit en deux mois ? Que se passait-il ? Se donnait-il tellement de mal pour saper la maternité de l'Hôpital qu'il en négligeait ses propres patientes ?

Quelques autres bébés avaient des scores d'Apgar bas, mais les accouchements dataient d'un certain temps et avaient tous été pratiqués par des médecins différents.

— J'espère que vous avez trouvé ce que vous cherchiez, dit Leslie.

— Moi aussi.

Elle appela ensuite les archives et demanda à Yvonne Wright, la documentaliste, de lui sortir les huit dossiers. Yvonne promit qu'ils seraient prêts dans une demi-heure.

Comme elle avait du temps à perdre, Rae décida de retourner à la cafétéria prendre une tasse de café. Il était deux heures et demie et les tables se libéraient. A sa surprise, tout au fond, dans un coin, elle aperçut Sam Hartman en grande conversation avec les jumeaux infirmiers. Ceux-ci semblaient détendus, tout le contraire de l'attitude qu'ils avaient eue avec elle. Ah, les hommes, se dit-elle. Toujours l'esprit de groupe.

Elle continua de les observer. Au bout de quelques minutes, Rae en conclut qu'il s'agissait d'une rencontre de hasard, rien de plus. Sam souriait et semblait faire des plaisanteries. Les jumeaux souriaient aussi, visiblement fascinés par ce qu'il leur racontait. Puis Sam leur tendit la main et prit congé.

Rae se dissimula derrière une colonne tandis que Sam se dirigeait vers la caisse. Les jumeaux restaient là à faire la queue pour les plats chauds. En riant, ils entassaient des frites sur leurs plateaux. Sam régla son café et s'éloigna.

Que faisait donc Sam avec ces types ? Depuis que Bernie lui avait reproché de batifoler avec « l'ennemi », Rae avait envisagé de refuser l'offre de Sam de la conduire à la soirée de Marco. Maintenant, elle changeait d'avis. Si Sam connaissait ces infirmiers, peut-être pourrait-elle l'amener à l'aider dans son enquête.

Elle décida de renoncer au café et d'aller aux Archives. Rae ne savait pas si c'était ou non d'avoir vu Sam avec les jumeaux, mais il lui sembla soudain qu'elle se trouvait en eaux beaucoup plus profondes qu'elle ne l'avait cru tout d'abord.

CHAPITRE NEUF

Le service des Archives médicales occupait tout un coin de l'aile nord de l'Hôpital. Assise derrière une pile de dossiers, Yvonne Wright, une femme laconique d'une cinquantaine d'années, avait une passion pour l'ordre et pour les Harley-Davidson.

— Voici vos dossiers, dit-elle de sa voix toujours impassible, en désignant une pile dans le casier de Rae.

— Un quart d'heure depuis que j'ai appelé, fit Rae en consultant sa montre. Vous êtes rapide.

— Hmm, marmonna Yvonne.

Rae emporta les chemises à l'épais cartonnage blanc jusqu'à une petite table encastrée dans le mur et séparée par une cloison des autres petits bureaux similaires. Contrairement au reste de l'Hôpital, on n'avait pas modernisé le service des Archives, et Rae, pour consulter les dossiers, estimait cela préférable. C'était à peu près le seul endroit où les murs n'étaient pas peints en blanc et où le mobilier avait été conçu pour que les gens puissent vraiment s'asseoir : vieux fauteuils avec de vrais accoudoirs et sièges capitonnés.

Rae compta les dossiers. Il n'y en avait que quatre et non huit comme elle l'avait demandé.

— Qu'est-ce qui est arrivé aux autres ?

— Demandez au Dr Donavelli. C'est lui qui les a sortis le dernier.

— Mais, fit Rae en la regardant avec méfiance, on ne laisse pas les dossiers sortir des archives à moins que le patient ne soit admis dans une des salles ou qu'on veuille faire un bilan d'urgence.

Yvonne leva les yeux au ciel.

— Désolée, fit Rae, se rendant compte qu'elle parlait à un mur. (Elle jeta un coup d'œil au casier de Marco. Vide, comme venait de le lui expliquer Yvonne.) Vous êtes certaine que c'était Marco Donavelli qui les a demandés, Yvonne ?

— Mais, dites-moi, qu'est-ce qu'ils ont de si important, ces dossiers ? demanda Yvonne d'un air soupçonneux.

Tout en s'asseyant dans un fauteuil non loin de son bureau, Rae se posait la même question. Elle posa les quatre dossiers sur la tablette et ouvrit le premier.

— C'est exactement ce que je compte découvrir.

Au même instant, Bo entra. Il s'approcha du bureau d'Yvonne sans paraître avoir remarqué la présence de Rae.

— Oui ? lui demanda Yvonne.

Bo lui tendit une feuille de papier. Il tournait toujours le dos à Rae. Yvonne examina la feuille et tourna les yeux vers l'endroit où Rae était assise.

— Voilà huit patientes très populaires, observa Yvonne.

Bo se retourna et suivit son regard.

— Ce sont vos dossiers qu'il veut, annonça Yvonne.

— Tiens, tiens, dit Rae. Alors ?

Bo croisa les bras.

— Rae, ce sont des patientes de la Clinique d'accouchement.

— Non, fit Rae en tirant les chemises vers elle, ce sont des dossiers, Bo, et je crois qu'ils sont la propriété de l'Hôpital.

— Où sont les quatre autres ? demanda Bo en inspectant la pile.

— Si tu demandais à Marco ?

Bo se tourna vers Yvonne.

— Vous l'avez entendue, dit Yvonne. Ne vous donnez pas la peine de chercher dans le casier du Dr Donavelli. Ils ne sont plus là.

Furieux, Bo se tourna vers Rae.

— Rae, tu devrais être là-haut à étudier les dossiers de Nola et de Meredith. Il faut que tu prépares ta défense. Au cas où tu ne l'aurais pas entendu, Arnie a prévu ton audition dans deux semaines.

Rae approcha un fauteuil pour Bo. Comme il restait debout, elle se pencha en avant et leva les yeux vers lui. Baissant la voix, elle dit :

— Ecoute. Cessons de discuter juste pour une minute. Mieux vaut essayer de découvrir pourquoi huit bébés avec un Apgar bas sont arrivés de la Clinique d'accouchement au cours des deux derniers mois.

— Ridicule, fit Bo.

— Et ces huit bébés étaient tous *tes* bébés, Bo. Tu dis que j'ai un problème. Huit, ça fait quatre fois deux, si je me souviens de mon arithmétique.

— Tu ne vas pas m'entraîner dans cette histoire, fit Bo. Qu'est-ce que Marco vient faire dans tout ça ?

— C'est moi qui devrais te poser cette question, répliqua Rae. J'ai appris à la réunion du Conseil de ce matin que tu avais convaincu Marco que la Clinique d'accouchement est une bonne chose. Mais peut-être qu'il a changé d'avis. Peut-être qu'il est inquiet à l'idée que tu as déconné. C'est pourquoi il veut examiner ces dossiers.

Bo se pencha et s'empara des chemises posées devant Rae avant qu'elle ait pu les rattraper. Elle se leva et essaya de les lui reprendre.

— Hé ! cria Yvonne. Cessez de vous conduire comme des enfants. Puisque ces dossiers ont tant d'importance pour vous, si je vous en faisais une copie ?

Sentant qu'ils s'étaient tous deux comportés de façon ridicule, Rae répondit :

— C'est une bonne idée, Yvonne. Si vous pouviez les mettre dans mon casier. (Puis, se tournant vers Bo :) S'il y a quelque chose dans ces dossiers que tu caches, crois-moi, je vais le découvrir.

— Tu auras tout le temps de les consulter, dit Bo. Sache-le bien, je n'ai rien à cacher du tout. Je m'efforce seulement de t'empêcher de farfouiller dans ces dossiers avant qu'on en ait fait des copies. Pourquoi crois-tu que je suis descendu ici ? Ce qu'Yvonne vient de proposer, c'est exactement ce que j'allais lui demander de faire.

— Alors maintenant, fit Rae, incrédule, tu m'accuses de falsifier des archives ?

— Je te crois capable de tout, Rae. Surtout quand il s'agit de ton ambition.

Bouche bée elle regarda Bo emporter les chemises à l'autre bout de la salle. Furieuse, Rae sortit. Il faudrait un moment à Bo avant d'en avoir fini avec les dossiers et de les donner à photocopier à Yvonne. Ça valait peut-être mieux : elle était trop folle de rage pour se concentrer.

Même si elle ne savait pas exactement où la mènerait son enquête, Rae était maintenant sûre d'une chose : on venait de monter les enjeux. Bo savait désormais qu'elle se doutait de *quelque chose* et, quand Marco découvrirait l'incident des dossiers, lui aussi saurait. Combien d'ennemis vais-je encore me faire avant que tout ça ne soit terminé ? se demanda-t-elle en se dirigeant vers l'ascenseur. Un nombre qui semblait augmenter d'heure en heure.

Rae se réveilla en sursaut. Pendant quelques secondes, elle fut incapable de se souvenir où elle était. Puis le ronronnement familier du système de climatisation de l'Hôpital lui rappela qu'elle se trouvait dans une des chambres de garde du service d'Obstétrique. Ces pièces, qui mesuraient moins de deux mètres sur trois – en fait de grands placards – avaient été oubliées quand Walker avait rénové la maternité. Mais, depuis une heure, Rae y avait trouvé refuge.

En allumant, elle vit sa robe grise posée en tas sur le plancher. Elle s'habilla précipitamment, utilisa le lavabo pour se rincer la bouche, et s'observa dans la glace. Elle avait le regard clair, mais sous ses yeux les cernes s'étaient accentués. Bah, dès l'instant qu'elle n'effrayait pas les patientes...

Meredith Bey était assise, adossée à un gros oreiller blanc. Comme toutes les chambres d'accouchées, la sienne était spacieuse et ouvrait en vue panoramique sur la Baie. Le soleil à l'ouest faisait étinceler les murs blancs et accentuait les joues roses du visage rayonnant de Meredith.

— J'espère que c'est un bon moment pour vous rendre visite, dit Rae en s'asseyant dans un fauteuil de toile blanche auprès de son lit.

La petite Cynthia, enveloppée dans une couverture rose, tétait avec béatitude.

— Bien sûr. Qu'est-ce que je peux faire pour vous ? demanda Meredith en baissant les yeux pour ramener doucement la couverture autour de la tête du bébé.

— Avez-vous eu votre premier bébé à la Clinique d'accouchement ? interrogea Rae. (Elle devait être prudente. Elle n'avait aucune preuve qu'un accident fût arrivé à Meredith à la Clinique et ne voulait pas que celle-ci en eût l'impression.)

— Seigneur, non, fit Meredith. Mon premier enfant a dix ans. Il n'y avait pas de Clinique d'accouchement en ce temps-là.

Et il ne devrait pas y en avoir aujourd'hui, songea Rae.

— Alors pourquoi avez-vous décidé d'y aller plutôt qu'à l'Hôpital municipal ou plutôt que chez nous ?

— Vous ne l'avez pas vue ? demanda Meredith en ouvrant de grands yeux. On a l'impression d'être chez soi. Mon premier accouchement n'a duré que deux heures. J'étais la patiente modèle. (Elle marqua un temps et tapota les fesses de son bébé.) Sauf, bien sûr, que tout le monde à l'exception de mes amies a sous-estimé le poids de cette petite boulotte.

L'horrible souvenir de la dystocie de l'épaule traversa l'esprit de Rae.

— Alors tout s'est bien passé, je veux dire, là-bas ?

— J'ai poussé ce matin aussi longtemps que la dernière fois, dit Meredith. (Elle pencha la tête de côté comme si une idée soudaine venait de la traverser.)

— Quoi donc ? demanda Rae.

— Rien. J'ai bien étudié la question avant de me décider pour la Clinique, dit Meredith en faisant passer le bébé à l'autre sein. J'ai tout vérifié. Et c'était formidable. Même les ambulanciers étaient super. D'ailleurs, ils étaient si consciencieux que l'un d'eux a changé ma poche de perfusion pour que je sois bien hydratée au moment où l'anesthésiste me ferait ma péridurale pour la césarienne.

— Les infirmiers ont changé votre poche ? fit Rae en se penchant dans son fauteuil.

— Je pense bien, dit fièrement Meredith. Ça montre à quel point ils sont bons.

Meredith se renversa sur son oreiller. Rae se força à sourire tout en essayant de se rappeler si quelque chose dans le dossier de Meredith mentionnait que les infirmiers avaient changé la poche de perfusion. Malheureusement, elle se sentait la mémoire un peu brumeuse. Il faudrait qu'elle vérifie de nouveau. En revanche, elle se souvenait que les ambulanciers lui avaient dit qu'ils n'avaient pas changé la poche de perfusion de *Nola.*

Elle se rappelait aussi que Nola avait piqué une crise en voyant Betty approcher avec une nouvelle poche. Y avait-il un rapport ? Et si oui, de quel ordre ? Ni Freda ni Jenny n'avaient parlé des ambulanciers changeant les poches à perfusion. Freda lui avait expliqué que c'était la Clinique qui s'occupait de ça. Mais comment Freda ou ses collègues auraient-elles su ce que les infirmiers faisaient à l'intérieur de l'ambulance une fois qu'elle avait quitté la Clinique ?

— Combien de temps avez-vous dit que vous aviez poussé ? demanda-t-elle.

— Trop longtemps, dit Meredith. Au moins deux heures. La prochaine fois, je me ferai faire une péridurale.

Meredith bâilla. Rae se leva et vint tapoter l'oreiller sous sa tête. Elle lui avait posé suffisamment de questions pour un après-midi.

— Où est votre appareil photo ? demanda-t-elle.

— Dans ce petit tiroir.

Rae tendit l'appareil à Meredith puis lui prit Cynthia des bras. Elle sentait contre son corps la merveilleuse chaleur du bébé. Rae en avait tenu des milliers dans sa vie, mais jamais le sien. Est-ce que la sensation serait différente ? se demanda-t-elle. Son cœur fondrait-il comme maintenant en regardant le petit visage angélique qui tournait vers elle un regard interrogateur ?

— Si jamais j'ai un bébé, dit Rae, j'espère qu'il sera aussi mignon que toi, Cynthia. (Elle le souleva dans ses bras comme un sac de patates.) Mais pas aussi grosse.

Meredith se mit à rire et prit la photo. Elle reposa l'appareil sur la table de chevet et Rae lui rendit le bébé.

— J'espère que vous allez trouver ce qui m'est arrivé après que je suis partie de la Clinique, dit Meredith.

Rae lui lança un regard surpris : elle avait cru s'être montrée subtile.

— Oh, je sais ce que vous pensez, reprit Meredith. Le problème, c'est que je me posais la même question. Mais les soins là-bas étaient parfaits. Pendant le trajet en ambulance aussi. Tout était parfait ! Je reste là à me reprocher ce qui s'est passé. Si seulement je n'avais pas voulu à tout prix un accouchement naturel quand, au fond de moi, je savais qu'elle était trop grosse pour passer.

— Je ne voulais pas dire... commença Rae.

— Le Dr Michaels pensait aussi que je devais accoucher à l'Hôpital, mais c'est moi qui l'ai persuadé du contraire, fit Meredith d'un ton de regret. C'est le problème quand on est infirmière dans un service d'Obstétrique. Non seulement on en sait trop, mais on arrive à persuader nos médecins de prendre plus de risques.

Pas celui-là, songea Rae.

Rae remercia Meredith d'avoir parlé, puis lui conseilla de se reposer un peu.

— La prochaine fois, annonça Meredith, j'accouche ici.

— Nous serons ravis de vous avoir, répondit Rae en souriant.

Elle souhaita à Meredith que tout se passe bien avec sa petite fille. Puis elle quitta la pièce en se demandant si l'Hôpital de Berkeley Hills aurait encore une maternité si Meredith avait un autre bébé.

Quand elle passa devant le bureau des infirmières pour aller dans la chambre de Nola Mahl, elle avait pris deux décisions : d'abord, il fallait qu'elle parle aux ambulanciers de cette poche à perfusion. Ensuite, que son service serait toujours là chaque fois que Meredith se retrouverait enceinte et qu'il fonctionnerait encore mieux. D'une façon ou d'une autre, elle allait y veiller.

*
* *

La chambre de Nola était à l'autre bout du couloir par rapport à celle de Meredith. Rae jeta un coup d'œil à l'intérieur et aperçut un lit vide.

— Elle est à la pouponnière.

Se retournant, Rae vit le visage souriant de l'infirmière-chef de la salle des accouchées, Marcie Bland.

— Mais on vient de l'opérer, dit Rae en examinant une nouvelle fois la chambre.

— Allez donc lui dire ça, dit Marcie. Allez donc lui dire n'importe quoi d'ailleurs.

Dans la pouponnière, Rae trouva Nola assise dans un fauteuil, drapée dans un peignoir blanc de patiente. Elle avait l'air en transe. Devant elle, le capot vitré de la couveuse au travers duquel elle examinait fixement son bébé.

Rae s'approcha de Jessica, occupée devant son écran d'ordinateur.

— Est-ce que je dois demander comment il va ?

— Nous avons tout le mal du monde, fit Jessica d'un air soucieux, à maintenir sa saturation en oxygène.

Rae secoua tristement la tête. Désignant Nola du menton, elle demanda :

— Comment le prend-elle ?

— Je crois qu'elle se prend pour la Vierge Marie, répondit Jessica.

Rae s'approcha de Nola. Celle-ci ne sembla pas s'apercevoir de sa présence, ni d'aucune d'autre, d'ailleurs. A l'exception bien sûr du bébé. Il était allongé sur le dos, les bras et les jambes ligotés par des courroies. Il était encore branché aux écrans de contrôle et au respirateur. Mais, à côté de lui, se trouvait le crucifix en plastique jaune de Nola, attaché à son lacet de chaussure de tennis.

— Je parie que ça lui fait plaisir, Miss Mahl, dit Rae.

Nola resta silencieuse. Elle ne réagit même pas aux commentaires de Rae.

Rae prit un siège et s'assit à côté d'elle. Elle ne savait pas très bien comment s'y prendre pour interroger Nola sur les soins qu'elle avait reçus à la Clinique d'accouchement. Mais il fallait bien essayer. Elle prit un moment pour rassembler ses idées. Comment parlait-on à la Vierge ? Finalement, d'une voix très douce, Rae dit :

— Je veux vous aider, Miss Mahl, et je veux aider votre bébé. Mais je ne peux faire ni l'un ni l'autre sans savoir ce qui s'est passé ce matin.

Nola regardait droit devant elle, les yeux fixes.

— Elle n'a pas dit un mot depuis son arrivée, expliqua Jessica.

Rae se carra dans son fauteuil. Il fallait qu'elle arrive à faire parler Nola.

— Nola, dit-elle, faisant une nouvelle tentative, je suis le docteur Rae. Vous vous rappelez ? C'est moi qui vous ai opérée.

Elle attendit. Elle se sentait de plus en plus désespérée. Nola savait peut-être quelque chose sur ce qui était arrivé à son bébé. A moins de réussir à la faire parler, ce serait Rae qui aurait l'air d'une folle si elle essayait de faire des histoires. Mais, de toute évidence, Nola ne parlait pas. Rae se leva et fit quelques pas pour s'en aller, puis s'arrêta net et tendit l'oreille.

— Hillstar, murmura Nola. Superstar.

Rae se retourna et posa sa main sur l'épaule de Nola.

— Nola, Hillstar, c'est le nom de la compagnie d'ambulances.

— Hillstar. Superstar. Hillstar. Superstar, fit Nola, le visage toujours figé.

— Pourquoi Hillstar ? demanda Rae. Il vous est arrivé quelque chose dans l'ambulance Hillstar, Miss Mahl ? Est-ce que quelqu'un a changé votre poche à perfusion ?

— De l'eau salée. C'est bon pour le bébé.

Rae avait du mal à contrôler son agacement : elle savait que Nola essayait de lui dire quelque chose, mais quoi ?

— Est-ce que vous criiez votre nom de famille dans la salle de réveil ? demanda-t-elle. Ou bien vouliez-vous dire que vous souffriez, que quelque chose vous faisait mal ?

— De l'eau salée. Bon pour le bébé. De l'eau salée. Bon pour le bébé.

Rae regarda autour d'elle. Jessica s'occupait d'un autre bébé, comme les autres infirmières.

— Pourquoi aviez-vous si peur de la poche que Betty était en train d'accrocher dans la salle de réveil, Nola ? Est-ce que les infirmiers l'ont changée ? Est-ce qu'ils vous ont dit quelque chose de méchant ? Je vous en prie. Racontez-moi ce qui s'est passé. Je ne peux pas vous aider ni le Petit Jésus...

Là-dessus, Nola se tourna vers elle.

— Le Petit Jésus, dit-elle.

— Oui, le Petit Jésus, fit Rae, qui réfléchissait rapidement. Le Petit Jésus veut que vous me racontiez ce qui s'est passé, ajouta-t-elle.

— Le Petit Jésus ne peut pas parler, dit Nola en se détournant pour fixer des yeux le bébé.

Rae se laissa retomber dans son fauteuil. Elle avait dit ce qu'il ne fallait pas et Nola venait de se refermer comme une huître. Elle se leva. Il lui faudrait comprendre les choses sans l'aide de Nola. Y parviendrai-je ? se demanda-t-elle, apercevant le chariot chargé de poches à perfusion dans un coin de la salle. Les poches étaient bien plus petites, mais il faudrait qu'elles fassent l'affaire. Elle en saisit une et déchira l'emballage en plastique. Elle vint retrouver Nola et lui brandit la poche sous le nez.

Nola tressaillit une fois, puis une fois encore. Brusquement, elle se leva d'un bond et d'un geste violent repoussa la poche. Elle avait un regard terrifié. Penchée sur la couveuse, elle s'efforçait de la protéger de son corps.

— De l'eau salée ! C'est bon pour le bébé ! Hillstar ! Hillstar ! Hillstar !

— Qu'est-ce qui vous faisait mal ? lui demanda Rae, désespérée.

— De l'eau salée ! De l'eau salée !

— Mal, Nola ! Qu'est-ce qui vous faisait mal ?

— Docteur Duprey, cria Jessica, qu'est-ce que vous lui faites ?

Jessica et les autres infirmières se précipitèrent vers Nola.

— Bon sang, Nola ! Dites-moi ce qui vous a fait mal !

Elle était hors d'elle. Elle avait envie d'aider Nola et en même temps elle avait envie de la brutaliser pour la faire parler. Mais Nola était perdue dans son monde. La seule personne qui avait l'air folle pour le moment, c'était Rae. De toute évidence, les infirmières qui formaient maintenant un cordon protecteur autour de Nola en étaient également convaincues. A en juger par leurs expressions abasourdies, Rae savait qu'elles attendaient une explication.

— J'essayais juste...

D'un geste, Jessica lui coupa la parole tout en posant un bras protecteur autour des épaules de Nola.

— Ecoutez, docteur Duprey, je ne sais pas ce qui vous arrive ni ce que c'est que cette audition devant le Conseil de Discipline, et je ne veux pas le savoir, mais je crois vraiment que vous avez besoin de vous reprendre, quel que soit votre problème.

— Mais...

— C'est vrai, docteur Duprey, je crois que vous feriez mieux de partir. Vous énervez Miss Mahl, et elle l'est déjà assez comme ça.

Les autres infirmières tournaient vers Rae des regards accusateurs. Tenter de fournir une explication ne ferait, elle le sentait, qu'aggraver les choses. Et les infirmières avaient raison : elle avait fait assez de mal à Nola, sans parler de sa propre réputation, pour la journée.

— Vous avez parfaitement raison, Jessica, dit-elle. Pardonnez-moi, tout le monde. Je vais m'en aller.

Elle sortit de la pièce, sentant sur elle les regards des infirmières. Elle avait eu un comportement déplacé, mais elle savait maintenant que quelque chose à propos de ces poches à perfusion terrifiait Nola. Et ce n'était pas seulement une histoire d'eau salée, sûrement pas.

CHAPITRE DIX

Sitôt sortie de sa place de parking, Rae emballa le moteur de sa Porsche noire et fonça vers la descente abrupte de Marin Avenue. Il était presque sept heures et Sam passerait la prendre à 7 heures 45. Le soleil avait déjà disparu à l'horizon et le ciel s'enflammait de reflets orange et rouges. Les eaux de la Baie étaient calmes comme un lac.

Rae se sentait tout sauf calme. Même les accents sirupeux du crooner à la radio ne parvenaient pas à l'apaiser. Au point où elle en était, il lui aurait fallu une anesthésie générale pour ralentir le tourbillon de ses pensées.

En bas de l'avenue, un rond-point d'où partaient huit rues comme les rayons d'une roue, avec au milieu une fontaine en béton d'où l'eau jaillissait de la gueule de quatre petits ours. Rae prit le virage du rond-point à plus de soixante à l'heure. Une Volkswagen peinte en peau de léopard klaxonna sur sa droite et elle jura sous cape.

Rien, songea-t-elle, n'allait la retarder. Elle voulait rentrer chez elle, se changer et être prête quand Sam Hartman passerait la prendre. Elle comptait bien épingler quelques cardiologues à la soirée de Marco et faire un peu de propagande auprès d'eux pour qu'ils soutiennent son service – comme elle soutiendrait leur programme cardiaque. Si seulement elle arrivait à leur faire comprendre que jamais un médecin ne devrait lutter contre un médecin, ni un programme contre un autre !

Elle n'eut pas le temps de réfléchir bien longtemps : deux minutes plus tard elle était sur Ashby Avenue. Encore une minute et elle s'était engouffrée dans le garage de l'immeuble de trente étages où elle avait un appartement.

— Alors, Doc, fit Mack, le portier. Combien de bébés avez-vous mis au monde aujourd'hui ?

— Dix, répondit Rae, bien qu'elle n'en eût accouché que deux. Et, Mack, j'attends le Dr Sam Hartman à 7 heures 45. Appelez-moi quand il arrivera et je descendrai.

— Un monsieur qui vient vous voir ? fit Mack rayonnant. Eh bien eh bien.

— Ne vous excitez pas trop. Ça n'est qu'une soirée d'affaires, lui lança Rae par-dessus son épaule, tout en se dirigeant vers l'ascenseur au bout du vestibule dallé de marbre.

Son appartement était au fond d'un long couloir, recouvert d'une épaisse moquette, à l'un des derniers étages. Tout en cherchant ses clés dans son sac, elle entendit Léopold qui haletait derrière la porte.

Celle d'en face s'ouvrit. Planté là, en chemise blanche, pantalon noir et nœud papillon, Harvey Polk, quatre-vingt-deux ans, son professeur de violon. Comme d'habitude à cette heure-là, Harvey brandissait un petit verre de cognac.

— Alors, on est prête pour la leçon ? demanda-t-il. (Ses yeux gris, au regard plus embrumé par l'âge que par l'alcool, fixaient affectueusement Rae.)

— Pas vraiment, fit Rae. Et je crois bien qu'il va falloir que je saute la leçon de demain aussi.

Harvey but une gorgée de cognac. Rae savait comme il aimait leurs leçons de violon du samedi matin.

— Léopold va être très déçu, dit-il.

— Surtout, ne lui en apprenez pas plus qu'à moi.

Elle lui fit un petit sourire et lui souhaita bonne nuit. Comme elle regrettait l'époque où elle pouvait passer chaque journée – et pas seulement les samedis – assise devant la fenêtre de Harvey tandis qu'il lui enseignait les secrets de l'art du violon.

Elle ouvrit la porte de son appartement. Ce fut tout d'abord Léopold qui l'accueillit dans le vestibule, par une enthousiaste volée d'aboiements. Et puis le vaste panorama qu'on découvrait de sa baie vitrée sur l'horizon de San Francisco. La ville commence à s'animer, se dit Rae. Elle, en revanche, avait l'impression qu'elle pourrait dormir pendant cent ans. Espérant trouver bientôt son second souffle, elle caressa la douce fourrure noire de Léopold, puis alluma la lampe en porcelaine posée sur une table basse.

— Alors, mon garçon, tu t'es bien promené avec Harvey aujourd'hui ? demanda-t-elle à son labrador tout en lui caressant la tête.

Avec un soupir, elle regardait les lumières qui brillaient autour de la Baie. Malgré la présence de Léopold, elle avait découvert que la tombée de la nuit était toujours le moment le plus dur. Le soir, la solitude s'installait comme l'obscurité : calmement, inévitablement et totalement.

Poussant un nouveau soupir, elle alla jusqu'à son bureau qui à l'origine était une seconde chambre. Dans la journée, le soleil en faisait une pièce claire et chaleureuse. Mais, le soir, elle devenait un sanctuaire où elle évoquait ses pensées les plus profondes et ses plus gros soucis : comme ceux qu'elle avait maintenant, à propos des bébés.

Elle prit sur un des rayonnages un ouvrage d'obstétrique relié de cuir, écrit par un auteur britannique une trentaine d'années plus tôt. Même si elle possédait des livres beaucoup plus récents et les derniers numéros des revues d'obstétrique, elle préférait ce vieux volume pour le talent avec lequel l'auteur savait arracher son histoire à un patient. On pouvait, estimait Rae, poser la plupart des diagnostics rien qu'en écoutant la malade. Comment la science moderne en était-elle arrivée à dépendre à ce point d'examens sophistiqués souvent pratiqués avant même que quiconque ait pris la peine de demander au malade ce qui se passait !

Elle regarda l'heure à la pendulette de son bureau. 7 heures 10. Elle n'avait pas beaucoup de temps, mais elle devait s'assurer qu'elle avait pensé à tout. Elle feuilleta rapidement le chapitre intitulé « Dystocie de l'épaule ». La tête du bébé de Meredith avait émergé et cela avait amené le cordon ombilical à être tiré à l'intérieur du bassin et comprimé avant que Sylvia, l'infirmière des urgences, se soit rendu compte que les épaules du bébé ne passaient pas.

Adossée au rayonnage, elle lut la liste des facteurs de risques associés à la dystocie de l'épaule. En remuant la queue, Léopold attendait patiemment qu'elle eût terminé.

— Tu sais, Léopold, dit-elle, l'incidence de cas de dystocie de l'épaule chez des bébés pesant moins de neuf livres n'est que de zéro seize pour cent. Mais, pour les bébés plus lourds, l'incidence est plus proche de deux pour cent. (Elle s'interrompit en pensant à la fille de Meredith et reprit :) Cynthia assurément pesait plus que cela.

Tenant toujours le livre à la main, elle traversa la pièce pour aller s'asseoir dans un grand fauteuil devant une des fenêtres d'angle. Elle alluma la lampe.

— Mais, pour les femmes qui poussent plus de deux heures, dit-elle, et qu'on finit par accoucher aux forceps, l'incidence de dystocie de l'épaule monte jusqu'à quatre et demi pour cent.

Léopold agita la queue.

— Mais non, fit Rae. On n'a utilisé pour Meredith ni les forceps ni l'aspiration. Elle a expulsé le bébé toute seule. (Elle secoua la tête avec agacement et se passa les mains dans les cheveux.) Viens, Léopold, dit-elle.

La chambre de Rae était exposée à l'ouest. Tout en se déshabillant, elle regarda les voiliers qui regagnaient leurs mouillages à la marina d'Emeryville. Comment les gens avaient-ils autant de temps pour leurs loisirs ? songea-t-elle tristement.

D'ordinaire, elle aurait pris le temps d'accrocher ses vêtements. Elle aimait l'ordre dans sa vie quotidienne. Cela rendait tout plus facile : comme d'ouvrir le ventre d'une femme et de replier les entrailles avant de placer le premier clamp sur le ligament rond au début d'une hystérectomie. Mais, ce soir-là, elle laissa sa robe en tas sur l'édredon rose pêche de son grand lit. Elle ôta lentement ses bas et consacra quelques secondes sublimes à se masser les pieds.

Le regard de Rae parcourut la chambre de l'appartement où elle vivait depuis dix ans. Machinalement, son regard se posa sur la table de nuit : sur la tablette, son vieux réveil et une photo dans un cadre doré. Le cliché noir et blanc avait beaucoup pâli mais Rae pouvait distinguer chaque détail des deux personnages qui s'y trouvaient. Il y avait sa mère, assise devant le piano droit, les yeux baissés sur les touches et un demi-sourire aux lèvres. Son visage habituellement assez mince avait sur cette photo des joues rebondies : Rae comprenait aujourd'hui que c'était un signe annonciateur de pré-éclampsie, mais que la famille avait trouvé normal chez une femme enceinte. Le médecin, Rae l'apprit plus tard, avait conseillé à sa mère de ne pas avoir de nouvelle grossesse. Les risques d'hypertension artérielle étaient bien trop grands. Mais qu'est-ce qu'en savaient les médecins ? avait demandé son père.

Beaucoup de choses, se disait Rae aujourd'hui. Fichtrement beaucoup de choses.

L'autre personnage de la photo était Rae à treize ans, l'air concentré tandis que sa main gauche était posée sur le manche de son violon. Rae était enchantée d'avoir sa mère comme professeur de violon. C'était pendant les leçons qu'elle avait sa mère pour elle seule. Le reste du temps, elle devait rivaliser avec ses cinq sœurs aînées pour obtenir son attention. Poussant un soupir, elle jeta un coup d'œil au réveil posé à côté de la photo. 7 heures 16. Son étui à violon était posé à côté de la table de nuit. Elle en toucha amoureusement le bois puis, nue, passa dans la salle de bains.

Elle se doucha rapidement. C'était bon de sentir l'eau brûlante gifler ses muscles fatigués. Les événements de la journée l'avaient épuisée. La césarienne en urgence. La dystocie de l'épaule. Le mystère des poches à perfusion et les dossiers disparus. Les propos insensés de Bo qui l'accusait d'avoir tenté de tuer un bébé et d'en avoir blessé un autre.

Pourquoi se donnait-elle tant de mal ? Pourquoi n'était-elle pas aussi maligne que Léopold dont elle distinguait tout juste la silhouette noire endormie à travers la paroi de verre tout embuée ? Le sommeil était sûrement ce dont elle avait le plus grand besoin. Elle pourrait toujours parler aux cardiologues plus tard. Elle leva le visage vers le jet apaisant et ferma les yeux. Dès l'instant où elle sentait ses patientes en danger, elle n'avait d'autre choix que de foncer.

Léopold aboya quand Rae revint dans la chambre.

— Léopold, dit-elle tout en s'essuyant, laisse-moi te demander une chose. Crois-tu que je sois folle ? Tu comprends, il est arrivé quelque chose à ces bébés, je ne sais pas encore quoi, mais je m'en vais le trouver.

Léopold la fixait de ses grands yeux bruns au regard patient.

— Tu me suis, mon garçon ?

Là-dessus, le téléphone sonna : c'était Bernie qui demandait à Rae ce qu'elle comptait porter pour la soirée.

— Je suis justement en train d'inspecter ma penderie, dit Rae.

— Mets quelque chose de vraiment sexy.

— Je ne veux pas donner des idées à Sam.

— Trop tard ! ricana Bernie. J'ai bien vu ses yeux bleus de bébé plonger à l'intérieur de ta blouse pendant la césarienne de Nola.

— C'est une soirée strictement de travail, dit-elle d'un ton sévère.

— Pourquoi pas ta robe avec le grand décolleté dans le dos ? insista Bernie. Ça devrait délier pas mal de langues, si tu vois ce que je veux dire.

Rae était trop fatiguée pour discuter avec Bernie du peu d'intérêt qu'elle portait à Sam Hartman. Enfin, sur le plan sentimental.

— Ma visite aux Archives médicales, ça a été toute une histoire, fit Rae. (Tout en parlant, et malgré ce qu'elle venait de dire, elle se surprit à examiner les robes du soir les plus audacieuses. Après avoir raconté à Bernie l'épisode des dossiers manquants, elle reprit :) Qui sait où ils sont ? Tout ce que je sais, c'est que Bo est très nerveux. Mais je vais y retourner dès demain matin. Qu'est-ce qui me dit que les quatre dossiers qu'Yvonne m'a sortis ne vont pas disparaître tout d'un coup comme les autres ?

— Laisse-moi faire, mon amie. J'irai fourrer mon nez là-dedans avant de prendre ma garde ce soir. Alors, qu'est-ce que tu vas mettre ?

— Ça fait longtemps que je ne suis pas sortie, Bernie. Je crois qu'il fait trop froid pour avoir le dos nu.

— Mais c'est exactement le genre de robe qu'on porte à une soirée chez Marco, protesta Bernie.

— D'accord, d'accord, fit Rae avec un grand soupir. Entendu. Je vais mettre celle-là et toi, tu t'occupes des dossiers. Et appelle-moi si tu découvres quelque chose.

Rae raccrocha le combiné. Ah, Bernie, se dit-elle. Qu'est-ce qu'elle ferait sans elle ? La robe du soir qu'elle finit par choisir était en satin : une petite robe noire sans manches très décolletée dans le dos. Pas autant que celle dont Bernie parlait, mais suffisamment pour attirer l'attention. Elle la brandit sur un cintre devant Léopold.

— Avec celle-ci, je ne risque rien, hein, Léopold ? demanda-t-elle. (Il aboya deux fois.) Oh, qu'est-ce que tu y connais ? Quand est-ce que *toi,* tu es sorti pour la dernière fois ?

Léopold n'avait pas eu le temps de réagir que la sonnerie du téléphone retentissait.

C'était Sam.

Rae devina tout de suite où il était. Le bip-bip d'un électrocardiographe s'entendait à l'autre bout du fil aussi distinctement que si elle-même s'était trouvée en salle d'opération.

— Je sais que ça n'est pas la meilleure façon de faire bonne impression pour la première fois, commença Sam.

Rae jeta un coup d'œil au réveil : 7 heures 32. Bon sang, se dit-elle, il ferait mieux de ne pas dire qu'il ne peut pas. Là-dessus, elle se rappela l'avoir vu ce même après-midi faire sortir précipitamment un patient de l'unité coronarienne. Les opérations cardiaques prenaient au moins trois à quatre heures, parfois six ou huit. Ce qui voulait dire qu'il n'aurait pas dû pouvoir se rendre à la cafétéria où elle l'avait vu discuter avec les deux infirmiers. S'il avait un malade sur les bras, comment diable aurait-il pu être à la cafétéria ?

— La seule personne que vous avez besoin d'impressionner, c'est votre patient, dit-elle avec un rire un peu forcé.

— J'espère en avoir l'occasion, dit Sam. C'est un professeur de quatre-vingt-deux ans qui avait l'air dans un triste état quand nous l'avons amené ici. Il avait une infection de la valvule mitrale provoquée par Dieu sait quoi, les coronaires en compote et une fraction d'éjection du ventricule gauche un peu inférieure à vingt pour cent. La première fois qu'on a essayé d'arrêter la circulation extra-corporelle, sa tension est tombée en chute libre. On l'a rebranché et on l'a laissé en assistance respiratoire. Dans une minute on va essayer de le débrancher et, avec un peu de chance, je réussirai à être chez Marco pour le plat principal. Mais, au train où vont les choses, je pourrais être coincé ici toute la nuit.

Toute la nuit ? songea Rae avec consternation. Elle avait besoin de lui parler d'urgence. Qui pouvait s'intéresser à des valvules mitrales et à des fractions d'éjection quand elle avait à s'inquiéter de bébés gravement malades ?

— Je vous garderai une place, dit-elle en essayant de prendre un ton détendu. Tout à côté de ma place d'honneur.

— J'espère bien ne pas en avoir pour trop longtemps, fit Sam en riant. A tout à l'heure.

— Sam, attendez.

— Oui.

— Ce ne sont peut-être pas mes affaires mais... voilà... je vous ai vu parler cet après-midi à deux infirmiers. Avez-vous un jumeau ? Vous comprenez : comment pourriez-vous être dans deux endroits à la fois ?

Quelques secondes de silence à l'autre bout du fil.

— Sam ? demanda Rae.

Elle l'entendit soupirer.

— Pourquoi me demandez-vous ça, Rae ?

Parce que je ne te crois pas, se dit Rae, mais elle se contenta de dire :

— J'étais simplement curieuse.

De nouveau le silence, puis Sam finit par dire :

— En fait, l'opération a été un peu retardée. Croyez-moi, ça ne m'a pas fait plaisir. Bref, je suis allé prendre un café pendant qu'on réglait ça. Si vous m'avez vu, je regrette que vous ne soyez pas venue : une compagnie agréable m'aurait fait du bien.

Il semble sincère, songea Rae, mais il avait semblé passer un bon moment avec les deux ambulanciers.

— J'étais pressée, dit Rae. (Cette fois, elle marqua un temps avant de demander :) Dites-moi donc, de quoi parliez-vous donc avec les ambulanciers ?

— Ah, dit Sam en riant, vous m'avez pris sur le fait. Je leur demandais le chemin pour aller chez vous. Je pense que si quelqu'un connaît les rues par ici, c'est bien eux.

— Leur secteur, c'est seulement Berkeley, dit Rae d'un ton méfiant. J'habite Emeryville.

— C'est exactement ce qu'ils m'ont dit, répondit Sam.

Rae n'était toujours pas convaincue.

— Vous auriez pu appeler le concierge pour qu'il vous indique le chemin. Vous auriez pu m'appeler, moi.

— Vous avez un concierge ! Fichtre, je suis impressionné. En tout cas, n'oubliez pas de me garder cette place.

Là-dessus, plus rien. La communication s'interrompit.

Que savait-elle vraiment sur Sam Hartman ? Il avait hésité avant de lui fournir son explication pour avoir discuté avec ces infirmiers. Il était resté vague quant aux raisons qui avaient provoqué le retard de cette opération cardiaque. A en juger par l'état du patient, on avait du mal à croire qu'il ait pu y avoir le moindre délai. Elle prit dans sa penderie une cape en cachemire noir et la drapa autour de ses épaules. Eteignant les lumières, elle se dirigea vers la porte. Sam Hartman ferait mieux de trouver à l'avenir des excuses plus plausibles, se dit-elle. En attendant, elle venait de l'ajouter à sa liste toujours plus longue de suspects.

CHAPITRE ONZE

Rae engagea sa Porsche dans l'allée en demi-cercle de la grande maison Tudor de Marco, au milieu des collines de Piedmont, à une quinzaine de kilomètres de l'Hôpital. Elle se demandait combien de cardiologues seraient présents, bien décidée à parler à chacun d'eux.

— Bonne soirée, fit un voiturier en smoking en lui ouvrant la portière.

— Ça reste à voir, dit Rae et elle lui tendit en souriant ses clés de voiture.

L'homme la dévisagea, surpris. Puis, braquant sur elle son index, il dit :

— Hé, c'est vous qui avez mis au monde le bébé de ma sœur, il y a deux ans. Gladys Tilley, vous vous souvenez ?

Rae se souvint aussitôt du nom. Elle serra la main que lui tendait l'homme.

— Comment va Elvis ? demanda-t-elle.

— Qu'est-ce que je peux vous dire ? Il a deux ans. C'est trop tard pour le renvoyer là d'où il vient ?

Rae se mit à rire puis monta précipitamment les dix marches de brique menant à une double porte en bois sculpté où une femme de chambre l'accueillit, la débarrassa de sa cape et l'escorta jusqu'au salon.

C'était une pièce immense avec de gros meubles capitonnés, une tablette de cheminée sculptée, des photos de Marco, de sa femme et des enfants, un piano à queue au fond de la pièce et des portes-fenêtres donnant sur une véranda qui dominait la Baie.

— La voilà ! fit Marco d'un ton jovial en se dirigeant vers elle. (Il tenait une coupe de champagne à la main.) Maintenant, la soirée peut commencer ! (Il était vêtu d'un smoking de lainage noir. Il se pencha pour lui poser un baiser sur la joue.) Vous êtes merveilleuse, lui murmura-t-il à l'oreille. Et vous sentez bon à croquer.

— Couché, mon garçon, couché, dit Rae en levant sa joue vers le visage de Marco tandis qu'il l'embrassait. (En même temps, elle examinait les autres invités. Une vingtaine en tout, pour la plupart des cardiologues avec leurs femmes, et deux chirurgiens cardiaques. Parfait, se dit Rae. Elle pourrait avoir dix conversations avec dix cardiologues en l'espace de deux ou trois heures.)

— Tenez, dit Marco en lui tendant la coupe, c'est pour vous.

— Je ne vais plus tenir debout, dit-elle en secouant la tête. Où est Marcella ?

— Elle m'a jeté à la porte de la cuisine il y a dix minutes, dit Marco. Est-ce que Sammy a réussi à vous trouver ?

— Il espère arriver ici pour le dessert, dit-elle.

Marco plissa les lèvres et hocha la tête.

— Oh, c'est le mot qu'il emploie maintenant ? demanda-t-il.

— Arrêtez, Marco. Il a seulement proposé de passer me prendre en voiture.

Marco haussa un sourcil. Rae tendit la main vers la coupe de champagne.

— Vous pousseriez n'importe quelle femme à boire, dit-elle.

— Taittinger 86, dit fièrement Marco.

Rae dut en convenir : le champagne était merveilleux. Ils furent bientôt rejoints par un petit homme avec un bouc.

— Qui est donc cette créature exotique ? demanda-t-il.

— Peter, vieille canaille ! s'exclama Marco. Tu ferais mieux de me laisser opérer Mr Calen, ou bien tu appelleras la morgue au secours !

Le petit homme éclata de rire, mais Rae aperçut une lueur grave dans ses yeux marron clair.

— Je suis Rae Duprey, dit-elle en lui tendant la main.

— Le *docteur* Rae Duprey, corrigea Marco. Assistante de notre service de Gynécologie et d'Obstétrique.

— Enchanté, dit le petit homme. Je suis Peter Horn, chef du service de Cardiologie. Je connais votre nom, mais je croyais que ça s'écrivait R-A-Y et, franchement, je pensais que vous étiez un homme.

— Elle a des couilles, si c'est ce que tu veux dire, lui dit Marco.

— Merci, Marco, fit Rae, et je suis sûre que je pourrais en dire autant de vous.

— Ouille, fit Peter en faisant mine de tressaillir. J'aime votre style, docteur Duprey.

— Peter, dit Marco, n'oublie pas que tu es marié.

— Complication mineure, dit Peter. (Il sourit à Rae et lui lança un regard pénétrant.) Vous n'êtes pas d'accord, docteur Duprey ?

Rae le regarda d'un air de défi. Deux solutions, songea-t-elle. Ou bien l'envoyer se faire voir... ou bien le persuader de soutenir son service. Elle opta pour la seconde.

Marco s'excusa et laissa Peter Horn lui faire la conversation tandis que la femme de chambre leur proposait des canapés. Elle lui rendit même son sourire tout en buvant une gorgée de champagne.

— Et vous, docteur Duprey, demanda-t-il, vous êtes mariée ?

— Complication mineure, dit-elle avec un rire un peu forcé.

Peter la regardait maintenant droit dans les yeux.

— C'est un oui ou un non ?

— Assez parlé de moi, fit Rae. (Elle avait toute l'attention de Peter maintenant.) Parlez-moi plutôt de vous. Je veux dire : vous êtes chef du service de Cardiologie. Vous ne croyez pas qu'il y a de la place pour nous deux dans votre hôpital ? Je veux dire : la cardiologie et l'obstétrique.

— Bien entendu, dit Peter. C'est comme coucher dans le même lit, pour ainsi dire.

— Pour ainsi dire, répéta Rae.

Peter s'était rapproché d'elle : elle sentait sur son visage son haleine chargée d'alcool. Elle recula d'un pas. Peut-être était-elle allée trop loin. Peter Horn, se dit-elle, risquait d'être plus encombrant qu'utile.

— Alors, dit Peter en se penchant vers elle, si on se retrouvait pour prendre un verre après le dîner ?

— *Ça*, riposta Rae, ce serait une complication majeure.

Mais, avant de pouvoir continuer, elle fut interrompue par une voix familière qui venait du vestibule. Bo était planté là, dans un élégant smoking, et tendait son manteau noir à la femme de chambre. Mais ce n'était pas la femme de chambre que Bo regardait. Son regard était fixé sur Rae et sur Peter Horn. Il avança aussitôt vers eux.

— Tiens, Bo, fit Peter en le voyant approcher.

— Je ne savais pas que vous vous connaissiez, dit Bo.

— Oh, dit Peter, je fais de mon mieux. Mais, avant que j'oublie. Nous avons un départ à huit heures au golf demain. Damien dit qu'il pourra y être.

— Qui est le quatrième ? demanda Bo.

Même s'il s'adressait à Peter, il dévisageait Rae comme s'il attendait qu'elle se propose.

— Joli smoking, Bo, dit Rae en espérant garder à leur rencontre un caractère cordial.

D'ailleurs, elle ne se sentait pas à l'aise. Si elle avait su que Peter était un partenaire de golf de Bo, elle n'aurait pas perdu son temps à lui parler. Elle se sentait stupide. Elle aurait dû faire plus attention. Il est vrai que les manœuvres politiques, ce n'était pas son fort.

— Arnie Driver, répondit Peter. Vous savez jouer au golf, docteur Duprey ?

— Depuis quand est-ce que *savoir* jouer au golf est une condition nécessaire pour y jouer ? demanda Rae d'un ton innocent.

— Le dîner est servi, annonça Marco.

Il avait passé un tablier blanc et coiffé une toque de chef. Rae ne put s'empêcher de sourire du spectacle. En même temps, cette interruption la soulageait.

— Messieurs, nous y allons ? suggéra-t-elle.

Rae passa devant les deux hommes pour gagner la salle à manger. Prépare-toi, se dit-elle. Rien de tel qu'un dîner gratis.

Dans la salle à manger de Marco, une table en verre était dressée où pouvaient facilement prendre place trente invités. Porcelaine, cristaux et argenterie, on se croirait dans un décor hollywoodien, se dit Rae. Peut-être, songea-t-elle aussitôt, était-ce l'intention de Marco.

Rae trouva son carton devant une assiette en Wedgwood, en milieu de table. Marco avait ôté son tablier et sa toque et présidait.

Bo était le voisin de Peter Horn, de l'autre côté de la table et à la droite de Rae. La chaise juste à sa droite était occupée par un autre cardiologue, David Parks, un homme discret dont Rae avait entendu dire qu'il écrivait des poèmes à ses moments perdus. Elle ne savait pas grand-chose de lui mais elle était plus intéressée par ce qu'elle venait d'apprendre à son propos par Peter Horn : sa femme, avait dit celui-ci, était restée chez eux avec leur bébé de deux ans et attendait leur second enfant dans deux mois.

Il y avait aussi les épouses de plusieurs cardiologues : en élégantes robes du soir et parées de bijoux qui reflétaient les revenus de leurs maris. Jadis, elles parlaient rarement aux dîners de Marco. A la gauche de Rae, une place vide. Elle lut le nom de *Sam Hartman* sur le carton. La chaise en face était également inoccupée.

On servit d'abord l'entrée : des tranches de tomate au basilic et des rondelles de mozzarella arrosées d'huile d'olive. Rae échangeait des propos anodins avec le tranquille David Parks tandis que Peter Horn parlait de plus en plus fort tout en terminant ce qui, d'après les estimations de Rae, devait être son quatrième verre de vin.

Bo faisait semblant d'écouter Peter, mais Rae constata qu'il semblait plus intéressé par la conversation qu'elle avait avec David. Le temps qu'on termine le plat de résistance, Rae avait exposé son cas et obtenu de David son accord – du moins de principe – sur l'idée que le service d'Obstétrique et le service de Cardiologie devraient coexister pacifiquement.

— Vous n'avez qu'à me dire ce que vous avez besoin que je fasse, précisa David, et je le ferai.

— Tu feras quoi ? demanda Marco.

Rae se tourna vers lui. Elle croyait qu'il n'avait pas écouté sa conversation avec David...

— Dis donc, mon vieux, sous prétexte qu'elle est mignonne, dit Marco, ne la laisse pas te pousser à faire quelque chose qui serait mauvais pour ta santé.

Parfait. Elle voulait surtout éviter une discussion avec Marco au dîner. Sa meilleure stratégie, estimait-elle, pour se gagner le soutien des cardiologues, était de les aborder un par un, comme elle l'avait fait avec David. S'attaquer à eux en groupe serait stupide.

— Marco, demanda David, qu'est-ce que c'est que cette histoire de chirurgie cardiaque venant remplacer la maternité de Rae à l'Hôpital ? Ma femme doit accoucher à Berkeley Hills en décembre et je ne m'en vais certainement pas soutenir un projet ni qui que ce soit qui l'obligerait à le faire ailleurs.

— Elle pourrait toujours accoucher à la Clinique d'accouchement, dit Marco. (Il regarda Bo qui lui lança un coup d'œil assez froid pour glacer le vin dans le verre de Marco.)

— Nous ne sommes pas encore fermés, dit Rae. Dites-le bien à votre femme, David.

— Nous nous ferions un plaisir de nous occuper d'elle, dit Bo. Dès l'instant qu'elle ne présente pas de risques.

— C'est vrai, dit Rae, vous vous occuperez bien d'elle là-bas.

Ça lui avait échappé, ou du moins ce fut ce qu'elle se dit. Peut-être le champagne, et maintenant le vin rouge, lui avaient-ils un peu délié la langue. Elle n'avait pas eu l'intention de se lancer dans la discussion, mais la réaction de Bo l'avait agacée. S'était-il « occupé » de Nola ce matin-là ? S'était-il « occupé » de Meredith ? Non, décida-t-elle, et il n'avait pas l'air de s'occuper suffisamment ni de l'une ni de l'autre après leur accouchement. Tout ce qui l'intéressait, c'était de protéger la réputation de la Clinique.

Bo reprit son repas. Rae en fit autant.

— Ma foi, Marco, je n'aime pas ça, dit David. D'ailleurs, qui dirige l'Hôpital de Berkeley Hills ? C'est nous, les médecins. Nous ne pouvons pas laisser le Conseil décider de notre avenir.

— Mais c'est son travail, dit Marco.

— Allons donc, fit David. Je suis tout à fait contre le fait de laisser le Conseil opposer notre service à celui de Rae. D'ailleurs, ma femme me tuerait si elle savait qu'à cause de moi elle doit accoucher ailleurs. Tout comme il y a de la place pour tous autour de cette table, il y a place pour nous tous à Berkeley Hills. Il suffit que le corps médical se serre les coudes.

— Je suis d'accord pour qu'on se serre les coudes, lança Peter Horn, tout à fait ivre, en levant son verre en direction de Rae.

Comme il se versait un autre verre, Bo déclara :

— Peut-être que votre femme serait mieux à ma clinique.

Il lança un regard noir à Rae et elle reposa sa fourchette.

— Laisse tomber, Bo, dit-elle.

— Je vois que tu n'as pas beaucoup de chance avec elle non plus, dit Peter d'une voix un peu pâteuse.

— Tu étais au courant de la décision du Conseil, Peter? demanda David. Bon sang, tu es le chef du service.

— Tout ce que je sais, dit Peter, c'est que pour l'instant je m'ennuie horriblement.

Tout le monde cessa de manger sauf Marco. Chacun a remarqué la grossièreté de Peter, se dit Rae. Mais Marco, en maître de maison parfait, prit encore une ou deux bouchées et lança avec entrain :

— Mes amis, ne parlons pas boutique ce soir.

— Tu savais qu'on allait fermer le service d'Obstétrique ? insista David en se tournant vers Marco.

— Je n'ai rien contre le service d'Obstétrique, dit Marco, redevenant sérieux.

— Qu'est-ce que Rae t'a dit au juste, David ? interrogea Bo.

Plein de choses, songea Rae, mais elle se contenta de sourire.

— Est-ce que tout le monde est content ?

La question avait été posée par Marcella Donavelli, l'épouse de Marco, qui venait soudain de faire son entrée dans la pièce. Elle avait des yeux d'un bleu intense et des cheveux d'un noir de jais qui lui tombaient sur les épaules. Elle portait une robe d'un bleu sombre et un collier de diamants. Même si elle souriait à ses invités, deux rides se creusaient aux commissures de ses lèvres.

— Ah, sauvé par le gong. Tu ne veux pas te joindre à nous, chérie ? proposa Marco.

Rae savait que Marcella ne s'asseyait jamais à table avec ses invités.

— Non, chéri, je voulais seulement m'assurer que tout allait bien.

En entendant des bruits de pas, Rae, comme les autres invités, se tourna vers la porte. Elle vit Sam Hartman et une femme qui avait huit ou dix centimètres de plus que lui, et aussitôt elle sentit le sang lui monter au visage, à la fois d'humiliation et de colère, tout en regardant Sam l'escorter jusqu'à sa place.

— Je ne croyais pas que tu y arriverais ! dit Marco en se levant pour se diriger vers la chaise vide en face de celle de Rae. Comment, ton patient était si mal assuré que tu n'as pas pris la peine de rester pour son réveil ?

Des rires fusèrent tandis que Sam Hartman attendait que la jeune femme aux cheveux d'un blond vénitien vienne s'asseoir en face de Rae. Elle portait une robe d'un rouge flamboyant très décolletée, si décolletée, se dit méchamment Rae, que c'était étonnant qu'elle n'en tombe pas.

— Merci, Sam chéri, dit la blonde d'une voix un peu rauque.

Sam vint s'asseoir auprès de Rae et posa sa serviette blanche sur ses genoux.

— Je meurs de faim, dit-il. Merci de m'avoir gardé ma chaise.

— Pas de problème, dit Rae d'un ton froid. (Le fait qu'il parût élégant dans son smoking et qu'il sentît comme s'il venait de sortir de sa douche ne faisait que l'irriter davantage.)

— J'arrive trop tard pour le dessert ?

— Manifestement pas, dit Peter Horn en se penchant à travers la table pour lorgner ouvertement les seins de la jeune femme.

Rae avait envie de se lever pour aller s'asseoir tout au bout de la table. Comment Sam Hartman avait-il osé lui proposer de la conduire au dîner de Marco pour arriver ensuite avec quelqu'un d'autre ? Bien sûr, il ne s'agissait pas d'un vrai rendez-vous ni rien. Mais quand même... Ah, les hommes, songea-t-elle, bouillant de rage. De toute façon, elle n'avait pas de temps pour eux.

— Sammy, dit Marco, rayonnant, tout en prenant la main de la jeune femme. Qui est ta ravissante invitée ?

Rae vit Sam lancer à Marco un regard menaçant. Rae, elle aussi, voulait savoir qui était « l'invitée » de Sam. Et il avait dit qu'il serait en retard parce qu'il était bloqué en chirurgie. C'est comme ça qu'on appelle la chose aujourd'hui ? se demanda-t-elle.

La blonde battit des paupières tandis que Marco lui baisait la main.

— Je m'appelle Avril, dit-elle dans un souffle.

— Le printemps est ma saison préférée, dit galamment Marco en tendant la main vers une bouteille de vin.

La domestique apporta des plats d'osso-buco. Le doux arôme de l'ail envahit la pièce tandis que Marco circulait en versant du vin rouge dans les verres. Quand il arriva à celui de Sam, il dit :

— Tu arrives juste à temps, Sammy. David déclarait qu'il n'était pas question pour lui de laisser sa femme accoucher à la clinique de Bo. Tu te rends compte ?

— Marco, protesta Bo, tu disais que tu ne voulais pas parler boutique.

— Nous parlons de problèmes féminins, pas de boutique, dit Marco. Je suis d'accord avec l'épouse de David. Toutes les femmes feraient mieux d'accoucher à l'Hôpital.

— Alors, répliqua Rae, se rappelant la position qu'il avait prise à la réunion, pourquoi n'avez-vous pas dit ça au Conseil ce matin ?

— Je n'ai jamais dit que mon premier choix était de fermer votre service d'Obstétrique, répondit Marco avec un grand sourire. Mais si ça veut dire fermer votre service pour que le mien reste ouvert... Hé, qu'est-ce que vous feriez ?

A cet instant précis, un bip se fit entendre. Tous les médecins assis à la table fouillèrent dans leurs poches, y compris Rae.

— Pardonnez-moi, dit Sam en brandissant son appareil.

A peine était-il sorti que Rae s'aperçut que l'attention de Bo se tournait de nouveau vers elle. Elle connaissait ce regard jaloux. Il semblait soudain s'intéresser plus au fait que Sam était assis à côté d'elle qu'à la position de Marco sur la Clinique d'accouchement. Idiot, se dit Rae. Il n'a donc pas vu Sam arriver avec la blonde ? D'ailleurs, ce qui intéressait Rae, c'était de mettre au monde des bébés sains, et non d'avoir une aventure avec Sam Hartman.

Bo s'essuya les lèvres avec sa serviette, se leva de table et vint s'asseoir sur la chaise libérée par Sam. Il se pencha pour lui murmurer quelque chose à l'oreille et Rae sourit, comme s'il lui racontait une histoire drôle, tout en sachant qu'il allait lui dire des horreurs.

— Je déteste te voir te ridiculiser devant ces gens, dit-il. L'idée ne t'est jamais venue que diriger le service d'Anesthésie cardiaque n'était pas du tout ce qu'on a demandé à Hartman quand il est venu à Berkeley ? Quand donc est-ce que pour la dernière fois nous avons vu un spécialiste de l'anesthésie cardiaque monter en obstétrique pour pratiquer rien de moins qu'une césarienne ? Il m'a paru prendre beaucoup de temps pour endormir ma patiente, bien qu'il ait su qu'il y avait souffrance fœtale. Il n'a même pas pris la peine de donner un coup de main pour la réanimation du bébé jusqu'au moment où tu as dû l'appeler, Rae. Dis-moi maintenant : ça ne te paraît pas bizarre ? Si tu veux mon avis, on dirait qu'il essaie de donner mauvaise réputation à ma clinique. Tout comme toi, Rae.

Bo avait sans aucun doute un peu trop bu. Mais, pour Rae, cela n'excusait pas les accusations qu'il lançait contre elle et contre Sam. Elle s'apprêtait à répliquer vertement quand elle se rendit compte que celui-ci était juste derrière elle.

— Fausse alarme, dit-il en tapotant son récepteur.

— Dieu soit loué. (Rae sourit tandis que Bo se levait et regagnait sa place.)

Malgré son sourire, Rae était troublée par les questions de Bo. Elle avait pourtant eu l'impression que l'intervention de Sam lors de la césarienne de Nola avait été remarquable du point de vue médical.

Bo reprit soudain la parole, assez fort pour que tout le monde l'entende.

— Je suis surpris que Howard Marvin ne soit pas ici ce soir, déclara-t-il.

Qu'est-ce qu'il y a encore ? se demanda Rae.

Avril se détourna de Bo et regarda Marco en battant de ses longs cils.

— Qui est Howard Marvin ? interrogea-t-elle.

— Le président des Assurances Perfecta, dit Bo. N'est-ce pas, Marco ?

— Et un type pas commode, précisa celui-ci.

Rae se rappelait vaguement le nom. Il est vrai que les médecins étaient rarement au courant de l'identité des présidents d'assurance maladie. Les gens qui dirigeaient ces organismes étaient des fantômes : on ne les voyait jamais, on ne les entendait jamais, même si leurs décisions affectaient l'existence de millions de gens.

— Pas commode, mais un type qui sait faire rentrer l'argent, pas vrai, Marco ? fit Bo avec un rire un peu narquois. Je suppose que Howard et toi n'avez jamais envisagé d'acheter ma clinique ?

— Nous réparons des cœurs. Nous ne pratiquons pas d'accouchements, n'est-ce pas, Sammy ? répondit calmement Marco.

Le regard de Rae passa de Bo à Marco puis à Sam. Voilà qui était nouveau.

— De nos jours, Marco, dit Sam, il faut être flexible. (Il but une gorgée de vin.)

Marco eut un petit rire et leva son verre comme s'il portait un toast à Sam.

Bo reposa sur la table son verre vide.

— Ecoutez, mes amis, je sais que Howard Marvin veut mettre la main sur la Clinique d'accouchement pour en faire un mini-hôpital cardiaque autonome...

— Quoi ? balbutia Marco.

— Tu m'as entendu. Un hôpital cardiaque autonome.

— Ridicule, fit Marco.

— Outre les pontages, poursuivit Bo, il y a des millions à gagner dans des interventions de petite chirurgie : c'est tout un nouveau marché qui s'ouvre. Alors, vous tous qui êtes ici ce soir, autant que vous sachiez que Marco et Howard ont le projet de racheter ma clinique pour ouvrir un nouveau centre de Cardiologie.

— Vous êtes au courant de ça ? fit Rae en se tournant vers Sam.

— Marco, interrompit David, de quoi parle Bo ? (Un murmure parcourut l'assistance tandis que Marco s'éclaircissait la gorge.)

— Tu devrais peut-être accepter l'offre de Howard Marvin si ce que tu dis est vrai, Bo.

— Tu finis donc par reconnaître..., commença Bo.

— Je ne reconnais rien du tout, répliqua Marco. Tout ce que je dis, c'est que quelqu'un comme Howard pourrait te donner une jolie somme pour ta clinique.

Rae se pencha pour mieux voir Marco.

— Je croyais que vous vouliez fermer mon service et garder la Clinique, dit-elle. Je ne vous comprends pas, Marco.

— Rae, fit Bo en répondant à sa place, Marco gagne sur les deux tableaux. Si le Conseil ferme ton service et développe le département de Cardiologie dans l'Hôpital, ça lui rapporte. Ça lui rapporte aussi si Howard Marvin met la main sur ma clinique et en fait un mini-hôpital de Cardiologie complètement autonome : n'est-ce pas, Marco ? Quoi qu'il arrive au reste d'entre nous, tu t'en tires bien.

— Comme je l'ai dit, déclara Marco, je n'ai pas de projet en dehors de l'Hôpital. Je sais simplement reconnaître une proposition intéressante quand j'en vois une.

Le regard de Rae alla de Marco à Bo : son expression figée la convainquit qu'il disait la vérité, en tout cas, telle qu'il la comprenait. Elle se tourna ensuite vers Sam, mais il était occupé à dévorer le contenu de son assiette. Il semblait être le seul à le faire. Ou bien il mourait de faim, comme il le disait, ou bien il cachait quelque chose. Personne, songea-t-elle, n'était à ce point imperturbable.

— Qu'est-ce que tu sais d'autre là-dessus, Bo ? demanda Rae.

Bo se carra sur son siège.

— Comme je le disais, commença-t-il, Howard Marvin a des millions à consacrer à son idée d'un hôpital consacré à la cardiologie. Ce qu'il n'a pas, c'est le nom dont il aurait besoin pour ça, pas plus que de bons spécialistes de chirurgie cardiaque pour constituer une équipe. Il veut donc ma clinique. L'emplacement est parfait, la taille lui convient. L'établissement a déjà été homologué. Il veut foutre à la porte les patientes et faire venir les cardiaques. Peu importe ce que dit Marco. Il ne s'agit pas d'une simple rumeur. Howard veut s'associer avec l'Hôpital.

— L'Hôpital ? demanda Rae. Tu veux dire que Walker est dans le coup aussi ?

— Pas à ma connaissance, fit Bo en haussant les épaules. Je ne pense pas que Howard l'ait déjà contacté. Howard n'aime pas bouger avant d'avoir mis toutes ses batteries en place. Alors ils me travaillent au corps, en essayant de me pousser à vendre. Entre-temps, Howard a obtenu de Marco qu'il fasse partie de son équipe et, comme Marco est chef du service de Chirurgie cardiaque, c'est lui qui dirigera l'ensemble. Marco facture ses services professionnels et Howard partagera les frais de prestations avec l'Hôpital – enfin s'il arrive à persuader Walker de signer avec lui. En outre, comme il est avant tout un homme d'affaires, Howard aiguillera aussi tous les malades cardiaques de sa compagnie d'assurances Perfecta – qui vont couramment dans d'autres hôpitaux – vers ce nouvel établissement.

— Foutaises, dit Marco. Qui d'autre ici a entendu parler de cette histoire abracadabrante ?

— Est-ce que c'est vrai ? demanda Rae.

Elle le souhaitait. Si Bo vendait sa clinique, tous ses problèmes à elle seraient résolus. La Clinique d'accouchement cesserait d'exister, les patientes reviendraient dans sa maternité et l'Hôpital aurait assez d'argent pour garder les deux services. Et plus de transports en ambulance.

— Sammy, veux-tu s'il te plaît dire à Bo que toi et moi n'avons aucun accord avec Howard Marvin ? demanda Marco.

— Je n'ai aucun accord avec Howard Marvin, dit Sam. Mais je voudrais savoir comment je peux avoir encore de cet osso-buco.

Avril se mit à rire. Rae éprouva contre Sam une bouffée d'irritation. Il ne comprenait donc pas combien les choses étaient devenues sérieuses ? Mais, même si elle voulait croire Bo, son histoire apportait plus de questions que de réponses.

— Est-ce que ça existe vraiment, un centre de Cardiologie autonome ? demanda-t-elle. Je n'en ai jamais entendu parler.

Bo se versa un nouveau verre de vin.

— Est-ce que tu n'as pas assez bu, Bo ? demanda Marco.

— Howard est déjà associé avec trois autres hôpitaux de la Côte Est, affirma Bo. Où crois-tu qu'il a trouvé l'argent pour démarrer un centre de Cardiologie à Berkeley ?

— Marco, dit Rae, un centre de Cardiologie autonome me paraît une aussi mauvaise idée qu'un centre de Maternité autonome. Personnellement, j'aimerais vous voir prendre le contrôle de la Clinique d'accouchement. Ça diminuerait la pression sur mon service. Vous développez la chirurgie cardiaque sur le trottoir d'en face, vous laissez mon service tranquille et les patientes reviendraient en obstétrique à Berkeley Hills.

— Je vois que tu as tout prévu... commença Bo.

— Mais, poursuivit Rae, je ne vois pas un cardiologue procédant à une endoscopie dans un petit établissement et se retrouvant avoir besoin d'un pontage d'urgence à Berkeley Hills. Le patient pourrait mourir d'une crise cardiaque pendant le transport en ambulance. (Elle repensa au bébé de Nola.)

Marco croisa les doigts et reposa son menton sur ses mains jointes.

— Ah, vous n'écoutiez pas, Rae, dit-il. C'est là la beauté du plan de Howard, si tant est qu'il ait un plan. Vous comprenez, contrairement à la Clinique qui fait du bon travail quand il s'agit d'accouchements sans histoire mais qui ne peut pas pratiquer de césarienne, un centre de Cardiologie autonome serait prêt à tout faire sur place – y compris de la chirurgie à cœur ouvert. (Il lança un regard à Bo avant de poursuivre.) La clinique de Cardiologie autonome de Howard serait un établissement de pointe et non pas un retour à l'époque médiévale.

— Peut-être, fit Rae en se tournant vers Bo, devrais-tu vendre la

Clinique d'accouchement à Howard Marvin. Comme ça, tout le monde y gagnera. Plus tard, quand la législation changera et t'autorisera à bâtir une salle d'opération dans tes locaux, tu ouvriras une nouvelle clinique d'accouchement.

— J'en ai déjà une, dit Bo, et elle n'est pas à vendre.

— Pourquoi ne pouvez-vous pas faire de césariennes à la Clinique d'accouchement ? interrompit Sam.

— Parce que c'est la loi, répondit Marco. Mais, poursuivit-il, si l'occasion se présentait en effet de démarrer un centre de Cardiologie autonome et que quelqu'un comme Howard Marvin fasse l'offre qu'a esquissée Bo, je serais le premier à sauter dessus. Et j'espère que j'aurais votre voix, Rae.

— Plutôt deux fois qu'une, dit Rae avec véhémence.

Bo reposa bruyamment son verre vide et se leva furieux.

— Je t'en prie, Bo, dit Marco. Assieds-toi, tu veux ? Je suis navré. Je n'ai pas été un très bon hôte. Je vous ai tous invités ici pour passer une bonne soirée. La médecine nous a tous rendus un peu nerveux. Nous ne devrions pas laisser la politique hospitalière nous embarquer sur une mauvaise voie.

— J'ai besoin de prendre l'air, dit Bo en lançant sa serviette sur la table et en se dirigeant vers le salon.

— Dessert ! Tout le monde dans le salon ! entonna Marcella qui venait d'entrer dans la pièce aussi silencieusement qu'un fantôme.

Tout le monde se leva de table, à l'exception de Rae. Elle pianotait des ongles sur le plateau de verre, encore secouée par les révélations de Bo. Disait-il la vérité ? Et Marco ?

Elle sentit une main se poser sur son épaule.

— Je vous en prie, dit Sam, pas de conclusion prématurée à propos d'Avril et moi avant que j'aie eu l'occasion de vous parler en tête à tête.

Rae tourna vers lui un visage sans expression. La fille qu'il avait amenée au dîner était devenue le cadet de ses soucis.

— Est-ce que Bo dit la vérité ? finit-elle par demander. Avez-vous quitté Boston pour une autre raison que pour faire de l'anesthésie cardiaque à l'Hôpital de Berkeley Hills ?

— J'espère bien que oui, dit Sam, et là-dessus il s'éloigna.

Qu'est-ce que c'est que cette réponse, se demanda-t-elle. Pourquoi était-il toujours si évasif? Perdue dans ses pensées, elle passa dans le salon et sortit sur le balcon. Même la ville avec ses lumières scintillantes était complètement noyée dans le brouillard. De toute façon, elle n'avait guère envie de regarder le paysage : elle avait besoin de réfléchir.

Quelques minutes plus tard, elle entendit des pas derrière elle. Se retournant, elle vit Bo qui la dévisageait. Il vint la rejoindre contre la balustrade et resta là, le regard perdu dans le vide.

— Je pensais à la conversation du dîner, dit Rae. Je te le dis, Bo, je te crois. Je crois que Howard Marvin t'a fait cette offre. Malgré tout ce que nous avons vécu, tu ne m'as jamais menti. Je ne vois pas pourquoi tu commencerais aujourd'hui.

— Crois-tu ce que j'ai dit au sujet de Marco? demanda-t-il. Ou de Sam Hartman?

Rae soupira mais garda le silence.

— Franchement, dit Bo, comme elle ne répondait pas, je me fiche de ce que tu penses. Mais je ne laisserai personne me racheter ou me flanquer dehors.

Rae se tourna vers lui.

— Qu'est-ce que c'est censé vouloir dire? lança-t-elle.

— Oh, voyons, Rae. Tu veux la peau de ma clinique d'accouchement. C'est si lamentablement évident. (Il passa un doigt le long de son bras nu.) Jolie robe, dit-il. Je n'aurais jamais cru que tu sois prête à coucher pour te faire admettre dans leur camp.

— Fous le camp, siffla Rae en repoussant la main de Bo.

— Rappelle-toi une chose : laisse la Clinique d'accouchement tranquille, dit-il. (Puis, tournant les talons, il s'éloigna.)

Marco vint rejoindre Rae.

— Eh bien, eh bien, fit-il. Bo n'avait pas l'air très content.

— Laissez-moi vous demander encore une fois, dit Rae sans relever sa remarque, est-ce que Walker est au courant du projet de Howard Marvin pour transformer la Clinique d'accouchement en mini-hôpital de Cardiologie?

Marco secoua la tête.

— Marco, le prévint Rae, ne me mentez pas.

— Pas à ma connaissance, d'accord? fit Marco. C'est votre copain, posez-lui la question. Mais, si j'étais vous, je concentrerais mes efforts pour persuader Bo de vendre la Clinique. Après cette histoire de pépins avec le nouveau-né, c'est le meilleur moment pour Bo d'obtenir un bon prix.

— Ce serait plus facile pour vous ou moi de sauter de ce balcon et de voler comme Superman, dit Rae.

— Alors, dit Marco, Bo est un idiot.

Ils gardèrent un moment le silence. Puis elle finit par dire :

— Vous avez fait sortir les dossiers médicaux de quatre des patientes de Bo.

— N'est-ce pas une nuit magnifique ? fit Marco en s'accoudant à la balustrade.

Rae soupira.

— J'ai vu moi-même votre demande, dit-elle.

— Je n'ai demandé aucun dossier, insista Marco. (Il se tourna vers elle.) Qui a dit que je l'avais fait ? Et quels dossiers ?

— Les dossiers de Bo, dit Rae. Vous avez fait une demande pour consulter certains dossiers de Bo.

— Qu'est-ce que je ferais des dossiers de dames enceintes ?

— C'est ce que je veux savoir, dit Rae. J'aimerais aussi savoir ce que vous en avez fait.

— Qu'est-ce que j'ai fait de quatre femmes enceintes ? fit Marco en riant. Oh, voyons !

— Je veux savoir où vous avez mis ces dossiers.

— Je vous ai dit que je n'avais aucun dossier et, si vous avez vu une demande de consultation, alors quelqu'un a imité ma signature.

— Qui, par exemple ?

— Ecoutez, Rae, vous croyez ce que vous avez envie de croire. Il n'y a absolument aucune raison pour que je veuille des dossiers concernant les patientes de Bo. Je suis déjà assez occupé avec ceux de mes propres malades. Et, si vous voulez le savoir, d'accord, oui, j'ai parlé à Howard Marvin. Mais, pour l'instant, il ne s'agit que de conversations, vous comprenez. Nous ne pouvons rien faire tant que Bo n'a pas vendu sa clinique. Seulement je ne vais pas rester assis sans rien faire en attendant que ça arrive, d'accord ?

Enfin, se dit Rae, Marco joue franc-jeu.

— Et Sam ? Il est dans le coup aussi ?

Marco poussa un soupir.

— A votre avis ? demanda-t-il.

Elle se tourna de nouveau vers la Baie. Même si elle aussi voulait voir la Clinique d'accouchement fermée, toutes ces politicailleries l'attristaient.

— Alors, ce sont les bébés contre les pontages : les débuts de la vie contre la fin de la vie, c'est ça ? demanda-t-elle.

— Chéri, viens m'aider à servir la grappa, appela Marcella.

Marco tapota l'épaule de Rae.

— Rentrons, dit-il en désignant le salon.

— Vous savez, Marco, observa Rae, il y avait quelqu'un à cette table qui mentait.

— Bienvenue au commercial de la gestion des soins, répondit-il.

Au salon, Marcella tendit à Rae une charmante petite assiette à dessert sur laquelle on avait disposé une tranche rectangulaire de tiramisu.

— Marco : le tiramisu maintenant, les pontages plus tard, fit Marcella d'un ton léger.

Rae sourit et la remercia puis alla s'asseoir sur la banquette du piano. Elle n'avait guère envie de dessert mais, par politesse, elle prit une bouchée.

— Je suis étonnée que Marco ne soit pas obèse, dit-elle. On en mangerait tous les soirs.

Marcella avait un air soucieux.

— Est-ce qu'Avril travaille à votre hôpital ? demanda-t-elle soudain.

— Je pense que je l'aurais vue si c'était le cas, dit Rae.

— Vous êtes certaine ?

Marcella avait un ton grave et Rae vit de la peur au fond de ses yeux bleus. Croyait-elle qu'Avril serait la prochaine conquête de Marco ? Mais Avril était venue avec Sam. Pourquoi les femmes laissent-elles donc les hommes diriger leurs pensées et leurs sentiments ? se demanda Rae avec lassitude. Pourquoi tout le monde remplaçait-il l'amour par la peur ?

— Vous ne croyez pas qu'il serait un peu difficile de ne pas la remarquer ? demanda Rae.

Elle vit le visage de Marcella s'adoucir. Elle sourit.

— Je pense que vous avez raison, répondit-elle.

Là-dessus, Sam s'approcha du piano.

— Cette crème est mortelle, dit-il. Oubliez la grappa. Je conseille un peu d'Alka Seltzer pour faire passer tout ça.

Il ôta l'assiette de Rae sur la banquette, la posa sur un dessous-de-bouteille qui traînait par là et vint s'asseoir auprès d'elle. Il y avait de la place pour trois personnes, mais Rae s'écarta pour laisser plus d'espace à Sam.

— Je ne voudrais surtout pas qu'Avril se fasse des idées, fit doucement Rae.

Deux couples dansaient sur le parquet. Une petite formation de jazz de trois musiciens jouait dans un coin.

— Laissez tomber Avril, dit Sam brutalement. Allons danser. Je ne vous marcherai pas sur les pieds, promis, ajouta-t-il d'un ton plus doux.

Sans laisser à Rae le temps d'émettre une protestation, Sam l'entraîna sur la piste et la prit par la taille. Peut-être aurait-elle dû se dégager, mais cela faisait longtemps qu'un homme ne l'avait pas tenue dans ses bras. Elle avait oublié comme c'était bon. Se secouant mentalement, Rae se rappela son plan.

— Qu'est-ce que c'est que ces rumeurs à propos de Howard Marvin ? demanda-t-elle.

Même avec des talons hauts, elle avait bien quinze centimètres de moins que Sam : elle devait lever la tête pour lui parler. Elle le surprit à la dévisager de ses yeux d'un bleu de lac, un demi-sourire aux lèvres.

— Ce soir, dit Sam, c'est la première fois que j'entends son nom.

— Vraiment? Voyons, Marco et vous êtes bons amis, non? Cette histoire de centre cardiaque autonome, c'est un gros coup. S'il s'en ouvre un et que Marco le dirige, il me semble tout naturel qu'il vous demande de prendre la tête du service d'Anesthésie.

— J'espère bien, dit Sam.

Rae en eut assez de son côté fuyant. Elle lui demanda carrément :

— Est-ce que ça veut dire oui ou non qu'il a discuté de Howard avec vous ?

Elle le sentit se crisper, alors même que la musique se faisait plus douce. Marco avait baissé les lumières, si bien que les invités baignaient dans la pénombre.

Sam attendit un instant puis répondit :

— Marco ne me dit que ce qu'il estime que j'ai besoin de savoir. Mais je tiens à ce que vous sachiez en ce qui concerne Avril.

— Je me fiche pas mal d'Avril, murmura Rae. Ce qui m'intéresse, c'est ce qui est arrivé ce matin à deux bébés. Je m'intéresse aussi à deux ambulanciers dont je sais qu'ils ne m'ont pas dit la vérité.

Rae s'arrêta et s'écarta de Sam.

— Vous ont-ils dit quelque chose à propos de ce qui est arrivé à Nola ce matin ?

— Nola ? demanda Sam en l'attirant vers lui et en reprenant leur danse.

— La Sainte Vierge.

— Ah. Non, ils ne m'ont rien dit. Qu'est-ce qu'il y avait à dire à son sujet ? Elle n'a rien caché, vous ne croyez pas ?

Il eut un petit gloussement, mais Rae n'avait pas envie de rire.

— Alors, demanda-t-elle, pourquoi mentaient-ils ?

— Ils mentaient ? répéta Sam.

Rae sentit son agacement monter. Elle n'avait aucune preuve de leurs mensonges. Tout ce qu'elle avait, c'étaient des soupçons et il aurait été prématuré d'en faire part à Sam. Elle poussa un soupir.

— Bon, alors parlez-moi d'Avril, dit-elle.

— Pourquoi les infirmiers vous mentiraient-ils ? demanda Sam.

— Alors, maintenant vous ne voulez plus me parler d'Avril ? répliqua Rae, exaspérée.

— Mais si, absolument, dit Sam. Mais il n'y a pas grand-chose à dire. Elle travaille au service d'Endoscopie cardiaque. Elle a commencé voilà deux semaines. Marco s'est déjà entiché d'elle. Il voulait absolument l'avoir à la soirée. Mais il a pensé que ce serait mieux si c'était moi qui l'amenais et qu'elle ait l'air de venir avec moi plutôt que d'arriver seule.

A son grand étonnement, Rae se sentit soulagée d'apprendre qu'Avril était une des conquêtes de Marco. Qui Sam emmenait à une soirée lui importait peu, mais à celle-ci, elle avait été invitée la première. C'est une question de principe, se dit-elle.

— C'est à cause de Marco que je suis venu à Berkeley, dit Sam. Je lui suis redevable de quelques services. (Il serra Rae plus fort.) Mais je suis content d'être venu, dit-il.

Il lui avait maintenant posé la main au creux des reins. La même main qui avait donné au bébé de Nola une nouvelle chance de vivre. Rae ferma les yeux et se rappela comment Sam avait pressé la poche à oxygène pour insuffler de l'air dans les poumons du bébé. Il lui avait rendu la vie comme si sa propre vie en dépendait.

Oui, c'était bon d'être dans les bras de Sam. Tout dans la pièce était devenu plus doux. Les gens, les lumières, les conversations, et surtout, on ne sentait plus la tension qui avait régné à la table du dîner. Pourquoi ne pas savourer la fin d'un slow avec lui ? Elle était bien dans ses bras, il sentait bon et elle était heureuse.

— Rae, dit Sam, le morceau est terminé.

Rae ouvrit les yeux en sursautant. Elle fut consternée de constater qu'elle s'appuyait toujours sur lui, les autres couples avaient quitté la piste de danse. Levant les yeux, elle croisa son regard amusé. Il mit plus de temps qu'il n'en fallait pour la lâcher.

— Je me suis endormie ? demanda-t-elle, trop embarrassée pour admettre ce qui s'était vraiment passé.

— Est-ce que vous dormez généralement debout ? demanda Sam en riant.

— Eh bien, je... commença Rae, sentant ses joues s'empourprer.

Mais elle n'avait pas terminé sa phrase qu'Avril approchait à grands pas. A voir ses joues toutes rouges, on devinait qu'elle était manifestement énervée.

— Marcella me regarde d'un mauvais œil, dit-elle en prenant le bras de Sam.

— Je vous laisse, dit Rae, enchantée de cette diversion.

Rae alla trouver Marco et le remercia de l'avoir invitée.

— Sammy et vous aviez l'air de bien vous entendre, là-bas sur la piste de danse, dit Marco en lui drapant sa cape autour des épaules. Il paraît que Bo était du même avis.

Rae se crispa. Il ne lui manquait plus que ça. Elle allait avoir un mal fou à persuader Bo de fermer sa clinique. Quand il était d'humeur jalouse, il avait toujours été impossible, Rae s'en souvenait. Mais avoir cette réaction à propos de Sam, c'était ridicule : bon sang, ça faisait plus d'un an !

— J'espère que vous avez dit à Bo que Sam n'était qu'un charmant garçon ? demanda-t-elle. Comme vous le savez, il rend des services à un tas de ses amis – et aux petites amies de ses amis, ajouta-t-elle en le regardant d'un air de défi.

— Bien sûr, dit-il, montrant qu'il avait compris. Nous comptons tous sur Sammy pour se comporter comme il faut.

Là-dessus, le bip de Rae se déclencha.

— Il y a un téléphone au fond du couloir, dit Marco.

C'était un appel de Bernie disant qu'elle était aux Archives médicales et qu'à son avis Rae devrait examiner les dossiers dès demain matin. Il y avait là quelque chose que Bernie avait trouvé très inquiétant.

— Je vais venir tout de suite, dit Rae.

Bernie lui rappela qu'il était tard et que Rae avait déjà pratiquement passé une nuit blanche. Elle regarda sa montre.

— Il n'est que onze heures moins le quart, dit-elle. D'ailleurs, un peu de compagnie me fera du bien.

En fait, elle se sentait très seule. La solitude, avait-elle décidé, semblait être devenue un élément permanent de sa vie. Maudit Sam Hartman, songea-t-elle. Pourquoi avait-il fallu qu'il l'invite à danser ? Ça n'avait réussi qu'à ranimer de vieux sentiments.

Elle raccrocha et se dirigea vers la porte.

Dehors, le voiturier tendit à Rae les clés de sa voiture.

— Alors, c'était une bonne soirée ? demanda-t-il.

— Elle n'est pas encore terminée, dit-elle.

Elle chassa de ses pensées Sam, Avril, Marco, Howard Marvin et les Assurances Perfecta. Bernie l'attendait pour discuter des dossiers qui pourraient jeter quelque lumière sur le cas du bébé de Nola. Pour l'instant, rien n'était plus important que cela.

Malgré tout, en fonçant vers l'hôpital, elle se prit à se demander avec un certain étonnement combien de temps elle devrait attendre avant que quelqu'un la tienne dans ses bras aussi tendrement que Sam.

CHAPITRE DOUZE

— Hé, debout, flemmarde, dit Rae en entrant dans la salle des Archives et en voyant Bernie affalée sur une pile de dossiers. Yvonne, l'archiviste en chef, était depuis longtemps rentrée chez elle et il n'y avait plus dans la salle que Rae et Bernie. L'éclairage fluorescent baignait les classeurs d'une lumière aussi vive que dans la journée. C'est un des problèmes des hôpitaux, se dit Rae : à moins d'être près d'une fenêtre ou de marcher dehors, on pouvait passer toute une vie à l'intérieur sans jamais savoir si c'était le jour ou la nuit. Il est vrai que la maladie vous occupait vingt-quatre heures sur vingt-quatre.

Bernie se redressa et fit semblant de rajuster sa coiffe d'infirmière.

— Ça s'appelle de la méditation, mon chou.

Rae se laissa tomber sur la chaise à côté d'elle.

— Alors, qu'est-ce que tu as trouvé ?

Bernie s'étira.

— Je crois que c'est Bo qui a quelques explications à donner, annonça-t-elle gravement. Ces quatre dossiers sont ceux des patientes qu'on a commencé à traiter à la Clinique d'accouchement mais qui ont été transférées ici. Et chacune avait Bo comme médecin.

Rae remarqua que Bernie avait devant elle les dossiers originaux.

— Yvonne était censée faire des photocopies, remarqua Rae.

— Rae, tu m'entends ? Dans tous ces cas, c'était Bo le médecin traitant.

— Je sais, Bernie, dit Rae en étouffant un bâillement. (Elle irait plus tard regarder dans son casier si elle avait les copies.)

— Alors, bon sang, qu'est-ce que je fiche ici ! cria Bernie.

— Mais je ne sais pas pourquoi on a transféré les patientes ici, dit Rae. Bo avait les dossiers quand je suis passée cet après-midi. Je n'ai pas la moindre idée de ce qui leur est arrivé, sinon que les bébés avaient un Apgar très bas.

— Eh bien voilà, dit Bernie, en feignant d'être en colère. Toutes les patientes, reprit-elle en ouvrant le premier dossier, ont été transférées ici pour qu'on leur fasse une césarienne parce qu'elles souffraient d'une disproportion fœto-maternelle. Il doit y avoir pas mal de bébés à grosse tête qui essaient de venir au monde là-bas. La plupart des patientes n'étaient qu'à quatre ou cinq centimètres de dilatation...

Rae ouvrit la bouche pour poser une question, mais Bernie continua sans la laisser parler.

— Non, fit-elle, il n'y avait pas de symptôme de souffrance fœtale à la Clinique d'accouchement, si c'est ce que tu pensais.

— Tu en es sûre ? demanda Rae en feuilletant les dossiers à son tour.

— Affirmatif.

— Alors qu'est-ce qui s'est passé quand elles sont arrivées ici – comme Nola, comme Meredith ?

— Voilà qui est mieux, ma chérie, dit Bernie, son regard s'éclairant. Parce que peut-être qu'après tout je vais garder mon boulot dans cette baraque.

— Ah ?

— Chaque patiente, précisa Bernie en tapotant affectueusement les dossiers, est arrivée ici avec un rythme cardiaque fœtal en chute libre.

— Mais les rythmes cardiaques étaient normaux à la Clinique ?

— Du moins le dernier enregistré. A ce que je sais, la disproportion fœto-maternelle ne provoque pas de chute du rythme cardiaque.

Elle hocha la tête. Elle pensait la même chose.

— Et c'est Bo qui les a toutes accouchées ? interrogea-t-elle.

— Absolument toutes.

— Pas d'autre dystocie de l'épaule ? Ni de problèmes de cordon ?

— Non, s'empressa de répondre Bernie.

Epuisée, Rae se passa les deux mains dans les cheveux. La décharge d'adrénaline qu'elle avait ressentie au début de la soirée chez Marco s'était dissipée. Même la découverte qu'elle avait quatre nouveaux cas de bébés avec un rythme cardiaque normal à la Clinique d'accouchement et un rythme cardiaque épouvantable dans la salle de travail de son service, ne suffisait pas à lui donner un second souffle. Elle n'arrivait tout simplement plus à continuer. Elle avait eu l'intention d'examiner minutieusement les dossiers, comme une mère inquiète qui voit son bébé pour la première fois. Mais ça devrait attendre.

— Je m'en vais m'écrouler, dit Rae. (Elle s'approcha de son casier. Il était vide. Elle se tourna vers le bureau d'Yvonne et vit que celle-ci s'était fait une note afin de penser à photocopier les dossiers pour le Dr Duprey et le Dr Michaels. Rae hésita puis reprit :) J'aimerais pouvoir les planquer, mais si les patientes étaient admises aux urgences ce soir... (Elle ne poursuivit pas. Elle n'avait d'autre choix que de les remettre maintenant sur le bureau d'Yvonne.) Je reviendrai demain matin de bonne heure, Bernie. Qui sait, peut-être que les quatre autres dossiers seront là aussi.

— Je repasserai pendant ma pause du déjeuner, dit Bernie. Qui sait, peut-être que la personne qui a volé les dossiers commencera à éprouver quelques remords au petit matin.

Rae avait du mal à garder les yeux ouverts et il lui fallait encore rentrer chez elle en voiture.

— Préviens-moi s'ils refont surface, dit-elle.

— Tu veux que je t'appelle dans ce cas-là ? demanda Bernie.

— Je ne crois pas que je serai capable de répondre au téléphone. A trois heures du matin, j'espère être dans le coma.

— Alors, s'ils refont surface, je les mettrai dans ton casier. En attendant, qu'est-ce que tu penses du fait que Bo soit le médecin traitant de ces huit cas-là ? Enfin, il t'accuse de faire des conneries et c'est lui qui semble avoir quelques explications à donner.

— Je pensais la même chose, dit Rae. C'est pour ça que je vais revenir ici pour regarder ça de plus près. Je veux examiner les antécédents des patientes, les rapports d'ambulance et voir s'il y a autre chose – voir s'il y a un lien quelconque entre ce qui est arrivé à ces femmes et ce qui est arrivé à Nola et à Meredith.

— Mais tu n'as même pas trouvé de lien entre Nola et Meredith.

— Pas la peine de me le rappeler, répondit Rae.

— Je te téléphonerai plus tard, fit Bernie en souriant.

Elles quittèrent la salle des Archives ensemble et s'arrêtèrent devant les ascenseurs.

— Oh, j'allais oublier, fit Rae. As-tu entendu dire qu'on veut ouvrir un nouveau centre autonome de Cardiologie ? Tu es très copine avec Dusty : peut-être qu'elle t'a dit quelque chose ?

— Ouvrir quoi ? demanda Bernie en secouant la tête. Un centre de Cardiologie autonome ? Combien de verres de vin est-ce qu'on t'a fait boire chez Marco ?

Rae sourit tandis que Bernie entrait dans l'ascenseur. L'expression de Bernie signifiait clairement qu'elle pensait que Rae avait perdu la tête.

— Ça a été exactement ma réaction, fit Rae.

— Qu'est-ce qu'ils vont inventer maintenant ? fit Bernie tandis que les portes se refermaient devant elle.

Peut-être le moyen de sauver le bébé de Nola, se dit Rae tout en traversant le couloir qui menait à la salle des urgences.

Arrivée là-bas, elle trouva le service en plein boum. On était encore vendredi soir : médecins et infirmières s'affairaient auprès des malades. Un gros homme au visage très rose se plaignait de douleurs à la poitrine. Une fragile petite vieille tremblait de la tête aux pieds en refusant de répondre aux questions de l'infirmière. Une fillette d'une quinzaine d'années se tordait sur son chariot en se plaignant de maux de ventre.

L'infirmière qui s'occupait d'elle était Sylvia Height, la même qui avait soigné Meredith Bey. De toute évidence, comme Bernie, Sylvia assurait la garde de nuit. Apercevant Rae, elle lui fit de grands signes.

— Comment va le bébé ? demanda-t-elle.

Du pouce, Rae lui fit un signe positif. Elle était trop fatiguée pour en faire davantage. Sylvia répéta le geste puis son attention revint à sa patiente.

— Hé, ma petite dame, attention ! cria une voix.

Rae vit un grand chariot chargé de poches à perfusion se diriger vers elle. Elle s'écarta juste à temps pour ne pas se faire bousculer.

— Je ne vous avais pas vue, dit un infirmier.

— Pas de problème.

Rae regarda l'homme disparaître au fond de la salle avec son chariot. La vue des poches lui rappela la crise de Nola et tous les événements de la veille. Les avait-elle imaginés, ou bien étaient-ils vraiment arrivés ?

En sortant de l'hôpital, elle trouva toute la ville noyée dans le brouillard. C'était à peine si elle distinguait le parking, et elle prit soin de regarder des deux côtés avant de traverser la rue. Elle n'avait pas oublié comment Arnie avait failli l'écraser en plein jour.

Serrant sa cape autour de ses épaules, elle regretta de ne pas avoir des chaussures plus raisonnables au lieu de ses talons hauts. Sa Porsche était garée presque à l'entrée. Elle aperçut devant elle un homme qui approchait. Sa démarche assurée lui parut familière : tiens, se dit-elle avec surprise, Sam.

Toujours en smoking, il s'avança en souriant.

— Qu'est-ce que vous faites ici ? demanda-t-elle.

Elle se souvint de sa joue contre la poitrine de Sam... bien après que les musiciens se furent arrêtés de jouer. Elle fit de son mieux pour dissimuler sa gêne.

— Je suis venu vous chercher, dit-il.

Il la regardait droit dans les yeux. Il ne cherchait pas d'excuses, il ne tournait pas autour du pot : c'était comme s'ils se connaissaient depuis des années et qu'ils n'aient aucune raison de donner d'explications.

Il regarda derrière elle.

— C'est à vous ? demanda-t-il en désignant de la tête la Porsche.

Elle acquiesça.

— Marco a dit que vous alliez à l'hôpital, dit-il.

— On m'a appelée sur mon bip. Et vous ?

Elle ne cherchait pas à se montrer brusque, mais elle se sentait résolument mal à l'aise à côté de lui. Ses attentions la flattaient mais une aventure avec Sam serait une mauvaise idée, pour bien des raisons dont la moindre n'était pas, elle devait bien se l'avouer, qu'elle n'avait pas confiance en lui.

— Sam, je suis flattée de l'intérêt que vous me portez mais je suis tellement débordée en ce moment que c'est à peine si j'ai le temps de souffler.

Sam lui souriait toujours : c'était agaçant ; il ne la prenait pas au sérieux.

— Je n'ai pas l'impression que vous m'écoutiez, dit-elle.

— Qu'est-ce que vous diriez d'un café demain matin ?

Elle secoua la tête, même si elle appréciait sa ténacité. Elle se dirigea vers sa voiture.

— Il faut que je passe aux Archives dans la matinée, dit-elle.

— J'ai quelques dossiers qui attendent ma signature, dit Sam en souriant toujours. Nous pourrions peut-être faire un peu de paperasserie ensemble et puis aller prendre un petit déjeuner.

Rae poussa un grand soupir.

— Vous me retrouveriez vraiment là-bas à sept heures ? demanda-t-elle.

— Sept heures, c'est un peu tôt, surtout pour un samedi matin, dit-il. Que diriez-vous de dix heures ? C'est bien plus civilisé.

Rae maintenant était vraiment agacée. Sam avait-il envie de la voir ou pas ?

— Samedi, lundi, vendredi... tout ça, c'est pareil pour moi. Surtout quand j'ai un bébé en mauvais état dans le service.

Sam ne souriait plus. Rae vit qu'il avait ôté sa cravate et déboutonné le col de sa chemise. Une ombre de barbe commençait à apparaître sur son visage, ce qui le rendait encore plus séduisant.

— La médecine m'a l'air d'être l'élément essentiel de votre vie, dit-il.

C'était plus une observation qu'un jugement et pourtant Rae se sentit aussitôt sur la défensive.

— La médecine *est* ma vie, dit-elle.

Elle lança cette dernière déclaration avec une conviction qui la surprit. Mais elle disait vrai, aucun doute là-dessus. Sam – n'importe qui – aurait pu la trouver hautaine, voire poseuse, mais c'était le problème de Sam, pas le sien. Cela faisait vingt-cinq ans qu'elle avait pris sa décision. Et ce n'était pas une journée comme celle qu'elle venait de vivre qui allait la faire changer d'avis.

Elle ne pouvait malheureusement rien expliquer de tout cela à Sam. Il avait l'air de s'intéresser plus à elle qu'au bébé de Nola. Mais s'intéresser à elle voulait dire qu'il devait s'intéresser à ce qui était arrivé à Nola ce matin-là. Rae s'estimait reliée à tous les bébés qu'elle mettait au monde comme par un cordon personnel.

— Alors, demanda-t-elle, qu'est-ce que vous avez fait d'Avril ?

— Oh, je l'ai déposée chez elle. Notre hôtesse a découvert apparemment qu'elle travaillait à l'hôpital et il y a eu un petit crêpage de chignons entre elles. Marcella m'a demandé de la raccompagner puisque c'était moi qui l'avais amenée. Vous n'étiez plus là, alors je me suis dit : pourquoi pas ?

S'arrêtant devant la portière de sa voiture, Rae dit :

— Encore une chose, Sam. Je me demandais... pourquoi étiez-vous dans le service où se trouvait Nola ? Normalement, vous êtes au sous-sol avec les cardiaques.

— A vous entendre, on croirait qu'il s'agit d'opérations subalternes, fit Sam en lui ouvrant la portière en riant.

— Ça n'est pas ce que je voulais dire... balbutia Rae.

— Je sais bien, fit Sam avec un grand geste. Croyez-moi, ça fait dix ans que je n'avais pas fait de césarienne. Mais apparemment tout le monde en obstétrique était occupé et j'étais le seul à croquer tranquillement un beignet à la confiture quand l'appel est arrivé disant que vous aviez besoin d'un coup de main dans votre service. (Il marqua un temps puis reprit.) Je ne regrette pas d'être venu, Rae. Je n'ai jamais vu quelqu'un faire une césarienne aussi rapidement que vous ce matin-là.

— Ça a été rapide, mais pas tellement réussi, dit Rae en commençant à refermer sa portière.

Mais Sam la retenait.

— Alors, pour demain matin, c'est entendu ?

— Vous ne renoncez jamais, hein ?

— Généralement pas, fit Sam en souriant.

Rae tourna la clé de contact. Le moteur se mit à rugir.

— Sept heures pile, dit-elle.

— D'accord pour sept heures, fit Sam.

Il n'y sera pas, se dit Rae en regardant son reflet se faire de plus en plus petit dans le rétroviseur. Mais elle y serait. Il y avait quelque chose dans ces dossiers qui allait l'aider. Elle n'avait certainement pas besoin de Sam pour découvrir ce qu'était ce quelque chose.

Arrivée chez elle, elle ouvrit son étui à violon et joua calmement quelques minutes. Le Nocturne en mi bémol majeur de Chopin, un morceau mélancolique, un des préférés de sa mère. Tandis que

Léopold soufflait bruyamment au pied de son lit, elle remit le violon dans son étui et se glissa sous les couvertures.

Elle sentit son corps fondre sur le matelas. Rae se demanda, tandis qu'elle se réchauffait, si elle serait jamais capable de se relever. Mais, comme un voile, un profond sommeil s'abattit sur elle avant qu'elle ait pu répondre à cette question.

CHAPITRE TREIZE

Rae s'éveilla en sursaut. La sueur lui baignait le cou et ruisselait entre ses seins. Avait-elle fait un cauchemar ?

Le réveil sur sa table de nuit indiquait cinq heures du matin. Derrière sa fenêtre, la pleine lune projetait une bande de lumière argentée sur les eaux noires de la Baie ; Léopold respirait bruyamment auprès du lit. Mais même la position en sentinelle du labrador ne pouvait la protéger de l'horrible impression que quelqu'un – quelque part, on ne sait comment – avait délibérément fait du mal au bébé de Nola.

Elle repoussa l'édredon et, en dix minutes, elle avait pris sa douche, enfilé des jeans, un pull-over en cachemire ras du cou bleu ciel et un blouson de cuir noir.

— Je reviendrai pour le petit déjeuner, annonça-t-elle à Léopold en sortant.

Elle comptait consulter les dossiers des patientes avant l'arrivée de Sam aux Archives. Cette fois, elle voulait les lire sans que personne vienne la distraire. L'examen des dossiers, elle en était persuadée, éclairerait les désastres de la veille.

Elle fonça vers l'hôpital. Comme c'était un samedi matin et qu'il était tôt, elle avait pratiquement la route pour elle.

La salle des urgences s'était vidée de ses patientes. Mais Sylvia Height était toujours là, assise sur un tabouret auprès d'une employée occupée à arranger un transport en ambulance depuis une clinique.

Rae lui fit signe de la main en passant.

— Vous revoilà, docteur Duprey ? demanda Sylvia.

— Je ne me lasse pas de cet endroit, fit Rae en plaisantant.

Dans la salle des Archives, elle passa devant le bureau vide de la réception. A cette heure matinale, Rae était seule dans la pièce. Le personnel arriverait à six heures. Soudain, elle s'arrêta. Quelque chose semble bizarre, se dit-elle. Quelque chose paraissait très différent. La porte qui donnait sur la salle des dossiers, juste devant elle. Oui, c'était ça : elle était fermée. Jamais, depuis dix ans qu'elle était à l'Hôpital de Berkeley Hills, elle n'avait vu cette porte fermée.

Elle l'ouvrit lentement. Il lui fallut un moment pour habituer son regard au spectacle qui s'offrait à elle. Il y avait des dossiers éparpillés partout. Des chaises renversées. Des téléphones décrochés, et l'écran de l'ordinateur d'Yvonne était fracassé.

Yvonne ! se dit Rae. Puis elle se souvint : Yvonne et le reste du personnel n'étaient pas de service à cette heure-là. Toujours plantée sur le seuil, elle tendit l'oreille, se demandant pour la première fois si elle n'était pas en danger. L'individu qui avait fait cela ne rôdait-il pas encore dans les parages ? Mais elle n'entendit aucun bruit, ne vit personne et finit par prendre une profonde inspiration. La colère vint remplacer la peur.

Elle s'approcha rapidement du téléphone sur le bureau d'Yvonne. Il fallait qu'elle appelle la Sécurité. Elle décrocha le combiné et commença à composer le numéro du standard. Puis elle s'arrêta, sentant son cœur se glacer. Car sur le sol, au milieu de la pièce, se trouvait le vieux bonnet d'infirmière de Bernie.

Rae sentit tous ses muscles se crisper. Elle reposa le téléphone. D'où elle était, elle voyait toute la pièce à l'exception du coin gauche dissimulé par une rangée de classeurs. Elle s'en approcha lentement et s'arrêta quand elle vit gisant sur le sol le corps de Bernie, en blouse blanche de salle d'opération. Elle était allongée sur le dos, les jambes à moitié repliées.

— Bernie ! cria Rae.

Elle se précipita et tomba à genoux. Elle aperçut aussitôt les marques violacées sur le visage de son amie. La colère la poussa à agir. Prenant soin de ne pas déplacer la tête de Bernie, Rae colla une oreille contre son nez pour chercher un signe indiquant qu'elle respirait. Elle regarda en même temps la poitrine de Bernie en attendant de la voir se soulever. S'étant assurée qu'elle respirait toujours, Rae lui palpa alors la carotide. Le pouls était faible mais régulier.

Rae, pour sa part, avait le souffle court et son cœur battait à tout rompre. Mais ce n'était pas le moment de céder à ses émotions. Bernie avait besoin rapidement de soins et non de la pitié d'une amie. Là-dessus, elle vit sur le cou de Bernie de vilaines égratignures et des meurtrissures : seuls des doigts humains auraient pu laisser des marques comme celles-là.

Elle appela d'abord la salle des urgences. Ce fut Sylvia qui répondit.

— Ici le docteur Duprey, dit aussitôt Rae. (Elle avait du mal à contrôler sa voix, mais il le fallait pour s'assurer que Sylvia comprenait bien son message.) Je suis aux Archives. Amenez votre équipe immédiatement. Bernie a été attaquée.

Tout en parlant, elle craignait d'éclater en sanglots.

— On arrive, dit Sylvia.

Rae appela ensuite la Sécurité de l'Hôpital. Ses mains tremblaient si fort qu'elle dut pianoter deux fois sur les touches. L'homme qui répondit au téléphone avait une voix très jeune. Il demandait sans cesse à Rae de lui épeler son nom.

— Bon Dieu ! finit-elle par dire. Rappliquez ici tout de suite !

Au même instant, l'équipe des urgences faisait irruption dans la pièce. En tête, Sylvia Height suivie de deux autres infirmières et du Dr Everett Lyon, un robuste gaillard qui venait toujours travailler en treillis. Derrière Everett, deux infirmiers poussaient un chariot.

Rae raccrocha.

— Elle est par ici, cria-t-elle en se précipitant vers le coin, manquant trébucher sur les dossiers.

— Seigneur, dit Sylvia en s'agenouillant et en s'empressant de passer une sangle autour du bras de Bernie pour lui prendre sa tension. Qu'est-ce qui est arrivé ?

Le Dr Lyon vint s'agenouiller à son tour en face de Sylvia et colla son oreille droite contre le nez de Bernie. Après avoir pris son pouls, il dit à Sylvia : « Qu'est-ce que vous avez comme tension ? » Mais avant même que Sylvia eût répondu, il avait soulevé les paupières de Bernie. De la poche de sa blouse, il tira une mince torche électrique et en braqua le faisceau sur ses pupilles.

— Il y a ces marques sur son cou, dit Rae, se demandant si Bernie n'avait pas eu le cerveau atteint et craignant une hémorragie interne.

— Mais enfin, qu'est-ce qui s'est passé ? demanda Everett en éteignant sa torche et en se mettant à palper l'abdomen de Bernie.

— Elle a 6,4 de tension, annonça Sylvia.

Une autre infirmière avait déjà introduit une grosse aiguille dans le bras gauche de Bernie.

— Heureusement que vous êtes arrivée, Rae, dit Everett en aidant les autres à soulever Bernie sur le chariot. Elle a le ventre mou et je crois qu'elle a une hémorragie interne...

— Je vais appeler le bloc, dit Rae en se précipitant vers le téléphone.

— Et assurez-vous qu'ils trouvent le meilleur chirurgien et le meilleur neurochirurgien qu'ils aient sous la main ! lui cria Everett.

Le numéro du bloc sonnait et sonnait toujours.

— Bon Dieu, que quelqu'un réponde à ce foutu téléphone ! marmonna Rae, mais au moment où elle allait raccrocher et appeler le standard, elle entendit quelqu'un décrocher à l'autre bout du fil.

— Ici le docteur Duprey, dit Rae et elle expliqua brièvement la situation à l'infirmière.

— Vous n'avez qu'à me l'amener, dit l'infirmière et on s'occupera du reste. Bernie est ma copine. Je ne veux pas qu'il lui arrive quoi que ce soit.

— L'équipe de la salle d'op attend, annonça Rae à Everett quand elle revint vers le chariot. (Elle serrait la main de Bernie, froide et moite. Rae espérait que le litre de solution saline qui s'écoulait par le tube de perfusion lui permettrait de tenir le coup jusqu'à ce qu'ils l'aient transportée en bas.

— On va lui faire un scanner pour voir exactement où nous en sommes, dit Everett en sanglant Bernie sur le chariot. Ça ne prendra que deux minutes. Elle a dû sacrément résister. Je ne sais pas qui lui a fait ça, mais c'est quelqu'un qui ne comptait pas la voir sortir de cet hôpital sur ses deux pieds.

Rae essayait de comprendre ce que disait Everett, mais elle était trop bouleversée. Non, pas Bernie, se répétait-elle. Une chose pareille ne pouvait pas arriver à Bernie. Il allait falloir qu'on lui perce un trou dans le crâne pour évacuer le caillot qui faisait pression sur son cerveau. En même temps, on allait l'ouvrir de l'aine au sternum afin de rechercher quel organe saignait pour avoir fait chuter ainsi sa tension. Elle espérait que ce serait la rate car on pouvait vivre sans rate. Mais quelle lésion avait-elle au cerveau ? Et, si elle reprenait connaissance, est-ce qu'elle serait encore Bernie ?

— Je sais qu'elle va s'en tirer, dit tout haut Rae.

— Il vaudrait mieux appeler aussi la banque du sang, dit Everett, comme si Rae n'avait rien dit. Dites-leur de préparer huit unités de types différents. A mon avis, elle se prépare à une sacrée matinée.

Quand on eut emmené Bernie, Rae s'effondra sur une chaise et se prit la tête à deux mains. Si seulement elle n'avait pas accepté de laisser Bernie l'aider à examiner les dossiers des patientes de Bo. Si seulement elle ne l'avait pas mêlée à tout ça. Bernie n'avait fait aucune promesse à Heidi. Bernie voulait simplement garder sa place. Et voilà maintenant qu'elle allait passer sur le billard.

Rae croisa les bras en se tenant les épaules et se balança sur son siège. Elle avait voulu accompagner Bernie au scanner et puis en salle d'op. Mais Everett avait dit qu'elle devait rester là pour faire son rapport. Il lui avait fallu un immense effort de volonté pour lâcher la main de Bernie et les laisser l'emmener sur son chariot.

Encore sonnée, elle secoua la tête et finit par ouvrir les yeux. Le bonnet de son amie était resté par terre. Elle se leva pour le ramasser et revint s'asseoir. Qui a fait cette chose horrible, se demanda-t-elle tandis que son regard parcourait la pièce. Et pourquoi ?

Réfléchis, Rae, réfléchis, se dit-elle. Mais elle se sentait trop abasourdie pour raisonner clairement.

Une brusque vague de colère déferla en elle. Elle serra les poings. Bernie n'était pas seulement son amie mais l'amie d'un tas de gens. Pourquoi irait-on rosser une infirmière en train d'examiner des dossiers aux archives ? Et surtout Bernie, qui n'avait pas d'ennemis.

Alors pourquoi était-ce arrivé ? S'agissait-il d'un hasard, ou bien...

Elle tourna lentement la tête vers le casier du Dr Marco Donavelli. La veille, il était vide. Mais ce n'était plus le cas. Même de là où elle était, elle apercevait l'onglet de chaque dossier. Il y en avait quatre. Quatre dossiers. S'agissait-il des quatre mêmes dossiers disparus la veille ?

Dans son sac, il y avait la liste qu'elle avait établie après sa visite à Leslie. Les mains tremblantes, elle compara les noms de sa liste avec ceux des quatre dossiers. Bien sûr, c'étaient les mêmes que ceux du casier de Marco : des patientes de Bo.

Ses mains ne tremblaient plus. Elle resta là quelques secondes, froide et immobile comme une statue. Il n'y avait qu'une seule explication à laquelle elle croyait – à laquelle elle voulait croire : la personne qui avait rapporté les dossiers était celle qui avait tenté de tuer Bernie.

Mais ça n'aurait pas pu être Marco, se dit Rae. Pas Marco...

Rae prit les quatre chemises dans le casier de Marco. Le sien n'était qu'à cinquante centimètres plus loin. Elle les fourra là, auprès des quatre autres qu'Yvonne lui avait remises la veille.

— Vous êtes le docteur Rae Duprey ?

Rae se retourna pour se retrouver en face d'un jeune homme portant l'uniforme noir des gardes de sécurité de l'hôpital. La voix était la même qu'au téléphone. Il avait beau mesurer plus de deux mètres, il semblait à peine assez vieux pour conduire une voiture, alors quant à protéger quelqu'un...

— J'espère que vous n'avez touché à rien ? demanda-t-il sévèrement.

— Je croyais que le Bureau de la Sécurité n'était qu'à cinquante mètres d'ici, riposta Rae. Où étiez-vous donc ?

Elle vit son regard parcourir lentement le champ de bataille de la pièce. A voir son visage, Rae devinait que lui aussi était accablé par l'importance des dégâts. Les hôpitaux étaient censés être des endroits sûrs, et non le théâtre d'agressions et de violences.

— Ecoutez, reprit-elle d'un ton plus conciliant, c'est ma meilleure amie qui s'est fait attaquer. Elle est en route pour la salle d'opération. Je veux être là-bas avec elle.

Le garde griffonna quelques notes sur son bloc.

— La police sera ici dans cinq minutes, dit-il en fronçant les sourcils.

— Je peux être de retour dans deux minutes, fit Rae. Il suffit que je file là-bas pour voir si tout va bien.

— Je sais ce que je fais, dit le garde avec un geste de refus.

Rae poussa un soupir. Elle n'aimait pas beaucoup les gens qui se donnent de l'importance, mais s'en faire un ennemi ne ferait qu'aggraver les choses. Elle se tassa donc sur sa chaise et lui fit un compte rendu détaillé de ce qui s'était passé.

— Rien d'autre ? demanda le garde.

— Qu'est-ce qu'il vous faut de plus? demanda-t-elle avec agacement. (Elle en avait assez de ses questions.) Quelqu'un l'a attaquée... quelqu'un a essayé de la tuer. (Même en le prononçant, elle avait du mal à croire à ce mot.) Est-ce que je peux partir maintenant ?

Là-dessus, on frappa à la porte et deux policiers entrèrent, vêtus de l'uniforme bleu marine de la police de Berkeley.

Le plus âgé des deux était un Noir. Il avait les cheveux coupés court et des fils gris parsemaient sa moustache. Il sourit à Rae en entrant, comme un père à sa fille. Son collègue, un Blanc beaucoup plus petit, avait des cheveux roux plaqués sur le crâne, une mâchoire carrée un peu proéminente, des lèvres minces crispées au-dessus d'un menton lourd et il marchait d'un pas bien trop raide pour quelqu'un qui accusait à peine une trentaine d'années.

— Je suis le sergent Lane, dit le policier noir en lui tendant la main. (Une poigne énergique et rassurante, celle d'un homme bien dans sa peau et conscient de bien faire son métier.) Et ce garçon discret que voilà... (Il marqua un temps pour désigner du menton le jeune policier qui commençait déjà à regarder autour de lui.) C'est l'agent Bruce Mailer.

Rae tendit la main vers Mailer mais, de toute évidence, les mondanités étaient le cadet de ses soucis.

— C'est vous le médecin qui a découvert la victime ? demanda Lane.

— Elle s'appelle Bernie, fit Rae en secouant la tête. C'est moi qui ai trouvé Bernie.

Elle attendit pendant que le sergent inspectait la pièce. Il finit par émettre un long sifflement.

— Mes gosses sont nés dans cet hôpital, dit-il. Mais c'était bien avant votre temps, n'est-ce pas, docteur ?

— Vous dites qu'elle était votre amie ? interrogea Mailer en se plantant devant le bonnet de Bernie.

— Ma *meilleure* amie, dit-elle en regardant Mailer droit dans les yeux.

— Bon, fit Lane en fourrant les mains dans ses poches. Et si nous nous installions tous dans la grande salle. J'ai remarqué un tas de bureaux vides. On pourra discuter là-bas.

— Est-ce que je peux au moins téléphoner à la salle d'opération? demanda Rae. Tout ce que je veux savoir, c'est comment elle va.

— Ce sera plus facile, pour le moment, si vous vous contentez de coopérer avec nous, répondit froidement Mailer.

Ils l'emmenèrent au bureau de la réception. Le sergent Lane lui approcha une chaise, puis en prit une pour lui. Tandis que l'agent Mailer arpentait la pièce, Lane se mit à poser à Rae des questions d'ordre général : qui elle était, depuis combien de temps elle travaillait à l'hôpital, comment elle était tombée sur le corps inanimé de Bernie.

— Cinq heures trente du matin, c'est rudement tôt pour signer des dossiers, dit Mailer.

— Et alors ? fit-elle sur la défensive.

— Si vous nous racontiez ce qui s'est passé, dit Lane, depuis le début...

— Je viens de tout raconter au garde de sécurité. Il a tout noté.

— Ce serait peut-être plus facile de nous dire ce qui s'est passé, dit Lane.

Il fallut deux minutes à Rae pour exposer son histoire jusqu'au détail : elle avait ramassé le bonnet de Bernie. Mais elle ne leur dit pas comment elle avait déplacé les dossiers manquants du casier de Marco dans le sien.

— Et maintenant, demanda Rae quand elle eut terminé, je peux m'en aller ?

Soudain, il y eut un regain d'activité à la porte. Cinq hommes entrèrent dans la pièce, les uns en uniformes de la police, les autres en combinaison orange. Deux d'entre eux commencèrent à étendre çà et là des rubans d'un jaune vif, pendant que les autres rôdaient en montrant quelque chose du doigt et en murmurant.

— Ma foi, je ne vois pas pourquoi nous devrions vous retenir ici plus longtemps, dit Lane en se levant. Mais si un autre détail vous revient, appelez-moi. (Il griffonna son numéro sur un bout de papier et le tendit à Rae.)

Elle fourra le papier dans la poche revolver de ses jeans et serra de nouveau la main de Lane. Mailer s'était dispensé des adieux en allant rejoindre le groupe des nouveaux arrivants.

— Il faut encore que j'examine ces dossiers, dit Rae. Mais ils sont là-bas, dit-elle en désignant la zone isolée.

— Seigneur, fit Lane en se grattant la nuque. On va vous avoir, vous autres médecins, allant et venant toute la journée.

— C'est probable, dit Rae.

Lane tira sur sa moustache, puis appela un des hommes en survêtement orange.

— Laisse passer le toubib, dit-il. Elle ne fait que son travail.

— Et moi, bon sang, j'essaie de faire le mien, dit l'homme. (Il lança à Rae un regard méprisant. Elle le lui rendit puis ramassa ses dossiers et sortit.)

Après être retournée au même bureau où Lane et Mailer l'avait interrogée, elle posa les huit dossiers et appela la salle d'opération. Bernie, lui annonça-t-on, venait d'arriver. L'infirmière à qui Rae parla lui conseilla de ne pas venir la voir tout de suite. Il y avait assez de gens sur les lieux. Deux neurochirurgiens, deux chirurgiens, deux spécialistes de la chirurgie vasculaire et, évidemment, une cohorte d'infirmières et de techniciens.

Rae remercia l'infirmière et raccrocha. Elle était consternée, mais l'infirmière avait raison. Il n'aurait plus manqué à ces gens que d'avoir une personne de plus dans les jambes.

Furieuse, elle se rassit sur sa chaise et se mit à éplucher les huit dossiers comme si sa vie en dépendait. Elle commença par examiner les quatre que Bernie et elle avaient parcourus, puis les quatre qui avaient miraculeusement réapparu. Mais elle fut navrée de constater qu'ils ne révélaient rien de nouveau. Le rythme cardiaque des bébés était normal à la Clinique d'accouchement tout comme durant le transport en ambulance. Mais il avait dégringolé le temps que les patientes arrivent à la maternité. Etait-il arrivé quelque chose entre la sortie de l'ambulance et la salle de travail ? Bo après tout avait-il raison ? Tout cela n'était-il que pure coïncidence ?

En tout cas, se dit Rae en regardant ses notes manuscrites, s'il y a une autre explication, les dossiers ne l'apportent assurément pas. Et elle qui était persuadée de trouver là la solution. Abattue, elle referma le dernier dossier et essaya de se concentrer sur l'étape suivante. Mais avec Bernie entre la vie et la mort, Rae avait du mal à réfléchir.

CHAPITRE QUATORZE

A six heures et demie, trente minutes exactement avant le moment où Sam était censé la retrouver, Rae fourra ses notes dans son casier et se dirigea vers le deuxième étage. C'était bon d'échapper aux policiers qui vaquaient à leurs occupations en rassemblant, en photographiant des pièces à conviction et en relevant des empreintes. Les membres du personnel des Archives étaient arrivés aussi, mais personne ne lui avait posé de question. Elle devait faire une visite à Angel Lloyd ainsi qu'aux autres patientes qu'elle avait accouchées avant elle. D'ordinaire, avant le changement d'équipe, les infirmières étaient penchées sur les feuilles de température pour y noter des indications sur l'état de leurs patientes. Mais, ce matin-là, réunies en petits groupes, elles parlaient à voix basse et jetaient des coups d'œil furtifs, l'air craintif et préoccupé. En fond sonore, on entendait le bip assourdi d'une malade qui appelait.

Les murmures cessèrent dès que Rae apparut.

— Bonjour, dit Rae. Personne ne compte répondre ?

Rita Hale, la plus jeune des infirmières, se précipita tandis que Rae décrochait la feuille de température d'Angel. Quand Rita revint, elle demanda d'un ton hésitant :

— On a appris que c'était vous qui aviez découvert Bernie, docteur Duprey, c'est vrai ?

Rae s'assit dans le bureau et ouvrit le dossier d'Angel. Elle avait les mains qui tremblaient.

— Je ne peux vraiment pas parler de Bernie pour l'instant, dit-elle.

Rita glissa avec la légèreté d'une ballerine jusqu'à la chaise auprès de Rae. Les autres infirmières se rassemblèrent.

— A votre avis, qu'est-ce qui est arrivé ? demanda-t-elle. Enfin, Bernie était l'amie de tout le monde. Vous croyez que c'est quelqu'un de l'Hôpital qui a fait ça ?

Rae vit l'expression terrorisée de Rita.

— J'ai peur aussi, fit-elle doucement. Mais inquiétons-nous d'abord de Bernie, d'accord ? (Rae se leva.) Voyons, qui s'occupe d'Angel ? interrogea-t-elle.

Une des infirmières annonça à Rae qu'Angel allait très bien. Une autre signala que l'autre patiente de Rae n'avait pas de problèmes non plus.

— Je vous remercie, dit Rae. (Elle fit quelques pas puis, sentant derrière elle tous les regards des infirmières, elle se retourna et dit :) Je ne sais pas qui a fait ça à Bernie. Je n'arrive pas à comprendre pourquoi on ferait une chose pareille. Mais, croyez-moi, j'ai bien l'intention de le découvrir.

Les infirmières hochèrent lentement la tête. Rae se dirigea vers la chambre d'Angel : la fille de celle-ci dormait paisiblement dans un berceau auprès de son lit. La seule vue du bébé remonta le moral de Rae. Pour elle, un bébé voulait dire que le monde avait une nouvelle chance d'être meilleur que la veille.

— Alors, dit-elle vers la fin de la visite en s'asseyant auprès d'Angel sur le lit, avez-vous des questions à me poser ? (Pour rassurer Angel, elle se força à sourire.)

— S'il vous plaît, est-ce que je ne peux pas rester un jour de plus ? demanda Angel d'un ton suppliant. Je sais ce que dit mon assurance, mais c'est vous le docteur !

Rae pressa la main d'Angel.

— Voyons, vous avez souscrit une police d'assurance avec Perfecta. Combien de jours est-ce qu'ils vous donnent ?

— Je ne sais pas, fit Angel en haussant les épaules, mais pour le prochain bébé, je signe avec une compagnie que me laissera rester au moins trois jours. Je paierai plus pour en avoir plus, ça c'est sûr.

— C'est la méthode américaine, dit Rae en riant.

— Et la prochaine fois aussi, je me ferai faire une péridurale, dit Angel. Cette foutaise d'accouchement naturel a failli me tuer.

Rae se mit à rire de nouveau et rappela à Angel qu'on la

contacterait pour fixer le rendez-vous de contrôle dans six semaines.

— Ça va, Rae ? demanda Angel. On dirait que vous venez de perdre votre meilleure amie.

— Il s'en est fallu de peu, dit Rae. Ma meilleure amie est en salle d'opération ce matin.

Angel hocha la tête d'un air compatissant, puis sourit.

— Espérons simplement qu'elle n'a pas la même assurance que moi. Je parie que ça ne lui ferait pas de mal d'avoir quelques jours de convalescence à l'hôpital.

Rae souhaita bonne chance à Angel pour le bébé et se dirigea vers la chambre de Patty West, une Noire de trente-deux ans, professeur de biologie, dont la grossesse avait été compliquée par un diabète. Rae avait provoqué l'accouchement et elle se félicitait qu'après une grossesse si difficile, Patty eût terminé par un accouchement sans problème peu après minuit. Elle frappa avant d'entrer.

A l'intérieur, le rideau était tiré et l'arôme des fleurs emplissait la pièce sombre. Rae distinguait à peine la masse d'une dizaine au moins de bouquets disposés sur la planchette le long du mur du fond.

Rae s'approcha de Patty qui semblait endormie.

— Patty ? fit-elle. C'est moi, Rae.

Pas de réponse. Elle la secoua doucement.

— Patty ?

Patty s'agita. Elle ouvrit lentement les yeux.

— Aidez-moi, dit-elle d'une voix faible et un peu pâteuse comme si elle était ivre.

Rae aussitôt s'inquiéta. Puis elle remarqua que la petite lumière rouge était allumée à la tête de son lit. Elle s'empressa de lui tâter le front : froid et moite. Elle regarda la table de chevet. Pas de jus de fruits, pas de biscuits non plus.

— Bon sang ! cria Rae en se précipitant dans le couloir.

Elle avait laissé des instructions précises : la patiente devait à tout moment avoir du jus de fruits et des biscuits dans la chambre. Patty était diabétique et le taux de sucre dans son sang pouvait chuter en quelques secondes. Juste devant la porte se trouvait Georgia Burns, une infirmière qui avait un biberon miniature attaché à son stéthoscope.

— Fichtre, commença Georgia, vous êtes rudement matinale.

— Personne ne répond donc aux appels ici ! lança Rae en se précipitant vers la pièce des fournitures. Venez ! Il me faut une intraveineuse et du D-50.

Rita accourut pour l'aider. Elles rassemblèrent toutes les trois un litre de solution saline, un cathéter avec un tube à intraveineuse, et une ampoule de la solution de sucre fortement concentré que Rae avait demandée.

Retournant au chevet de Patty, Rae s'empressa de lui nettoyer le bras droit avec un tampon imbibé d'alcool tandis que Rita lui enroulait un tourniquet en caoutchouc autour du biceps. Georgia tendit à Rae le cathéter dont elle plongea d'un geste précis l'embout dans la veine antécubitale droite de Patty. On lui enfonça alors la seringue contenant le D-50 dans la veine et, lorsque Rae ouvrit le robinet, elle vit la solution sucrée s'écouler librement dans le bras de Patty.

Au bout de quelques secondes, Patty revint à elle.

— Rae ? fit-elle.

— Heureuse de vous revoir, ma jolie, fit Rae avec un sourire de soulagement.

Rae retourna au bureau des infirmières, furieuse. Manifestement, Patty avait appelé mais les infirmières n'avaient pas répondu à temps. Rita vint la trouver et s'assit, l'air coupable.

— C'est ma faute, commença-t-elle. Je ne sais pas comment j'ai pu manquer cet appel. J'essaie de faire de mon mieux, docteur Duprey, mais je suis un peu débordée. Avec tout le monde qui s'en va à la Clinique d'accouchement et les réductions de personnel à la diététique et aux transports, celles d'entre nous qui restent doivent faire leur travail et en plus assurer ce service et surveiller parfois les salles de travail. Ah, docteur Duprey, ça n'est plus le bon vieux temps.

Rae secoua la tête d'un air las. Etre une patiente à l'Hôpital, c'était la loterie. Tout le personnel le savait. Tôt ou tard, le public aussi s'en rendrait compte.

— C'est maintenant le bon vieux temps, fit Rae d'un ton sarcastique. Si les choses continuent à ce train-là, on va regretter cette époque.

Après avoir rédigé une ordonnance d'intraveineuse pour Patty et les papiers de sortie d'Angel, Rae chercha les dossiers de Nola et de Meredith. Comme elle ne les trouvait pas, elle demanda à Georgia où ils étaient.

— Je suis désolée, docteur Duprey, répondit Georgia Burns. Mais le Dr Michaels m'a chargée de vous rappeler que ce sont ses patientes. Il a bien précisé qu'on ne vous laisse pas les consulter.

— Quoi ? demanda Rae, incrédule. Mais c'est moi qui ai accouché ces patientes...

— Je suis vraiment navrée, docteur Duprey, mais...

Georgia baissa les yeux. Rae savait que ça ne l'avancerait à rien de s'en prendre à elle.

— Très bien, fit Rae, ravalant sa colère. Assurez-vous seulement qu'il visite ses patientes... aujourd'hui.

Puis elle s'éloigna.

— Docteur Duprey ?

Rae s'arrêta et se retourna.

— Oui ? demanda-t-elle.

— C'est vrai ce qu'on dit sur vous ? Est-ce que les médecins vont vraiment se réunir dans deux semaines pour vous virer ?

Rae sentit le rouge lui monter au visage.

— Vous savez, continua Georgia, je ne crois à rien de tout ça, mais je me suis juste dit que je pourrais demander à certaines personnes de vous lâcher les baskets...

Rae essaya de se calmer. Georgia lui proposait son soutien, elle ne la critiquait pas.

— Dites-leur donc de s'occuper de leurs patientes et tout ira bien, dit-elle.

Georgia sourit et leva un pouce dans sa direction.

En soupirant, Rae repartit vers les Archives. Elle avait l'impression que son monde s'écroulait autour d'elle. Des bébés malades arrivaient de la Clinique d'accouchement. Le manque de personnel commençait à affecter le rendement de l'Hôpital. Son service était en guerre ouverte avec le service de Cardiologie. Elle-même était en conflit avec Bo et avec la Clinique d'accouchement. On avait convoqué une réunion pour la virer. La nouvelle s'était répandue dans tout l'Hôpital comme une épidémie de choléra. Sa meilleure amie luttait pour sa vie en salle d'opération.

Allons, se dit-elle en redressant les épaules, je ne vais pas renoncer. Mais, en croisant des infirmières qui arrivaient pour prendre leur service de jour, elle ne put s'empêcher de se demander si elles ne la regardaient pas d'un drôle d'air. Avaient-elles l'air un peu moins aimable, ou n'était-ce que son imagination ?

Elle hâta le pas.

De retour aux Archives, elle récupéra les dossiers, ses notes, et arracha les sept premières feuilles de son bloc. Elles contenaient des informations glanées à la lecture des huit dossiers. Elle avait divisé les pages en colonnes. Ce qu'elle cherchait, c'étaient des similitudes entre des cas en insistant surtout sur les raisons pour lesquelles on avait transféré les patientes de la Clinique d'accouchement et pourquoi les bébés avaient des Apgar si bas. Elle essayait de formuler une théorie, mais elle était si inquiète pour Bernie qu'elle avait du mal à aligner deux idées. La veille, c'était la fatigue qui l'avait empêchée de penser clairement. Aujourd'hui, c'était la crainte que Bernie ne s'en tire pas qui lui nouait le ventre.

Elle étudiait tout cela quand elle entendit des pas approcher. Levant les yeux, elle vit Sam Hartman qui se dirigeait vers elle. Il portait un pantalon kaki, un polo assorti et un cardigan jaune vif. Et toujours cette démarche pleine d'assurance et cet éternel sourire. De toute évidence, il n'était pas au courant pour Bernie.

— Bonjour, dit Sam. Comment ça va par ici ?

Rae agrafa ensemble les feuillets posés devant elle.

— Je ne pense pas que nous puissions nous retrouver pour le petit déjeuner, dit-elle sèchement.

Sam haussa un sourcil. Rae se dit que puisque le malheureux s'était levé de si bon matin, le moins qu'elle puisse faire, c'était de s'expliquer.

— Bernie a été blessée, dit-elle. Quelqu'un l'a agressée pendant qu'elle était dans la salle des Archives. Elle est en ce moment sur le billard.

— Quoi ? Qui est Bernie ? demanda Sam.

— Ma meilleure amie, dit Rae. Vous l'avez rencontrée : vous l'avez vue hier au bloc. C'est elle qui m'a remplacée pendant que nous travaillions sur le bébé de Nola...

Elle se sentait au bord de perdre toute maîtrise.

— Hé, doucement, dit Sam. Prenez votre temps. Je ne m'en vais nulle part.

Elle reprit son souffle et expliqua à Sam tout ce qui s'était passé. En l'écoutant, il resta impassible. Elle conclut en disant :

— Par pure curiosité, savez-vous si Marco est sorti de chez lui après la soirée ? (Elle désigna la pile de dossiers.) Sur ces huit dossiers, quatre manquaient encore à minuit. Ce matin, quand j'ai découvert Bernie, ils étaient de nouveau dans le casier de Marco.

Sam ne broncha pas.

— Pourquoi ne demandez-vous pas à Marco ? fit-il.

— Hier soir, fit Rae en haussant les épaules, je lui ai demandé si c'était lui qui avait sorti les dossiers. Il m'a dit que non.

— Vous voyez bien, dit Sam.

Rae examina le visage de Sam. Impénétrable ! Il a répondu à mes questions sans y répondre le moins du monde, constata-t-elle. En tout cas, pour l'instant. Tôt ou tard, décida-t-elle, il allait devoir s'expliquer.

— Vous ne répondez donc jamais à une simple question par une simple réponse ? fit-elle. Je voulais savoir si Marco était sorti de chez lui après la soirée.

— Je croyais avoir répondu, dit Sam. Voyons comment va votre amie, dit-il en décrochant le téléphone. (Rae l'écouta parler à l'infirmière du bloc. Quand il raccrocha, il dit :) C'est encore agité là-bas.

Rae ouvrit de grands yeux affolés.

— Qu'est-ce qu'ils ont dit d'autre ? demanda-t-elle.

— On lui a retiré la rate, expliqua Sam. On lui a déjà transfusé six unités. On dirait qu'il y a encore une hémorragie qu'il faut arrêter.

— N'ayons que des pensées positives, dit-elle, comme si elle se répétait un mantra.

Elle prit une profonde inspiration puis attira vers elle les dossiers et ouvrit celui du dessus. Sur les feuillets, les caractères se brouillaient maintenant. Il lui fallut quelques secondes avant de se rendre compte qu'elle avait les mains qui tremblaient et que Sam ne les quittait pas des yeux. Furieuse, elle tapa du poing sur la table.

— Bon sang, Sam, lui dit-elle, arrêtez de me regarder comme ça ! Si mes mains ont envie de trembler, laissez-les trembler ! Si j'ai envie de rester ici à examiner ces dossiers, c'est mon problème, d'accord ? Qu'est-ce que vous attendez que je fasse ? Que je m'écroule sur le sol en sanglotant ?

— Ça pourrait être un bon début, dit Sam d'un ton patient.

— Les larmes, ça ne sert à rien, dit Rae d'un ton crispé. Croyez-moi, je le sais.

Retrouvant un semblant d'assurance, elle dit à Sam :

— Ecoutez, vous m'avez demandé si nous pouvions examiner nos dossiers ensemble. Alors, voudriez-vous cesser de vous occuper de ma santé et me donner un coup de main ?

— Qu'est-ce que je dois chercher ? demanda Sam tandis que Rae lui tendait un dossier.

— Voyez si vous êtes d'accord avec ça, dit-elle.

Elle expliqua comment elle avait épluché chaque dossier plus tôt ce matin-là. Ce qu'elle avait trouvé était exactement conforme à ce qu'avait dit Bernie. Tous concernaient des patientes transférées de la Clinique d'accouchement. Tous les bébés, comme celui de Nola, étaient arrivés à l'Hôpital de Berkeley Hills en présentant des symptômes de souffrance fœtale.

— Vous êtes sûre ? demanda Sam d'un air sincèrement soucieux.

Rae continua en lui expliquant qu'elle était maintenant plus inquiète que jamais car tous les bébés avaient des Apgar très bas et l'un d'eux était même mort une semaine après sa naissance.

Sam secoua la tête d'un air compatissant.

— Et une des mères est morte, ajouta Rae.

— Un décès à la suite d'un accouchement ? demanda Sam. Ça arrive encore ? (Il se redressa sur son siège.) Passez-moi ce dossier.

— C'est celui que je vous ai donné, dit Rae.

Elle le regardait lire lentement les pages. Il gardait un air placide, et Rae, comme d'habitude, n'arrivait pas à déchiffrer ses pensées. On dirait un chercheur, se dit-elle. Détaché, objectif, se refusant à tirer une conclusion avant d'avoir réuni tous les éléments.

Rae, en revanche, n'avait pas besoin de tout cela. Elle travaillait à l'intuition tout autant que sur les faits. Il y avait en trop peu de temps trop de bébés qui s'en étaient mal tirés. Et Sam avait raison. Les décès à la suite d'un accouchement ça n'existait pratiquement plus. La dernière fois qu'une patiente était morte d'une complication à l'Hôpital, c'était dix ans auparavant et cette malade avait une pneumonie qu'aucune quantité d'antibiotiques au monde ne pouvait maîtriser.

— Je vois ici qu'elle avait des antécédents d'hypertension chronique, dit Sam de son ton le plus calme.

— Personne ne meurt pour avoir 14,9 de tension, fit Rae. Et elle n'a jamais fait de pré-éclampsie.

— On dirait, fit Sam en regardant Rae, que vous connaissez ces dossiers par cœur.

— Sam, dit-elle avec feu, il est arrivé quelque chose de terrible à ces patientes. Tout comme il est arrivé quelque chose de terrible aux deux que j'ai accouchées hier matin. Je le sais et je suis certaine que Bo le sait. Et si Bo le sait, il couvre quelque chose.

— Comme quoi ? (Il avait refermé le dossier et s'était carré sur sa chaise, les jambes croisées.)

— Je ne sais pas. Mais de toute façon, je crois que c'est en partie pour ça qu'il s'en prend à moi. C'est lui qui a des ennuis, mais il a besoin de moi pour trinquer à sa place. (Elle se tassa un peu sur sa chaise et secoua la tête.) Je n'arrive vraiment pas à croire que quelqu'un voudrait faire du mal à Bernie, dit-elle d'une petite voix.

Sam jeta un coup d'œil autour de lui.

— Oh, dit-il, je crois que personne ne voulait faire de mal à Bernie.

— Tiens, comment appelez-vous ça quand quelqu'un vous tape sur le crâne ?

— Ce que je veux dire, fit Sam avec un geste de protestation, c'est que, à en juger par la pagaille qui règne ici, Bernie est sans doute tombée sur je ne sais quelle embrouille. Il me semble que si quelqu'un avait voulu s'en prendre à Bernie, il ne l'aurait pas fait aux Archives.

— Il n'y a personne dans les parages en milieu de matinée, dit Rae.

— Et Bernie d'ordinaire n'est pas là non plus, fit Sam. Elle travaille à la maternité et le seul autre endroit où elle aurait pu être, c'est à la cafétéria.

— Mais elle me donnait un coup de main.

— Je veux bien, reprit Sam, mais si quelqu'un voulait agresser Bernie, il l'aurait fait chez elle ou dans le parking. Ici, il y a sans arrêt des allées et venues. D'ailleurs, s'il voulait tuer Bernie, il l'aurait fait. Il aurait pris des mesures plus radicales. En utilisant un couteau, un revolver ou quelque chose.

Rae arrêta Sam : elle ne voulait pas entendre de macabres descriptions à propos de Bernie.

— Ecoutez, fit-elle, voici ma théorie.

Et elle lui expliqua le rapport qu'elle voyait entre le retour des dossiers disparus et l'agression contre Bernie.

Quand elle en eut terminé, Sam secoua la tête.

— Je dirais que c'est assez tiré par les cheveux, dit-il d'un ton hésitant, même si Rae devinait au pli qui lui barrait le front que c'était une hypothèse qu'il n'avait pas totalement écartée.

— Mais plausible, fit Rae.

— Je suppose.

— Alors, dites-moi où vous êtes allé après que je suis sortie du parking, dit-elle.

— Vous croyez vraiment que je vous cache quelque chose à propos de tout ?

— Vous savez quelque chose ?

— Et vous ?

— Pourquoi voudrais-je faire du mal à Bernie ?

— Et moi ? fit Sam avec patience. Et puis, souvenez-vous, ce n'est pas Bo qui a accouché Nola ou Meredith. C'était vous, docteur Duprey.

Rae constata avec quelle habileté Sam avait renversé les rôles. Ça n'avait rien d'agréable.

— Oh, bon, dit-elle exaspérée.

— On peut faire une pause pour le petit déjeuner maintenant ? demanda Sam en se tapotant l'estomac.

— Je pense que oui, fit-elle, mais là-dessus quelque chose attira son attention.

— Qu'est-ce qu'il y a ?

Ce que Rae venait de voir, c'était une signature sur le rapport d'ambulance : le même gribouillis illisible qu'elle avait vu sur le rapport dans le dossier de Nola. Elle ne l'avait pas remarqué auparavant.

— Passez-moi ces autres dossiers, dit-elle à Sam.

Il les lui tendit un par un. Chaque rapport portait la même signature.

— On dirait qu'un de vos charmants amis ambulanciers était lui aussi impliqué dans chaque cas, dit Rae.

Sam inspecta soigneusement le document.

— C'est difficile à voir, dit Rae, mais la signature m'a l'air d'être celle de Théodore McHenry.

— Qui est-ce ?

— Comme si vous ne le saviez pas, fit Rae en se carrant sur sa chaise. Il y a moins de vingt-quatre heures vous avez demandé à Théodore et à son frère des indications pour aller chez moi.

Elle feuilleta les dossiers et attendit que Sam en convienne.

— Ça ne prouve rien, dit-il. Je vous parie que si vous examiniez tous les dossiers concernant les transferts de la Clinique d'accouchement, vous trouveriez son écriture partout.

— Pourquoi vous obstinez-vous à les défendre ?

— Je ne défends personne, dit Sam. Mais regardez. Toutes ces patientes ont été transportées quand ils étaient de service. C'est bien normal que son nom se trouve sur les dossiers. J'ai remarqué qu'un jumeau semblait diriger l'autre : Théodore est donc sans doute l'aîné et c'est lui qui commande. Alors ne commencez pas à les accuser de simplement faire leur travail.

— Il ne s'agit pas d'une coïncidence.

— Vous ne savez même pas de quoi il s'agit. Et si tous les cas concernaient le même médecin ? Et s'il s'agissait de souffrance fœtale ? Les huit cas pourraient être des incidents isolés. Ecoutez : cette patiente a été transférée ici après trois jours de pré-travail. La tension de celle-ci a dégringolé brutalement et cette autre a présenté des symptômes de pré-éclampsie en seconde partie de travail. Celle-là avait un col très étroit et celle-ci présentait les signes d'un herpès actif. Ce que je dis, Rae, c'est qu'il y avait une raison – huit raisons différentes en fait – pour que les patientes se soient retrouvées ici. Huit bébés à problème en deux mois, ça ne me paraît pas énorme.

— A moi, si, dit Rae. C'est l'Hôpital de Berkeley Hills ici. Et les raisons que vous citez ne conduisent normalement pas à des Apgar bas. (Elle marqua un temps.) Vous-même, Sam, vous n'êtes ici que depuis deux mois, n'est-ce pas ?

— Vous avez peut-être besoin qu'il ne s'agisse pas de coïncidences, dit Sam.

— Ou peut-être que quelqu'un en veut à la Clinique d'accouchement, riposta Rae. Peut-être que quelqu'un veut la voir fermer.

Cette personne aurait pu voler les dossiers pour je ne sais quelle raison, et puis tenter de les remettre en place au moment où elle savait que personne ne serait dans les parages. Mais Bernie était là. Bernie l'a vue...

Tout en parlant, elle examinait le visage de Sam mais, comme toujours, il demeurait impénétrable.

— Bernie connaît Marco, reprit-elle. Peut-être qu'il n'est pas du tout allé chez Avril.

Ses pensées maintenant se bousculaient, mais Sam se leva.

— Vous avez promis de prendre le café avec moi et je m'en vais vous obliger à respecter votre rendez-vous. Vous racontez n'importe quoi en disant des choses dont vous ne savez rien et je ne peux pas en supporter davantage l'estomac vide, conclut Sam en ramassant les dossiers.

— Je n'ai pas fini, dit Rae.

Il alla les porter à une des archivistes puis dit à Rae :

— Ils ne s'en vont nulle part, mais vous et moi, si.

— Mais il faut que j'aille prendre des nouvelles de Bernie, protesta Rae.

— Où croyez-vous que je vous emmène prendre un café ?

Nulle part ailleurs que dans le bloc opératoire, dans ce bâtiment, on ne comprenait mieux la vision qu'avait Walker Stuart de l'Hôpital du XXIe siècle. L'architecture et la technologie y étaient encore plus sophistiquées que dans la maternité de Rae. Chaque chambre était assez grande pour accueillir deux patientes simultanément. Lasers, microscopes électroniques, équipement vidéo : on n'avait lésiné sur rien. Même l'emplacement du bloc de quinze chambres avait été soigneusement choisi par Walker. Pour le protéger de l'habituel déferlement de visiteurs qui envahissaient les autres étages, il l'avait déplacé du deuxième étage pour le mettre à l'abri, au sous-sol.

Ils avaient passé des blouses stériles, mis des bonnets et des masques. Rae marchait auprès de Sam dans les couloirs carrelés de blanc. Ils passèrent devant le bureau des infirmières relié à chaque salle par un moniteur télé.

— Elle est en Salle Un, annonça l'infirmière.

— Quelles sont les nouvelles ? demanda Sam, mais l'infirmière se contenta de secouer la tête et reprit sa conversation téléphonique.

— J'espère que pas de nouvelles, ça veut dire bonnes nouvelles, fit Rae en hâtant le pas.

— Salle Un, dit Sam. Mon territoire.

— Je regrette que vous ayez dit ça, fit Rae. Seuls les cas vraiment difficiles vont là.

— Je dirais qu'un hématome subdural et une rupture de la rate le justifient.

Rae frémit en entendant son ton impersonnel. Les médecins – et elle le faisait tout le temps – ne parlaient en général de leurs patients qu'en désignant leur pathologie. C'était leur façon d'affronter la maladie et la mort. Mais entendre Sam parler de Bernie comme si elle n'était rien de plus qu'une collection d'organes lui paraissait inconvenant, même à elle qui était médecin.

Chaque salle d'opération avait environ quinze mètres sur quinze. Les parois en verre transparent permettaient de bien voir mais privaient les patients de toute intimité. Combien de fois Rae était-elle passée devant les salles d'op pour voir une femme jambes écartées au cours d'une hystérectomie ou bien un vieil homme avec un cathéter enfoncé dans le pénis ? Jusqu'à maintenant, elle n'y avait guère attaché d'importance. Mais là, elle décida qu'à l'avenir elle demanderait que, dans tous les cas, on tire les stores.

La Salle Un était située tout au bout du couloir. Rae vit des médecins et des infirmières groupés comme une équipe de rugby autour de la table d'opération. Il y avait tellement de monde qu'elle n'arrivait même pas à voir Bernie.

— Prête ? demanda Sam en posant la main sur la porte.

Rae prit une profonde inspiration et le suivit. La première chose qu'elle remarqua, ce fut l'odeur bien reconnaissable du sang frais. Elle ne connaissait aucune odeur au monde mieux que celle-là.

La seconde chose qui frappa Rae, ce fut le silence. Encore un mauvais signe, se dit-elle. Médecins et infirmières échangeaient des plaisanteries quand une opération se déroulait sans problème. Qui sortait avec qui, qui avait au golf un handicap inférieur à quatre, qui avait acheté quelle voiture. Autant de sujets de conversations banales durant une opération banale.

Mais le silence. C'était seulement quand les choses allaient terriblement mal que les membres de l'équipe opératoire se taisaient. Rae aurait préféré les entendre pousser des exclamations et réclamer à grands cris des instruments comme elle l'avait fait quand ils essayaient de sauver le bébé de Nola. Le silence signifiait que chaque médecin avait tous les instruments dont il avait besoin et qu'il se concentrait si fort sur un stade délicat de l'opération qu'il ne pouvait même pas se permettre de se laisser distraire par le son de sa propre voix.

Sam a dû se faire la même réflexion, songea Rae, car il ne dit pas un mot tandis qu'elle s'approchait de la table. Elle passa près du chariot des instruments. Son regard tomba sur une masse violacée grosse comme une batte de base-ball, posée dans une cuvette avec un cratère de deux centimètres : la rate de Bernie, se dit Rae, au bord de la nausée.

En se rapprochant, elle vit qu'il y avait deux équipes qui travaillaient ensemble. L'une opérait en haut de la table et l'autre au milieu.

Sur un autre plateau, Rae vit des instruments qu'elle n'utilisait jamais dans la chirurgie qu'elle pratiquait. Il y avait une scie et un trépan pour découper la boîte crânienne de Bernie. Du sang tachait l'argent des instruments comme de la glace à la fraise qui aurait fondu. Dans un autre seau posé par terre, des filaments de cheveux argentés. Ce détail gêna Rae beaucoup plus que le sang sur le trépan. Les cheveux, c'étaient ceux de Bernie. Ils faisaient partie de Bernie la personne, pas de Bernie la patiente.

Du sang coulait par de multiples tubes qui s'enfonçaient dans le corps de Bernie. Espérant voir que les chirurgiens étaient parvenus à maîtriser l'hémorragie, Rae s'approcha plus près de la table. Comme elle l'avait prévu, on avait ouvert Bernie sur toute la longueur du ventre. Un écarteur en métal – encore un instrument qui aurait été plus à sa place dans une boîte à outils de garagiste que sur le corps de quelqu'un – la maintenait ouverte comme un poisson qu'on vide.

Là-dessus, Sam s'avança jusqu'à elle.

— Emmenez-moi d'ici, dit-elle d'une voix chevrotante et elle sortit de la salle d'opération.

CHAPITRE QUINZE

Quand ils furent sortis de l'Hôpital, Sam proposa à Rae de faire un tour dans sa Mercedes bleu marine. Elle était trop sonnée pour protester. Ils roulèrent en silence tandis qu'elle s'efforçait d'effacer de son esprit les images du corps traumatisé de Bernie.

Pour se changer les idées, elle se mit à parler à Sam de la vraie Bernie, de la Bernie intacte, de la femme qu'elle avait rencontrée la première fois qu'elle était arrivée à l'Hôpital de Berkeley Hills, voilà dix ans.

— Au début, nous nous disputions – nous le faisons encore... (Elle aurait voulu dire à Sam ce que Bernie représentait pour elle, mais elle ne trouvait tout simplement pas les mots.)

Ils s'arrêtèrent dans un café sur la marina de Berkeley et s'assirent à une table près de la fenêtre ouverte. Il y avait quelques autres clients, pour la plupart des étudiants de l'Université en jeans et T-shirts. Il flottait dans le restaurant une odeur de muffins fraîchement cuits et de café bien noir. Rae soudain se sentit un appétit dévorant. Elle commanda deux œufs brouillés, un toast au pain complet et un cappuccino décaféiné.

— Pour moi, dit Sam, un café. Et une vraiment grosse pile de pancakes.

La serveuse partie, il contempla Rae en souriant.

— Est-ce que ça n'est pas formidable ? demanda-t-il.

— Dites-moi comment vous vous êtes retrouvé à l'Hôpital de Berkeley Hills, Sam.

— Ma femme a demandé le divorce, répondit-il sans ambages. Elle trouvait que sa carrière était plus importante que la mienne. Je pensais que notre ménage allait très bien, mais apparemment elle n'était pas de cet avis.

— Combien de temps avez-vous été marié ?

— Combien de temps faut-il l'être ?

Rae soupira. Sam s'était bien fait comprendre, même si, une fois de plus, il avait éludé ses questions.

— Elle était avocate, poursuivit Sam. Il fallait répondre à tout par un oui ou par un non.

Rae décela un soupçon de tristesse dans la voix de Sam.

— Vous l'aimez encore ? interrogea-t-elle.

Dehors, des gosses jouaient au cerf-volant près de la plage.

— Elle aimait son travail plus que tout.

— Vous voyez, dit Rae, vous recommencez. Je vous ai posé une simple question et vous avez évité d'y répondre. Quoi qu'il en soit, il n'y a pas de mal pour une femme à aimer son travail. Les hommes font ça tout le temps.

— Vraiment ? demanda Sam d'un ton ironique.

— Qu'y a-t-il de mal à ce qu'une femme fasse passer sa carrière d'abord ?

— Alors pourquoi se marier ?

— Pourquoi l'avez-vous fait ? répliqua Rae.

— On devrait faire passer sa vie avant tout, son visage s'assombrissant. Comme nous le faisons en ce moment : assis là, devant la Baie, à regarder le ciel changer de couleur, à sentir la brise sur notre visage et à respirer l'air marin... Pour quelle autre raison sommes-nous ici ? Si on ne peut pas apprécier ça, à quoi bon ?

— Vous devriez peut-être aller travailler pour Hollywood, observa Rae d'un ton narquois. Ils adorent les trucs comme ça. Mais la vie, Sam, c'est le sang et les tripes, c'est guérir, c'est prévenir la mort. Et, avec Bernie sur cette table d'opération... (Elle s'interrompit juste le temps de raffermir sa voix.) Et avec Bernie qui lutte pour sa vie, je suis décidée à découvrir ce qui s'est passé avec ces patientes de la Clinique d'accouchement. Ça me paraît plus important que de respirer l'air marin.

La serveuse revint avec le café.

— Belle journée, n'est-ce pas ? fit-elle.

— Parfaite, dit Sam.

— Ça dépend, fit Rae.

— Vous disiez ? demanda Sam.

Rae attendit que la serveuse se fût éloignée et dit :

— Qu'est-ce que Bernie en a à faire de la vue sur la Baie, maintenant ? Et d'ailleurs, le bébé de Nola, qu'est-ce qu'il en a à cirer de la couleur du ciel ? C'est ça, la vie, Sam. Une lutte constante contre la mort.

Elle sentit son visage rougir d'émotion en même temps qu'elle éprouvait une impression de vide qu'aucun petit déjeuner, elle le savait, ne pourrait jamais combler. Ou bien était-ce le vide de son cœur – encore là après vingt-cinq ans, seulement plus gros ?

— Vous semblez très loin, dit Sam.

Je vous en prie, songea Rae, en se détournant. Faites que Bernie ne meure pas non plus.

— Rae ? fit Sam, soucieux.

Elle appuya son menton dans sa main et le regarda droit dans les yeux.

— Maintenant, dit-elle, écoutez-moi. Peu m'importe que ma théorie soit tirée par les cheveux. Bernie risque de mourir pour quelque chose qui, je le sais, a un rapport avec la Clinique d'accouchement...

Sam allait parler, mais d'un geste elle l'interrompit.

— J'ai deux... moins de deux semaines pour le prouver, poursuivit-elle. Ces huit bébés malades, celui qui est mort, la patiente qui est morte, Nola, Meredith et maintenant Bernie... (Elle prit une profonde inspiration.) Ce ne sont pas des coïncidences, Sam. N'essayez pas de m'affirmer le contraire. Qu'est-ce qui me dit que vous n'êtes pas impliqué là-dedans, je veux dire à cause de Marco. C'est lui qui a sorti ces dossiers...

— Marco ? fit Sam. Vous croyez...

— Je ne sais pas que croire... exactement, dit Rae. Mais je découvrirai bien assez tôt qui est impliqué.

— Vous feriez n'importe quoi pour garder votre service, déclara Sam avec conviction.

— Au diable mon service ! dit Rae en frappant de la paume sur la table. Pour Bernie, pour ces bébés, je m'en vais prouver qu'il se passe quelque chose ! (Elle se leva.) Merci pour le petit déjeuner, mais il faut que j'y retourne. Si je dois faire quelque chose, je ne peux pas rester ici toute la matinée à larmoyer.

Ils revinrent à l'Hôpital en silence. Juste avant qu'elle descende de voiture, Sam lui donna sa carte.

— Appelez-moi, n'importe quand, dit-il.

Rae examina le bristol. Docteur Samuel Arthur Hartman.

— Je vais sans doute être assez occupée pendant les deux semaines à venir, dit-elle.

— Oui, je sais, dit-il sèchement.

Le portail à trois colonnes était juste devant elle. Elle renversa la tête en arrière et sentit sur ses joues les chauds rayons du soleil. C'est cela que Sam a voulu dire ? se demanda-t-elle en entrant dans le hall. Peut-être les rayons du soleil sur son visage étaient-ils agréables, mais était-ce suffisant ? Décrochant le téléphone le plus proche, elle appela la salle d'opération. Bernie était toujours sur le billard.

— Mais ils sont en train de refermer, dit l'infirmière. Vous voudrez peut-être l'attendre en Soins intensifs.

Rae poussa un grand soupir de soulagement.

— Dieu soit loué, elle a tenu le coup, dit-elle.

— Maintenant, murmura l'infirmière, elle n'a plus qu'à se réveiller.

Rae avait rarement des patientes admises dans l'unité de Soins intensifs. Tout cet endroit la mettait mal à l'aise car on y trouvait les patients qui couraient les plus grands risques. Elle préférait sa salle de maternité du deuxième étage où, heure après heure, sept jours par semaine, la vie commençait.

Elle trouvait aussi étrangement incongru que les malades les plus atteints aient la plus belle vue. La plupart d'entre eux étaient comateux ou bourrés de sédatifs. Ils ne savaient pas si c'était le jour ou la nuit : les magnifiques panoramas, pour eux, c'était du gaspillage. D'un autre côté, pour les heureux patients qui s'éveillaient et pouvaient vraiment voir par leurs fenêtres, quelle meilleure invitation à la vie que la vue du soleil et de la mer ? Rae se rappelait sa conversation avec Sam. Peut-être avait-il raison. Mais là-dessus, elle vit Bernie et ressentit une fois de plus l'absurdité des propos qu'il avait tenus.

Bernie était allongée sur un lit dans un box au milieu du service. La tête enveloppée de bandes de gaze. Une canule de verre lui jaillissait de la bouche. Attachés à ses bras et à sa poitrine, des scopes enregistraient sa tension artérielle ainsi que la tension de son artère pulmonaire et de l'oreillette droite. Un électrocardiographe suivait les battements de son cœur.

— Terrible, c'est terrible, murmura une infirmière qui était venue se planter auprès de Rae.

Rae hocha la tête. Le mince drap avait glissé du corps de Bernie, dénudant ses seins menus. Un énorme pansement blanc couvrait son abdomen de la poitrine jusqu'au pubis.

Rae remonta le drap sur les épaules de Bernie et lui caressa doucement le front.

— Elle ne s'est pas encore réveillée ? demanda-t-elle.

— Dans cette unité, répondit l'infirmière en secouant la tête, nous faisons une chose après l'autre.

Auprès du lit se trouvait un fauteuil de toile pliant. Rae s'assit et prit la main de Bernie. Elle trouva réconfortant le fait que sa peau lui parût sèche mais tiède. Du moins sa tension était-elle normale. Elle resta assise là avec Bernie jusqu'au moment où elle vit les voiliers regagner leur mouillage tandis que le crépuscule s'apprêtait à descendre sur la Baie. Elle finit par se lever, les muscles engourdis et les yeux fatigués.

— Je reviendrai demain, Bernie. Tiens le coup, dit-elle en s'en allant.

Quelques minutes plus tard, elle descendait lentement Marin Avenue. Elle passa devant la fontaine et, arrivée sur la I-80, elle accéléra. Sur sa droite, de gros nuages roulaient dans le ciel. Pourtant, au milieu de la masse blanche, il y avait une brèche par laquelle le soleil laissait filtrer un rai de lumière dorée sur les eaux calmes. C'était exactement ce qu'il lui fallait, se dit Rae : un peu de lumière qui brille au milieu des pensées sombres et confuses qui la harcelaient depuis deux jours.

Léopold l'accueillit à la porte. Rae lui caressa distraitement la tête puis lui donna à manger. Ensuite elle ôta ses jeans et son chandail à col roulé pour passer un corsage blanc et un short.

Son dîner allait consister en un reste de pâtes au pistou et une tranche de pain un peu rassis. Elle se versa un verre de vin rouge puis passa dans son bureau et étala sur sa table les sept pages arrachées à son bloc. Elle voulait comparer les pensées qui lui étaient venues pendant qu'elle était assise au chevet de Bernie avec les notes qu'elle avait prises en consultant les dossiers.

Au milieu de son dîner, elle se leva et se mit à arpenter la pièce sous l'œil intrigué de Léopold. En général, sa seule présence la réconfortait : mais aujourd'hui, elle lui rappelait simplement que le temps pressait.

— Je n'arrive pas à croire que tout ça ne soit qu'une coïncidence, Léopold, dit-elle tout haut. (Elle ramassa les papiers sur son bureau et les emporta jusqu'à son grand fauteuil. Léopold la suivit et posa sa tête sur le bras de son siège.) Nola et Meredith ont été transportées le même jour, dit-elle. Le bébé de Nola avait trois tours de cordon ombilical autour du cou. Celui de Meredith une dystocie des épaules. Les autres bébés... un herpès, une présentation par le siège, de l'hypertension, une période de pré-travail anormalement longue... Mais le temps qu'ils arrivent ici, ils présentaient tous des symptômes de souffrance fœtale.

Léopold avait dressé les oreilles comme si Rae avait enfin toute son attention.

— J'ai parlé à Jenny et à Freda, expliqua-t-elle à son chien. Mais elles m'ont dit que ni le bébé de Nola ni celui de Meredith ne présentait des signes de souffrance fœtale à la Clinique. Même dans l'ambulance, les bébés, du moins d'après les jumeaux, avaient un rythme cardiaque normal durant le transport. Mais quand ils sont arrivés à la maternité, ils avaient tous des problèmes. Est-ce que ça veut dire que quelque chose s'est passé entre le moment où les patientes ont quitté l'ambulance et celui où elles sont arrivées là-haut ? Et dans ce cas, qu'est-ce qui aurait pu se passer durant ce bref laps de temps ? Et comment ?

Elle repensa à Bernie. Comme elle regrettait de ne pas avoir son amie pour discuter de tout cela. Bernie l'aurait aidée à trouver une réponse. Bernie...

Mais Bernie l'avait déjà trop aidée. Et il n'y avait qu'à voir où ça l'avait menée. Rae appuya son menton sur sa main. Je n'ai personne à qui parler, se dit-elle. Elle avait passé sa vie à l'Hôpital et dans son cabinet. Ce genre d'existence lui laissait peu de temps pour nouer des rapports avec qui que ce soit. Même avec un enfant, se dit-elle.

Elle secoua tristement la tête. Il faudrait qu'elle affronte une autre fois ce sentiment de temps perdu.

En revanche, se dit-elle, pleine d'espoir, elle pouvait toujours appeler Walker. Il était autant un mentor qu'un ami. Elle pouvait tout lui dire et il écouterait. Il écouterait tout ce qu'elle avait à lui raconter et, selon toute probabilité, ne trouverait pas cela tiré par les cheveux. D'ailleurs, il avait besoin de savoir. Si quelqu'un s'acharnait à faire du mal aux bébés, Walker voudrait aider Rae à mettre un terme à ses agissements.

Là-dessus, elle aperçut sur la table la carte de Sam. Il lui avait proposé de l'aider. Mais quelle aide pouvait-il donner quand il ne répondait même pas directement aux questions les plus simples qu'elle posait ?

Elle prit quand même la carte et examina le numéro. Il y avait une chose qu'il pouvait faire. Répondre enfin à ses questions concernant Marco et lui-même. Marco avait consulté ces dossiers. Du moins avait-il signé pour les sortir. Quoi qu'il en soit, elle était certaine que Sam Hartman en savait plus qu'il ne voulait bien le dire. Et cette fois, elle n'allait pas le laisser se défiler.

Oui, je vais appeler Sam avant de téléphoner à Walker, décida-t-elle en décrochant l'appareil. Même si elle devait l'enfermer à clé chez elle, il ne partirait pas avant qu'elle n'ait la certitude qu'il lui avait bien dit ce qu'elle devait savoir.

Une heure plus tard, Mack, le portier, appela pour annoncer à Rae que Sam montait. Quand on sonna, Léopold aboya furieusement. Rae recevait rarement des visiteurs. D'ailleurs, Harvey frappait toujours. Bo, lui, avait une clé.

Elle ouvrit la porte et Sam apparut, souriant. Chemise blanche, pantalon anthracite et blazer bleu marine. A vrai dire, il était plutôt élégant pour quelqu'un qui avait fait si vite, se dit-elle à contre-cœur.

— Cet ascenseur, dit-il, c'est un vrai voyage. Eh bien, tu es bien accueillant, dit-il à Léopold qui lui flairait avidement la main.

— Ne vous faites pas d'illusions, dit Rae. Léopold aime tout le monde.

Elle escorta Sam dans le salon. Le soleil s'était couché et les nuages étaient ourlés de rouge et d'orange. Trente étages plus bas, il y avait un bouchon sur la I-80.

— C'est pas mal ici, dit Sam.

— Vous voulez boire quelque chose ? demanda-t-elle.

— Juste de l'eau.

Elle alla chercher un verre qu'elle remplit de glace et de Perrier, puis elle revint rejoindre Sam. Il s'était confortablement installé dans un grand fauteuil d'où on apercevait la Baie. Elle vint s'asseoir dans le fauteuil voisin, si bien qu'ils ne se faisaient pas vis-à-vis.

— Ah, merci, dit Sam après avoir vidé la moitié du verre. Alors, vous disiez que vous aviez besoin de mon aide ?

— Ne dites rien avant que j'aie fini, le prévint-elle. Sam, je veux que vous m'expliquiez une fois pour toutes ce que vous savez à propos de Marco et de ce projet de centre de Cardiologie. Pourquoi ne me dites-vous pas la vérité ? Envers qui Marco est-il loyal ? Et vous ?

Elle s'arrêta pour guetter la réaction de Sam. S'il avait le haussement de sourcils qu'il ne fallait pas ou si elle percevait quelque message dans ses yeux d'un bleu de lac, elle saurait que non seulement il se doutait qu'elle flairait quelque chose mais que d'une façon ou d'une autre, il était impliqué.

— Est-ce que je risque quelque chose à parler maintenant ? demanda Sam.

— Peut-être, dit Rae. Si vous voulez bien répondre à ma question.

Sam croisa les jambes.

— Quelle était la question... exactement ?

— Oh oh, fit Rae avec un petit sourire, pas cette fois. Je vous ai demandé de me parler de Marco, de Howard Marvin et de ce qu'ils préparent pour la Clinique d'accouchement de Bo.

— Vous vous demandez si Marco essaie de monter un coup contre la Clinique d'accouchement. C'est ça la question, Rae ?

Rae scrutait le visage de Sam, tout comme il scrutait le sien. Elle n'y voyait ni perplexité, ni incrédulité. Il la regardait toujours droit dans les yeux, le menton un peu levé, comme s'il était prêt à peser la réponse qu'elle allait lui faire pour décider s'il la croyait vraie.

— Dites-moi simplement ce que vous savez, fit-elle d'un ton uni. (Elle n'allait pas cette fois le laisser s'esquiver.)

Son regard se durcit quand il dit :

— Mais c'est vous qui avez accouché les deux dernières patientes envoyées de la Clinique, Rae. D'après ce que je comprends, vous voulez autant que Marco voir fermer cette clinique. Est-ce que ce n'est pas moi qui devrais vous demander ce que vous savez d'un plan pour la discréditer ?

— Répondez à ma question d'abord, et ensuite vous pourrez me demander tout ce que vous voudrez, dit-elle. (Elle avait beau garder un ton calme, elle devait faire un effort pour maîtriser la colère qu'avait instinctivement éveillée en elle le commentaire provocant de Sam.)

— Marco peut répondre à toutes les questions que vous avez à lui poser, dit Sam.

— Marco veut que Bo vende à Howard Marvin, dit Rae. Vous avez entendu Bo au dîner hier soir.

— Je vous ai dit que vous pouviez lui poser la question...

— Mais c'est à vous que je la pose, Sam ! J'ai besoin de savoir !

Elle n'avait pas eu l'intention d'élever le ton, mais quelque chose chez lui l'exaspérait. Le problème, elle le savait, c'était que ça n'avait rien à voir avec la Clinique d'accouchement. Elle se détourna puis le regarda de nouveau. D'un ton plus calme, elle dit :

— Je vous en prie, dites-moi juste ce que vous savez.

— Je suis flatté, dit Sam en souriant, de l'intérêt que vous me portez.

— Allons, Sam, répondez simplement à ma question.

— Bon, bon. (Sam se tourna pour lui faire face.) Rae, Marco n'est pas fou. Bien sûr, il veut peut-être une part du gâteau si Howard a l'intention d'ouvrir un centre de Cardiologie ultramoderne. Mais, quel que soit son rôle dans tout cela, il ne ferait rien d'illégal et il ne voudrait certainement pas faire du mal à des femmes ni à des bébés. Alors, si vous croyez qu'il est impliqué dans je ne sais quel sinistre complot...

— C'est exactement ce que je crois, fit Rae en l'interrompant.

— Mais c'est tout bonnement ridicule, fit Sam, exaspéré.

Rae ne répondit pas. Elle se contenta de soutenir son regard et de laisser le silence se prolonger.

— Eh bien ? finit-elle par demander.

— C'est trop tiré par les cheveux.

— Pas du tout ! dit Rae qui s'était levée d'un bond pour se planter devant lui. Huit bébés à problèmes en deux mois, Sam, dit-elle. Je ne sais pas ce qui est acceptable là d'où vous venez, mais dans mon hôpital, nous n'admettons pas des statistiques pareilles. En tout cas, pas moi.

— Vous devriez peut-être en parler à Bo.

— Bo n'a aucune raison de se donner le mauvais rôle. (Jamais elle n'aurait imaginé qu'elle finirait par prendre la défense de Bo devant Sam.) Croyez-moi, il aime plus que tout cette clinique d'accouchement. Mais il se passe quelque chose dont nous devons nous méfier. A mon avis, Marco pourrait être impliqué.

— Et vous croyez que je le suis aussi, c'est ça ?

— Eh bien, vous l'êtes ?

Voilà, je l'ai dit, songea Rae. Maintenant, elle pouvait aussi bien continuer.

— Enfin, c'est Marco qui a sorti ces dossiers et voilà qu'on ne sait comment ils ont mystérieusement réapparu. Vous êtes revenu à l'Hôpital la nuit où Bernie a été attaquée.

— Alors ?

— Peut-être que vous les avez remis en place pour Marco. Peut-être que vous êtes impliqué d'une autre façon. Enfin, comprenez-moi : les ambulanciers n'ont pas voulu me parler quand j'ai commencé à leur poser des questions. D'un autre côté, je les ai vus discuter avec vous comme si vous étiez de vieux amis.

— Alors maintenant, vous mettez la compagnie d'ambulances dans le coup aussi ?

— C'est exactement ce que j'essaie de vous dire, Sam, fit Rae. Je ne sais pas pour vous, pour Marco ni pour personne d'autre mais je crois – je sais que les ambulanciers sont impliqués.

Sam haussa un sourcil, mais Rae poursuivit.

— Ces bébés allaient très bien à la Clinique d'accouchement. Ce n'était plus le cas à notre maternité. Peut-être qu'il leur est arrivé quelque chose dans notre salle des urgences, mais je ne le pense pas car Sylvia est certaine que le rythme cardiaque du bébé de Meredith avait déjà chuté avant que Meredith franchisse la porte.

— Les rapports d'ambulance disent que les rythmes cardiaques étaient normaux pendant le trajet jusqu'à l'Hôpital, l'interrompit Sam.

— Je me fous de ce que disent ces rapports ! cria Rae. (Elle mit une seconde ou deux à se calmer puis continua.) J'ai parlé à ces deux jumeaux. Ils m'ont menti à ce moment-là et je sais qu'ils ont menti dans ces rapports.

— Comment en êtes-vous sûre ?

— Parce que j'ai appelé Hillstar et j'ai appris qu'ils sont nouveaux dans la société...

— Et ?

— Et, eh bien, ils n'ont rien voulu me dire d'autre.

— Alors, insista-t-il, comment savez-vous qu'ils sont impliqués ?

— Parce que c'est la seule explication qui tienne debout !

Elle attendit que ses paroles fussent bien enregistrées. Il l'observait de nouveau avec l'air détaché d'un scientifique, comme s'il soupesait la valeur de ses conclusions.

— C'est la seule chose qui tienne debout, répéta-t-elle si doucement que c'était à peine si elle entendait sa propre voix.

Elle se rassit, posa ses mains sur ses genoux et attendit que Sam dise quelque chose. Il la fixait d'un regard si intense qu'elle avait l'impression qu'il essayait de voir à travers elle quelque endroit dont elle ne savait même pas qu'il existait. Il finit par dire :

— Et pourquoi deux ambulanciers voudraient-ils tuer des bébés ? Pourquoi voudraient-ils voir la Clinique d'accouchement fermer ? Bon Dieu, Rae, ils gagnent leur vie en faisant le trajet entre la Clinique et l'Hôpital. A vous entendre, vous allez sans doute me dire ensuite qu'ils ont je ne sais quel rapport avec le projet de Howard Marvin d'acheter la Clinique à Bo pour en faire ce fameux centre cardiologique.

— C'est exactement ce que j'allais vous dire ! (Elle n'avait pas eu l'intention de lancer cette conclusion, mais étant donné la tournure que prenait la conversation, elle trouvait pratiquement impossible de garder son calme.)

Sam la regarda d'un air incrédule.

— Vous plaisantez, non ?

— Absolument pas, fit-elle. Réfléchissez.

— Mais non, fit-il. Tout ça est ridicule. Je ne marche pas. Enfin, je ne demande qu'à marcher parce que je sais ce que tout cela représente pour vous. Mais c'est ridicule ! C'est incroyable ! C'est dément.

— Bon ! Bon ! cria Rae. C'est vrai, je n'ai pas toutes les réponses ! Ça ne veut pas dire que je n'ai pas raison ! Mais dites-moi que je n'ai pas raison de dire que dix femmes ont été transportées par les mêmes ambulanciers et que nous nous sommes retrouvés avec dix bébés à problèmes dans notre maternité !

— Il leur est peut-être arrivé quelque chose quand elles ont franchi la porte de l'Hôpital, dit Sam.

— Vous n'écoutez pas, Sam. Rien ne l'indique. (Elle marqua un temps, puis poursuivit.) Ecoutez, Sam, ça fait un certain temps que je connais l'importance des enjeux concernant la Clinique d'accouchement de Bo. Jusqu'à hier, je ne savais tout bonnement pas les proportions que cela avait pris. Vous étiez à la séance du Conseil, Sam. Vous étiez là aussi à la soirée de Marco. Je ne peux pas m'empêcher de croire que tout ça a quelque chose à voir avec ce que Marco a dit des Assurances Perfecta.

— Oh, alors maintenant, les assureurs sont dans le complot aussi ? lui demanda Sam. Et comment... exactement ?

— Puisque Bo refuse de vendre, peut-être que quelqu'un chez Perfecta veut voir quelques bébés à problèmes sortir de sa clinique. Si la Clinique a mauvaise réputation, Bo sera forcé de vendre. Je sais que Marco est votre copain, mais il pourrait être dans le coup. Bien sûr, il l'a nié hier soir, mais avec une telle véhémence que je me demande s'il n'a pas déjà conclu un accord. En tout cas c'est ce que Bo croit.

— Ou bien vous, peut-être ?

— Ne dites pas de bêtises, protesta Rae.

— On pourrait avancer, répliqua Sam, puisque vous voulez voir survivre votre service, que vous seriez la première à souhaiter que la Clinique d'accouchement cesse toute activité. Ou bien si Perfecta veut racheter la Clinique, peut-être est-ce vous qui voulez voir quelques bébés à problèmes sortir de là-bas.

— Je viens d'accoucher Nola et Meredith ! s'écria Rae. Pourquoi est-ce que je ferais une chose pareille ?

— Ça me paraît tout à fait logique.

— Voyons, fit Rae, *ça*, c'est ridicule. Vous êtes peut-être impliqué tout autant que Marco. Vous savez, ces cas n'ont commencé qu'après votre arrivée. Marco n'aimerait rien tant que de voir Berkeley Hills cesser de pratiquer des accouchements pour qu'on puisse développer son service. Je comprends maintenant ce qu'il cherche vraiment. Il veut qu'on ferme mon service et il veut aussi la Clinique. C'est bien simple : il veut tout !

Sam se leva et la saisit par le poignet. Il était si près qu'il pouvait pratiquement sentir la colère qui rayonnait de son corps.

— Je vais vous dire pourquoi je suis venu à l'Hôpital de Berkeley Hills, bon sang ! fit Sam. Marco m'a parlé d'une belle obstétricienne libre de toute attache et qui avait besoin de ça.

Là-dessus, il l'embrassa avec violence. A sa grande surprise, elle lui rendit son baiser et se pressa contre lui. Ils venaient de passer dix minutes à se disputer à propos de la Clinique d'accouchement mais, debout dans ses bras, sur la pointe des pieds, elle comprit que c'était aussi la Clinique qui les avait rapprochés. Même si elle ne voulait pas le reconnaître, quelque part en chemin elle était tombée amoureuse de Sam – peut-être même la première fois qu'elle l'avait vu, quand il avait sauvé le bébé de Nola.

Il finit par la lâcher et la regarda droit dans les yeux.

— Vous voulez que j'arrête ? demanda-t-il.

— C'est moi qui aurais dû vous arrêter, répondit-elle, d'une voix haletante.

Ce fut elle cette fois qui noua ses bras autour de Sam et qui se cramponna à lui tandis qu'il l'allongeait sur le sol. Les murs et les fenêtres qui lui étaient si familiers n'étaient plus qu'un décor confus. Elle sentait son cœur battre.

— Est-ce que je dois m'inquiéter ? demanda-t-elle.

— Et moi ? murmura-t-il en l'embrassant sur la gorge.

Il lui fit l'amour comme si elle avait le corps d'une déesse, avec une lenteur délibérée, en attendant toujours sa réaction. Elle se retrouva dépouillée de ses vêtements : comment, elle n'en savait rien. Elle savait seulement qu'il n'y avait pas un coin de son corps qui fût à l'abri des caresses de Sam. Et, dans le climat de ces deux derniers jours où des bébés et leurs mères couraient des risques mortels et où Bernie frôlait la mort, Rae ne voulait qu'une chose : s'accrocher solidement à la vie.

Elle se cramponna donc à Sam tandis qu'il la pénétrait pour laisser les gestes de l'amour éloigner les ombres, même si ce n'était que pour un instant.

CHAPITRE SEIZE

— Vous savez que ce que nous venons de faire ne signifie vraiment rien, dit Rae tout en regardant par-dessus l'épaule nue de Sam et en lui caressant le creux des reins. (Il avait la peau tiède et moite. Il sentait la sueur et la lotion après-rasage.)

— Absolument rien, renchérit Sam avec une feinte gravité.

— Au fait, Marco vous a vraiment dit ça à propos de moi ?

— Dit quoi ? demanda-t-il en tendant le bras pour lui caresser l'oreille.

— Vous savez, à propos de moi et de la raison de votre venue à Berkeley.

— Pas du tout.

— Alors qu'est-ce qu'il a dit exactement ? demanda Rae avec un sourire.

— Il a dit que vous étiez très entêtée et toute petite.

— Ce bon vieux Marco, dit Rae en riant.

Sam se redressa sur ses coudes et la contempla. Elle le regarda comme si elle le voyait pour la première fois : un visage intelligent, intense, mais la courbe de sa bouche indiquait un caractère irrévérencieux. Elle en avait certes eu des preuves ! Comme il se penchait pour l'embrasser de nouveau, elle se dit qu'il y avait maintenant plus de mystère dans ses yeux que quand elle l'avait rencontré pour la première fois.

Un étranger, se dit Rae avec étonnement. Elle venait de faire l'amour avec un parfait étranger.

Pourquoi maintenant ? se demanda-t-elle tandis qu'il jouait avec ses doigts et lui faisait étendre les bras. Elle imaginait que d'en haut ils formaient maintenant le signe de croix. Si elle avait cru en Dieu, elle aurait trouvé l'image ravissante. Absolument ravissante.

Et d'ailleurs pourquoi avait-elle fait l'amour avec Sam Hartman ? se demanda-t-elle ensuite. Pourquoi avec le même homme auquel elle s'était confrontée quelques minutes plus tôt ? Parce qu'elle en avait tant besoin ou bien parce qu'il y avait chez Sam Hartman quelque chose de très spécial ?

Le téléphone sonna et Rae tira sur le fil jusqu'au moment où le combiné tomba du bureau.

— L'infirmière de Bernie a dit qu'elle sortait du coma, annonça une secrétaire du service des Soins intensifs de l'Hôpital. Vous vouliez que nous vous appelions s'il y avait du changement.

— Sam, Sam ! dit Rae tout excitée en lui tapant sur le dos avec le combiné. Il faut que je parte. Bernie se réveille !

Sam se redressa aussitôt.

— Je vous conduis, dit-il.

Il se leva et resta planté devant elle, complètement nu, et pourtant aussi à l'aise que s'il portait un pardessus. Elle s'était attendue à un moment de gêne.

— Vous êtes ravissante, dit-il en la regardant longuement.

Son premier réflexe fut de se couvrir avec ses mains. Mais, en regardant Sam la regarder, elle se rendit compte qu'elle ne se sentait pas gênée le moins du monde. A vrai dire, elle se sentait très à l'aise avec lui – trop à l'aise.

— J'espère que vous ne comptez pas me conduire à l'Hôpital dans cette tenue, dit-elle brusquement. (De la tête elle désigna sa droite.) La douche est de ce côté.

Il traversa la pièce comme s'il faisait une promenade dans le parc, se dit-elle avec un certain agacement. Quand il eut disparu, elle ramassa leurs vêtements sur le sol. Assez de Sam Hartman, se dit-elle. Elle avait hâte de voir Bernie ! Bernie allait s'en tirer.

Le bruit de l'eau la fit sursauter quand elle entra dans sa chambre. Comme c'était étrange d'entendre ça quand ce n'était pas elle qui était sous la douche. Elle espérait que ses dernières paroles n'avaient pas paru à Sam trop sèches. C'est juste, se dit-elle, qu'il éveille en moi des sentiments qui me dérangent.

D'un côté, il semblait tenir à elle. Et comme elle avait besoin de ça ! D'un autre côté, même après avoir fait l'amour avec lui, elle le soupçonnait toujours d'en savoir plus qu'il ne voulait bien le dire.

D'ailleurs, il lui avait fait l'amour juste au moment où elle croyait l'avoir acculé. Etait-ce parce qu'il voulait détourner ses pensées de Marco ? Est-ce qu'il l'utilisait dans le cadre d'un plan pour satisfaire ses appétits ? N'était-ce pas là où l'amour menait toujours : à la destruction de l'autre ?

— Au suivant ! entendit-elle Sam crier de la chambre.

Elle avait déposé ses vêtements sur le lit. Elle se prit à caresser le doux lainage de son blazer. Qu'est-ce que je vais faire maintenant ? se demanda-t-elle. Et comment ?

Il n'avait fallu qu'un quart d'heure à Rae pour prendre sa douche, passer des jeans et un chandail et guider Sam pour sortir du parking.

— Cette histoire d'infirmiers, commença Sam tandis que sa Mercedes gravissait sans bruit la côte qui menait à l'Hôpital. Vous comprenez, je ne dis pas que je ne vous crois pas, mais si ce que vous pensez est vrai, avez-vous imaginé exactement ce qu'ils font aux patientes ?

— Je n'ai pas besoin que vous me croyiez, fit Rae avec impatience. Et non, je n'imagine rien. Tout ce que je sais, c'est qu'ils doivent travailler pour quelqu'un...

— Ne recommencez pas avec Marco, d'accord, Rae ?

— Marco, Howard Marvin, une infirmière mécontente qui s'inquiète à propos de son poste...

— Vous connaissez des infirmières malheureuses ici ? fit Sam en l'interrompant.

— Vous en connaissez d'heureuses ? répliqua Rae.

Elle s'arrêta soudain. Elle se rappela Donna Wilson, l'infirmière qui avait été une adversaire résolue de la Clinique d'accouchement mais qui maintenant travaillait là-bas. Rae avait trouvé cela bizarre la première fois qu'elle était tombée sur elle. Maintenant, cela l'inquiétait.

— Quoi ? demanda Sam.

— Eh bien, il y a une infirmière qui travaillait chez nous et qui maintenant travaille pour Bo.

— Rien qu'une ?

— Je veux dire, fit Rae en plissant le front, qu'il y en a une qui détestait la Clinique d'accouchement et qui maintenant travaille là-bas. Ce que je dis, c'est qu'elle détestait *vraiment* la Clinique.

— Pas d'autres suspects avant que vous commenciez à enquêter sur elle ?

— Eh bien, fit Rae en secouant la tête, il y a les gens du Comité de Gestion.

— Ou même Léopold peut-être, docteur Duprey? dit Sam, se tournant vers elle en souriant. Il n'est peut-être pas le meilleur ami de l'homme après tout.

Rae n'était pas d'humeur à plaisanter.

— Ne vous rayez pas de la liste, docteur Hartman, riposta-t-elle.

Sam eut un petit rire. Rae soupira et croisa les bras sur sa poitrine.

La voiture s'arrêta dans le parking.

— Ecoutez, Rae, dit-il, je plaisante, bien sûr, mais d'autres ne le feront pas. Il faut que vous soyez prête à voir des gens vous accuser de toutes sortes de choses. J'ai l'impression que je ne vais pas être le seul à vous dire ça...

— Je me fiche de ce que les gens pensent de moi, répliqua Rae.

— C'est bien ce qui m'inquiète.

Rae se tourna vers Sam mais il regardait droit devant lui tout en serrant le frein à main.

— Ça pourrait chauffer plus que vous ne pouvez l'imaginer, dit Sam.

Rae marchait auprès de Sam dans le couloir encombré.

— Faites attention, lança-t-il en appuyant sur le bouton de l'ascenseur.

Rae poussa un grand soupir. Tant qu'elle soupçonnait Marco, elle savait qu'elle ne pouvait pas faire totalement confiance à Sam, même s'il avait vraiment l'air de s'inquiéter pour elle, et même si j'ai couché avec lui, se dit-elle amèrement tandis que l'ascenseur les emmenait au service des Soins intensifs, au sixième étage.

La première personne qu'elle vit en entrant dans la salle, ce fut Mona Stair, que son visage anguleux faisait ressembler plus à un mannequin en rupture de cabine qu'à une infirmière des Soins intensifs.

— Il paraît que Bernie reprend connaissance, fit Rae d'un ton guilleret tout en cherchant Bernie des yeux, derrière Mona.

On avait tiré le rideau autour de son lit : c'est bon signe, se dit Rae. Un malade dans le coma n'a guère besoin d'intimité. Bernie se réveillait.

Mona toutefois ne souriait pas.

— Qu'est-ce qu'il y a ? demanda Rae. (Je vous en prie, se dit-elle, plus de mauvaises nouvelles.)

— Je suis vraiment navrée, docteur Duprey, fit Mona. Il y a eu un problème de communications... Vous comprenez, j'ai dit à Bella – la secrétaire – de vous faire venir ici parce que l'état de Bernie s'aggrave : il ne s'améliore pas.

Rae se figea. N'osant rien demander, elle attendait les explications.

— Nous l'avons mise sous perfusion de dopamine pour faire remonter sa tension, poursuivit Mona. Sa dernière radio du thorax montre un syndrome de détresse respiratoire aiguë. Son taux de créatinine dans le sang augmente – les types des affections rénales parlent de commencer une dialyse ce soir et... Hé, ça va, docteur Duprey ?

Rae n'écoutait plus. Bernie avait un syndrome de détresse respiratoire, une affection pulmonaire dont très peu de gens se remettaient. Ajoutez à cela une défaillance rénale. La dialyse pourrait l'aider, mais même cela pourrait ne pas suffire...

— Rae ? s'inquiéta Sam.

— Sam, fit Rae, emmenez-moi d'ici. Tout de suite, je vous en prie.

Au-dessus du jardin sur le toit, le ciel était une toile changeante de bleus, de noirs et de pourpres. Rae avait du mal à voir où finissait le ciel et où commençait la terre. Sur la droite, l'horizon de San Francisco se découpait sous des nuages menaçants. Rae croyait sentir dans l'air une menace de pluie, mais n'en était pas sûre.

Elle remonta le col roulé de son chandail. Sam, debout auprès d'elle, examinait le ciel lui aussi.

— Bernie et moi étions ici hier encore, dit-elle tristement.

Sam ne répondit pas. Pour Rae, son silence en disait plus long que tout un discours. Après tout, il n'y avait pas d'explication à la souffrance des innocents.

— Rae, demanda soudain Sam, qu'est-ce qui vous a fait devenir médecin ?

Elle s'en rendit compte avec surprise, personne ne lui avait posé cette question depuis des années.

Tout en bas, elle apercevait les parkings de l'Hôpital et de la Clinique d'accouchement. Pourquoi les choses n'avaient-elles pas pu être différentes entre les deux établissements ? se demanda-t-elle. Peut-être que quand elle serait devenue chef de service... mais comment, se dit-elle, pourrait-elle devenir chef de service s'il n'y avait plus de service ? Comment pourrait-elle continuer à exercer la médecine si elle était radiée de l'Ordre ? Et pourquoi voudrait-elle tout ça si Bernie n'était plus là ?

— Alors ? demanda Sam.

— Alors quoi ?

— Qu'est-ce qui vous a décidée à devenir médecin ?

Rae soupira et croisa les doigts.

— Oh, la raison habituelle. Je voulais aider les malades, vous savez.

— Qui était le premier malade que vous avez voulu aider ?

Rae pensa à sa mère.

— Qu'est-ce que c'est que ce questionnaire ? Je croyais que nous étions montés ici pour oublier quelques minutes la médecine.

— Je doute que vous en soyez jamais capable. (Il s'interrompit et croisa les mains sur la balustrade de ciment.) J'admire ça, d'ailleurs, ajouta-t-il.

Rae pencha la tête de côté et le dévisagea. Il avait l'air fatigué mais en paix. En paix avec lui-même et avec le monde. C'était une chose que Rae lui enviait, et ce sentiment l'étonna.

— Ma mère est morte quand j'avais treize ans, raconta Rae. Au fond d'une ambulance, en train d'accoucher. J'étais auprès d'elle. Elle a eu une hémorragie et elle s'est vidée de son sang. J'avais un petit chandail jaune et j'essayais d'éponger ce gâchis – comme si ça allait la sauver. Je crois qu'elle a été la première personne vraiment malade que j'aie jamais connue. Si malade qu'elle en est morte.

Sam continuait à regarder devant lui.

— Et elle continue à vivre en vous, dit-il.

Ces mots touchèrent un point de son cœur dont elle ne savait pas qu'il existait encore : le point où tous les bonheurs de la vie de quelqu'un sont emmagasinés.

Elle contempla la Baie. Les nuages sombres se faisaient plus menaçants. On aurait dit une grande cape noire planant sur la ville, prête à s'abattre pour tout étouffer. La vie est comme ça, se dit Rae. Etouffante. Suffocante. Le mauvais tournant toujours au pire. Comme dans le pronostic de Bernie.

— Il y a une chose que j'avais l'intention de vous dire, reprit Sam, depuis la première fois où je vous ai vue – petite femme aux mains si délicates – opérer Nola. Vous avez donné votre cœur et votre âme pour sauver son enfant. Un tremblement de terre aurait pu raser cette salle d'opération : vous ne vous en seriez pas aperçue. Quoi qu'il en soit, quand vous dites que vous êtes devenue médecin pour aider les gens, je le crois. C'est pourquoi je pense qu'il faut que je vous croie suffisamment pour envisager en tout cas la possibilité que la situation de Nola ne soit pas le fruit d'une coïncidence ou d'un coup de malchance.

Lentement, Rae se tourna vers lui.

— Et il y a une autre chose qu'à mon avis vous n'allez pas croire.

Rae attendit, Sam prit une profonde inspiration.

— Je crois que je suis en train de tomber amoureux de vous, dit-il simplement.

Rae se retourna vers la ville. Comme c'était bon d'entendre ces mots-là ! Evidemment, elle ne pouvait pas les prendre au sérieux. Mais l'entendre les dire, l'entendre dire qu'il éprouvait cela après l'avoir vue faire ce à quoi elle avait consacré sa vie, cela donnait un tout autre sens à ses propos. Il était en train de dire qu'il était tombé amoureux de cet aspect d'elle que d'autres hommes par le passé – y compris Bo – n'avaient jamais admis, quand ils ne l'avaient pas carrément rejeté. Un moment, elle ferma les yeux très fort pour bien s'imprégner de ce qu'il venait de dire. Mais, au bout du compte, ce n'étaient que des mots, n'est-ce pas ?

— L'amour n'amène qu'au chagrin, dit enfin Rae. (N'est-ce pas ? se dit-elle.)

— Et alors ? fit Sam. La vie amène à la mort mais les gens continuent à vivre.

Rae n'avait rien à répondre à ça. Il avait marqué un point, un point auquel elle n'avait jamais pensé.

— Je suis prête à rentrer, dit-elle. Et je vous remercie. C'est vrai que je me sens mieux.

Elle l'accompagna jusqu'à l'ascenseur.

— Je prendrai un taxi, dit-elle. Je veux passer encore un moment avec Bernie.

— N'oubliez pas de passer quelque temps avec Rae, fit Sam doucement.

Il entra dans l'ascenseur et lui fit au revoir de la main. Elle médita son conseil tandis que les portes argentées se refermaient entre eux.

Rae sentit une main la secouer. Elle ouvrit les yeux et vit Mona qui lui souriait. Puis elle ressentit une douleur au cou et elle entendit une vieille femme qui criait : « Arrêtez ! Arrêtez ! » Elle se rendit compte soudain qu'elle s'était endormie au chevet de Bernie dans le service des Soins intensifs.

— Quelle heure est-il ? demanda-t-elle en se frictionnant le cou.

— Bientôt dix heures, dit Mona.

Rae se redressa d'un bond.

— Comment va Bernie ?

— Elle est toujours là, fit Mona en souriant.

Rae se leva, s'approcha du lit et caressa le front de Bernie. Une tache rouge marquait le pansement au-dessus de l'endroit où les neurochirurgiens avaient percé le trou dans sa boîte crânienne.

— Je m'en vais trouver la personne qui a fait ça, murmura-t-elle d'un ton résolu. Cramponne-toi à la vie, Bernie. Cramponne-toi !

Elle prit l'ascenseur jusqu'au rez-de-chaussée. Il n'y avait pas grand monde dans le hall à l'exception de quelques femmes enceintes et de leurs partenaires qui portaient des oreillers. De toute évidence une classe d'accouchement venait de se terminer. L'an passé, la foule aurait été plus nombreuse : au lieu de cinq couples par classe, il y en aurait eu dix ou quinze. Mais plus aujourd'hui, se dit Rae. Pas quand tout le monde voulait avoir son bébé à la Clinique d'accouchement.

Elle passa devant la porte des Archives. Elle était ouverte et, à l'intérieur, elle vit Marco assis à un bureau, en train d'étudier une pile de dossiers. Il ne restait que peu de traces du chaos du matin. Même les rubans jaunes de la police avaient été retirés.

Se demandant ce que Marco pouvait bien faire à une heure aussi tardive, Rae entra dans la pièce.

— Marcella vous a encore mis dehors ? demanda-t-elle.

— Seigneur, fit Marco en sursautant, pourquoi ne vous êtes-vous pas annoncée ? demanda-t-il. (Il referma le dossier du dessus et le repoussa d'un air nonchalant.)

Rae reconnut le nom sur la couverture.

— Ils n'étaient pas dans mon casier, ceux-là, Marco ? demanda-t-elle. (Elle feuilleta les sept autres. C'étaient les mêmes que ceux qu'elle avait examinés.) Depuis quand, fit-elle en levant les yeux vers lui, vous intéressez-vous à nos patientes en obstétrique ?

— Depuis quand vous mettez-vous à raconter que j'essaie de liquider quelques bébés ? interrogea-t-il.

— Je n'ai pas dit...

— Sammy affirme que si, fit Marco.

— Il quoi ? lança-t-elle, furieuse. (Comment Sam avait-il pu la trahir comme ça ?)

Marco se cala dans son fauteuil et, son visage hâlé arborant un air satisfait, il déclara :

— Et il faut que je vous dise, Rae, je suis d'accord avec ce garçon. J'ai examiné ces dossiers et, à mon avis, chaque patiente a eu une complication durant sa grossesse. C'est cela qui a donné quelques bébés loupés – et non pas des dingues qui se baladent en faisant des misères à des femmes enceintes. Et, au fait, quelles sont donc ces misères que vous croyez que nous infligeons ?

— Allez au diable, dit Rae en lui arrachant les dossiers. Et emmenez Sam avec vous. C'est de bébés que nous parlons. D'innocents petits bébés dont la seule erreur a été de naître le mauvais jour. D'accord, disons que vous n'êtes pas impliqué. Mais vous devez bien reconnaître qu'il y a là quelque chose qui ne va pas. Ou bien est-ce que vous refusez de l'admettre, Marco ? Est-ce que votre précieux petit service est si important que ça pour vous ?

— Le vôtre ne l'est pas ? répliqua-t-il d'un ton cinglant.

Rae parcourut les dossiers. Elle voulait s'assurer que tout était en place. Maintenant que Sam avait parlé à Marco – et dire qu'elle avait couché avec ce salopard – elle savait que tout était possible. Dans cette affaire, elle était seule.

— Rae, dit Marco en se levant, jusqu'à ce soir, j'étais de votre côté. Rendez-vous à l'audience.

— Hé ! fit-elle comme il se dirigeait vers la porte.

— Oui ? demanda-t-il avec une feinte douceur.

— Où sont les rapports d'ambulance ? Les rapports d'ambulance ont disparu...

— Je me posais la même question, dit-il.

— C'est vous qui les avez, lui dit Rae en se précipitant sur lui. Rendez-les-moi.

Marco caressa la tête de Rae comme on le fait à un enfant.

— Vous êtes mignonne quand vous êtes en colère, vous saviez ça ?

— Assez joué, Marco, fit Rae en repoussant brutalement sa main. Donnez-moi les rapports.

La colère assombrit le visage de Marco.

— Je vous ai dit que je ne les avais pas. Et que je n'aille pas vous entendre traîner mon nom dans la boue devant qui que ce soit d'autre, lui lança-t-il. J'ai le Comité de Gestion dans ma poche et je n'aurais pas grand-chose à faire pour qu'on vous rappelle à l'ordre. Oh, oui, je sais tout sur ce petit marché que vous avez conclu avec Heidi. Elle m'en a parlé hier soir. Félicitez-vous d'avoir deux semaines. Je ne vous aurais pas donné deux heures. Vous êtes folle de vous imaginer que vous pouvez continuer à mettre au monde des bébés ici. Mais c'est vrai, comme je l'ai dit à Sammy, vous êtes entêtée. Je peux respecter ça. Simplement, ne mêlez pas mon nom à tout ça, d'accord ? Ou bien préféreriez-vous que je passe quelques coups de fil pour demander au Conseil d'avancer le vote à lundi ?

Il me tient, se dit Rae. Même si sauver son service n'était plus pour elle le principal mobile pour enquêter sur les cas de ces bébés à problèmes, il lui fallait encore du temps pour arriver au fond des choses. Et elle ne croyait pas à l'innocence de Marco. Il était beau parleur, mais elle ne croyait pas à son baratin.

Elle lui rendit les dossiers.

— Je ne sais pas, mais j'ai l'impression que ces rapports retourneront à leur place avant que vous quittiez cet hôpital.

— Vous poussez le bouchon trop loin, Rae, dit Marco d'un ton menaçant.

— Je n'ai pas dit que c'était *vous* qui les remettriez à leur place, n'est-ce pas ? fit Rae d'un ton innocent. (Elle tendit le bras et caressa la tête de Marco.) Dites bonjour à Avril pour moi.

CHAPITRE DIX-SEPT

Rae était folle de rage lorsqu'elle sortit des Archives. Quelqu'un avait volé les rapports d'ambulance dans les dossiers. Mais qui ? Sam avait raconté à Marco que Rae le soupçonnait de vouloir tuer les bébés. Pis encore, sans doute lui avait-il dit comment Rae et lui avaient passé la soirée. Est-ce que ça les avait fait bien rire ? Et Heidi avait parlé à Marco du plan de Rae pour ramener en deux semaines les obstétriciens qui étaient passés à la Clinique d'accouchement.

Quand, se demanda-t-elle, furieuse, quand toutes ces manigances et toutes ces trahisons vont-elles cesser ?

Ce qui la tracassait le plus, c'était que Marco lui avait posé une question qui avait fait mouche : que faisait-on exactement aux bébés qui aboutissait à des Apgar aussi bas ? Si elle pouvait répondre à cette question, elle trouverait qui et finalement quand, comment et pourquoi.

Quand elle passa devant le téléphone le plus proche, elle composa le numéro de Sam. Pas de réponse. Elle appela ensuite son service de messagerie et, à son grand dépit, on lui annonça que le Dr Hartman était en chirurgie. Elle réglerait plus tard le problème de Sam vidant son sac à Marco, se dit-elle en raccrochant. En attendant, elle allait...

« On demande un obstétricien d'urgence aux accouchements ! Un obstétricien d'urgence aux accouchements ! »

Le standard de l'hôpital lançait l'appel de détresse qui se répercutait soudain sur tout le réseau de haut-parleurs de l'Hôpital. Rae oublia Sam et Marco et dévala l'escalier jusqu'au second étage.

— Qu'est-ce qui se passe ? demanda-t-elle en courant vers le bureau des infirmières.

Levant les yeux, l'une d'elles répondit :

— La patiente de la chambre 2 : elle a une déchirure du périnée et son bébé descend à toute allure !

— Où est son médecin ?

— Le Dr Henshaw arrive. Mais, comme elle est enceinte de huit mois, elle ne se déplace pas très vite ces temps-ci ! Heureusement que vous êtes là ! cria-t-elle à Rae en courant auprès d'elle.

Au moins, ce n'est pas une patiente de Bo, songea Rae, soulagée, tout en courant. Et, selon toute probabilité, la patiente n'avait pas été transférée de la Clinique d'accouchement car le Dr Mattie Henshaw accouchait rarement ses patientes là-bas.

Dans la chambre 2, dix personnes étaient groupées autour du lit. A Berkeley, il y avait souvent une petite foule pour l'accouchement d'une amie. Eva, la même infirmière qui s'était évanouie pendant l'opération de Nola, se tenait entre les jambes de la patiente. La tête du bébé était sortie à peu près au quart.

— On se détend, le docteur est là, dit Eva, avec un soulagement évident.

— Ouille, le bébé arrive, cria la patiente.

Rae n'avait pas le temps d'examiner le dossier de la femme : elle aperçut quand même le nom d'Irène Butler inscrit sur la feuille posée sur la tablette.

— Pas de problèmes mentionnés dans le dossier, Eva ? demanda Rae tout en enfilant une paire de gants et en s'empressant de passer la combinaison en papier blanc qu'Eva lui présentait.

Irène était jeune, sans doute pas plus de vingt ans, des cheveux coupés à l'indienne et, malgré le stade avancé de son travail, elle avait encore un rouge à lèvres de couleur vive. D'ailleurs, tous ceux qui l'entouraient étaient jeunes et en manteaux ou blousons de cuir. Des motards, conclut Rae.

— Elle fait une pré-éclampsie, dit Eva. Tension : 16,10. Protéines à deux plus.

Rae prit la place d'Eva et surveilla la contraction suivante.

— Mrs Butler, dit-elle, je suis le docteur Duprey. Ça se passe très bien. (Puis s'adressant à Eva, elle dit :) Elle est sous sulfate de magnésium ?

— En perfusion à deux grammes par heure.

Le sulfate de magnésium aiderait à prévenir les crises d'épilepsie que pouvait provoquer la pré-éclampsie, surtout pendant le travail. Un problème : le sulfate de magnésium détendait aussi les muscles de l'utérus, surtout après l'accouchement, et cela augmentait chez la femme les risques d'hémorragie post-partum.

— Il y en a encore pour longtemps ? demanda l'un des jeunes gens.

— Hé, qu'est-ce que tu crois, Bozo ? lança une jeune femme en donnant une petite tape sur la nuque de l'homme.

— Il n'y a plus qu'à pousser encore une fois, dit Rae. (Elle regarda les yeux bruns d'Irène, gardant un ton calme et, quand elle sut qu'elle avait toute son attention, elle dit :) Maintenant.

Irène prit une profonde inspiration, comme une gosse au bord d'une piscine qui s'apprête à plonger. Elle poussa un bon coup et la tête du bébé émergea, avec une magnifique lenteur – exactement comme ça devait se passer, se dit Rae.

— Maintenant, les épaules...

Irène poussa encore. L'épaule du bébé franchit la voûte du bassin et le reste du corps suivit aussitôt. Le bébé poussa un cri, repris en chœur par tout le monde dans la chambre.

— Félicitations, dit Rae avec un grand sourire en tendant à Irène le bébé rose qui se tortillait.

Pendant quelques secondes, Rae se laissa aller à savourer la beauté d'une naissance naturelle. C'est si simple, songea-t-elle, comme si mettre un enfant au monde était la chose la plus facile. En levant les yeux, elle vit les visages souriants de tous ceux qui étaient rassemblés autour du lit. Et pendant quelques secondes, elle se sentit heureuse aussi et s'abandonna à la joie pure de voir surgir une vie neuve avec toutes les promesses qu'elle apporte. Il n'y avait rien de tel que le cri innocent d'un nouveau-né et l'expression d'amour étonnée sur le visage d'une mère, cette expression qui touchait tout le monde.

Rae tendit alors les ciseaux Mayo à un homme qu'elle supposa être le père du bébé, mais il en désigna un autre qui, trouva-t-elle, avait l'air d'avoir à peine vingt ans. Patiemment, Rae guida sa main tremblante jusqu'au tissu gélatineux bleu et blanc entre les clamps. Lorsqu'il trancha le cordon, un peu de sang jaillit brièvement des bords de la coupure jusque sur le devant de son survêtement.

Rae coupa ensuite le cordon ombilical. Le placenta glissa dehors, d'un brun violacé sous les lumières. Elle examina Irène pour voir s'il n'y avait pas de lacérations et, n'en découvrant aucune, elle se tourna vers le plateau des instruments pour prendre un tampon de gaze.

Là-dessus, elle entendit le bruit, elle sentit l'odeur et le jaillissement sur ses jambes.

Elle se retourna aussitôt. Une large flaque de sang rouge vif s'étalait sur le sol juste sous les jambes d'Irène. Du sang encore ruisselait sur la housse en plastique qui recouvrait les pieds de Rae. On aurait dit qu'on avait aspergé d'un seau de peinture rouge tout le côté de sa combinaison.

Elle enfonça aussitôt son poing jusqu'au coude dans le vagin d'Irène : elle savait avec quelle rapidité un utérus pouvait saigner après l'accouchement. C'était comme si on ouvrait du haut en bas un carton de deux litres de lait et qu'on le renverse.

— Si on lui faisait un peu d'ocytocine, Eva ? suggéra-t-elle d'un ton calme.

— Ce n'est vraiment pas ma journée, dit Eva doucement.

Par bonheur, Irène était déjà sous perfusion. Les doigts de Rae avaient maintenant trouvé son utérus mou comme de la guimauve : elle enfonça le poing.

— Ouïe ! cria Irène.

— Bon, tout le monde dans le couloir, sauf le père ! ordonna Rae. Je suis désolée, je ne veux pas vous faire de mal, dit-elle en s'excusant tandis que les motards sortaient précipitamment. Donnez-moi juste une minute.

Le sang coulait toujours.

C'était normal qu'il y en ait un peu – environ la valeur d'un bol – à la suite de l'expulsion du placenta. Mais il en sortait sans cesse davantage du corps d'Irène. La cause la plus banale de l'hémorragie post-partum, c'était un utérus trop mou. L'ocytocine était censée régler ce problème mais même ce produit n'agissait pas si l'utérus était encombré de caillots de sang.

Quelques secondes plus tard, Rae découvrit en palpant que c'était en effet le cas. Elle se mit à les retirer par poignées en les déposant dans un sac en plastique accroché sous le lit. En même temps, de la main gauche, elle massait le ventre d'Irène mais, malgré tout, l'utérus refusait de se contracter.

— Ajoutez encore dix unités d'ocytocine, Eva, fit Rae en massant l'utérus énergiquement.

Elle avait toujours la main droite dans le vagin d'Irène, et la main gauche appuyée sur son abdomen. Elle jeta un coup d'œil au sphygmomanomètre : la tension tient toujours, constata-t-elle avec soulagement, mais ça n'allait pas durer si le saignement ne cessait pas. Dans ce cas-là, il faudrait opérer pour ligaturer les artères hypogastriques qui amenaient le sang à l'utérus. Et si ça ne marchait pas non plus, alors il faudrait procéder à une hystérectomie d'urgence, sinon la femme se viderait de son sang.

— Voici l'ocytocine, dit Eva.

La dose supplémentaire qui en quelques minutes devrait provoquer les contractions des muscles de l'utérus.

— Et si on ajoutait de la méthergine ? demanda Eva.

— Ça pourrait faire monter encore plus sa tension, dit Rae en rappelant à Eva les effets secondaires indésirables du produit. Essayons d'abord l'ocytocine et laissons-lui deux minutes pour agir.

Si seulement quelqu'un avait donné à ma mère de l'ocytocine ou de la méthergine, songea brièvement Rae, elle ne serait pas morte au fond de cette ambulance.

Elle se mit à masser l'utérus d'Irène de plus en plus fort, de plus en plus vite tout en regardant Eva prélever l'ocytocine dans une petite ampoule avec une seringue. Se tournant vers Irène, elle dit :

— Restez avec moi, mon chou. Nous vous donnons quelque chose pour aider votre utérus à se contracter et ça va faire cesser cette hémorra...

Pour aider votre utérus à se contracter...

D'Irène, son attention revint à Eva qui était en train maintenant d'injecter le liquide transparent dans la poche à perfusion. Comme l'ocytocine avait la même couleur et la même consistance que la solution saline, on avait l'impression que rien n'avait été ajouté.

— Et ça va faire cesser cette hémorragie, dit Rae, comme en transe.

Eva alors pressa la poche de façon à répartir le liquide uniformément dans la solution.

L'ocytocine provoque des contractions...

Les pensées se bousculaient maintenant dans l'esprit de Rae.

Eva ouvrit le robinet et la solution s'écoula plus vite encore dans le tube à perfusion et de là dans le bras d'Irène.

Plus la dose d'ocytocine est élevée, plus les contractions sont fortes.

— Eva, arrêtez ! balbutia Rae.

— Vous n'en voulez pas ? demanda Eva en lançant à Rae un regard incrédule.

— L'ocytocine, fit Rae, tout excitée. C'est ce qu'ils ont utilisé...

— De quoi parlez-vous, docteur Duprey ? demanda Eva manifestement inquiète.

Rae se força à revenir au présent. Irène saignait toujours et il fallait arrêter l'hémorragie avant qu'elle puisse analyser la tempête qui faisait rage dans son crâne quand elle pensait à cette avalanche de bébés à problèmes.

— Ça va, docteur Duprey ? demanda Eva. Ne me dites pas que vous allez me rendre la monnaie de ma pièce lorsque je me suis évanouie l'autre jour ? fit-elle en essayant de plaisanter.

— Je crois que c'est moi qui vais m'évanouir, murmura le mari de la patiente.

— Je vais bien, Eva. Faites-le allonger sur le canapé, ordonna Rae.

Eva escorta le jeune homme jusqu'au fond de la chambre. Rae observa que la dose renforcée d'ocytocine avait fini par agir. Le muscle tiède de l'utérus se resserrait maintenant autour de ses doigts crispés et le sang avait cessé de ruisseler.

— Encore une de sauvée, docteur Duprey, dit Eva en revenant, le pouce levé.

— Heureusement.

Rae se retourna. La personne qui venait de parler, c'était le Dr Mattie Henshaw, son visage tout rose sous ses cheveux d'un noir de jais coupés au carré.

— Désolée de ce retard. Cette course depuis le parking jusqu'à l'ascenseur, ça me tue, gémit Mattie.

— Elle est à vous maintenant, répondit Rae avec un sourire.

Elle félicita les nouveaux parents puis se débarrassa de sa combinaison couverte de sang. Malgré tous ses efforts pour se maîtriser, elle avait les mains qui tremblaient.

Sortie de la chambre, elle s'adossa à la porte. Pas étonnant que le bébé de Nola Mahl ait manifesté des signes de souffrance fœtale aiguë, se dit-elle, consternée. Les puissantes contractions utérines stimulées par l'ocytocine étaient conçues pour déclencher le travail ou faciliter le travail en cours, ou encore arrêter les saignements d'une femme après la naissance. Mais, si on l'administrait à doses suffisamment fortes, le produit pouvait amener l'utérus à se contracter si fort que le bébé pouvait cesser d'être alimenté en oxygène. Une contraction normale pendant le travail diminuait de cinquante pour cent l'alimentation en oxygène du bébé. Une contraction très forte pouvait l'arrêter complètement.

Elle fixa le sol, perdue dans ses pensées. Comme elle espérait se tromper. Mais non. L'ocytocine avait déclenché de violentes contractions chez les femmes venant de la Clinique d'accouchement et ces contractions avaient provoqué la souffrance fœtale. Aucun doute dans son esprit. Absolument aucun.

Ses pensées se précipitaient. Si elle avait raison à propos de l'ocytocine, il y avait d'autres points qu'elle devrait éclaircir. Si c'étaient bien les infirmiers qui injectaient l'ocytocine et s'ils ne le faisaient pas dans l'ambulance, quand et où l'injectaient-ils ? Ce n'était certainement pas la société pharmaceutique qui fournissait les poches à transfusion qui s'en chargeait. Si ç'avait été le cas, il y aurait eu des bébés morts partout. Si les infirmiers n'injectaient pas le produit dans les poches à l'intérieur de l'ambulance, pratiquaient-ils l'opération dans l'entrepôt où elles étaient stockées ? Cela voulait-il dire que d'autres infirmiers étaient impliqués ? Rae était-elle prête à croire que la conspiration s'étendait aussi loin ?

Et sa théorie selon laquelle quelqu'un payait les jumeaux pour leurs services ? Assurément, une compagnie d'ambulances ne voudrait pas voir la Clinique d'accouchement fermer : ce ne pouvait donc pas être ces gens-là. Et Marco ? Il semblait à Rae que même lui n'était pas assez stupide pour impliquer trop d'autres gens.

Peut-être se trompait-elle à propos de l'ocytocine. Sa théorie semblait poser plus de questions qu'elle n'apportait de réponses. D'un autre côté, si elle avait mis dans le mille ? Une autre patiente pouvait à tout moment arriver de la Clinique d'accouchement. Une autre victime. Non, ça ferait deux victimes innocentes. En obstétrique, il y a toujours deux vies en jeu.

Elle songea à appeler Sam mais la standardiste venait de lui dire qu'il était en salle d'opération. Elle aurait pu appeler Walker mais, franchement, sans preuve, elle aurait seulement eu l'air assez désespérée pour dire n'importe quoi. Bo ? Non, elle ne voulait pas l'appeler. Mais il le fallait. Seul lui pourrait diriger de nouveau ses patientes vers l'Hôpital, du moins jusqu'à ce que le mystère soit éclairci.

Mais elle allait devoir se montrer très prudente en lui parlant. Il n'avait plus l'air de se soucier de ses patientes. De toute évidence, il ne se souciait pas d'elle non plus. Rae regarda sa montre : onze heures. Même si cela faisait un an qu'elle ne l'avait pas appelé chez lui, elle se rappelait le numéro comme si c'était le sien.

« Allô, ici Bo. Veuillez laisser un message après le bip sonore. »

Rae sentit son cœur se serrer en entendant le répondeur. Le temps pressait. La main posée sur le combiné, elle se demandait si elle allait laisser ou non ce message. Elle finit par prendre une profonde inspiration et dit :

— Bo, ici Rae. Il faut que je te parle – tout de suite. Je sais qu'il est tard, mais c'est extrêmement important...

— Salut, fit Bo. J'étais sous la douche.

— On peut se voir ?

— Dis donc, Rae, il est un peu tard, dit-il sans entrain.

Rae prit une nouvelle inspiration et dit :

— Je ne t'appellerais pas si ce n'était pas important. (Elle s'arrêta en attendant qu'il dise quelque chose. De sa main libre elle frottait ses yeux fatigués.) Je t'en prie, Bo. Il faut absolument que je te parle.

Voilà que je le supplie maintenant, se dit-elle. Elle se traînait à ses pieds, comme il adorait.

— Très bien, je t'attends, finit-il par dire.

Bo habitait dans les collines une maison qu'il s'était fait construire au-dessus de l'Hôtel Claremont. Tout en serrant le frein de sa Porsche, Rae en examina les lignes angulaires et les nombreuses fenêtres qui donnaient sur la Baie. Cette maison jadis avait été un refuge qui bientôt était devenu une prison : les murs couleur terre cuite lui avaient paru se refermer sur elle à mesure que leur relation se détériorait. La maison était vaste mais elle s'était quand même révélée trop petite pour les sautes d'humeur de Bo que Rae supportait de plus en plus mal. Elle avait dit à Bernie que Bo l'avait quittée à cause de sa fausse-couche ; la vérité était que sa relation avec Bo était terminée bien avant cela.

Il l'accueillit sur le pas de la porte.

— Merci d'avoir accepté de me voir, dit Rae en entrant d'un pas rapide. (Elle voulait que cette entrevue se termine le plus vite possible.) Il faut que je te parle encore une fois de la Clinique d'accouchement, dit Rae.

Bo se rembrunit et alla s'asseoir sur le canapé.

— Bo, dit Rae, c'est très dur à dire pour moi. Mais, à mon avis, il arrive quelque chose de terrible à tes patientes.

— Rae, tu as déjà clairement expliqué ce que tu penses de moi et de la Clinique, dit Bo d'un ton exaspéré.

— Bo, poursuivit Rae, ce sont les bébés. Quelqu'un leur en veut. Quelqu'un injecte subrepticement de l'ocytocine dans les poches à perfusion des patientes. C'est pour ça qu'il y a tant de cas de souffrance fœtale.

Bo leva les yeux au ciel en croisant les bras sur sa poitrine.

— Oh, bon sang ! Il va falloir trouver mieux que ça, Rae.

Ça semblait ridicule en effet, mais elle était terriblement sérieuse.

— Je t'assure, Bo : c'est la seule possibilité qui tienne. Nola quitte la Clinique avec un rythme cardiaque fœtal normal. Elle arrive à notre hôpital avec une bradycardie. Meredith passe deux heures à pousser pour essayer de faire sortir son bébé à la Clinique d'accouchement. Le temps qu'elle arrive ici, la tête du bébé émerge. Et tu as eu huit autres cas, Bo, où des bébés avaient un rythme cardiaque normal à ta clinique mais, le temps d'arriver à notre maternité, ils présentaient des symptômes de souffrance fœtale. Et ta patiente qui est morte voilà deux semaines avait une rupture d'utérus, Bo.

Elle s'attendait sans cesse à voir Bo l'interrompre. Mais il écoutait sans rien dire.

— Tant que nous ne pouvons pas prouver que ça ne se passe pas comme ça, supplia-t-elle, je veux... non, je te supplie de fermer la Clinique d'accouchement.

Là, elle l'avait dit. Elle avait abattu sa carte maîtresse : à Bo de jouer maintenant.

— Pourquoi au nom du Ciel quelqu'un se donnerait-il tout ce mal ? demanda-t-il d'un ton sceptique.

— Pour donner une mauvaise réputation à la Clinique d'accouchement, répondit-elle. Pour te faire perdre ta clientèle. Ecoute, si tu me racontais tout ça, je penserais probablement aussi que tu es fou. Mais je ne vais pas en rester là, Bo. Pas quand nous parlons de petits bébés.

— Nous avons déjà parlé de petits bébés autrefois. De toute évidence, ton niveau de compassion a atteint de nouveaux sommets.

— D'accord, fit Rae, mais je sais que tu es un bon médecin, Bo. Tu fais toujours passer les patientes d'abord. Au moins, regarde encore les dossiers.

— Tu crois que je ne l'ai pas fait ? lui cria Bo. J'ai examiné chacun de ces foutus dossiers au moins cent fois. Jamais, dans toute ma carrière, je n'ai eu de patientes qui soient mortes en couches, Rae. Tu sais l'impression que ça fait, de voir une femme mourir d'hémorragie sous tes yeux ? Sais-tu comme c'est dur de se regarder dans la glace le lendemain – et le jour d'après ? Le temps qu'on l'installe sur la table d'opération, elle était déjà perdue, mais je l'ai ouverte quand même parce qu'il fallait que je fasse quelque chose ! Tu penses, son utérus avait explosé comme si quelqu'un lui avait fourré une grenade là-dedans. Mais, malgré tout, Rae, je ne m'en vais pas te laisser m'expliquer tranquillement qu'elle est morte parce qu'un fou veut me faire fermer ma clinique !

Rae ne se doutait pas qu'il avait pris aussi mal la mort de sa patiente.

— C'est justement là où je veux en venir, Bo, dit-elle. J'ai examiné ce cas-là hier et une overdose d'ocytocine aurait pu causer ça. L'ocytocine est un produit qui n'apparaîtrait pas à l'autopsie. Il ne reste dans le sang qu'une minute ou deux.

— Ocytocine, mon œil ! fit Bo. Elle a eu une rupture de l'utérus parce qu'elle faisait une myomectomie ! Tout le monde sait qu'on ne laisse pas une femme en travail après qu'on l'a opérée d'un fibrome ! Le problème, c'est qu'elle ne m'en avait jamais parlé. Quand je lui ai demandé ce que c'était que cette cicatrice qu'elle avait sur le ventre, elle m'a dit que ça venait d'un kyste à l'ovaire qu'on lui avait retiré quand elle avait douze ans. Les archives avaient depuis longtemps disparu : je n'avais donc que sa parole.

Comment étais-je censé savoir que mettre son enfant au monde à la Clinique d'accouchement avait tant d'importance pour elle ? Elle ne m'a jamais donné l'occasion de lui expliquer qu'une femme opérée d'un fibrome devait accoucher de tous ses bébés par césarienne ! Je me sens quand même responsable, Rae. J'ai l'impression que c'est moi qui l'ai tuée, et non je ne sais quelle foutue ocytocine !

Rae aurait voulu tendre la main pour réconforter Bo, mais elle savait combien ç'aurait été dangereux. Il risquait de prendre sa compassion pour du désir. Une partie d'elle-même avait envie de lui dire qu'elle comprenait exactement l'impression que cela fait de voir une femme perdre tout son sang sans rien pouvoir faire.

L'idée lui vint qu'au cours des sept années qu'elle avait passées avec Bo, jamais elle ne lui avait parlé de la mort de sa mère. Mais deux jours après l'avoir rencontré, elle avait tout raconté à Sam. Est-ce que Sam était allé rapporter tout ça aussi à Marco ?

— Crois-moi, dit Bo, tant que tu ne sais pas ce que c'est que de regarder une patiente mourir comme ça, tu n'as aucune idée de ce que ça veut dire d'être obstétricien. Bien sûr que j'ai examiné ces dossiers. Qu'est-ce que tu crois que je faisais aux Archives l'autre jour ? Pourquoi crois-tu que j'étais si énervé à propos des quatre qui manquaient ? Je n'en dors plus la nuit, Rae. Je n'ose plus m'endormir parce que je revis sans arrêt ce cauchemar en salle d'op !

Il se laissa tomber sur le canapé et se prit la tête à deux mains. Rae allait parler, mais elle s'arrêta quand Bo l'éloigna d'un geste.

— Rae, fit-il, je t'ai dit de laisser ma Clinique d'accouchement tranquille. Maintenant je veux que tu me laisses tranquille aussi.

— Bo, commença Rae.

— Bonsoir, Rae.

Rae trouva Sam qui l'attendait dans le hall de son immeuble.

— Vous êtes à peu près la dernière personne que j'aie envie de voir pour l'instant, dit Rae d'un ton glacé. (Elle jeta un coup d'œil à sa montre : minuit moins une.)

— Est-ce que je peux monter, juste pour cinq minutes ? demanda Sam. (Il avait ôté son blazer qu'il tenait sur son bras.)

Rae avait eu assez de discussions pour la soirée.

— Je vais vous en accorder deux, alors vous feriez mieux de savoir ce que vous voulez dire.

Ils prirent l'ascenseur en silence. Léopold n'était pas là : Rae comprit qu'il était chez Harvey. En introduisant sa clé dans la serrure, elle demanda :

— Sam, pourquoi avez-vous parlé à Marco ?

— Parce que c'est mon ami, dit Sam. Et parce que je voulais certaines réponses aussi.

— Eh bien, on peut dire que vous savez choisir vos relations, fit Rae d'un ton narquois.

Elle se retourna en entendant des pas et le halètement d'un chien derrière elle.

— Vous n'avez pas perdu un chien ? demanda Harvey. Lui vous a certainement perdue.

Léopold renifla la main gauche de Sam, puis la lécha.

— Harvey, dit Rae, je vous présente Sam Hartman. Sam, voici Harvey Polk, mon professeur de violon.

Sam serra la main de Harvey tandis que Rae caressait la tête de Léopold.

— J'avais oublié que Rae jouait du violon, dit Sam.

— Comme ça, nous sommes deux, dit Harvey d'un ton narquois en regagnant son appartement.

Elle n'invita pas Sam à entrer dans le salon mais resta plantée au milieu du vestibule, les bras croisés.

— Eh bien ? demanda-t-elle.

— Alors, oui, je me suis empressé de raconter à Marco tout ce que vous m'aviez dit, fit Sam. Malheureusement, il estime que tout ça n'est qu'hypothèse.

— Je me fiche de ce que pense Marco, fit Rae. Ou de ce que vous pensez, vous.

— Je vois, dit Sam. Quoi qu'il en soit, je suis venu vous parler de Donna Wilson.

— Vous avez parlé à Donna ? fit Rae abasourdie.

— On peut entrer dans le salon ?

Là, Rae désigna les deux fauteuils dans lesquels ils s'étaient assis quelques heures plus tôt. Comme les choses changent rapidement, songea-t-elle avec amertume.

— Je savais que vous aviez l'intention de parler à Donna, expliqua Sam quand ils furent assis. Mais votre petite théorie m'a vraiment agacé. Alors je suis allé à la Clinique d'accouchement et je lui ai posé quelques questions moi-même.

— Ah ?

— Je lui ai demandé si elle avait travaillé hier. Elle m'a répondu que non. Je lui ai demandé alors si elle connaissait les jumeaux et elle m'a dit qu'elle avait entendu parler d'eux mais qu'est-ce que je voulais précisément savoir à leur sujet ? Là-dessus, une infirmière du nom de Freda est arrivée et, ma foi, les choses se sont un peu gâtées. Elles ne m'ont pas jeté dehors à proprement parler, mais disons simplement que j'avais abusé de leur hospitalité. Je ne crois pas que Donna soit en aucune façon impliquée là-dedans. Elle m'a paru sincère et j'ai vérifié : elle n'était vraiment pas de service hier matin.

Rae pianota sur le bras du fauteuil. Elle ne savait plus que penser.

— Vous savez, Sam, ce serait tellement plus facile si je savais dans quel camp vous êtes, dit-elle.

— Je croyais qu'après ce soir, c'était évident, fit-il calmement.

— Vous voulez dire après que nous avons couché ensemble ou après que vous avez trahi ma confiance ? répliqua-t-elle sèchement.

Sam se leva sans répondre.

— Mes deux minutes sont passées, dit-il.

Rae le raccompagna jusqu'à la porte. Elle avait honte de l'éclat qu'elle venait de faire. Peut-être que vraiment il essayait de l'aider.

— Merci des renseignements sur Donna, dit-elle d'un ton plus conciliant. Vous aviez raison. Il faut que je parle à un tas de gens d'un tas de choses. Le problème, c'est qu'il y a tant à faire et si peu de temps.

— Je sais ce que vous voulez dire, acquiesça Sam. Oh, j'ai laissé ma veste sur le fauteuil.

Rae fit demi-tour et revint dans le salon. Comme elle ramassait le blazer, une liasse de papiers pliés glissa de la poche intérieure. Elle se pencha pour les ramasser puis s'arrêta net. En haut de chaque page on lisait les mots *Rapport d'Ambulance.* Son cœur se glaça. Elle s'empressa de les pousser sous le fauteuil et revint dans le vestibule.

Sam fronça les sourcils en la voyant.

— Ça va ? Vous avez l'air contrariée.

Elle feignit un sourire.

— Je vais très bien, dit-elle en lui tendant sa veste. Je suis juste un peu fatiguée.

Rae avait envie qu'il s'en aille avant d'éveiller davantage ses soupçons. Elle dit d'un ton nerveux :

— Je vous appelle demain ?

— Je pense qu'il faudra que je me contente de ça, fit Sam en hochant la tête. Je peux ?

Il sourit et se pencha pour l'embrasser. Elle ferma les yeux, la douce caresse de ses lèvres lui rappelant amèrement la passion avec laquelle ils avaient fait l'amour voilà seulement quelques heures. Mais les sentiments vous amenaient souvent à faire des choses stupides. Sam était d'une façon ou d'une autre impliqué – et Rae avait été idiote.

Pas étonnant qu'il se soit montré si complaisant ! Marco et lui avaient sans doute tout prévu depuis le début. Lentement, elle referma la porte derrière lui. Et dire que je suis tombée amoureuse de lui, se dit-elle, consternée.

Elle ramassa les rapports d'ambulance et les emporta dans son bureau. En fait, ce n'étaient pas les originaux mais des photocopies. Elle reconnut les noms en haut des rapports. Ils concernaient les quatre patientes dont les dossiers avaient disparu.

Sam semblait avoir écrit dessus : il avait coché les dates des transports. Les heures des transferts étaient soulignées. On avait pointé les rythmes cardiaques des fœtus et, en bas, Sam avait entouré de rouge la signature de l'ambulancier.

Rae posa les papiers sur son bureau et se frotta les yeux. Dieu, qu'elle était fatiguée ! Il était presque une heure du matin. Elle soupira et se remit à étudier les documents. Pourquoi Sam les avait-il examinés si minutieusement ?

Une pensée lui vint soudain. Sam aurait pu demander à Yvonne de lui faire des copies *avant* qu'on vole les originaux. Peut-être les avait-il demandés pour une autre raison, une bonne raison.

Elle se leva et gagna sa chambre. Peut-être les choses seraient-elles plus claires demain matin, d'autant plus qu'elle comptait rendre une autre visite aux infirmiers.

Et aller voir Donna Wilson, se dit-elle, juste avant de sombrer dans un profond sommeil.

CHAPITRE DIX-HUIT

Le dimanche matin était le moment préféré de Rae. La plupart des gens faisaient la grasse matinée, Léopold et elle avaient souvent la marina d'Emeryville pour eux tout seuls. A l'exception des mouettes, bien sûr, qui planaient toujours au-dessus de leurs têtes.

Rae suivait l'allée d'asphalte, les eaux de la Baie battant contre les rochers et les voiliers se balançant à leur mouillage. Elle pensait à ce que Sam lui avait dit du soleil, du ciel, de l'eau et de la vie, et de la façon dont il fallait vivre. Comme elle aurait voulu s'accrocher à jamais à cette philosophie. Mais rien n'est éternel, se dit-elle. C'était une leçon qu'elle avait apprise de très bonne heure. Alors pourquoi chercher à se raccrocher à quelque chose ?

— Viens, mon garçon ! cria-t-elle à Léopold qui s'amusait à poursuivre les mouettes.

Rentrée chez elle, elle prit des croquettes dans un sac aussi gros qu'elle et emplit l'écuelle de Léopold. Pendant qu'il mangeait, elle prit un rapide petit déjeuner : céréales et pomme, jus d'orange et café. Là-dessus, Harvey arriva.

— Vous l'avez promené *et* vous lui avez donné à manger ? demanda Harvey stupéfait en se servant un bol de céréales.

— C'est quand même mon chien, observa Rae.

Harvey haussa un sourcil au poil dru et grisonnant. Rae leva les yeux au ciel.

— Qu'est-ce que vous avez pensé de Sam ? interrogea-t-elle.

— Plutôt sympathique, dit Harvey. Il est amoureux de vous, ça, je peux vous le dire.

— Hmm, fit Rae. Harvey, reprit-elle, qu'est-ce que vous faites quand vous voulez faire confiance à quelqu'un et que vous ne pouvez pas ?

— Oh, fit Harvey, c'est facile. Vous vous fiez à votre instinct.

Ils terminèrent leur petit déjeuner en silence. Le seul à faire du bruit, c'était Léopold qui dévorait avec son enthousiasme coutumier.

Une demi-heure plus tard, elle gara sa Porsche sur le parking de l'Hôpital et traversa la rue jusqu'aux Urgences. Des nuages se bousculaient au-dessus des collines à l'est, derrière l'Hôpital, cachant le soleil dont Léopold et elle avaient profité voilà moins d'une heure.

L'ambulance Hillstar était arrêtée devant le service des Urgences et les jumeaux sortaient du bâtiment. Ils tenaient chacun un gobelet de café à la main : c'était étonnant à quel point ils se ressemblaient ; sauf que l'un semblait beaucoup plus corpulent. Elle avait oublié qui était qui : elle dut donc attendre qu'ils soient assez près pour voir le prénom inscrit sur leur badge. L'idée lui vint qu'ils pourraient bien ne pas la reconnaître non plus car, la première fois qu'elle leur avait parlé, elle était habillée plus convenablement. Aujourd'hui elle était en jeans avec une chemise à rayures bleues et blanches et des mocassins.

— Bonjour, dit-elle gaiement au plus grand des deux jumeaux qui se révéla être Léonard. (Rae se rappela que c'était lui le chauffeur et le moins aimable des deux.)

Au bout d'un moment, il parut en effet la reconnaître et prit aussitôt un air hargneux.

— Oui ? demanda-t-il d'un ton bourru.

— Mon frère met toujours un moment à s'habituer à la race humaine le matin, lança Théodore McHenry en souriant. Comment va le bras de la gosse ?

— J'allais justement la voir, répondit Rae.

— J'ai trouvé que vous aviez fait du bon boulot, reprit Théodore. Cette infirmière... bon sang ! J'ai cru qu'on allait finir par essayer de la ranimer, *elle*...

— Qu'est-ce que vous voulez, docteur ? demanda Léonard.

— Rien vraiment, répondit Rae d'un air qu'elle espérait nonchalant. (Elle savait qu'elle devait être prudente si elle voulait voir les jumeaux lui parler franchement.) C'est que, justement, je vais voir la mère de ce petit bébé, et elle a dit hier quelque chose qui la préoccupe. Vous ne le savez sans doute pas, mais elle est infirmière à la maternité de l'Hôpital municipal. Elle se demandait simplement pourquoi vous avez changé sa poche à perfusion pendant le trajet depuis la Clinique d'accouchement.

— Elle ment, répliqua Léonard.

— Oh, *mentir* n'est sans doute pas tout à fait le terme exact. Elle a eu l'impression que vous vous étiez très bien occupés d'elle, fit Rae d'un ton conciliant tout en les observant. (Ils échangèrent un de ces regards furtifs réservés aux jumeaux.) Je lui ai dit qu'elle avait dû se tromper. Mais elle ne veut pas en démordre. Dites-moi, jamais vous ne changez les poches à perfusion dans l'ambulance, hein ?

— Bien sûr que non, s'empressa de dire Théodore.

— Bon, c'est tout ce que je voulais savoir, conclut Rae.

— Très bien, dit Léonard en s'approchant pour ouvrir les portières arrière.

Elle s'écarta tandis que Théodore contournait la voiture pour passer devant. Elle jeta un coup d'œil à l'arrière de l'ambulance et, voyant le chariot fixé par un crochet au plancher, elle sentit aussitôt ses jambes se dérober sous elle tandis que les souvenirs de la mort de sa mère revenaient l'assaillir.

— Je croyais qu'on avait fini ici, dit Léonard avec impatience.

— Vous faites faire des tours dans ces trucs-là ? demanda Rae.

— Je pense bien ! dit Léonard depuis la banquette avant. Quand vous voudrez !

— Pourquoi pas maintenant ? demanda Rae un peu nerveuse.

Léonard regarda son frère comme pour le mettre en garde.

— Non, Théodore, pas maintenant.

— Montez ! dit Théodore comme si Léonard n'avait rien dit.

Pour la plupart des gens, monter dans une ambulance n'était pas un exploit, il n'y avait pas de quoi en faire une histoire. Pour Rae, cela paraissait aussi audacieux que d'embarquer dans un avion pour se faire larguer en parachute. Mais elle devait trouver le courage de surmonter son appréhension : les bébés comptaient sur elle. Elle était étonnée car elle croyait que Théodore, puisque c'était lui qui avait signé les rapports, devait être aussi celui qui injectait l'ocytocine dans les poches à perfusion des patientes. Alors, pourquoi était-il si aimable ? N'allait-il pas tenter de la dissuader d'inspecter quoi que ce soit ? C'était peut-être Léonard le coupable : en tout cas, il avait une attitude suspecte.

— Bon, montez maintenant, si vous venez, dit Léonard.

Voilà que c'était même Léonard qui l'invitait. Qu'est-ce qui se passe ici ? se demanda Rae. Elle avala sa salive. Elle n'avait d'autre choix que d'aller jusqu'au bout.

Lentement, elle grimpa dans l'ambulance. Théodore était passé à l'arrière et la hissait par la main. Il avait une poigne solide, et elle se dit qu'il n'avait certainement aucun mal à soulever une femme aussi grosse que Nola. A peine à l'intérieur, elle sentit son rythme respiratoire s'accélérer. La sueur se mit à ruisseler sur son dos. C'était fou, mais elle s'attendait presque à voir du sang partout, comme vingt-cinq ans plus tôt.

— Qu'est-ce qui se passe, toubib ? demanda Théodore. On dirait qu'un peu d'oxygène ne vous ferait pas de mal.

— Je ne peux pas rester longtemps, dit Rae d'une voix tremblante tout en examinant la petite cabine. (Elle essuya la sueur qui perlait sur son front.)

La cabine tenait à la fois d'une réserve miniature, d'un hôpital et d'une salle d'opération. Des instruments dans leur emballage, des prises d'oxygène dans la paroi, le brassard d'un sphygmomanomètre et un chariot en guise de lit étaient soigneusement rangés le long des parois. A sa droite, un long matelas gris recouvrant ce qui aurait pu être une banquette. Le chariot – le même sur lequel on avait amené Nola et Meredith – était juste devant elle. Le fond de la cabine était séparé du devant par deux sièges à hauts dossiers : l'un pour le chauffeur et l'autre pour le passager. L'espace entre eux était à peine assez large pour laisser passer un petit enfant.

— Chaque chose a sa place, n'est-ce pas ? observa Rae en s'essuyant de nouveau le front.

— Vous êtes sûre que ça va bien ? demanda Théodore.

— Très bien, très bien, fit-elle d'un ton rassurant.

— Si vous le dites. Alors, des questions ?

Rae aperçut une poche à perfusion accrochée à côté de la prise d'oxygène. On avait retiré l'emballage et elle comprit que ce serait la poche qui servirait pour la prochaine patiente transférée de la Clinique d'accouchement. Si seulement elle pouvait mettre la main dessus et en faire analyser le contenu pour voir s'il y avait de l'ocytocine... Il était tout à fait possible que si Meredith n'avait pas vu Théodore injecter quoi que ce soit dans la poche à perfusion, c'était parce qu'il l'avait fait *avant* de la brancher sur le cathéter qu'elle avait dans le bras.

Mais comment allait-elle s'emparer de cette poche quand les jumeaux avaient déjà refusé de la lui donner ?

— Je peux voir ça ? demanda-t-elle en désignant la poche.

— Bien sûr, fit Théodore.

Elle la prit dans ses mains qui, à sa grande gêne, tremblaient toujours. Plus elle restait à l'intérieur de l'ambulance, plus elle sentait la claustrophobie la gagner. Elle tourna et retourna la poche. Apparemment rien de suspect et cette idée la consternait.

— Bon, fit-elle en la rendant à Théodore. Je crois qu'il faut que j'y aille. (Il doit bien y avoir un moyen de sortir de l'ambulance avec cette poche, se dit-elle.)

Théodore la remit au crochet.

— Dommage que vous ne puissiez pas rester plus longtemps, dit-il.

— Merci, fit-elle. Oh, est-ce que je pourrais voir comment vous faites fonctionner votre radio ? demanda-t-elle.

— Ça, dit Théodore, c'est ce qu'il y a de plus beau, et il se glissa de nouveau entre les deux sièges.

Ce fut à ce moment que Rae décrocha la poche de la paroi.

— Hé ! lui cria Léonard.

Mais elle avait déjà sauté à bas de l'ambulance et filait à toutes jambes vers le parking. Elle se perdit dans la foule des voitures et, lorsqu'elle vit que les jumeaux ne la poursuivaient pas, elle ouvrit la portière de la sienne et jeta la poche sur le siège arrière.

Jamais, jamais plus, je ne remettrai les pieds dans une ambulance, se promit-elle tout en se glissant derrière le volant. Elle resta quelques minutes, les mains crispées dessus, en attendant de retrouver une respiration normale. Elle était en nage, ses muscles tremblaient encore. De la boîte à gants elle sortit un mouchoir en papier pour s'essuyer le visage et le cou.

Et maintenant, se dit-elle, la prochaine étape : trouver un labo qui analyserai le taux d'ocytocine dans la poche. Elle prit son portable, composa le numéro du standard de l'Hôpital et demanda le service des Analyses. La voix qui lui répondit au laboratoire semblait jeune et énergique. Après s'être nommée, Rae demanda :

— Pouvez-vous me dire où je peux faire faire un dosage d'ocytocine ?

La secrétaire dit à Rae de ne pas quitter puis revint en ligne pour lui annoncer que l'Hôpital ne faisait pas ce genre d'analyses.

— Je le sais, fit Rae d'un ton agacé. C'est bien pour ça que je vous demande qui le fait.

Elle attendit encore tout en pianotant nerveusement sur le tableau de bord. La secrétaire reprit la ligne et annonça à Rae que personne au labo ne savait où on pouvait faire ce dosage. Elle avait d'ailleurs consulté le manuel du laboratoire et cette analyse ne figurait même pas sur la liste.

Rae savait qu'on mesurait rarement les niveaux d'ocytocine, sauf peut-être dans le cadre de certaines recherches. Mais ça valait toujours la peine d'essayer. Elle remercia sans entrain la secrétaire et raccrocha. Elle avait une poche à perfusion mais personne pour l'analyser.

— Parfait, dit-elle tout haut.

De l'autre côté de la rue se dressait la Clinique d'accouchement : Rae arrêta sa voiture dans le parking à côté d'une camionnette. L'ambulance Hillstar était toujours stationnée en face, mais pas trace des jumeaux.

Dans le hall, elle tomba sur Donna Wilson qui sortait d'un ascenseur.

— Donna, demanda Rae, vous n'avez pas des poches à perfusion de rab ?

— Eh bien, fit Donna en fronçant les sourcils, ça ne doit pas vraiment aller fort à Berkeley Hills, si vous en êtes réduite à venir chercher ici des fournitures médicales.

Rae eut un petit rire. Si seulement ç'avait été aussi simple.

Donna revint avec une poche.

— Est-ce que vous allez un jour revenir travailler avec nous ? demanda Rae d'un ton léger tout en inspectant la poche. (Tout semble normal, se dit-elle.)

— Dès que cette boîte fermera, fit Donna.

— Oh ? fit Rae en s'efforçant de garder un air impassible.

— Je vous l'ai dit, poursuivit Donna, je suis ici parce que j'y suis obligée, pas parce que j'en ai envie.

— Ça me rappelle, fit Rae prudemment. (Elle devait faire attention. Elle ne voulait pas énerver Donna comme Sam l'avait fait.) Avez-vous entendu dire que Bo allait vendre cette clinique et qu'on allait la transformer en centre de Chirurgie cardiaque ?

Donna baissa les yeux.

— Non, fit-elle au bout de quelques secondes.

— Vous en êtes certaine ? insista Rae.

— Dès l'instant que je retrouve ma place à Berkeley Hills, ils pourraient bien transformer cette baraque en institut de beauté, je m'en fous pas mal. (Elle regarda Rae.) Mais ça ne veut pas dire que je ferais quoi que ce soit pour hâter la vente, dit-elle lentement. Je me moque de ce que pense le Dr Hartman.

Rae acquiesça. Elle croyait Donna.

— Enfin, merci pour la poche, dit-elle. J'espère qu'on vous reverra bientôt à l'Hôpital.

Sam m'avait donc dit la vérité, songea Rae.

Avec deux poches dans le coffre de sa voiture, Rae fonça sur la I-80. Maintenant, tout ce qu'elle avait à faire, c'était trouver un labo qui puisse faire le dosage d'ocytocine avant la réunion du Conseil.

Une demi-heure plus tard, installée à son bureau, Rae décrocha le téléphone. Harvey avait Léopold chez lui : rien donc ne pourrait la distraire. Elle avait devant elle une liste des numéros de téléphone des laboratoires pour tout l'Etat de Californie ainsi que ceux de New York et de Washington. Elle allait décrocher quand le téléphone sonna. C'était Sam.

— J'ai quelque chose à vous montrer, dit-il.

— Ça ne peut pas attendre demain ? (Le lendemain, c'était lundi et, estima Rae, il pouvait soit venir à son cabinet, soit la retrouver à la maternité. Elle ne voulait certainement pas le revoir chez elle.

— Je suis sûr que vous voudrez voir ça.

Il avait un ton très sérieux. Qu'est-ce qu'elle avait à perdre ? Elle n'allait pas se laisser avoir une nouvelle fois.

— Bon, Sam, fit-elle. D'accord, mais je suis très occupée.

En attendant Sam, Rae appela les labos. A en croire les techniciens, personne ne pouvait l'aider. Elle était parvenue à la fin de sa liste de Californie et elle allait passer aux laboratoires hors de l'Etat quand une technicienne d'un labo de San Diego déclara qu'elle pouvait effectuer ce dosage.

— Et combien de temps est-ce que ça prendra ? demanda-t-elle en notant l'adresse.

— Ne quittez pas, dit la laborantine. Laissez-moi vérifier.

Rae entendit les échos d'une conversation étouffée entre la technicienne et quelqu'un d'autre. La laborantine finit par reprendre l'appareil.

— Entre le moment où nous aurons les poches ici et le moment où vous recevrez le rapport par courrier, il faudra compter environ deux semaines.

— Deux semaines ! s'écria Rae. Désolée. Ecoutez, j'ai besoin de ces résultats tout de suite.

Mais la fille avait raccroché sans laisser Rae terminer sa phrase.

— Bon sang ! fit-elle en raccrochant brutalement.

Là-dessus, on sonna à la porte. Que voulait-il donc lui montrer de si important ?

Il était planté là, une revue médicale à la main.

— Pour vous, dit-il en la lui tendant.

Ils s'installèrent dans le salon. Rae était déjà d'assez mauvaise humeur et voilà que Sam lui donnait un article à lire en souriant comme si c'étaient les bandes dessinées du dimanche.

— J'ai travaillé un peu de mon côté, dit-il. Je vous ai marqué la page 52. C'est un article d'une demi-page sur un hôpital du Middle West appelé Rushing River où un tas d'infirmières de la maternité ont été licenciées pour des raisons économiques. Si ça continue, ils vont se retrouver avec des patientes sans personne pour s'occuper d'elles.

Rae feuilleta la revue jusqu'au moment où elle trouva la page 52 cornée par Sam. Celui-ci cependant s'était levé et marchait de long en large devant la fenêtre.

— Ce qui s'est passé ensuite, dit-il, c'est que le taux de césariennes a monté en flèche.

— Vous voulez que je lise l'article ou non ? demanda Rae.

— Je vous évite cette peine, dit Sam.

Rae se pencha sur son fauteuil en étalant l'article sur ses genoux.

— Alors, dit-elle, vous auriez pu m'expliquer ça au téléphone.

— En tout cas, fit Sam, sans relever son commentaire, tout le monde se demandait ce qui pouvait bien se passer. On a examiné le taux de césariennes et on a découvert que la plupart étaient pratiquées dans des cas de souffrance fœtale – et non parce que des femmes essayaient de mettre au monde des bébés aussi gros que celui de Nola.

Rae ne pouvait s'empêcher d'être fascinée par ce que Sam disait. Se redressant sur son siège, elle dit :

— Continuez.

— Eh bien, ce qui s'est passé, c'est que les quelques infirmières qui restaient encore essayaient de se débrouiller du mieux possible avec les patientes qu'elles avaient sur les bras. Mais à Rushing River, on a beaucoup de bébés et la moitié au moins des accouchements sont chez des primipares. Nous savons tous que soixante-dix pour cent des mères qui accouchent pour la première fois se retrouvent avec de l'ocytocine pour accélérer les choses. Le problème, c'était que l'infirmière commençait l'injection d'ocytocine dans une chambre, puis passait dans une autre et, au bout d'un moment, elle se retrouvait avec quatre ou cinq perfusions d'ocytocine en même temps. Toutes les patientes étaient super-stimulées et le rythme cardiaque des bébés dégringolait.

— Mais elles n'avaient qu'à arrêter l'ocytocine, dit Rae, que le récit de Sam n'impressionnait pas.

— Le temps qu'elles reviennent au chevet d'une des mères, c'était trop tard. Elles embarquaient ces patientes-là pour une césarienne et les faisaient accoucher. Si vous lisez l'article, vous verrez que le nombre de bébés à Apgar bas a augmenté, comme le nombre d'admissions en Soins intensifs à la maternité.

Rae examina le rapport.

— Une femme est morte d'une rupture d'utérus ? demanda-t-elle d'un ton incrédule en levant les yeux vers Sam.

— En même temps que son bébé quand c'est arrivé, dit Sam. Exactement comme la patiente de Bo.

Rae lut l'article jusqu'au bout puis referma la revue. Dehors, la pluie tambourinait doucement sur les carreaux.

— Où avez-vous trouvé ça ? interrogea-t-elle.

— Grâce à la bibliothécaire de l'Hôpital, dit-il. Je lui ai demandé de faire pour moi une recherche informatique sur la souffrance fœtale. C'est le seul article qui a attiré mon attention.

Sans la quitter des yeux, Sam attendait sa réponse. Faisait-il seulement semblant de s'intéresser ? La bibliothécaire lui avait-elle vraiment donné l'article ou bien l'avait-il trouvé voilà quelque temps et l'utilisait-il pour mener à bien son plan avec Marco et les ambulanciers ?

Et les photocopies des rapports d'ambulance : pourquoi ne lui en avait-il pas parlé ?

Ce qui éveillait surtout la méfiance de Rae, c'était le fait qu'elle n'avait pas dit à Sam qu'elle soupçonnait les infirmiers d'utiliser de l'ocytocine. L'idée ne lui était venue que quand elle-même y avait eu recours pour empêcher la patiente de Mattie Henshaw de mourir d'hémorragie. Alors, était-il tombé sur la même théorie après avoir discuté avec une bibliothécaire ? Ou bien, et c'était plus probable, craignait-il de voir Rae tirer elle-même ses conclusions et découvrir ce qu'il savait déjà – parce qu'il était impliqué ?

— Alors, demanda-t-il, qu'est-ce que vous allez faire ? (Il s'était relevé et des yeux il inspectait la moquette.)

— Vous cherchez quelque chose ? demanda-t-elle.

— Non, pas vraiment, répondit-il d'un ton nonchalant.

Rae voulait lui parler des rapports d'ambulance. Mais en avait-elle envie ? Au fond, c'était elle qui lui avait volé les photocopies. Une voleuse valait-elle mieux qu'un menteur ? se dit-elle.

— Il y a autre chose ? demanda-t-elle.

— Oui. Est-ce que je peux vous emmener dîner ce soir ?

— J'ai quelques coups de fil à donner, dit-elle en lui rendant la revue, concernant certains points que je dois éclaircir. Vous m'avez demandé ce que je comptais faire, mais malheureusement, ça n'implique pas beaucoup de sorties.

Rae vit l'air blessé de Sam : elle comprit qu'elle se montrait plus désagréable que nécessaire. En fait, elle était tout bonnement grossière. La veille encore, elle avait fait l'amour avec ce garçon. Et voilà maintenant qu'elle le flanquait pratiquement à la porte de chez elle – une nouvelle fois.

Malgré tout, elle ne pouvait pas lui parler de son projet d'aller à l'entrepôt des ambulances. Il faudrait qu'elle invente autre chose avant de pouvoir vraiment lui faire confiance. Il lui fallait une poche à perfusion provenant de l'entrepôt car, si les infirmiers injectaient de l'ocytocine dans les poches, c'était selon toute probabilité là-bas qu'ils le faisaient. Si elle pouvait simplement prouver que les réserves de l'entrepôt étaient intactes, elle pourrait démontrer que les infirmiers étaient complices.

Elle le raccompagna jusqu'à la porte.

— Oh, j'allais oublier, dit-il. Le jumeau du nom de Théodore. Il paraît que vous lui avez fait une petite visite aujourd'hui. Avez-vous remarqué quelque chose dans ses yeux ? Je m'en suis aperçu aujourd'hui, tout comme je crois l'avoir vu la première fois que je lui ai parlé à la cafétéria.

— C'était vraiment la première fois, Sam ?

Il la fixa du regard et dit :

— Je vous laisserai trouver la réponse vous-même, Rae. Quoi qu'il en soit, Théodore a les pupilles très petites, beaucoup plus petites que celles de son frère. C'est commode de pouvoir faire la comparaison.

Rae jeta un coup d'œil à sa montre. Presque 5 heures du soir.

— Et il est plus mince que son frère. Je crois... non, je parierais qu'il prend quelque chose, dit Sam.

Où donc voulait en venir Sam maintenant ? Cherchait-il à la lancer sur une autre fausse piste ?

— Théodore pourrait prendre un tas de choses, commença Sam. Mais c'est la perte de poids, les manches longues et les pupilles rétrécies qui me font soupçonner des stupéfiants en intraveineuse. On peut prendre ça pendant des années sans se faire pincer. Ce sont les manches longues qui me font penser qu'il se pique. Avez-vous jamais vu les jumeaux en manches courtes ?

— Leurs uniformes ont des manches longues, Sam, fit Rae.

— Tout le monde connaît les camés de la rue – ceux qui se flanquent devant les impasses parce qu'ils n'ont nulle part ailleurs où aller, ils ne savent pas si chaque dose ne doit pas être la dernière. Mais la plupart des intoxiqués à l'héroïne...

— A l'héroïne ? l'interrompit Rae, incrédule.

— La plupart des intoxiqués à l'héroïne, poursuivit Sam, conservent un emploi régulier, du moins pour quelque temps. Tout ce qu'ils ont à faire – à part porter des manches longues été comme hiver – c'est d'aller seuls aux toilettes trois ou quatre fois pendant leur journée de travail.

Même si Rae ne croyait pas Sam, elle se rappelait quelque chose que Bernie lui avait dit : que les jumeaux ne restaient jamais très longtemps dans une place.

— Un ambulancier camé ? fit Rae d'un ton sceptique. J'imagine qu'il y a des médecins en circulation qui se piquent aussi ? Vous portez souvent des manches longues, Sam. Moi aussi, et je vais aux toilettes au moins toutes les quatre heures.

Sam se leva et vint s'asseoir juste à côté de Rae, puis il lui tapota la tête comme à une enfant.

— Que vous réussissiez à faire tout ce que vous faites et que vous soyez en même temps si naïve, ça me dépasse. (Puis il prit une expression plus grave.) L'héroïne ne choisit pas les professions, dit-il. Mon frère se piquait dix à douze fois par jour. Il était anesthésiste à Boston lui aussi.

— Votre frère ? fit Rae en ouvrant de grands yeux.

— Au début, c'était la morphine : Théodore aurait pu facilement commencer avec ça. Mon frère évidemment n'avait aucun problème pour se procurer les seringues et les aiguilles. Ce serait pareil pour Théodore. Autrefois, j'étais naïf comme vous, Rae. Je le voyais tous les jours et je ne savais pas qu'il avait un problème jusqu'à ce qu'il fasse une overdose avec ça et qu'une des infirmières le trouve raide mort au vestiaire.

Touchée par l'histoire de Sam, Rae lui caressa doucement la joue.

— Je suis vraiment désolée, dit-elle.

— Moi aussi, fit-il avec un sourire triste. Mais si je vous raconte ça, ce n'est pas pour attirer votre compassion. Je crois que dans le cas de Théodore, il y a une vraie possibilité. Ce qui fait monter les enjeux. Les drogués peuvent être extrêmement dangereux. Alors soyez prudente, d'accord ?

— On pourrait lui faire une analyse, j'imagine, suggéra Rae. Mais je n'arrive pas à croire que nous ayons peut-être à nous préoccuper par-dessus le marché d'un ambulancier camé.

— Faire une analyse, ce ne sera pas facile, dit Sam. Mais je voudrais savoir *comment* Théodore trouve l'argent pour se droguer. C'est toujours le problème avec un héroïnomane.

— Voilà ! On le paye ! fit Rae tout excitée.

— Qui ?

Rae vint s'asseoir auprès de Sam.

— Ecoutez, dit-elle, je ne sais pas s'il prend de l'héroïne ou pas. Il faut d'abord que je m'en assure. Mais disons que oui. J'essayais toujours de comprendre pourquoi un infirmier ferait une chose pareille aux patientes de la Clinique d'accouchement. Eh bien, il agit comme homme de main au service de la personne qui lui donne de l'argent pour acheter sa came, et à ce moment-là, il n'a vraiment plus besoin de raison logique. Tout ce qu'il a à faire, c'est une piqûre dans les poches comme on le lui dit. Rien de tel qu'une toxicomanie pour vous motiver.

— L'héroïne, dit Sam, c'est ce qu'il y a de pire.

— Je comprends maintenant comment quelqu'un qui est censé aider à sauver des vies pourrait se retrouver à essayer de tuer. L'héroïne coûte beaucoup d'argent, plus que ne peut en gagner un infirmier. Alors, quelqu'un paye Théodore juste assez pour le faire tenir d'un jour à l'autre, et tout ce que Théodore a à faire, c'est de piquer quelques poches à l'entrepôt et de les charger dans son ambulance. Celui qui le paie, c'est quelqu'un qui a de l'argent. Et qui a des enjeux suffisants pour vouloir qu'on ferme la Clinique d'accouchement.

— C'est une possibilité, reconnut Sam. Mais je me demande qui ?

Ils se dévisageaient maintenant l'un l'autre comme s'ils cherchaient des réponses à des questions totalement différentes. La pluie battait plus fort contre la baie vitrée, un éclair déchira le ciel.

— Peut-être que nous pourrions réfléchir à tout ça en dînant ? proposa Sam.

— Eh bien, je... balbutia Rae. (Elle lui avait déjà dit qu'elle avait des choses à faire qui ne lui laissaient pas le temps de sortir. D'un autre côté, elle voulait – elle devait ! – voir comment il allait réagir devant les photocopies des rapports d'ambulance si jamais elle voulait se sentir à l'aise avec lui. Et ça, comme elle en avait envie !)

— J'ai des relations Chez Panisse, dit-il d'un ton tentateur.

— Chez Panisse, c'est fermé le dimanche, répondit Rae.

— Il y a un chef en visite de Florence, expliqua Sam. Alice fait une exception.

— Pour quelqu'un qui n'est à Berkeley que depuis deux mois, fit Rae avec admiration, vous ne vous débrouillez pas mal.

— J'aime bien manger, dit simplement Sam. Pouvez-vous me retrouver dans une heure ?

Rae acquiesça. Tôt ou tard, elle devrait bien lui montrer les rapports.

— Sam, dit-elle, il y a quelque chose dont il faut que je vous parle. Mais si vous ne me dites pas la vérité...

Sam haussa un sourcil puis ouvrit la porte.

— Dans une heure, Chez Panisse. Je répondrai à toutes vos questions.

CHAPITRE DIX-NEUF

Après le départ de Sam, Rae calcula qu'elle avait juste le temps d'aller faire une visite à la compagnie d'ambulances avant de le retrouver pour dîner. Quelques minutes plus tard, rafraîchie et habillée à tomber – ça risquait de lui arriver, songea-t-elle amèrement –, elle utilisa son portable pour demander aux renseignements le numéro de la compagnie des ambulances Hillstar. La pluie ruisselait sur le pare-brise quand elle quitta la I-80 à la sortie de Richmond Street. Qui, se demanda-t-elle, payait Théodore McHenry ? Et quelle excuse allait-elle donner à la réceptionniste pour lui demander un litre de Ringer lacté ? Lorsqu'elle s'arrêta sur le parking, elle n'avait trouvé de réponse à aucune des deux questions.

La première chose qu'elle remarqua, ce fut la stricte sécurité : le parking était entouré d'une clôture métallique et elle dut appeler sur l'interphone pour entrer. Elle se gara entre des Firebird et des Camaro – des voitures d'hommes, songea-t-elle. Derrière le bâtiment principal, qui avait l'air d'un campus miniature, une trentaine d'ambulances au moins étaient stationnées à des places numérotées. Rae s'efforça de ne pas les regarder en passant à côté. Une ambulance, ça n'était déjà pas drôle, mais toute une flotte...

A la réception, elle se présenta à une jeune femme vêtue d'une petite robe noire moulante.

— C'est vous qui venez d'appeler ? demanda celle-ci. (L'air ennuyé, elle enroulait une courte boucle rousse au-dessus de son oreille.)

Rae se présenta. Elle s'attendait à voir du matériel d'expédition, mais la pièce ressemblait à n'importe quel bureau d'accueil d'une entreprise. La seule différence, c'étaient les infirmiers et les ambulanciers qui passaient. Pour la plupart de beaux jeunes gens bien astiqués qui saluaient au passage la jeune réceptionniste.

— C'est agréable, ici, observa Rae en se demandant où étaient entreposées les poches à perfusion.

— Ça n'est pas mon idéal pour passer un dimanche soir, mais c'est la vie, répondit la femme en bâillant bruyamment. Alors, qu'est-ce qui se passe, docteur ? Je suis sûre que nous avons mieux à faire que rester plantées là à nous regarder.

Rae n'avait pas exactement trouvé le moyen de demander une poche à perfusion à une inconnue. En piquer une dans une ambulance était une chose, mais dans un entrepôt, c'était une autre paire de manches.

— Eh bien, commença-t-elle, je me demandais...

Elle fouilla dans son sac, en tira son portefeuille et posa sur le comptoir un billet de cinquante dollars.

— Est-ce que ça irait pour un litre de Ringer lacté ? demanda-t-elle.

Les yeux de la jeune femme s'éclairèrent aussitôt. Elle regarda le billet, puis Rae. Elle finit par empocher l'argent et fourra le billet dans son corsage.

— Peut-être que je n'aurai pas perdu ma soirée après tout, dit-elle d'un ton satisfait. Je vais aller en chercher un dans le carton.

Elle passa dans une pièce au fond et rapporta la poche que Rae lui avait demandée.

— Ça ne vous dérange pas que je ne vous donne pas de reçu ? demanda-t-elle en tendant à Rae le litre de fluide dans son emballage plastique. (Rae avait apporté un sac à provisions pour le mettre dedans.)

— Ce sera notre petit secret, dit Rae. (Elle allait remettre le portefeuille dans son sac, mais elle se ravisa et demanda :) Dites-moi une chose. Est-ce qu'on fait jamais des analyses à vos chauffeurs pour voir s'ils se droguent ?

La jeune femme plissa les yeux d'un air méfiant.

— Hé, vous êtes de la police ? demanda-t-elle en plongeant la main dans son corsage.

Rae posa aussitôt sur le comptoir un autre billet de cinquante dollars.

— Je ne vous demanderai pas de reçu pour ce petit service-là non plus, promit-elle.

La femme se saisit du billet. Elle jeta un bref coup d'œil à droite puis à gauche et dit :

— Non, Dieu merci, ils ne font aucune analyse...

— Je peux vous aider ?

Rae se retourna et aperçut une femme aux cheveux gris et à l'air avenant qui la dévisageait.

— Je partais, dit Rae.

La vieille femme s'installa derrière le comptoir.

— Ma petite-fille, dit-elle. Ah, qu'est-ce que je ferais sans elle ?

— Je ne travaille pas ici, fit la jeune femme avec un clin d'œil à Rae. Je donne juste un coup de main à grand-mère.

Rae hocha la tête.

— Vous irez loin, dit-elle. Mais gardez bien notre petit secret.

Une fois dans sa voiture, Rae prit une loupe et inspecta la poche à perfusion. Elle scruta centimètre par centimètre l'emballage en plastique, cherchant une piqûre d'aiguille. La nuit était tombée, rendue encore plus épaisse par la pluie, et on n'y voyait pas grand-chose.

Elle jeta un coup d'œil à la pendule. Elle devait retrouver Sam pour dîner dans cinq minutes. Si elle se dépêchait, elle avait juste le temps d'appeler le labo qui allait procéder aux analyses sur la première poche à perfusion. Elle voulait leur annoncer qu'elle leur envoyait immédiatement trois spécimens.

Tandis que la pluie frappait violemment son pare-brise et le toit de la voiture, en utilisant le plafonnier pour déchiffrer le numéro qu'elle avait noté sur un petit bloc, Rae appela le labo de San Diego. Ce fut un autre technicien cette fois qui répondit : il lui confirma qu'elle pourrait avoir les résultats dans cinq jours. Dès l'instant que Rae était prête à payer le supplément, il ne devrait pas y avoir de problème.

Tout ce qu'il faut, c'est de l'argent, se dit Rae en raccrochant.

D'humeur plus optimiste, elle reprit la I-80 et la sortie de l'Université. En raison de la pluie, les rues étaient pratiquement désertes. Elle se demanda où habitait Nola et comment elle en était venue à avoir son bébé à la Clinique d'accouchement.

Le restaurant était sur Shattuck Avenue, et connu pour la qualité de sa cuisine. Sur le devant, un porche en bois bordé de glycines mais, à part cela, c'était un petit bâtiment sans prétention. Pourtant, certains des plus riches résidents de Berkeley fréquentaient cet établissement, surtout ceux qui habitaient dans le quartier des maisons à un demi-million ou à un million de dollars perdues dans les collines entourant l'hôpital de Rae. Mais ce qu'il y avait de mieux, c'était qu'on pouvait venir dîner comme bon vous semblait : en robe de cocktail aussi bien qu'en courte jupe noire et veste, comme Rae en ce moment.

Elle monta rapidement l'étroit escalier qui conduisait au café. La salle à manger était au premier.

— Rae, ça fait une éternité que je ne vous ai pas vue ! cria Alex, le maître d'hôtel.

— Bonsoir. Comment va le petit George ? demanda Rae.

— Je veux que vous me remboursiez, fit Alex avec une grimace. Je vous avais dit de le remettre en place dès l'instant où il est apparu.

— Fichtre, on dirait qu'il y a un complot contre les garçons de deux ans, fit Rae en riant.

— Alors, qu'est-ce qui vous amène ici ce soir ?

Rae n'avait pas eu le temps de répondre qu'un serveur s'approcha d'Alex en disant :

— Ta femme au téléphone. Quelque chose à propos de ton fils et du magnétoscope.

— Qu'est-ce que je vous disais ! s'exclama Alex en levant les bras au ciel.

Alex s'éloigna et un garçon s'approcha d'elle.

— Je peux vous aider ? demanda-t-il.

— Je dois retrouver Sam Hartman, dit Rae.

— Ah, j'ai son nom, dit le serveur en désignant le cahier de réservation. Je crois qu'il n'est pas encore arrivé... Oh, oh, c'est vrai. C'est moi qui ai pris l'appel. Il a dit qu'il serait un petit peu en retard. Il est médecin, n'est-ce pas ?

Rae acquiesça et le remercia.

— Je vais attendre...

Là-dessus, elle vit Walker Stuart qui arrivait par l'escalier.

— Tiens, tiens, fit-il avec un grand sourire. J'attends Denise.

Avec un peu de chance, elle sera en retard comme d'habitude et ça me donnera le temps de bavarder avec vous.

Rae était enchantée de voir Walker. Elle avait mille choses à lui dire. Mais, se demanda-t-elle tandis que le serveur les entraînait vers une table pour deux, comment disait-on au PDG de l'Hôpital que quelqu'un rôdait dans les parages en essayant d'éliminer des femmes enceintes et leurs bébés ?

— Je suis bien content d'être tombé sur vous ce soir, dit Walker quand ils se furent installés. (Il avait un blazer noir, un pantalon anthracite et une chemise de soie écrue qui mettait en valeur le blanc de sa barbe soigneusement taillée. Sur la table, une bouteille de champagne brut que Walker avait commandée avant que Rae lui ait expliqué qu'elle attendait Sam.)

— Moi aussi, dit Rae. Ça m'évite une visite à votre bureau.

— Ecoutez, Rae, dit-il, j'étais à mon bureau aujourd'hui. Parfois, même les PDG doivent liquider la paperasserie un dimanche. Quoi qu'il en soit, j'ai reçu la copie d'une plainte déposée contre vous par Arnie Driver. Cette note disait qu'il a prévu une réunion du Conseil pour vous faire mettre à la porte de l'Hôpital.

Rae hocha tristement la tête, mais sans lui laisser le temps de parler, Walker poursuivait.

— En rentrant chez vous ce soir, vous trouverez un message de moi sur votre répondeur. J'ai appelé juste avant de venir ici. S'il y a quoi que ce soit que je puisse faire, dites-le-moi, d'accord ? Je ne peux malheureusement pas appeler Arnie pour l'engueuler. Les statuts disent qu'on doit me notifier la convocation de ces réunions mais ne me permettent pas d'y participer.

— Je le sais, Walker, dit Rae. Mais il y a des choses plus importantes dont il faut que je vous parle.

— Ne dites pas ça, Rae. Que peut-il y avoir de plus important que votre situation chez nous ? Nous parlons de votre gagne-pain ici. Et je n'ai pas envie de perdre la meilleure obstétricienne que cet hôpital ait jamais eue.

— Walker, je vous promets, je prends ça très au sérieux. Mais je crois que tout se tient : les bébés à problèmes, la réunion du Conseil, l'agression contre Bernie...

— Vous la connaissiez bien ?

— Bernie Brown est ma meilleure amie.

— Vous plaisantez ! Vous voulez dire l'infirmière... celle... Oh, je suis navré. Je ne m'en doutais absolument pas. J'aurais commencé par vous demander de ses nouvelles si j'avais su que vous étiez proches.

— Elle n'a pas un ennemi au monde, Walker, renchérit Rae.

Walker poussa un soupir et regarda autour de lui comme s'il ne trouvait plus ses mots. Il finit par dire :

— Et c'est vous qui l'avez découverte.

— Aucune nouvelle de la police ? interrogea Rae. (Elle but une gorgée de champagne, mais soudain ne lui trouva aucun goût.)

Walker secoua la tête.

— Mais nos gens de la Sécurité donnent à la police tout ce qu'il lui faut : les journaux de bord, les sorties imprimante des ordinateurs, les dossiers des employés... tout.

Ils restèrent quelques instants silencieux, puis Rae reprit :

— Vous savez, Walker, ça s'aggrave.

— Racontez-moi, dit-il.

Rae lui exposa sa théorie de l'ocytocine et lui parla du rôle qu'elle soupçonnait de jouer les ambulanciers de Hillstar. Walker l'écouta attentivement, hochant la tête de temps en temps ou faisant glisser d'un air pensif ses doigts le long du pied de sa coupe.

— Et, conclut Rae, je pense que la personne qui veut voir des bébés à problèmes arriver de la Clinique d'accouchement est selon toute probabilité la même qui a attaqué Bernie.

Elle but une nouvelle gorgée de champagne et attendit un commentaire de Walker.

— D'après ce que vous m'avez dit, répondit-il, il me semble que c'est l'Hôpital de Berkeley Hills qui a le mauvais rôle là-dedans. Les bébés avaient peut-être des problèmes en quittant la Clinique d'accouchement, mais c'est dans *notre* hôpital qu'ils sont venus au monde. Ça veut dire que nos statistiques montreront que le problème vient de chez nous, pas de chez eux. J'espère que vous n'avez pas parlé de cette histoire à trop de gens.

— Mais *vous,* Walker, qu'est-ce que vous en pensez ? dites-moi que je ne suis pas folle.

— Vous ne l'êtes pas, mais je pense que votre histoire l'est, dit-il d'un ton décidé.

— Mais ça pourrait arriver...

— Ecoutez, Rae, fit Walker en se penchant vers elle, je veux croire à votre histoire. Personne n'a plus envie que moi de voir fermer cette foutue Clinique d'accouchement. Mais... eh bien, par exemple, si ce que vous dites est vrai, pourquoi ne pas simplement mesurer le taux d'ocytocine dans le sang de chaque patiente ?

— Voilà, Walker, fit Rae en se penchant pour lui tapoter la main. Voilà pourquoi c'est vous l'administrateur et moi le médecin. L'ocytocine est le produit parfait pour quelqu'un qui veut tuer des femmes enceintes et des bébés. Personne ne le dose : d'abord, il ne reste dans le sang qu'une minute ou deux. C'est un liquide transparent qui ressemble à de l'eau : quelqu'un pourrait donc percer une poche à perfusion sans qu'on s'en aperçoive.

Rae s'interrompit pour montrer à Walker le petit doigt de sa main droite.

— Les ampoules sont plus petites que cela, expliqua-t-elle. Ça permet de les voler et puis de les cacher facilement. Il y en a dans toute la maternité et dans la salle d'op, même une femme de ménage pourrait en glisser une poignée dans sa poche si elle le voulait.

— Eh bien, Rae, dit Walker en se caressant la barbe, espérons dans l'intérêt de tout le monde que vous vous trompez.

— Vous ne me croyez toujours pas, n'est-ce pas? demanda sèchement Rae.

— Si je vous croyais, dit-il, il faudrait que j'aille trouver la police. Mais on me demanderait des indices sérieux – des preuves – établissant que ce que vous dites est vrai. (Il marqua un temps et secoua la tête.) Vous êtes la plus brillante obstétricienne que nous ayons, Rae. Vous connaissez mes sentiments personnels, le respect et l'admiration que j'ai pour vous. Mais ce que vous venez de me dire, eh bien franchement, ça me préoccupe beaucoup. Je m'inquiète pour vous. Vous êtes surmenée, vous avez un abruti qui cherche à vous faire virer et, si ça se produit, on vous signalera à l'Ordre des Médecins de l'Etat, et on vous chercherait vraiment noise pour ces soupçons insensés.

— En médecine, Walker, reprit Rae, un docteur doit souvent utiliser son intuition. Par exemple, une patiente sur qui on a pratiqué une césarienne voilà deux jours pourrait présenter des signes vitaux normaux, mais une expression anxieuse et un souffle un peu court m'amèneraient à me demander si elle ne souffre pas d'une embolie pulmonaire provoquée par un caillot de sang dans sa jambe. Maintenant, à moins que cette idée ne me vienne, je ne réclamerais pas un dosage des gaz du sang qui pourrait montrer un niveau d'oxygène trop bas. Ce niveau trop bas me ferait réclamer un examen de la ventilation qui confirmerait le diagnostic d'une embolie pulmonaire. Une embolie peut tuer, Walker, alors nous mettrions la patiente sous héparine et le caillot finirait par se dissoudre. Mais, si je n'avais pas suivi mon instinct et réclamé ce premier dosage des gaz dans le sang, l'embolie l'aurait tuée.

Rae s'interrompit pour voir si ses paroles avaient frappé Walker.

— Je ne sais pas, Rae, dit-il lentement. L'instinct, c'est une chose, l'entêtement, c'en est une autre.

— Walker, demanda Rae, connaissez-vous Howard Marvin ?

— Ah, voilà un beau faiseur d'entourloupes, dit Walker, manifestement toujours préoccupé par la théorie de l'ocytocine.

— Oui, c'est ce qu'on m'a dit. Savez-vous si ça l'intéresse de racheter Bo pour transformer la Clinique d'accouchement en une sorte de mini-hôpital de Cardiologie ?

— Quoi ?

— Est-ce qu'il vous en a parlé... je veux dire, a-t-il essayé de pousser l'Hôpital à marcher avec lui ? C'est ce que Bo disait. Et, à en croire Bo, c'est Marco qui serait censé diriger cet établissement.

— Non, Howard Marvin n'a jamais discuté de cette idée avec moi.

— Mais, s'il vous appelait, Walker, envisageriez-vous de le faire ? Même après ce que je vous ai raconté, feriez-vous passer le programme de Marco avant le mien ?

Walker posa son verre sur la table.

— Si l'occasion se présentait et si le service d'Obstétrique continuait à perdre de l'argent, ma foi, oui, je le ferais. Mais vous avez posé une question qui repose sur une hypothèse. Nous avons à nous inquiéter de quelque chose de bien plus concret, vous ne trouvez pas ? Des bébés à problèmes, votre comparution devant le Conseil et un maniaque qui a agressé votre meilleure amie. Alors, concentrons-nous sur ce qui est devant nous, d'accord? Rae, vous m'écoutez ?

— Oui, répondit Rae. Mais je voulais vous dire aussi qu'à mon avis Howard est je ne sais comment mêlé à cette affaire d'ocytocine.

Walker poussa un grand soupir.

— Il y a eu des bébés à problèmes, c'est certain. Mais à mon avis, c'est parce que la Clinique d'accouchement les a mal soignés. N'est-ce pas ce que vous avez dit à Heidi ? N'est-ce pas comme ça que vous comptiez faire revenir les médecins à Berkeley Hills ? Tenez-vous-en à votre projet initial, Rae. Dénoncez les soins de troisième ordre qu'on prodigue à la Clinique d'accouchement. Mais n'inventez pas des théories qui donnent mauvaise réputation à mon hôpital, et surtout à vous.

— Il ne s'agit pas de réputation, Walker.

— Je vous en prie, Rae, un peu de jugeote. Et, au nom du Ciel, ne parlez de ça à personne quand vous serez convoquée devant le Conseil ! Je vous l'ai dit, je n'y crois pas, et moi, je suis de votre côté ! Imaginez ce qu'Arnie Driver et les autres toubibs du Comité vont en penser.

Il s'interrompit pour lever la main. Rae regarda et vit Denise, la femme de Walker, debout auprès d'Alex.

— Promis ? répéta Walker.

— Je ne peux pas, lui dit Rae, en se laissant retomber dans son fauteuil. (Elle avait tout d'un coup l'impression d'être une enfant insupportable plutôt que l'assistante du service d'Obstétrique. L'image du père, songea-t-elle avec mélancolie, ça marchait dans les deux sens.)

Walker but sa dernière gorgée de champagne et se leva.

— Je n'en ai pas fini avec vous, lui lança-t-il. Nous en reparlerons. En attendant, je m'en vais me triturer la cervelle pour trouver un moyen de faire entendre raison à Arnie Driver. Je ne veux pas voir le plus brillant sujet de mon service d'Obstétrique flanqué dehors pour avoir essayé de sauver des bébés. Mais, je vous en prie, Rae, ne parlez plus d'ambulanciers ni d'un complot pour tuer les bébés !

Elle avait vraiment espéré que Walker la croirait. Il lui fallait maintenant se poser une question difficile. Si ce n'était pas le cas, comment diable allait-elle convaincre ses collègues ?

— J'espère qu'on vous a transmis mon message, dit Sam cinq minutes plus tard en se glissant dans le fauteuil en face de Rae. Marco m'a appelé pour me demander de démarrer une opération jusqu'à ce que le type de garde ait fini avec une valvule mitrale.

Le serveur n'était pas encore venu enlever les coupes de champagne depuis le départ de Walker. Sam jeta un coup d'œil à la coupe vide et à celle presque pleine posée devant Rae et haussa un sourcil d'un air interrogateur. Elle ne put s'empêcher de remarquer qu'il avait cet air excité qu'on trouve chez la plupart des médecins quand ils sortent de salle d'opération. C'était la griserie de jouer un rôle dans le sauvetage d'une vie, mêlée peut-être à la gratitude que quelqu'un d'autre ait frôlé la mort et non soi-même.

Malheureusement, se dit Rae tandis que Sam ouvrait le menu, elle ne partageait pas son exultation. La semonce de Walker lui avait coupé les jambes.

— Walker vient de partir, dit Rae. Je lui ai parlé de ma théorie et il s'est mis à boire.

— Ecoutez, dit Sam, vous ne pouvez pas vous attendre à voir les gens l'accepter la première fois qu'ils en entendent parler.

— Oh, si, dit Rae, en lui lançant un regard de défi. (Elle se redressa et croisa les bras sur sa poitrine.) Je m'attends à les voir réagir ainsi et je vais m'assurer que c'est le cas. Walker ne veut tout bonnement pas y croire : tout comme vous m'avez dit au début que vous ne vouliez pas y croire jusqu'à ce que vous ayez lu cet article.

— Vous ne renoncez jamais, hein ?

Elle prit son menu.

— Alors, vous êtes en retard parce que Marco vous a demandé un service ? demanda Rae. Je croyais que c'était vous qui disiez qu'un médecin devrait adapter la médecine à son existence et non le contraire.

Elle leva les yeux pour surprendre l'expression de Sam. Il plissait les lèvres comme s'il réfléchissait à la question du siècle.

— Touché, finit-il par dire.

Ils passèrent leur commande : une demi-douzaine d'huîtres suivie d'un risotto de calamars pour Rae, une salade de champignons suivie d'une caille rôtie à la polenta pour Sam.

— Et une bouteille de Dolcetto, dit Sam au serveur. (Il se

retourna vers Rae.) Au fait, pour hier soir, commença-t-il. Je suis rentré chez moi en pensant que vous paraissiez nerveuse et bouleversée, juste avant que je ne parte. Je n'ai pas arrêté de me dire que c'était peut-être ma faute. Est-ce que j'ai dit ou fait quelque chose ?

Rae réfléchit aux rapports d'ambulance.

— Vous dites et vous faites toujours des choses qui me bouleversent, dit-elle d'un ton léger tout en cherchant la meilleure façon de l'affronter.

— Mais hier soir, c'était différent, fit Sam en fronçant les sourcils. En général, quand vous avez quelque chose à me dire, vous le dites. C'est cette qualité-là que j'admire chez vous, Rae. Ça me permet d'être moi-même. Je n'ai pas à me poser de questions... tout mon mariage était fondé sur les efforts que je devais faire pour déchiffrer les pensées de ma femme.

Rae tendit la main vers son sac et en tira les photocopies des rapports d'ambulance. Elle les posa sur la table, puis regarda Sam bien en face.

Il les prit lentement. Il les feuilleta et, quand il arriva à la dernière page, ce n'était plus les feuilles qu'il regardait, mais elle. Jamais elle ne l'avait vu en colère auparavant, mais elle savait qu'il était furieux. Peu importe, se dit-elle résolument : j'ai besoin d'une explication.

— Je les ai cherchés partout, dit-il calmement.

Le garçon arriva avec le premier plat. Sam replia les papiers et les glissa dans la poche de son blazer. Puis il prit sa fourchette et commença à croquer les champignons.

— Excellent, dit-il.

— Eh bien ?

— Comment sont les huîtres ?

— J'ai trouvé ça sur le tapis de mon salon, dit Rae.

— Hmm-hmm, dit Sam.

— Alors, insista Rae, pourquoi les avez-vous ?

— Pourquoi avez-vous mis si longtemps à me les rendre ? répliqua Sam. (Il s'était arrêté de manger et la dévisageait.) Et pourquoi n'avez-vous rien dit à propos de l'autre soir ? Chez vous, vous vous souvenez ?

Rae s'empara de la rondelle de citron et en pressa le jus sur les huîtres. Avec une petite fourchette, elle libéra la première de sa coquille et la trempa dans la vinaigrette. A ce jeu-là, on pouvait être deux.

— Et vous ? demanda-t-elle.

— Parce que j'ai essayé de me montrer patient avec cette histoire de bébés ! hurla Sam.

Les gens assis à des tables voisines se tournèrent vers eux. Un homme lança :

— Un bébé ? Ne faites pas ça, mon vieux ! Votre vie sera foutue ! (La salle éclata de rire.)

Sans s'en soucier, Rae reprit :

— Qu'est-ce que vous faisiez avec ces rapports, Sam ? Ce sont les mêmes que Marco ou quelqu'un a volés dans les dossiers des patientes !

— Vous pensez que j'ai volé ça ? demanda Sam en désignant d'un air incrédule ce qu'il avait dans sa poche.

— Non, mais...

— Eh bien, voici, dit Sam. Je ne le répéterai pas, alors écoutez bien. J'étais là au moment de la césarienne de Nola, vous vous rappelez ? Mais vous, vous n'étiez pas là quand les infirmiers l'ont tout d'abord amenée dans la salle. Elle poussait des hurlements, elle était folle de douleur. Là-dessus, elle accouche de cet enfant à moitié dans les vapes. Un peu plus tard, je vois les jumeaux en train d'empiler les frites sur leurs plateaux de déjeuner. Evidemment, je me suis montré aimable avec eux. Je voulais leur demander ce qui s'était passé. C'est quand j'ai remarqué que Théodore avait des pupilles grosses comme des têtes d'épingle que j'ai su qu'il prenait quelque chose. Sa taille, comparée à celle de son frère, me l'a confirmé...

« Je me fais un devoir, Rae, de suivre l'état de mes patientes. J'ai entendu parler de Meredith... non, pas par vous, mais par Marco, croyez-moi si vous voulez. J'ai décidé de voir moi-même pourquoi deux incidents coup sur coup s'étaient produits en moins de deux heures dans le premier hôpital de l'Etat.

« Là-dessus, vous êtes venue me trouver avec vos théories à propos d'un complot, vous m'avez accusé, moi, et puis Marco et Howard Marvin. J'aurais dû être furieux, mais je sais ne pas prendre les choses personnellement quand vous vous faites un tel mauvais sang pour ces bébés. C'était insensé, mais vos soupçons concernant les ambulanciers... eh bien, ma foi, Rae, peut-être que vous tenez là quelque chose. Le problème, c'est que, en m'en tenant aux faits, je n'arrive pas à comprendre comment ils auraient pu injecter de l'ocytocine ou quoi que ce soit d'autre dans les poches quand vous avez une infirmière comme témoin de la maternité avec des années d'ancienneté qui vous dit que non.

Rae n'en croyait pas ses oreilles. Non seulement Sam l'avait écoutée sans arrêt, mais il avait réfléchi, il avait vraiment réfléchi à tout ça. Maintenant, en scrutant son visage, un visage où s'exprimaient l'inquiétude et la déception, elle savait qu'il disait la vérité. Et elle le croyait enfin.

— D'accord, c'est vrai, le seul point dont Meredith Bey était tout à fait certaine, c'était que les jumeaux ne lui avaient jamais rien injecté pendant la perfusion, s'empressa d'expliquer Rae. Mais Nola Mahl a piqué une crise quand elle a vu Betty, l'infirmière du service de réa, changer la poche à perfusion. Elle était encore enveloppée dans le plastique.

— C'est cette contradiction qui rend tout ça si embrouillé, dit-il en l'interrompant.

— Sam, si vous y réfléchissez, ce ne serait pas bien compliqué pour quelqu'un de pomper l'ocytocine dans une seringue puis de mettre une aiguille à la seringue et de l'enfoncer à travers le plastique qui entoure la poche.

Pendant quelques secondes, Sam la regarda puis finit par dire, tandis que peu à peu il comprenait :

— Et de là, de passer par la canule.

— Exactement, dit Rae.

Sam se carra sur son siège.

— Incroyable.

— N'est-ce pas ? fit Rae.

— Les trous seraient si minuscules que personne ne le remarquerait, ajouta Sam.

— Pas sans une loupe, renchérit Rae. C'est pour ça que je suis allée à l'entrepôt de l'ambulance pour vérifier les choses moi-même.

— Vous êtes allée là-bas ? Seule ?

— Il n'y avait pas de trou dans les poches là-bas.

Ils restèrent silencieux, digérant ce que Rae venait de dire. Sam manifestement trouvait sa théorie tout à fait plausible pour expliquer ce qui était arrivé aux patientes de la Clinique d'accouchement. Mais Rae avait d'autres questions : elle décida qu'elle ferait aussi bien de les poser.

— Sam, je vous ai interrogé précédemment à propos de Marco et de Howard Marvin. Je veux savoir tout ce que vous savez.

— Marco, soupira Sam, ne m'a pas dit *qui* est derrière cette idée d'un centre de Cardiologie autonome. Mais je sais qu'il a de grands projets pour développer son programme de cardiologie parce qu'il veut que j'assure des résultats valables si jamais le projet prend forme.

— Il a donc bien parlé à Howard Marvin ?

— Rae, dit Sam, vous n'écoutez pas. M'avez-vous entendu prononcer le nom de Howard ? Je serais incapable de vous dire si oui ou non ça intéresse Marco de s'associer à Perfecta. Et quelle différence est-ce que ça fait ? Je ne savais même pas avant la réunion du Conseil de vendredi matin que son projet d'expansion du programme de cardiologie était lié à la fermeture de votre service, d'accord ?

Rae acquiesça sans rien dire.

— Et les rapports ? demanda-t-elle.

— C'est Yvonne, fit Sam avec un nouveau soupir, qui me les a photocopiés pour que je puisse les examiner à loisir. N'en parlez à personne, je lui ai promis de ne pas en souffler mot.

Le serveur revint débarrasser. Tout en dégustant le plat de résistance, Rae sentit qu'elle se détendait. Contrairement à Bo, Sam ne formulait aucune exigence pour nouer des relations. Et pourtant, on ne sait comment, il semblait en exister une entre eux. A bien des égards, il présentait des risques : il était médecin et elle pouvait assurément témoigner que les médecins faisaient des partenaires à problèmes. En outre, il était blanc.

Pourtant, toute question de couleur mise à part, c'était un homme. A la longue, qu'est-ce qui comptait plus que cela ? Un homme de chair, de muscles et d'os, comme tout le monde. Il avait un cerveau, un cœur et une âme. Et à en juger par tous les hommes, tous les gens que Rae avait jamais rencontrés, Sam semblait avoir l'âme à la bonne place.

— Sam, dit-elle, rentrons. Je ne veux pas de dessert, c'est vous que je veux.

De retour chez Rae, ils passèrent les deux heures suivantes à faire l'amour. Cette fois, Rae savait que ce n'était pas pour compenser un manque mais parce qu'il y avait quelque chose entre eux, parce qu'ils se comprenaient.

— Vous traitez toujours vos suspects aussi bien ? demanda Sam avec un sourire.

— Vous avez le droit de garder le silence, fit Rae en se penchant pour l'embrasser. Vous avez le droit de rester séduisant à tout moment...

Le reste se perdit dans l'étreinte de Sam. La raison pour laquelle elle avait décidé de lui faire confiance, elle y songea avec un soudain étonnement, c'était qu'elle était finalement parvenue à se faire confiance à elle-même.

CHAPITRE VINGT

Les quelques jours suivants, Rae essaya de respecter son emploi du temps habituel tout en attendant que le rapport sur l'ocytocine revienne du labo. Elle avait envoyé les trois poches simultanément : celle qui provenait de la Clinique d'accouchement, celle encore emballée qui venait de l'ambulance et celle qu'elle avait obtenue de la réceptionniste de l'entrepôt.

Mais, sans qu'elle sache pourquoi, l'Hôpital lui semblait maintenant moins accueillant. Moins de gens la saluaient joyeusement dans les couloirs, infirmières et médecins commençaient à la regarder avec une certaine méfiance, et parfois elle croyait même entendre chuchoter sur son passage.

Elle savait exactement de quoi ils parlaient.

D'après Jessica, l'infirmière qui s'occupait du Bébé Jésus à l'unité de Soins intensifs néonatal, Arnie Driver avait passé la semaine à expliquer à tout le monde que Rae avait délibérément pris son temps pour accoucher le bébé de Nola et qu'elle avait rendu aussi compliqué que possible l'accouchement du bébé de Meredith.

La veille, Rae venait de voir sa dernière patiente de la matinée quand le téléphone sonna sur son bureau. Bobbie, son assistante, lui annonça que le Dr Hartman était en ligne encore une fois.

Rae sourit et décrocha le téléphone. Rae l'avait vu souvent au cours de la semaine passée, acceptant avec plaisir ses fréquentes invitations. Comme elle pouvait s'y attendre, Sam lui demandait si elle était libre cet après-midi.

— Pas aujourd'hui. Toute la semaine j'ai essayé de parler une nouvelle fois aux infirmiers. Ils étaient en congé mais ils sont rentrés. Je suis convoquée devant le Conseil demain. Mon assistante a appelé le labo. Pour l'instant je n'ai aucune nouvelle.

— Je peux passer ?

— Retrouvez-moi devant les Urgences, dans une demi-heure.

Elle raccrocha et termina sa paperasserie. Bobbie passa la tête dans la pièce.

— Désolée, fit-elle. Les résultats ne sont toujours pas prêts.

— Nous avons encore quelques jours, dit Rae, puis, rassemblant ses affaires, elle se dirigea vers les Urgences.

Il faisait un bel après-midi un peu frais, le jour parfait pour une rencontre de football, se dit Rae. Mais ce n'était pas un jeu auquel elle se livrait. C'était la réalité brute. Elle vit Sam planté auprès de l'ambulance Hillstar et lui faisant signe d'approcher. Il était encore en tenue d'opération.

— Léonard est tout seul en ce moment, lui dit Sam.

Elle s'approcha de l'ambulance. La porte arrière était ouverte et, à l'intérieur, Léonard tripotait une poche à perfusion.

— Bonjour, vous vous souvenez de moi ? (Assez joué les gentilles, s'était dit Rae. Les jumeaux mentaient et, cette fois, elle n'allait pas les lâcher. Léonard fit tomber la poche. Il se pencha précipitamment pour la ramasser.)

— Qu'est-ce que vous voulez encore ? Vous êtes venue voler une autre poche à perfusion ? lança-t-il d'un ton hargneux.

Rae songea à monter à l'arrière avec lui. Mais elle se rappelait sa réaction précédente et décida de ne pas bouger. Sam était debout auprès d'elle, les bras croisés.

— Je veux savoir pourquoi votre frère a dit qu'il n'avait pas changé la poche à perfusion de Meredith quand je sais et vous savez qu'il l'a fait, déclara Rae.

— Allez vous faire voir ! lança Léonard.

— Meredith est infirmière dans un service de gynécologie : je vous l'ai dit, vous vous souvenez ?

— Vous m'avez dit un tas de choses, fit Léonard.

— Elle ne va pas laisser tomber, dit Rae. Son mari est avocat.

Rae lança un bref coup d'œil à Sam pour l'avertir de se taire. Quelle importance si elle mentait ?

— Et alors ? lança Léonard. (Il arracha l'emballage de la poche suspendue au même crochet d'où Rae en avait volé une la semaine précédente.)

— Un avocat spécialisé dans les fautes professionnelles médicales, précisa Rae. C'est sa femme qu'il croit, pas votre frère.

Léonard sauta à terre et s'adossa à l'ambulance.

— Bon, d'accord, dit-il en essuyant son cou épais. Et si mon frère change une poche à perfusion de temps en temps ? Ça fait partie de notre métier, vous savez. Ne venez pas vous en prendre à nous simplement parce que vous avez fait une connerie. Oh oui, fit-il en voyant l'expression de Rae, on m'a tout raconté, docteur. Alors, ajouta-t-il, pas d'autres questions ?

— Si : pourquoi l'a-t-il changée ? interrogea Rae. (Malgré tous ses efforts, elle sentait la fureur monter en elle. Manifestement, Arnie avait parlé aux ambulanciers aussi. On pouvait dire qu'il montait un dossier contre elle. Allons, se dit-elle, Arnie ne savait pas dans quoi il mettait les pieds.)

— Comment voulez-vous que je le sache ! s'exclama Léonard. Il l'a changée, bon ! Qu'est-ce qu'un sac d'eau salée a à voir avec un bébé à problèmes, d'ailleurs ?

A sa grande surprise, Rae croyait, pour la première fois depuis qu'elle avait rencontré les ambulanciers, que Léonard lui disait la vérité. Peut-être avait-il menti à propos de ce que son frère avait fait ou non, mais il n'avait pas l'air de savoir quels dégâts la poche à perfusion avait causés. D'ailleurs, il dévisageait Rae comme s'il comptait sur elle pour lui dire ce qui la tracassait tellement.

— Peut-être n'y avait-il pas que de l'eau salée dans cette poche, dit-elle.

Léonard ferma ses grosses mains : il avait des poings gros comme des melons. Il se tourna vers Sam.

— Vous feriez mieux de l'emmener d'ici, dit-il d'un ton menaçant.

— Hé, fit Sam, levant les mains à son tour dans un geste de protestation. Moi aussi, j'ai peur d'elle, dit-il.

— Ecoutez, Léonard, reprit Rae en faisant un pas vers lui. (Léonard mesurait bien un mètre quatre-vingts : elle devait donc renverser la tête pour le regarder.) J'ai volé cette poche et je l'ai envoyée au labo. D'un instant à l'autre, je vais savoir ce qu'elle contenait à part l'eau salée. Alors cessez d'essayer de défendre votre frère. Vous savez qu'il a fait quelque chose et vous savez que la réponse est dans cette poche.

— Je ne sais rien du tout, riposta Léonard.

— Alors, dit Rae, prouvez-le. (Elle se tourna vers l'arrière de l'ambulance.) Laissez-moi regarder ces poches.

Léonard se déplaça pour barrer le passage.

— Quel est le nom de ce labo ? demanda-t-il.

— Laissez-moi passer ! fit Rae. (Elle essaya de le pousser de côté, mais il l'empoigna. Sam intervint et obligea Léonard à lâcher prise.)

— Ça va, ça va, dit Léonard, les mains en l'air. Mais comment est-ce que je saurais que ce n'est pas vous qui avez mis quelque chose dans cette poche et puis qui l'avez envoyée à analyser, hein ? Comment est-ce que je saurais que vous ne voulez pas mettre la main sur quelques autres, leur injecter ce que vous vous imaginez que mon frère a utilisé et puis les envoyer au labo rien que pour sauver votre peau ?

— Au fait, demanda Sam, où est votre frère ?

— Loin d'ici, j'espère, répliqua Léonard. (Il tourna le dos à Rae et à Sam et commença à remonter dans l'ambulance.)

— Oh, c'est vrai qu'il est loin, dit Sam. Une petite piquouze, ça a vite fait de vous envoyer au pays des rêves.

— Foutez-moi la paix, dit Léonard, mais Rae vit que les remarques de Sam semblaient avoir fait glisser les mains de Léonard sur la poignée tandis qu'il s'efforçait de se hisser dans la cabine.

— Où est-ce qu'il trouve l'argent, hein, le petit frère ? demanda Sam. Combien d'héroïne est-ce qu'on peut acheter avec un salaire d'infirmier ?

— Foutez-moi la paix, grommela Léonard.

— Il passe son temps à filer en douce, pas vrai ? Il s'en va pisser plus souvent en un jour que vous en toute une semaine, n'est-ce pas ? C'est pour ça aussi qu'il est tellement plus petit que vous, hein ? Et ses yeux, Léonard. Les yeux, ça vous trahit toujours.

Léonard avait fini par remonter dans l'ambulance. Sans laisser à Rae ni à Sam le temps d'ajouter un mot, il avait empoigné les deux portières de l'intérieur et les leur avait claquées au nez.

Après cette pénible confrontation, Rae alla rendre visite à quelques-unes de ses patientes à la maternité, puis se dirigea vers le téléphone le plus proche. Elle composa le numéro du labo de San Diego. Après être passée par le système de messagerie vocale, elle finit par trouver la technicienne susceptible d'identifier les poches qu'elle avait envoyées.

— Mais pourquoi appelez-vous ? lui demanda celle-ci. Vous avez annulé la commande.

La main de Rae se crispa sur le combiné.

— Comment ça, j'ai annulé... ? (Elle baissa la voix car des patientes la dévisageaient en passant.) Qui a dit que j'avais annulé la commande ?

— Vous êtes bien le docteur Duprey ?

— Parfaitement ! Mais je n'ai rien annulé du tout !

Elle n'en croyait pas ses oreilles.

— Ecoutez, peu importe qui vous a appelée, dit-elle, furieuse. Trouvez-moi ces poches et faites-moi ces foutus dosages ! Ça fait une semaine que vous les avez !

La laborantine expliqua à Rae que les poches étaient bien arrivées quelques jours auparavant mais qu'elles s'étaient retrouvées plusieurs jours dans le mauvais service. Ils venaient tout juste de procéder aux dosages quand était arrivé l'ordre d'annulation. Elle ne savait plus très bien maintenant où se trouvaient les poches, mais selon toute probabilité, elles étaient en route pour la poubelle. Rae aurait voulu sauter sur le téléphone pour étrangler la femme qui se trouvait à l'autre bout du fil.

— Je vais faire de mon mieux pour les retrouver, finit-elle par déclarer. Mais je ne peux rien vous promettre.

Rae raccrocha. C'était à elle qu'elle en voulait surtout. Comment avait-elle pu être assez stupide pour dire à Léonard ce qu'elle avait fait des poches ? Au moins une heure s'était écoulée depuis leur affrontement. Une heure, ç'aurait été largement suffisant pour trouver le labo qu'elle utilisait, étant donné que c'était le seul de l'Etat.

D'un autre côté, songea-t-elle soudain en se dirigeant vers le parking, elle n'avait absolument pas dit à Léonard ce qu'elle pensait trouver dans ces poches. Alors comment aurait-il pu savoir quel laboratoire chercher s'il ne se doutait pas lui-même qu'il s'agissait d'ocytocine ? Il avait dû examiner la poche après son départ et trouvé quelque chose qui confirmait ses soupçons. Voilà pourquoi il avait annulé la commande de Rae : pour se protéger jusqu'au moment où il aurait découvert ce qui se passait.

Il ne restait plus qu'une seule chose à faire maintenant : suivre le conseil de Bo et alerter la police.

Elle dut appeler les renseignements pour obtenir l'adresse, mais ensuite il ne lui fallut qu'un instant pour rejoindre le commissariat de police de Berkeley. C'était un vieux bâtiment blanc sur Milvia Avenue et, sans la présence de dix ou douze voitures de patrouille bleues dans le parking, Rae serait passée devant sans le voir.

Elle gara sa Porsche de l'autre côté de la rue et franchit la porte. Deux escaliers de pierre en colimaçon menaient au premier étage où se trouvaient les bureaux. Rae prit celui de gauche.

La première chose qu'elle remarqua sur la vitre de la réception, ce fut une liste des différents services : HOMICIDES, NARCOTIQUES, etc. Le seul fait de voir les mots la mettait mal à l'aise. Il est vrai que les patients éprouvaient peut-être le même sentiment en passant à l'hôpital devant des portes marquées : SERVICE DE CARDIOLOGIE, BANQUE DU SANG, etc. Malgré tout, elle dut faire un effort pour se calmer et se concentrer sur la raison qui l'avait amenée là.

Ce fut une femme aimable avec des nattes qui l'accueillit.

— J'aimerais déposer une plainte, dit Rae. (Elle ne savait pas très bien comment on faisait : elle n'était même pas sûre que ce fût la procédure à suivre.)

— Une plainte pour quoi ? demanda la femme.

— La plainte qu'il faut déposer quand quelqu'un essaie de tuer des femmes enceintes.

La femme lui lança un regard sceptique.

— Je suis médecin à l'Hôpital, insista Rae. Je parle sérieusement.

Lentement, la femme tendit un formulaire à Rae. Elle n'avait plus l'air aussi aimable.

— Bien sûr, mon chou, dit-elle. Prenez donc ça et écrivez votre histoire.

Rae alla s'asseoir et inscrivit son nom et son adresse. Elle leva les yeux en voyant un policier s'approcher d'elle.

— Tiens, vous êtes le docteur Duprey, dit l'homme en lui tendant la main. Je suis le sergent Lane, vous vous souvenez ?

— Sergent Lane, dit Rae en se levant et en lui serrant énergiquement la main. (Quel coup de chance, se dit-elle. C'était lui qui s'était montré compatissant après l'agression contre Bernie.)

— J'essaie de rédiger une plainte à propos d'événements suspects à l'Hôpital, dit Rae. Est-ce que je peux me dispenser des formulaires et plutôt vous en parler dix minutes ?

— Mon bureau est juste au-dessus, dit le sergent en désignant le plafond.

Comme ils montaient, il lui demanda comment se portait Bernie. Rae lui expliqua qu'on avait commencé la dialyse : il faudrait attendre et voir. Il lui expliqua que pour l'instant son enquête n'avançait guère et qu'ils essayaient de retrouver l'ex-mari de Bernie.

— Mais Bernie n'a pas entendu parler de lui depuis des années, dit Rae en s'asseyant en face de lui devant une petite table. (Elle inspecta du regard la pièce à peine meublée.) C'est votre bureau ? demanda-t-elle.

— C'est ici qu'on parle aux gens, dit le sergent Lane.

Là-dessus, on frappa à la porte.

— Ah, Mailer. Viens donc prendre des notes.

Rae ne tendit pas la main au jeune policier et lui s'en abstint également. Elle se rappelait comment il l'avait accusée d'être pour quelque chose dans l'agression de Bernie. Moins elle lui en disait, se dit-elle, mieux cela vaudrait.

— Alors, dit le sergent Lane. Allons-y.

Il fallut dix bonnes minutes à Rae pour raconter son histoire.

— Rien d'autre ? demanda le sergent.

— Si. Qu'est-ce qu'on fait maintenant ? demanda Rae.

Le jeune policier ricana.

— Laisse tomber, Mailer, dit le sergent d'un ton sévère.

— Vous ne me croyez pas, dit Rae.

— Oh, commença le sergent, ça n'est pas à nous de croire...

— Fichtre non, on n'en croit pas un mot, dit Mailer en s'asseyant sur le bord de la table. Naturellement, après avoir pris votre déposition à l'Hôpital, on s'est un peu renseignés. Vous êtes assistante du service d'Obstétrique.

Rae acquiesça.

— Eh bien, il semble y avoir une petite discussion entre votre hôpital et la Clinique d'accouchement.

Rae prit un air méfiant. Elle savait ce qui allait venir.

— Mais... commença-t-elle.

— Ecoutez-le jusqu'au bout, dit le sergent Lane d'un ton paternel. Vous savez comme ces jeunes gens sont impatients.

— Et nous avons appris aussi que vous n'aimez pas la Clinique d'accouchement, docteur Duprey.

— Bon, bon, dit Rae en se levant. Vous pouvez me rendre ce formulaire ? J'aimerais rédiger ma plainte.

Inutile de poursuivre la discussion. Mais si elle portait officiellement plainte, la police serait au moins obligée de vérifier certaines choses.

— Nous voulons vous aider, dit le sergent Lane. Mais puisqu'il s'agit d'une plainte d'ordre médical, pourquoi ne vous adressez-vous pas au service de Santé ?

— Parce que je suis pratiquement sûre que le service de Santé n'a pas de bureau criminel, répliqua sèchement Rae.

Elle s'empressa de cocher toutes les cases et griffonna un résumé de ce qu'elle venait de dire.

— Tenez, dit-elle en remettant la feuille à Mailer. (Puis elle ramassa ses affaires et se dirigea vers la porte.) Ravie de vous avoir rencontrés, messieurs.

— Ce qu'il nous faut, c'est une preuve, pas des rancœurs ! lui cria Mailer.

— C'est pour ça que la ville vous paye, *vous* ! riposta Rae.

CHAPITRE VINGT ET UN

Même si elle était déçue de n'avoir reçu aucune assistance de la police, Rae ne pouvait vraiment pas leur en vouloir. Ça n'avait pas été facile d'essayer de décrire les effets biochimiques de l'ocytocine sur l'utérus et la présence de gaz anormaux dans le sang à des hommes qui tous les jours avaient affaire à des meurtriers et des drogués. En fait, plus elle s'efforçait de leur faire comprendre, plus elle avait dû leur paraître folle. Sam, Marco, Walker : tous l'avaient mise en garde contre les réactions que les gens pourraient avoir à ses théories.

Le moment était venu maintenant d'affronter Léonard au sujet de l'annulation de sa commande au labo. Elle voulait savoir aussi s'il avait trouvé des trous dans les poches, comme elle le soupçonnait. Mais elle voulait d'abord voir si Sam en avait terminé avec son opération : après tout, ça ne ferait pas de mal de l'avoir avec elle.

Dans le hall de l'Hôpital, trois femmes enceintes et leurs compagnons étaient rassemblés devant le bureau de la réception pour faire une visite de la maternité. Rae remarqua à quel point elles paraissaient nerveuses et excitées. Dans quelques semaines, elles tiendraient leurs bébés dans leurs bras et discuteraient pour savoir de qui ils avaient les yeux et le nez.

— C'est bon de vous voir de nouveau sourire, dit une voix grave derrière elle.

En se retournant, elle aperçut Walker.

— Vous avez une minute ? demanda-t-elle.

Ils allèrent s'asseoir sur un des canapés de cuir du hall. Elle aurait voulu lui raconter sa petite expédition au commissariat mais là-dessus elle se rappela avec un sentiment de culpabilité qu'il lui avait demandé de garder son histoire pour elle. Ne voulant pas s'exposer à de nouvelles critiques, elle se contenta de raconter à Walker qu'elle soupçonnait Léonard d'avoir annulé la demande de dosage d'ocytocine.

— Attendez un peu. Doucement ! fit Walker. De quelle commande parlez-vous ?

— Oh, j'ai oublié de vous dire, dit Rae. (Elle lui expliqua rapidement ce qui s'était passé.)

— Vous avez dit à l'infirmier, dit Walker en secouant la tête, que vous aviez expédié les poches... Oh, peu importe, dit Walker en s'efforçant visiblement de maîtriser son irritation. (Rae constata avec soulagement qu'il ne semblait pas disposé à la réprimander pour avoir commis cette erreur.) Donc, reprit-il d'un ton calme et sévère, en ce qui concerne votre comparution devant le Conseil, ce qui semble plus me préoccuper que vous, quel dossier avez-vous donc sans les résultats de ces dosages ?

— Aucun, dit Rae.

— Exactement, déclara Walker. Ce que je veux dire, Rae, c'est qu'à mon avis la méthode clinique que vous avez suivie pour ces deux affaires était parfaite. Contentez-vous d'expliquer au Conseil ce que vous avez fait, étape par étape, et on vous comprendra. Personne ne se fait mettre à la porte d'un hôpital pour s'être montré un grand médecin.

— Walker, objecta Rae, il y a un certain nombre de gens dans ce conseil qui m'en veulent personnellement. Arnie n'a pas aimé la façon dont je lui ai fait honte pendant la réanimation du bébé de Nola. Bo, comme vous l'avez dit, cherche à me faire endosser la responsabilité pour protéger la réputation de sa clinique et il se trouve que Marco est furieux contre moi pour l'avoir accusé de voler des dossiers.

— Voler des dossiers ? Des dossiers de patients ?

— C'est sans importance maintenant, l'interrompit Rae. D'ailleurs, j'ai demandé au labo de retrouver ces poches et de faire les dosages. Et il les retrouvera, Walker. Enfin, elles n'ont pas dû aller bien loin dans un aussi bref laps de temps.

— Toujours optimiste, dit Walker.

— Ça s'appelle du désespoir.

Là-dessus, son bip se déclencha. Le message lui demandait de rappeler son répondeur. Rae reconnut le code de San Diego, le 119, et griffonna le message qu'elle lisait sur l'écran : « Le labo a retrouvé les sacs. On procède aux analyses. »

— Vous voyez, Walker, dit Rae en remettant son bip dans son sac. Maintenant priez pour que les résultats arrivent à temps.

— Il me semblait, dit Walker en lançant à Rae un regard de travers, que vous ne croyiez pas à la prière.

— Je n'y crois pas, dit-elle en se levant. Mais ça ne devrait pas vous arrêter.

Elle lui lança un clin d'œil, mais il gardait un air soucieux.

— Je vous en prie, Rae, dit-il. C'est toute votre carrière qui est en jeu. J'ai par moments l'impression d'être un père pour vous. Je vous donne le meilleur conseil que je puisse vous donner.

Rae tapota l'épaule de Walker.

— Je ne vous décevrai pas, papa, dit-elle en riant.

— Je suis sérieux, Rae, dit-il.

— Et moi, déclara-t-elle, je vais aux Urgences. Il y a deux infirmiers qu'il faut que je voie.

Elle le planta là dans le hall. Walker, décida-t-elle, comme tous les pères, n'aurait qu'à se faire à l'idée qu'elle faisait ce qui lui semblait le mieux.

Avant d'aller trouver les infirmiers, Rae appela d'abord la salle d'op et demanda où en était Sam. L'infirmière lui confirma qu'il était toujours en chirurgie. Rae raccrocha et se dit qu'elle allait toute seule rendre une nouvelle visite aux jumeaux.

Dans le couloir elle croisa Sylvia Height.

— Dites donc, vous avez entendu parler de la dernière patiente de la Clinique d'accouchement ? demanda Sylvia.

— Vous voulez dire Meredith, fit Rae en s'arrêtant net... Celle dont le bébé a l'épaule...

— Non, celle d'aujourd'hui, dit Sylvia. Une patiente du Dr Michaels. Rupture d'utérus. Elle ne va pas bien et ils ont failli perdre le bébé.

— Où est la patiente ? demanda Rae en empoignant Sylvia par le bras.

— Elle est en Soins intensifs. Elle est mourante, docteur Duprey.

Rae rappela la salle d'op et laissa un message à Sam pour qu'il la retrouve aux Soins intensifs dès qu'il aurait terminé. Puis elle grimpa en courant les sept étages jusqu'au service. La nuit était claire et les lumières de l'autre côté de la Baie donnaient à San Francisco un aspect féerique. Là, dans la chambre à côté de celle où se trouvait Bernie, il y avait une jeune femme qui, Rae le savait, devait être la patiente qu'elle était venue voir.

— Quelle pitié, dit l'infirmière du nom de Lourdes. Elle n'a que vingt-deux ans et elle a chez elle un bébé de deux ans. Son pauvre mari... il est parti voilà quelques minutes. Il n'en pouvait plus. (Lourdes secoua tristement la tête.) Je suis enceinte de six semaines. Ça pourrait tout aussi bien m'arriver.

Rae s'approcha de la mourante. Elle avait le visage bouffi, sans doute à cause de tous les litres de fluide qu'on avait dû lui administrer au cours de l'opération. Elle avait les yeux ouverts, le regard vitreux. Un tube en verre lui sortait de la bouche. De son cou émergeait un cathéter. De grandes marbrures violettes lui marquaient les bras et les jambes, là où on avait essayé d'autres perfusions.

Rae prit dans la sienne la main gonflée de la patiente : Rae avait beau la serrer fort, la main restait molle. La femme était allongée là, immobile, avec à l'arrière-plan la beauté vibrante de la ville dont les lumières scintillaient.

— Elle s'est vidée de son sang, dit Lourdes en venant rejoindre Rae à son chevet. A un moment, son utérus s'est rompu et elle a perdu tout son sang avant qu'on puisse s'occuper d'elle. Mais, d'après ce qu'on m'a dit, il a fallu faire quelque chose.

— Où est son dossier ? lança Rae. (Lourdes la regarda, abasourdie.) Où est son putain de dossier ?

Rae n'avait pas voulu être grossière, mais cette femme avait souffert d'une rupture d'utérus : une complication classique dans le cas d'overdose d'ocytocine. Maudit Bo ! se dit Rae tout en se dirigeant vers le bureau central que Lourdes lui montrait du doigt.

La patiente s'appelait Allison Border. Au moment où Rae ouvrait le dossier, Sam arriva.

— On fait un pontage à mon patient, annonça-t-il. J'ai une dizaine de minutes.

— Asseyez-vous. Ecoutez un peu ça, dit Rae, furieuse.

Elle feuilleta le dossier et trouva la preuve qu'elle cherchait.

— Voilà. Ecoutez, Sam, dit-elle en commençant à lui lire tout haut l'accablante succession des événements. La Clinique d'accouchement signalait des contractions normales, mais la femme avait présenté les symptômes préliminaires de pré-éclampsie et avait été transportée à l'Hôpital. Le rapport d'ambulance signé par Théodore McHenry précisait que le rythme cardiaque du bébé était normal et que la patiente avait des contractions toutes les deux à trois minutes. Là-dessus, on a noté que juste avant l'arrivée de la patiente à l'Hôpital, elle a commencé à se plaindre de douleurs abdominales. Il y avait aussi une observation de Sylvia, l'infirmière du service des Urgences, signalant que le pouls du bébé était tombé en chute libre.

— Comme tous les autres, dit Sam.

Elle lut enfin à Sam quelques mots griffonnés par Bo, rapportant que la patiente avait eu une rupture spontanée de l'utérus. A côté de cette remarque, il avait écrit le mot *étiologie* suivi d'un point d'interrogation.

— Si je m'écoutais, dit Rae avec violence, je le tuerais.

Sam lui prit le dossier des mains et se mit à le lire.

— Je crois qu'il y a déjà eu assez de meurtres, dit-il.

— Mais je l'avais prévenu ! s'écria Rae. (Cette pauvre femme. Avec le ventre qui s'emplissait de son propre sang. La terreur qu'elle avait dû éprouver. Maintenant, elle ne verrait jamais son cher bébé.) Ça suffit, Sam. Cette fois, c'est le dernier, je le jure...

Là-dessus le bip de Sam se déclencha.

— C'est la salle d'op. Je vous rappellerai.

Il resta un instant planté là, de toute évidence déchiré entre Rae et son travail. Rae lui fit signe de partir et revint auprès de Lourdes.

— Je ne voulais pas vous engueuler, dit-elle d'un ton d'excuse.

— Je sais, dit Lourdes. Ça n'est rien.

Le lit de Bernie était à l'autre bout de la salle.

— J'espère qu'elle va se réveiller bientôt, dit Rae.

— En tout cas, fit Lourdes en désignant la patiente que Bo venait d'accoucher, son électroencéphalogramme est normal. En revanche, nous comptons lui refaire un électrocardiogramme demain. Ça n'a pas l'air bon... (Sa voix se brisa.) Il y a des jours où je déteste mon travail, dit-elle enfin dans un soupir, puis elle s'approcha du lit.

Rae la regarda examiner la patiente comme si elle s'attendait à la voir se réveiller d'un instant à l'autre. Quel métier, se dit Rae. Quel métier pour tout le personnel du service des Soins intensifs quand tant de leurs patients quittaient le service dans des sacs tandis qu'à l'étage de Rae, on accompagnait en chaise roulante les femmes jusqu'au hall du rez-de-chaussée avec leur bébé nouveau-né dans les bras. C'est du moins comme ça que c'est censé se passer, songea Rae en contemplant la mourante.

Là-dessus, la porte de la salle s'ouvrit, livrant passage à Bo en blouse blanche de chirurgien.

— Combien de femmes doivent encore mourir avant que tu me croies, Bo ? lança Rae sans préambule et assez fort pour que tout le monde l'entende.

Il ne s'arrêta pas : il semblait ne pas l'avoir entendue mais elle vit sa mâchoire crispée et elle sut que ce n'était pas le cas. Il se dirigea vers le lit d'Allison et Rae lui emboîta le pas. Sans se tourner vers elle, il dit :

— Je te préviens. Ne recommence pas avec moi. (Contrairement à elle, Bo parlait d'une voix étouffée.)

Rae vint se planter juste devant lui de l'autre côté du lit.

— Combien te faut-il de désastres, Bo ? Qu'est-ce qui à ton avis a provoqué cette fois la rupture de l'utérus de ta patiente ?

— Elle avait une pré-éclampsie, Rae, dit Bo calmement. (Mais il ne la regardait pas : on aurait dit qu'il se parlait à lui-même.)

— Bon sang, la pré-éclampsie ne fait pas éclater l'utérus ! cria Rae.

— Ça va, vous, les toubibs, cria Lourdes.

Rae se tourna vers elle.

— Très bien, fit-elle d'un ton uni.

Lourdes hésita puis finit par sortir.

— Alors ? demanda Rae.

Bo secoua lentement la tête et enfonça ses mains dans les poches de sa blouse.

— Rae, tu es en train de détruire ta carrière. Mais ne touche pas à la mienne. Et ne touche pas à ma Clinique d'accouchement. Si tu t'en prends à moi à la réunion du Conseil, je me servirai de cette tribune pour te clouer au mur !

— Bo, il ne s'agit pas de mon audition !

Bo l'écarta d'un geste.

— Je vais m'absenter quelques minutes, dit-il d'une voix qu'on sentait trembler de colère. Et quand je reviendrai, je ne veux plus te voir ici, tu as compris ?

— Tu ne peux pas laisser ces choses-là se passer ! Tu ne te rends donc pas compte ?

— Je te souhaite une vie agréable, Rae, dit Bo. Laisse-moi te répéter ceci : ma Clinique d'accouchement, c'est un bébé que je ne te laisserai pas détruire.

Il tourna les talons et sortit de la salle. Rae se retrouva à le suivre des yeux sans qu'il lui reste rien de leur conversation sinon une rage aveugle.

Lourdes revint, l'air soucieux.

— Quand doit-on faire l'électrocardiogramme ? lui demanda Rae.

— Ils disent demain.

Rae approcha un siège du lit de la patiente.

— Pas de nouvelles de son mari ? dit-elle en prenant dans la sienne la main enflée.

— Il est vraiment dans un sale état, fit Lourdes en secouant la tête. Il est descendu passer quelques coups de fil et prendre un café.

Cinq minutes plus tard, Rae sentit une main rassurante lui presser l'épaule. Sans lever les yeux, elle reconnut la poigne de Sam.

— Nous sommes toujours en pontage, dit-il.

— Bo sort d'ici, dit Rae.

— Rien que j'aie besoin de savoir ?

Sur ces entrefaites, le bip de Rae se fit entendre. Elle lâcha la main d'Allison et lut le message.

— Allons, la bonne nouvelle que vous avez manquée tout à l'heure, c'est que le labo a retrouvé les poches et qu'on procède aux dosages.

Sam attendit qu'elle eût terminé.

— La mauvaise nouvelle, c'est que les résultats ne seront pas prêts avant demain deux heures.

— Pourquoi est-ce une mauvaise nouvelle ? interrogea Sam.

— Parce que Bo projette de me clouer au pilori à midi.

CHAPITRE VINGT-DEUX

Rae dormit d'un sommeil agité, cette nuit-là, et se réveilla le lendemain avec une terrible migraine.

— Ah, Léopold, dit-elle en avalant deux comprimés d'aspirine, ça n'est vraiment fini que quand c'est fini.

Elle prit une douche rapide et passa un élégant tailleur noir avec un corsage de soie blanche.

Elle avait sa salle d'attente pleine de patientes à voir avant son audition. Elle dut faire un effort pour se concentrer sur leurs soucis de santé au lieu de penser que tout son avenir dans la médecine était en jeu. Mais elle réussit à écouter leurs histoires, à procéder aux examens appropriés et à leur faire des ordonnances pour les analyses qui s'imposaient. Après avoir reçu sa dernière patiente, elle passa dans la salle de bains pour se remettre du rouge à lèvres.

— Rae, lui dit Bobbie, juste au moment où elle refermait la porte.

Rae se retourna. Bobbie tenait à la main une demande signée au bas du dossier d'une patiente. Rae regarda le nom.

— Anna Johnson ? demanda-t-elle. Elle se fait transférer à la Clinique d'accouchement ?

Rae reprit le papier.

— Mais c'est pour très bientôt maintenant, dit Rae. J'ai mis au monde ses deux derniers enfants, ajouta-t-elle en lançant à Bobbie un regard interrogateur.

— Au début, elle ne m'a pas dit pourquoi, expliqua celle-ci. J'ai fini par lui faire avouer qu'elle avait entendu des bruits sur la façon dont l'accouchement de deux de vos patientes s'était mal passé. Elle était trop gênée pour vous poser des questions là-dessus, ou alors elle a estimé que c'était plus facile de partir.

Rae prit son bâton de rouge à lèvres et passa dans la salle de bains. Bobbie restait plantée sur le seuil. Rae avait la main qui tremblait de colère.

— Bon sang ! fit-elle en laissant tomber le rouge à lèvres par terre. Je regrette qu'Anna ne m'ait pas donné l'occasion de lui parler, dit Rae. Sans doute que, si j'avais entendu les bruits qui ont couru sur moi, je penserais aussi à trouver un autre médecin. Mais si j'avais pu lui parler ne serait-ce qu'une minute, j'aurais pu la convaincre que le meilleur endroit pour accoucher, c'est l'Hôpital et non pas la Clinique. Si elle a le moindre problème urgent là-bas, Bobbie, et qu'elle doive être transportée ici...

Elle ne voulait pas envisager ces possibilités. Anna Johnson était une de ses patientes préférées : à peu près le même âge qu'elle et une des rares photographes professionnelles noires du pays. Deux filles : Kim, sept ans et Lisa, six ans. Entraîneuse de l'équipe féminine de volley-ball.

— Ne vous inquiétez pas, fit Bobbie, rassurante. Anna est faite pour avoir des bébés. Pensez plutôt à vous-même. Clouez-leur le bec à la réunion du Conseil.

Rae ramassa son rouge à lèvres et le remit dans son sac. Peu importait la tête qu'elle aurait.

— Votre CV est prêt, Bobbie ? demanda Rae en passant devant elle. (Dans son bureau, elle prit une serviette noire qui contenait ses notes pour la réunion.) Ça pourrait bien être notre dernier jour ensemble.

— S'ils vous mettent dehors, Rae, je retourne à l'école pour apprendre la plomberie, dit Bobbie. Je ne voudrais pas continuer à faire de la médecine s'ils se débarrassent de leur meilleur toubib.

Rae la regarda : Bobbie leva les deux pouces.

— Alors, demanda-t-elle, vous n'êtes pas inquiète ?

— C'est eux qui devraient s'inquiéter, répliqua Bobbie.

Encouragée par sa confiance, Rae leva les pouces à son tour et sortit. Midi moins cinq. Elle traversa la rue en courant.

A son étonnement, quand elle arriva de l'autre côté, elle se sentit essoufflée. Les jambes lourdes, elle passa rapidement devant la haute colonnade de l'Hôpital. Peut-être parce qu'elle savait qu'il y avait une chance sur deux pour qu'elle pénètre dans cet hôpital comme médecin pour la dernière fois. Si elle perdait, on pourrait prononcer une suspension sommaire à l'issue de la réunion. Ce ne serait qu'après avoir gagné officiellement, et ça pourrait prendre des semaines, voire des mois, qu'elle aurait une chance d'être réintégrée.

Mais d'ici là, combien d'autres bébés, combien d'autres mères en auront pâti ? songea-t-elle en entrant dans le hall. Retrouverait-elle une clientèle, même si elle gagnait en appel ? Et son rêve de devenir la première Noire chef de service ? On aurait assurément trouvé quelqu'un d'autre d'ici là et elle aurait manqué l'occasion.

Ce fut en pensant à Nola, à Meredith, à Allison et maintenant aux nouvelles inquiétudes qu'éveillait en elle le cas d'Anna Johnson que Rae se sentit éperonnée. Elle avait retrouvé toute son énergie lorsqu'elle se retrouva devant les grandes portes argentées de la salle du Conseil. Le vestibule était silencieux. Rae en conclut que ses confrères, non, ses juges, étaient déjà à l'intérieur. Quel sort me réservent-ils ? se demanda-t-elle. Allait-elle avoir un procès équitable ? Elle sentit la moiteur de sa main gauche contre la serviette en cuir. Enfin, prenant une profonde inspiration, elle saisit le bouton de porte et le tourna. Très droite, les épaules hautes, le menton levé, elle entra dans la salle du Conseil.

— Ah, le docteur Duprey est arrivé, dit Arnie.

Assis en bout de table, il lui désigna un siège vide à quelques places de là. Rae se dirigea vers son fauteuil et s'assit, tout en évaluant rapidement la situation.

Le jury se composait de neuf médecins et, évidemment, elle les connaissait tous. Il y avait Arnie, qui la dévisageait d'un air de défi, un généraliste, un radiologue, un spécialiste des intestins et un chirurgien. Il y avait trois obstétriciens dont la plupart des patientes accouchaient à la Clinique et, naturellement, il y avait Bo.

L'ambiance était grave. Rae avait déjà participé à d'autres réunions de ce genre, mais jamais comme accusée. Elle savait combien les médecins avaient horreur de se juger ouvertement entre eux. Bien sûr, derrière les portes fermées, ils étaient comme tout le monde. Des jalousies mesquines, l'espoir de voir le pire arriver à autrui : le mauvais côté de la nature humaine ne se confinait pas à une profession en particulier. Mais en groupe, les médecins s'efforçaient généralement d'accorder à un collègue le bénéfice du doute. Un médecin savait que, parfois, on avait beau tout tenter, il pouvait arriver des accidents aux patients.

C'était bien sa chance, se dit Rae en parcourant du regard la salle et en cherchant à deviner qui pourrait être de son côté et qui avait déjà décidé de soutenir Arnie, c'était bien sa chance qu'elle doive pour se défendre affirmer que des accidents n'« arrivaient » pas simplement aux patientes de la Clinique d'accouchement mais que quelqu'un essayait bel et bien de les liquider.

Arnie déclara la séance ouverte. Il expliqua qu'il avait convoqué cette réunion pour décider si Rae devait continuer à exercer l'obstétrique et la gynécologie à l'Hôpital de Berkeley Hills. Il donna sa version de ce qui s'était passé lors de l'opération de Nola :

— Elle ne reconnaissait même plus une main d'un pied. Il lui fallait plus d'espace dans l'utérus mais, même quand une infirmière a suggéré une césarienne, elle a refusé de la pratiquer. L'infirmière qui l'assistait au début a essayé de lui dire qu'elle ne se sentait pas bien en vérité, cette infirmière était enceinte, mais le Dr Duprey n'a rien voulu entendre et elle s'est mise à invectiver l'équipe quand la jeune femme s'est évanouie.

Les collègues de Rae commençaient à s'agiter sur leurs sièges. Sauf Bo, personne ne regardait de son côté. Arnie entreprit ensuite d'expliquer comment Rae avait tenté de mettre au monde le bébé de Meredith sur un chariot en mouvement au lieu d'attendre d'être en salle d'accouchement. A en croire Arnie, Rae avait complètement perdu le contrôle de la situation lorsqu'elle avait délibérément cassé la clavicule du bébé.

— Personne à qui j'ai parlé n'a jamais essayé de réduire une dystocie des épaules sur un chariot en mouvement. La mère était dans tous ses états. Elle est infirmière dans une maternité et elle était terriblement inquiète...

— Cessez de mentir, lança Rae.

— Vous parlerez à votre tour, riposta Arnie.

Rae le foudroya du regard. Ça, il peut y compter, se dit-elle.

Le chirurgien prit la parole.

— Alors, Arnie, où voulez-vous en venir ? demanda-t-il. Elle a mis au monde les deux bébés, non ?

— Ce n'est pas vraiment le problème, protesta Arnie.

— Peut-être que je peux expliquer la chose, dit Bo. (Arnie fit un signe de tête affirmatif en direction de Bo tandis que celui-ci se levait.) Nous ne discutons pas ici d'une erreur de jugement. Ce que vous ne savez pas tous, c'est que Rae a promis devant le Conseil qu'elle ferait n'importe quoi et je dis bien *n'importe quoi* pour discréditer ma Clinique d'accouchement afin de sauver son service. Elle a passé un accord avec la présidente du Conseil d'Administration pour prouver et, écoutez bien, en deux semaines, pas davantage, que ne pas pouvoir pratiquer de césariennes dans notre établissement est une mauvaise chose pour nos patientes. Elle essaie de démontrer qu'il arrive des accidents aux femmes durant les transferts. Si elle y parvient, alors tous les obstétriciens enverront leurs patientes ici et m'obligeront à fermer ma clinique. Elle a même demandé, non, *exigé* à plusieurs reprises que je la ferme.

— C'est vrai, Rae ? interrogea le chirurgien en regardant sa montre.

— Quoi donc ? demanda Rae.

Un murmure parcourut l'assemblée.

— Mais vous comprenez, poursuivit Bo, Rae n'a rien pu trouver qui cloche dans le transport des patientes. Ne pas pouvoir pratiquer de césariennes dans l'établissement n'a jamais été un problème pour nous. Tenez, elle est même venue à la Clinique pour interroger deux de mes meilleures infirmières et leur faire reconnaître que quelque chose n'allait pas. Mais qu'a-t-elle trouvé ? Absolument rien.

— Je suis convaincu que quand Rae s'adressera à vous...

— Dites donc, fit le généraliste, cessez de jouer les Perry Mason. Arrivez au fait.

Rae murmura un « Merci » à son intention et se carra dans son fauteuil. Cela lui faisait du bien de se dire qu'elle avait quelqu'un de son côté.

— Laissez-le terminer, protesta Arnie.

— Alors, ce qu'elle fait ensuite, vous comprenez, c'est d'avoir l'air de croire que les transferts sont dangereux. Au lieu d'opérer rapidement le bébé de Nola, elle prend son temps pour s'assurer que ce gosse peut avoir de vrais ennuis et elle finit par extraire un bébé qui n'a pas une chance de tenir jusqu'à la fin de la semaine.

Le pronostic de Bo pour le bébé de Nola frappa Rae comme un coup de poing. Rien de ce qu'il avait dit jusque-là ne l'avait beaucoup tracassée : elle savait qu'il mentait et elle avait encore à présenter sa défense. Mais elle avait été tellement occupée avec toutes ces histoires que cela faisait deux jours qu'elle n'était pas allée voir l'Enfant Jésus. Son état avait-il empiré ? Pauvre bébé, songea-t-elle. Pauvre, pauvre bébé...

Elle baissa les yeux vers la table mais les releva rapidement quand Bo continua. Il avait marqué un temps pour regarder autour de lui et s'assurer que ses paroles avaient l'effet désiré sur les assistants. Apparemment rassuré sur ce point, il appuya ses doigts sur le plateau en verre et se pencha en avant.

— Mais je peux vous assurer qu'une clinique d'accouchement appuyée par un hôpital pour les césariennes est un arrangement parfaitement valable. Je pense, je sais que Rae le pense aussi. Alors, vous demandez-vous sans doute, qu'est-ce que ça peut bien lui faire que la Clinique d'accouchement reste ouverte ou pas ?

Nouveaux frémissements autour de la table.

— Parce que, comprenez-vous, dit-il en regardant Rae droit dans les yeux, l'ambition du Dr Rae Duprey a toujours été de devenir chef du service d'Obstétrique dans un grand hôpital. Dans cet hôpital, pour être précis. C'est le meilleur de l'Etat de Californie. Il est prévu qu'elle soit nommée à ce poste au début de l'année. Mais si elle ne réussit pas à persuader les obstétriciens de faire venir leurs patientes ici, le Comité de Gestion de l'hôpital devra fermer le service d'Obstétrique de Rae. Alors comment le Dr Duprey, qui ne désire rien d'autre au monde, peut-elle devenir le prochain chef du service si le service n'existe plus ?

— Salaud ! cria Rae en se levant d'un bond. Comment oses-tu dire ça !

Mais Bo la regardait comme le chat qui vient de croquer le canari. Il l'avait poussée exactement là où il le voulait. Il regarda autour de lui, puis il eut un sourire sinistre.

— Je propose une suspension sommaire des privilèges médicaux du Dr Rae Duprey dans cet hôpital.

— Oh, pas encore, dit Rae.

Cette fois, elle ne laissa pas les mots de Bo faire leur effet. Elle se leva et disposa sur la table devant elle ses notes manuscrites et les photocopies des dossiers des patientes.

Bo se rassit et se renversa dans son fauteuil comme s'il s'attendait à un plaisant divertissement. Eh bien, attends un peu, mon vieux, se dit Rae tout en parcourant du regard tous les visages. Malheureusement, tous ces gens la regardaient maintenant d'un air sévère. Au début de la réunion, ils semblaient pressés de regagner leurs bureaux ou leurs salles d'opération. On aurait dit en cet instant un vrai jury, qui avait pratiquement décidé que l'accusée avait quelques explications à fournir.

Rae se redressa et commença.

Il lui fallut un bon quart d'heure pour exposer les détails de l'opération de Nola et de l'accouchement de Meredith. Elle examina ensuite les cas des huit bébés à Apgar bas mis au monde par des patientes venant de la Clinique d'accouchement. Elle signala toutes les terrifiantes similitudes entre les cas. Le dernier qu'elle évoqua, ce fut celui de la femme qui était maintenant en train de mourir à la maternité, la patiente qui avait une rupture d'utérus.

— Elle n'est absolument pas mourante, déclara Bo.

Sans se soucier de lui, Rae expliqua que si ces patientes avaient commencé leur travail à l'hôpital, on aurait pu éviter tout cela.

Le gastro-entérologue, un médecin d'une soixantaine d'années avec un nœud papillon et des touffes de cheveux blancs qui jaillissaient sur les côtés de sa tête comme du coton hydrophile, leva la main.

— Ce que vous êtes en train de nous dire, lança-t-il d'une voix grinçante, c'est qu'il est arrivé quelque chose à ces patientes pendant qu'on les amenait ici ?

Rae acquiesça de la tête.

— Ma foi, ça m'a l'air plutôt bizarre.

— Les complications, ça arrive dans les accouchements, observa Bo.

— Oh, j'imagine, dit le gastro-entérologue.

— De quoi d'autre pourrait-il s'agir ? interrogea le chirurgien.

Allons, Rae, si vous avez quelque chose à dire, allez-y, conclut-il en jetant un nouveau coup d'œil à sa montre.

— Mais oui, pourquoi ne leur dis-tu pas, Rae ? suggéra Bo. Vas-y, je suis sûr qu'ils vont tous trouver ça très distrayant.

Ils la regardaient tous maintenant. On lisait dans leurs yeux qu'ils s'attendaient à, mais non, qu'ils *espéraient* vraiment entendre Rae dire quelque chose pour réfuter les accusations de Bo. C'était une chose pour un médecin de commettre une erreur de jugement. Mais nuire délibérément à un patient pour en tirer un profit personnel, c'était scandaleux, criminel même, et cela exigeait un châtiment rapide et radical. Rae prit une profonde inspiration. Elle avait l'impression d'être sur le point de plonger d'un tremplin de quinze mètres. Walker l'avait prévenue de ne pas évoquer sa théorie de l'ocytocine. Et, sans les résultats des analyses, elle ne savait pas comment allait se terminer son plongeon.

Mais elle savait qu'elle ne pourrait plus se supporter si elle ne faisait pas passer avant tout le bien des patientes. Bon sang, elle était médecin. *Sauver la vie !* Comme médecin, c'était tout ce qu'elle savait faire.

— Très bien, mesdames et messieurs. Vous voulez des réponses ? J'en ai, dit-elle en prenant une autre profonde inspiration.

Rae passa les cinq minutes suivantes à expliquer ce qui, à son avis, était derrière les catastrophes en provenance de la Clinique d'accouchement. Elle parlait d'un ton aussi calme que possible, se rendant parfaitement compte que ce qu'elle avait à dire semblait bizarre, pour ne pas dire dément. Dans le meilleur des cas, plusieurs des hommes de l'assistance avaient du mal à prendre une femme au sérieux, même s'il s'agissait d'un autre médecin. Mais une petite Noire ? Avant d'ouvrir la bouche, Rae savait déjà qu'elle poussait le bouchon trop loin.

Elle fit sa présentation d'une manière très méthodique, même si elle se sentait scandalisée chaque fois qu'elle évoquait ce qui se passait. Même Walker, songea-t-elle, aurait été fier de la façon dont elle conservait son calme, sans perdre la tête comme il prévoyait qu'elle allait le faire.

— Ce que nous n'avons pas ici, conclut-elle, ce sont les

complications normales d'une grossesse. Quelqu'un fait quelque chose à ces femmes et, croyez-moi, ce n'est pas la Nature.

Un silence total s'abattit sur la salle puis, brusquement, ce fut une véritable mêlée.

— Ridicule !

— Je pense qu'il y a quelque chose dans ce qu'elle dit !

— Elle est folle !

— Je savais que quelque chose avait l'air bizarre !

— Bon sang, Bo, qu'est-ce qui se passe là-bas ?

— Là-bas ? Vous voulez dire ici !

Arnie se leva, tapa du poing sur la table et réclama le silence. Mais personne ne faisait attention à lui. Là-dessus Bo se leva et sa voix domina le tumulte.

— Hé, allons, gardons les pieds sur terre, demanda-t-il. Rae n'a concocté cette théorie du complot que pour sauver son service. Et, si je la connais bien, elle utilisera tout le pouvoir qui accompagne la direction de ce service pour me mettre à la rue ! Un complot diabolique, mon œil ! Si quelqu'un a une raison d'éliminer quelques bébés en faisant des injections dans quelques poches à transfusion, vous l'avez devant vous !

— Pourquoi ne leur dis-tu pas où toi, tu étais, Bo ? riposta Rae. Et vous, Arnie ? Voyons, je ne vous laisserais pas donner une tétine à un bébé, et encore moins une sonde d'intubation.

— Qu'on vote, bon sang ! Je veux qu'on la vire ! lança Bo à l'assemblée.

— Est-ce que j'ai là une motion ? fit Arnie en tapant du poing sur la table.

— Parfaitement !

— Quelqu'un l'appuie-t-elle ?

— Je l'appuie !

— Pas de discussion ?

Le silence finit par se faire. Rae et Bo échangeaient des regards noirs.

— Je t'avais prévenue, fit Bo entre ses dents serrées.

Elle se rassit lentement. Tout avait été dit. Il n'y avait rien à ajouter.

— Venez-en à ce foutu vote, dit-elle.

— Voudriez-vous, je vous prie, quitter la salle, demanda Arnie.

Rae se leva et se dirigea vers la porte. Mais, avant de gagner le vestibule, elle se retourna vers ses confrères.

— Votez comme vous voulez en ce qui me concerne, dit-elle, mais, quoi que vous fassiez, ne votez pas contre la vie de bébés innocents.

La porte franchie, Rae arpenta nerveusement le hall. Comment s'était-elle mise dans la situation de laisser quelqu'un d'autre décider de son destin ? Combien d'alliés avait-elle dans cette salle ? Combien en avait-elle gagné... ou perdu ?

Au bout d'un quart d'heure, elle consulta sa montre. Plus les choses traînaient en longueur, mieux elle se sentait. S'ils étaient contre elle, il ne leur aurait pas fallu beaucoup de temps pour prendre une décision. Ou bien était-ce le contraire ?

La porte finit par s'ouvrir et Arnie dit :

— Entrez. Nous avons pris notre décision.

Son visage n'exprimait rien. Pas plus que les visages des huit autres médecins assis autour d'elle.

— Alors ? demanda-t-elle.

— Le vote a été de six contre trois, dit Arnie. (Rae attendit. Elle l'aurait étranglé de prolonger ainsi le suspense.) Six voix contre vous, Rae, dit-il enfin.

— Mais, et les bébés ! s'écria Rae. Et les patientes... La femme là-haut qui est en train de mourir parce que quelqu'un a essayé de la tuer ! Combien d'autres femmes devront mourir encore pour que vous autres fassiez quelque chose ?

— La séance est levée, dit Arnie d'un ton définitif.

— Jamais de la vie ! cria Rae. Vous ne pouvez pas faire ça...

— Nous venons de le faire, dit Bo d'un ton satisfait.

Arnie se leva et se dressa devant Rae. Tous les autres médecins, à l'exception de Bo, se levèrent à leur tour et sortirent de la salle en trottinant comme des souris.

— Si vous insistez, dit Arnie, vous pouvez interjeter officiellement appel.

— Mais les bébés...

— Ferme-la, Rae, lança Bo. Il n'est pas question de bébés. D'ailleurs, qu'est-ce que ça pourrait te foutre ?

— Nous allons assigner une autre obstétricienne à vos patientes, dit Arnie. Bien entendu, nous ferons un rapport sur vous au Conseil de l'Ordre.

— Faites un rapport au Gouverneur, connard, dit Rae. Mais ça ne s'arrêtera pas là.

— Occupe-toi bien du Dr Hartman, dit Bo. (Il donna une claque sur le dos d'Arnie et tous deux sortirent de la salle.)

— Tu ferais mieux de t'occuper de tes patientes ! lui lança Rae tout en sentant que tout son monde s'écroulait.

CHAPITRE VINGT-TROIS

— Pratiquer la médecine, c'est toute ma vie, déclara Rae à Sam. Et je ne vais pas m'en arrêter là.

Sam l'avait retrouvée à la cafétéria. Une cuiller restait plantée dans un pot de yaourt au citron à côté d'une pomme dont elle n'avait mordu qu'une bouchée.

— Le pire, c'est que tant que la Clinique d'accouchement restera ouverte, ces tueurs ne vont pas s'arrêter. (Elle marqua un temps. Sam prit la pomme et la lui tendit. Elle croqua une autre bouchée. Délicieuse.) Si seulement j'avais ces résultats du labo, dit-elle. Oh, Bo m'a chargée de vous dire bonjour...

— Je ne sais pas pourquoi, dit Sam en tendant à Rae son pot de yaourt, mais j'ai l'impression que ce petit contretemps ne vous a pas beaucoup calmée.

Rae porta à sa bouche une autre cuillerée de yaourt puis elle l'avala avec entrain. Le simple fait que Sam ait confiance en elle l'aidait énormément. Même une femme aussi indépendante qu'elle se vantait de l'être n'était pas mécontente d'avoir quelqu'un d'autre dans son camp.

— Vous avez bien raison, dit-elle en s'essuyant la bouche avec sa serviette. Il va en falloir fichtrement plus que de m'interdire d'exercer à l'Hôpital pour m'empêcher d'y mettre les pieds.

— Comment est-ce que j'ai deviné ça ? demanda Sam.

Sur ces entrefaites, le bip de Rae se fit entendre. Elle lut le message : on avait le résultat des analyses.

— Juste à temps, dit-elle d'un ton narquois. Il faut que j'appelle le labo.

Deux minutes plus tard, elle était de retour. Sam avait terminé de croquer le restant de sa pomme.

Après s'être glissée de nouveau sur sa chaise, elle dit :

— Les poches de la Clinique d'accouchement n'avaient rien. Pas plus que celle de l'entrepôt que j'ai payée cinquante dollars.

— Cinquante dollars ? Fichtre. Et celle de l'ambulance ? demanda-t-il.

— Qu'est-ce que vous croyez ? demanda Rae.

— Bourrée d'ocytocine ? dit Sam.

— Suffisamment pour déclencher l'accouchement d'une vache, dit Rae en secouant la tête d'un air las. Et dire qu'ils ne m'ont pas crue, murmura-t-elle. (Puis elle leva les yeux vers Sam.) Il faut que je trouve Bo. Le labo me faxe une copie de son rapport. Il va bien devoir me croire maintenant.

— N'en soyez pas si sûre.

— Oh, voyons, Sam. Comment voulez-vous qu'il...

Mais Rae s'arrêta en voyant Marco s'approcher de leur table.

— Vous savez, dit Marco, je suis désolé de la façon dont les choses ont tourné.

— Oh oui, je vois à quel point vous êtes navré, dit Rae.

— Je le pense vraiment, Rae, dit Marco. N'est-ce pas, Sammy ? fit-il en se glissant sur le fauteuil auprès de Sam.

— Vous pourriez vous porter volontaire pour faire partie du Comité d'appel, dit Sam.

— Mais oui, Marco, fit Rae. Et pendant que vous y êtes, pourquoi ne pas vous proposer pour présider tout ça ? Avec l'influence que vous avez ici, je suis certaine que vous pourriez convaincre les autres de me réintégrer. Comme ça, je peux faire ce qu'il faut pour maintenir mon service en activité. C'est d'accord ?

Marco pinça les lèvres, se carra sur son siège et croisa les bras.

— Dis-moi, Sammy, lança-t-il enfin, tu n'as pas recommandé à la petite dame de ne pas ouvrir sa grande gueule devant le Conseil ?

— Marco, dit Sam en empoignant celui-ci par l'épaule, nous sommes amis depuis longtemps, mais encore une phrase comme ça et vous me regarderez depuis le plancher.

Les deux hommes s'affrontèrent un moment. Rae se leva.

— Il y a toujours un tueur en liberté, dit-elle en s'éloignant.

— Rae ! fit Sam.

Rae attendit qu'il l'eût rejointe.

— Où allez-vous ?

— A la Clinique d'accouchement, déclara-t-elle, pour dire son fait à Bo.

Sam la prit par le menton et la regarda un moment.

— Rae, c'est sans doute une très mauvaise idée.

— Vous avez peut-être raison, mais c'est la seule chose à faire. Souhaitez-moi bonne chance, dit-elle en tournant les talons.

Elle venait d'apercevoir, marchant droit devant elle, une petite femme extrêmement ronde aux cheveux relevés sur la tête. Elle était vêtue d'un peignoir à pois et elle avait aux pieds des chaussons fabriqués dans une sorte de tissu léopard. Nola Mahl avait dû sortir des Urgences depuis quelques jours et manifestement se sentait un peu mieux.

Elle constata que Nola tournait le dos aux ascenseurs qui l'auraient amenée à la maternité. Elle tourna à droite et disparut par une porte. Rae lui emboîta le pas. Elle se trouva devant la porte de la chapelle de l'Hôpital. Est-ce qu'elle avait toujours été là et que Rae ne l'avait jamais remarquée ?

A l'intérieur, Rae vit Nola assise sur une des dix chaises recouvertes de skaï bleu ciel. Elle contemplait un vitrail éclairé de l'intérieur. Il représentait un ravissant jardin au bord de l'océan. Un petit pont de bois traversait les eaux jusqu'à l'horizon : au-dessus du pont, les nuages se dissipaient au milieu pour laisser passer le soleil. Rae, qui n'avait pas mis les pieds dans une église depuis l'enterrement de sa mère, s'assit sur une chaise du fond.

Autour d'elle tout était si calme. Elle avait du mal à croire que, juste de l'autre côté du mur, se trouvait le monde frénétique de l'Hôpital. Nola avait la tête penchée en avant et Rae comprit qu'elle priait pour son enfant.

Malgré son air et son comportement bizarres, elle semblait jouir d'une sérénité intérieure. Même d'une certaine dignité, se dit Rae, celle qu'aucun bien de ce monde ne pourrait jamais conférer à quiconque.

Rae aurait voulu posséder cette même sérénité ! Mais la mort prématurée de sa mère lui avait enseigné que dans la vie on ne pouvait se fier à rien. La vie, c'était le chaos. La vie, c'était tout ce qui faisait se demander inlassablement aux gens : y a-t-il vraiment un Dieu ?

Rae soudain joignit les mains.

— Oh, mon Dieu, je vous en prie, faites que vous soyez là, et je vous en prie, donnez-moi la force, murmura-t-elle.

CHAPITRE VINGT-QUATRE

A la Clinique d'accouchement, Rae attendit dans le cabinet de Bo, au fond du hall après le bureau des admissions. La pièce était meublée comme chez lui : des meubles lisses en cuir, en verre et en chrome. Quel contraste, se dit Rae, avec le reste de la Clinique.

— Il ne va pas en avoir pour bien longtemps, dit Jenny, la petite infirmière avec un appareil dentaire qui s'était occupée de Nola Mahl. Il demande que vous attendiez... Je peux vous apporter du thé ?

— Pour combien de temps a-t-il dit qu'il en aurait ? demanda Rae.

— Ou bien nous avons de la menthe ou de la camomille, dit Jenny au lieu de répondre.

Rae haussa les épaules. Ce n'était pas à Jenny qu'elle en voulait.

— Je prendrai une menthe, merci.

— Docteur Duprey ? demanda Jenny qui n'avait pas bougé. Peut-être que vous pourrez trouver un poste avec nous à l'Hôpital municipal ?

La nouvelle se sait donc déjà, songea Rae. Elle se força à sourire.

— Pourriez-vous me mettre un peu de miel dedans, Jenny ? ajouta-t-elle.

Rae avait bu deux tasses d'infusion quand Bo arriva. Il avait la blouse chirurgicale verte de la Clinique d'accouchement. Il y avait une tache de sang séché sur son cou, là où le masque ne l'avait pas protégé. Il approcha un fauteuil de celui de Rae et s'assit.

— Tu cherches un boulot ? interrogea-t-il.

Rae posa la tasse sur son bureau et brandit le rapport faxé par le laboratoire.

— J'ai envoyé trois poches à perfusion au labo, lui dit-elle. L'une provenant d'ici : résultat négatif. L'autre provenant de l'entrepôt des ambulances : résultat négatif aussi. (Elle s'arrêta pour désigner le milieu de la page.) Mais celle qui provenait de l'ambulance – ton ambulance – Hillstar, contenait assez d'ocytocine pour faire gicler tous les bébés d'Amérique du ventre de leur mère en soixante secondes.

Bo parcourut le rapport aussi négligemment que si elle lui avait donné la page des sports du *Chronicle.*

— Et alors ? dit-il en lui rendant la feuille.

— Alors, nous avons un chauffeur d'ambulance qui n'a pas pour seule préoccupation d'amener tes patientes d'ici à l'Hôpital.

— *Ton* hôpital ne veut plus de toi, répliqua Bo.

— Et je crois que quelqu'un le paye pour faire ça, poursuivit Rae comme si Bo n'avait rien dit.

— Pour faire quoi ? répliqua Bo.

Rae allait se lever, mais elle se rassit. Elle devait surtout garder son calme.

— Ecoute, Bo, déclara-t-elle, il ne s'agit plus ni de toi ni de moi. Il faut que tu fermes, en tout cas le temps de trouver qui fait ça.

Bo eut un petit rire, un rire déplaisant qui l'exaspéra.

— Tu es vraiment trop, tu sais, Rae ? Mais tu ne manques pas d'ingéniosité. Toi seule pouvais avoir l'idée de piquer toi-même la poche et puis de l'envoyer au labo. Pas mal !

Il renversa la tête en arrière en se donnant une claque sur le genou, mais tout aussi vite, son visage s'assombrit et Rae y vit quelque chose qui était bien proche de la haine. Elle voulut lui reprendre le rapport. Elle s'y cramponna une seconde de trop et le tranchant du papier lui écorcha la peau entre les deux premiers doigts de la main droite. De sa main gauche, elle appuya sur l'écorchure pour arrêter le sang.

— La seule qui ait empli ce sac d'ocytocine, c'est toi, Rae, poursuivit Bo. Personne d'autre n'est assez désespéré pour faire une chose pareille.

— Bo, veux-tu m'écouter ? fit Rae. (C'était vrai qu'elle se sentait désespérée. Mais elle devait rester calme si elle voulait lui faire entendre raison.)

— Je parle sérieusement, Rae, reprit-il. Tu n'hésiterais pas à le faire pour obtenir ce que tu veux. Alors, à moins que tu n'aies autre chose à me montrer...

Elle tapa du bout du doigt contre la feuille. Les gouttes de sang tombèrent à l'endroit qu'elle voulait faire voir à Bo.

— Je suis en train de te montrer ce que tu as besoin de voir, dit-elle.

— Assez ! cria-t-il. (Il se leva et froissa le papier qu'il tenait à la main.) Bon sang, j'ai examiné tous ces cas. J'ai parlé aux patientes, j'ai parlé aux ambulanciers et à toutes les infirmières. Et personne n'a l'air de rien savoir à propos d'overdose d'ocytocine. Sans compter que tu viens d'avoir l'occasion de présenter ta version de l'affaire. Mais est-ce qu'on t'a crue ?

— Trois personnes, oui.

— Foutaises, lança Bo. Ils ne t'ont pas crue : tu leur as fait pitié !

Les paroles de Bo la frappèrent comme une gifle.

— Pitié ? répéta-t-elle.

— Tu avais l'air ridicule, dit Bo.

Rae plissa les yeux. Rien de ce qu'elle pourrait dire ne le ferait changer d'avis.

— Alors, Bo, dit-elle d'un ton amer, d'autres femmes vont mourir.

— La Clinique d'accouchement reste ouverte, riposta Bo.

— Mais...

— Tu peux partir maintenant, Rae, conclut Bo.

Son ton était glacial. Il se dirigea vers la porte et la lui ouvrit.

— Fous le camp de mon bureau, dit-il.

Lentement, Rae ramassa le rapport du labo et le fourra dans son sac. Puis, sans un mot, elle sortit.

En arrivant à l'Hôpital, elle tomba sur Sam dans l'ascenseur. Le temps que les portes se soient ouvertes, Rae avait expliqué à Sam que Bo avait lu le rapport du labo et qu'il refusait toujours de fermer la Clinique.

— Ça va ? demanda Sam comme ils se dirigeaient vers le service des Soins intensifs. (Rae allait voir la patiente qui avait eu une rupture d'utérus.)

— Très bien, dit-elle.

— Alors, dit Sam en lui lançant un regard en coulisse, je pense que c'est tout ce qui compte.

L'unité de Soins intensifs de Cardiologie était au fond du couloir.

— Je vous rejoins dans une minute, dit Sam.

Rae s'arrêta d'abord auprès du lit de Bernie. Une infirmière la baignait avec une éponge. Elle s'arrêta pour annoncer à Rae que les traitements par dialyse donnaient de bons résultats.

— Aucun signe de réveil ? demanda Rae.

L'infirmière secoua la tête.

— En tout cas, *elle* est toujours en vie, dit l'infirmière.

Rae suivit son regard et vit la patiente de Bo à l'autre bout de la salle. Une femme d'un certain âge était assise sur une chaise près du lit. Elle tenait enroulé autour de ses doigts ce qui semblait être un collier. Rae s'aperçut vite que c'était un chapelet. De toute évidence, la femme avait pleuré. Rae se tourna vers l'infirmière.

— C'est sa mère, dit-elle. On vient de lui annoncer qu'on a les résultats de l'électrocardiogramme de sa fille. C'est mauvais.

Rae s'approcha de la femme. Lourdes, l'infirmière qui était là la veille, réglait les scopes. Elle avait les larmes aux yeux.

— C'est toujours plus dur quand elles sont jeunes, dit-elle.

— Plus dur de faire quoi ? murmura Rae. (Lourdes ne voulait sûrement pas dire ce que redoutait Rae. Elle jeta un coup d'œil au visage de la vieille femme, mais elle était perdue dans un monde à elle.)

— Arrêtez le respirateur, souffla Lourdes.

Rae ouvrit de grands yeux. Elle avait beau être médecin, jamais elle n'avait été confrontée au problème de mettre délibérément un terme à la vie de quelqu'un. Cela lui paraissait aller à l'encontre de tout ce qu'elle défendait.

— Attendez au moins le retour de son mari, dit-elle.

— Il lui a déjà fait ses adieux, répondit Lourdes.

Rae s'affala sur la chaise de l'autre côté du lit d'Allison et lui prit la main. Elle était encore tiède et Rae avait du mal à imaginer que cette femme avait un cœur qui continuait à battre mais plus rien de l'activité cérébrale nécessaire pour fonctionner comme un être humain normal.

— Mrs Taylor, demanda doucement Lourdes à la mère d'Allison, vous êtes prête ?

— Est-ce que le Dr Michaels est au courant ? demanda Rae. Il ne faut pas la présence d'un médecin ?

— C'est son médecin traitant qui a donné l'ordre. Nous avons cherché à joindre le Dr Michaels mais on nous a répondu à la Clinique d'accouchement qu'il était absent pour l'après-midi et injoignable. D'ailleurs, non, les médecins n'ont pas à être présents. Ils peuvent donner un ordre par téléphone. Ça arrive tout le temps.

— C'est mon bébé, dit Mrs Taylor en levant vers elles un visage accablé. Comment est-ce que je pourrais jamais être prête ?

— Mrs Taylor, fit Rae avec douceur, c'est vous qui l'avez mise au monde. Maintenant il faut que vous l'aidiez à partir. En bas, vous avez un nouveau petit-fils. Je crois qu'Allison voudrait que vous alliez le voir.

En sanglotant, la mère d'Allison caressa une dernière fois les cheveux de sa fille.

— Je t'aime, ma chérie. Sois courageuse, dit-elle en posant un baiser sur ses paupières closes avant de tourner les talons pour quitter la pièce.

Lourdes se pencha et lentement débrancha l'appareil. Rae tenait toujours la main d'Allison. Est-ce que ça peut vraiment être si facile ? se demanda-t-elle. Devant elle, il y avait la fenêtre. Le soleil se couchait calmement derrière le mont Tam, comme un bébé qui plonge dans le sommeil.

Mais le souffle d'Allison était laborieux. Les secondes s'écoulaient entre chaque mouvement de sa poitrine. On aurait dit qu'elle soupirait au lieu de respirer. Les soupirs s'espacèrent de plus en plus et enfin, juste au moment où le soleil disparaissait à l'horizon, la poitrine se souleva et retomba pour la dernière fois.

Comme Rae se levait de sa chaise pour s'en aller, elle entendit quelqu'un derrière elle. Elle se retourna, s'attendant à voir Lourdes. Elle aperçut Bo.

— Laisse ma patiente tranquille, grommela-t-il.

Rae qui lui tenait toujours la main répondit :

— Oh, elle est partie.

— Lâche-lui la main. Je te préviens, Rae.

Rae pressa une dernière fois la main d'Allison. Elle n'avait aucune envie de faire une scène à son chevet.

— C'est toi le patron, Bo, dit-elle.

Mais, avant de partir, elle tira le drap blanc par-dessus le visage d'Allison. Puis, prenant une profonde inspiration, elle se dirigea vers la porte.

Après sa confrontation avec Bo, Rae s'en alla retrouver Sam pour lui annoncer la mort d'Allison et pour le mettre au courant de son dernier plan.

— Au commissariat, on m'a dit de revenir quand j'aurais des preuves, pas simplement des rancœurs à leur montrer, dit-elle.

Elle tapota son sac, songeant au rapport du labo qui était à l'intérieur. Sam prit l'ascenseur avec elle jusqu'au hall d'entrée.

— Je suis navré de vous dire ça, Rae, dit-il, mais la police pourrait bien ne pas être convaincue non plus par vos « preuves ». Vous comprenez, on pourrait vous dire que c'est vous qui avez injecté l'ocytocine dans les poches.

Rae se rembrunit. Bo lui avait lancé la même accusation.

— Alors, dit-elle avec conviction, il va falloir que je les amène à me croire.

Une heure plus tard, Rae était assise en face du sergent Lane dans son bureau. Elle lui avait montré le rapport du labo, qu'il avait étudié avec un intérêt patient. En revanche, l'inspecteur Mailer l'avait parcouru d'un regard méfiant, puis avait demandé le numéro du labo. Lane avait prié Sam et Rae d'attendre pendant qu'il passait un coup de fil au président de l'équipe médicale de l'Hôpital.

Rae pianotait du bout des doigts sur le montant de sa chaise tout en écoutant la conversation de Lane avec Arnie. Celui-ci évidemment allait parler au sergent de sa suspension, mais elle s'en moquait. Dans son esprit, il s'agissait d'une affaire de meurtre : quelque chose qui échappait à la juridiction de l'Hôpital.

— Merci de m'avoir accordé aussi longtemps, docteur Driver, dit Lane. Oui, j'ai joué sur les Raiders aussi. (Il raccrocha puis regarda Rae.) On dirait que nous avons un problème, Docteur, fit-il.

Il expliqua à Mailer que Rae était suspendue et elle vit le regard du jeune homme s'allumer. Croisant les bras sur sa poitrine, elle dit :

— Je ne suis pas venue ici pour parler de moi. Je suis venue ici pour découvrir qui est en train de tuer les patientes.

— Eh bien, dit Lane, le Dr Driver a dit qu'une femme enceinte venait de mourir d'une hémorragie due à une complication d'ordre obstétrique.

— Une rupture d'utérus ! Voilà de quoi elle est morte ! (Rae arracha le rapport du labo des mains de Mailer et le plaqua sur le bureau de Lane.) Elle a reçu une énorme dose d'ocytocine pendant qu'elle était dans l'ambulance, et maintenant elle est dans un sac plastique !

Mailer se redressa dans son fauteuil.

— Je n'ai pas de meurtre, je n'ai pas de dossier, docteur Duprey, déclara-t-il avec calme.

— Pas de meurtre ? répéta Rae.

Mailer vint s'asseoir sur le bord du bureau auprès de Rae. Il prit le rapport et le plia en deux.

— Nous donnons suite en effet aux plaintes de nos concitoyens, dit-il. Quand nous avons entendu parler de cette jeune femme enceinte qui est morte ce soir...

— Vous êtes au courant ? demanda Rae. Alors, pourquoi tout ce cirque ?

— Notre médecin légiste est un type astucieux, dit lentement Mailer, visiblement ravi de ce qu'il était en train de dire. Il a obtenu du médecin traitant de la patiente la cause officielle du décès...

— Le médecin traitant de la patiente ? demanda Rae, incrédule.

— Et la personne à qui le sergent vient de parler a donné la même cause de décès : hémorragie due à des complications chirurgicales. (Il lui rendit la feuille, se leva et sortit.)

— J'aimerais vous aider, docteur Duprey, dit Lane. J'aimerais vraiment.

— Ça n'est pas moi qui ai besoin d'aide, dit Rae en remettant le rapport dans son sac. Malheureusement, ceux dont c'est le cas ne le savent même pas.

CHAPITRE VINGT-CINQ

Rae était assise dans le grand fauteuil de son bureau, une jambe pendant par-dessus l'accoudoir. Cela faisait au moins une demi-heure qu'elle regardait par la fenêtre. Ou bien une heure ? Elle n'en était pas sûre. Jamais elle ne s'était sentie aussi déprimée. Même après la mort de sa mère, elle s'était retrouvée du moins avec la détermination de devenir obstétricienne pour sauver la vie des femmes enceintes et de leurs enfants à naître. Pourtant, elle n'avait pas réussi à sauver la dernière patiente de Bo. Dans l'état actuel des choses, privée du droit d'exercer à l'Hôpital, elle n'était même plus obstétricienne.

Comment suis-je arrivée à un tel gâchis ? se demanda-t-elle. Même en se donnant du mal, elle n'aurait pas mieux réussi à faire croire aux gens que c'était elle qui avait perdu l'esprit. Bo refusait de fermer la Clinique. Les obstétriciens allaient continuer à faire accoucher là-bas leurs patientes en les exposant à ce qui pourrait se révéler un trajet fatal en ambulance. Quant à la police... oh, elle croyait le sergent Lane quand il disait vouloir l'aider, mais elle devait en convenir, elle ne lui avait pas donné grand-chose à se mettre sous la dent. Il lui fallait davantage de preuves : une preuve dont personne ne puisse dire qu'elle l'avait fabriquée de toutes pièces.

— Où est-ce que je peux trouver ce genre de preuve ? demanda-t-elle à Léopold couché sur la moquette devant elle.

On frappa à la porte et Harvey se servit de sa clé pour entrer.

— J'ai senti de mauvaises vibrations venant de par ici, déclara-t-il. (Dans une main il tenait son violon et son archet.) Comme vous ne veniez pas à moi, je me suis dit que c'est moi qui irais à vous.

— Pas le temps, dit Rae en buvant une autre gorgée de vin.

Mais Harvey passa dans sa chambre et revint avec son étui à violon. Il l'ouvrit et lui tendit l'instrument.

— Oh, posez ce verre, dit-il.

Comme elle ne bougeait pas, il le lui prit des mains et lui tendit le violon. Harvey accordait son instrument, elle accorda le sien par habitude, et non parce qu'elle avait la moindre envie de jouer. Depuis quand d'ailleurs n'ai-je pas joué ? se demanda-t-elle tandis que ses doigts couraient sur le manche. Puis elle se rappela que c'était la nuit où elle avait accouché Nola.

— Rae, dit Harvey en s'asseyant sur le canapé, parfois nos cœurs nous parlent à travers notre musique.

— C'est mon cœur qui m'a attiré tous ces ennuis, dit Rae.

— Pas d'ennuis, seulement la musique, lui murmura Harvey.

Il attaqua le Nocturne de Chopin en mi bémol majeur. C'était à peine si ses doigts épais se déplaçaient le long des cordes : et pourtant des accents magnifiques sortaient du simple instrument en bois.

Vers le milieu du morceau, elle se joignit à lui. Elle se sentait les doigts un peu rouillés, et, sans partition devant elle, elle devait se concentrer pour suivre. Mais l'appartement résonna bientôt des somptueuses sonorités dont la mère de Rae lui avait toujours dit qu'elles étaient les accents du paradis. La musique, disait-elle, c'est la voix de Dieu sur Terre.

Ils terminèrent le morceau. Le violon de Rae vibrait encore des accents de la dernière note.

— Vous vous sentez mieux ? interrogea Harvey.

— Qu'est-ce que vous faites quand personne ne vous croit ? demanda-t-elle. (Elle raconta à Harvey le résultat de sa comparution devant la Commission, comment Lourdes avait débranché la patiente, et lui fit part aussi de la réaction de Lane et de Mailer. Harvey écoutait patiemment, l'air détaché, mais Rae savait qu'il n'en perdait pas un mot.)

— Il faut que je convainque quelqu'un avant qu'une autre patiente ou qu'un autre bébé ne se fasse tuer, dit-elle enfin.

— Vous m'avez convaincu, dit Harvey.

— Ah oui, alors où étiez-vous cet après-midi ? demanda Rae en se rappelant le vote hostile de la Commission à six voix contre trois.

Elle se leva et regarda par la fenêtre. La lune était pleine sur un ciel noir. En la contemplant, elle se sentit au bord du désespoir.

— Il paraît, dit-elle à Harvey, qu'il naît plus de bébés quand la lune est pleine.

— Alors, observa Harvey, je pense que vous feriez mieux d'y aller. Vous ne sauverez personne en restant assise ici.

Il sourit et elle lui rendit son sourire. Harvey avait raison. S'apitoyer sur son sort ne la mènerait nulle part. Elle le raccompagna jusqu'à la porte.

— Qu'est-ce que je ferais sans vous ? demanda-t-elle.

— A mon âge, dit-il en riant tout en lui posant un baiser sur la joue, on ne me pose jamais cette question-là.

— Léopold, dit-elle en refermant la porte et en s'adossant au chambranle, je vais ressortir. Il y a deux ambulanciers à qui il faut que je parle.

Tout en dévalant la I-80, elle appela Sam sur son portable en lui demandant de la retrouver dans le hall de l'Hôpital. Il arriva une minute après elle.

— L'ambulance est garée dehors, annonça-t-elle.

Comme ils traversaient le vaste hall, elle lui raconta sa visite au commissariat.

— Et surtout ne me dites pas : je vous l'avais bien dit ! lança-t-elle en poussant la porte des Urgences.

— Alors, interrogea Sam, quels sont vos plans pour les jumeaux ce soir ?

— Eh bien, fit Rae, j'ai peut-être été naïve de croire qu'un type qui se drogue à l'héroïne ne pourrait pas conduire une ambulance, mais ils n'ont pas besoin de le savoir.

Elle trouva Léonard assis sur le siège avant de l'ambulance.

— Oh, bonté divine. Qu'est-ce qu'il y a encore ? demanda-t-il.

— Pourriez-vous descendre ? dit-elle.

— Ça ne peut pas attendre ? gémit Léonard.

— Ça ne va pas être long, dit Sam.

Léonard sortit de l'ambulance. Rae alla droit au but.

— Alors, lança-t-elle, vous en avez tué une autre ? Quel effet ça fait exactement d'assassiner une femme ?

Le regard des yeux gris de Léonard alla de Rae à Sam et revint à Rae.

— Quelle femme ? demanda-t-il.

— Vous l'avez vue, poursuivit Rae. Je veux dire : juste avant sa mort. Elle n'était pas mal, n'est-ce pas ? Toute gonflée comme ça, avec des tubes qui sortaient dans tous les sens.

— Qu'est-ce que vous racontez ? fit Léonard en ouvrant de grands yeux. Je n'ai tué personne.

— Ah non ? Alors, comment appelez-vous ça quand vous injectez dans une poche à perfusion une telle quantité d'ocytocine que l'utérus de la patiente explose au moment où elle arrive aux Urgences ? (Elle avait craché les mots comme des pépins de citron.)

— Une rupture d'utérus ? balbutia Léonard, en pâlissant visiblement. Elle est morte ?

— Ça n'est pas ça que vous vouliez ? demanda Rae qui s'apercevait que Léonard commençait à transpirer. Ça ne fait pas partie du marché ? Votre frère ne vous a pas expliqué tout ça ?

Léonard se mit à marcher de long en large devant l'ambulance.

— Elle n'est pas morte... ce n'est pas possible.

— Maintenant, elle est dans un sac en plastique au fond d'un tiroir de notre morgue, dit Rae.

— Non... ce qui s'est passé...

— On peut se camer à l'héroïne, Léonard, mais vous, vous n'avez pas besoin de tuer pour satisfaire vos envies. Vous ne comprenez donc pas, Léonard : ça fait de vous un meurtrier.

— Je ne suis pas un meurtrier ! cria Léonard. (Il s'arrêta d'arpenter le trottoir pour fixer sur Rae un regard mauvais.) Je ne sais pas de quoi vous parlez ! Mon frère n'a rien fait de mal. Il n'a rien mis nulle part. Vous voulez inspecter nos poches ?

Léonard se précipita vers l'arrière de l'ambulance et ouvrit toutes grandes les portes.

— Eh bien, jetez donc un coup d'œil. Emportez-en donc quelques-unes chez vous si vous voulez.

Rae s'approcha des portes. L'idée de remonter dans l'ambulance lui glaçait le sang.

— Sam, je vous en prie, dit-elle en lui tendant la main.

Sam sauta dans l'ambulance à sa place.

— Dites-moi juste ce que vous voulez que je fasse.

Sans se soucier du regard de Léonard, Rae dit :

— Vérifiez le coffre où sont entreposées les poches.

Elle entendait Sam marcher dans la cabine arrière. Léonard la dévisageait toujours, alors elle se détourna et appela Sam.

— Et pourriez-vous s'il vous plaît me passer quelques-unes des poches ?

— Tenez, dit-il en sautant à terre avec trois poches à perfusion dans les bras.

Toutes étaient encore dans leur emballage en plastique.

— Il me faut une lumière, dit-elle.

Sam prit une petite torche électrique dans la poche de sa veste et la lui tendit. Elle inspecta soigneusement le sachet et le lança à Léonard qui l'attrapa dans une de ses grosses pattes. Ensuite elle lui lança la lampe électrique.

— Regardez la tétine, ordonna-t-elle.

Léonard retournait la poche entre ses mains.

— Je ne vois rien.

— Vous ne voyez pas ce trou ? Vous ne voyez pas le trou que Théodore a fait quand il a injecté l'ocytocine ?

— D'accord ! D'accord ! Je le vois, cria Léonard. (Puis, baissant la voix, il reprit :) Ça ne prouve rien pour mon frère. Il ne tuerait personne.

— Alors qui a fait les trous dans la poche, Léonard ? demanda Sam d'un ton calme. Si ce n'était pas votre frère, j'imagine que ça doit être vous.

Léonard avait l'air désemparé.

— Où est votre frère en ce moment ? demanda Rae.

— Il fait la pause.

— Pour se piquer, dit Rae. Une pause piqûre.

— Laissez-moi tranquille ! dit Léonard, furieux.

— Lui n'a pas laissé cette patiente tranquille, dit Rae. Vous auriez dû entendre ses derniers souffles, Léonard. De longs souffles pénibles, comme s'il n'y avait pas d'air dans la pièce ! Tout ce qu'elle voulait, c'était être une mère. Maintenant elle ne verra jamais son bébé. Vous avez des enfants, Léonard ?

— Ça va ! Ça va ! hurla Léonard en se prenant la tête à deux mains et en s'affalant contre l'ambulance. Je ne savais pas ce qui se passait, reprit-il. Je jure que je ne savais pas. (Il tendit la poche à Rae.) Et je sais que mon frère ne sait pas non plus qui fait ça. On accroche les poches, docteur Duprey, c'est tout. On ne met rien dedans. Ces bébés à problèmes... ces patientes, mon frère et moi on s'est cassé la tête à essayer de comprendre ce qui se passait. Mais jamais je n'essaierais de tuer un bébé. Mon frère... il a trois gosses. Il ne ferait pas une chose pareille. Dites-moi simplement ce qu'il faut qu'on fasse pour vous le prouver.

— Cessez de le protéger ! dit sèchement Sam. Je sais ce que c'est que d'avoir un frère qui se drogue. Alors dites-moi pour qui il travaille. Dites-moi qui paye Théodore pour percer les poches !

— On travaille pour Hillstar ! cria Léonard. On est payés pour conduire des ambulances !

— Cessez de mentir ! fit Rae... D'abord vous avez menti à propos de Meredith. Vous avez dit que vous n'aviez jamais changé sa poche à perfusion. Ensuite vous prétendez qu'il ne se passe rien avec les patientes. Maintenant vous mentez à propos de votre frère !

— J'avais peur ! fit Léonard. Nous étions nouveaux. Je ne voulais pas perdre ma place ! Je ne savais pas ce qui se passait avec ces patientes, mais je n'allais sûrement pas prendre la responsabilité...

— Mais votre frère se drogue, Léonard, dit Sam d'un ton apaisant. Un héroïnomane est un homme désespéré. Peut-être que vous ne saviez rien.

— Je n'ai rien fait, gémit Léonard.

— Mais les gens désespérés font des choses désespérées, dit Rae. La drogue, ça rend tout le monde désespéré.

— Assez pour tuer des petits bébés ? interrogea Léonard d'une voix pitoyable.

— Assez pour tuer n'importe qui, dit Sam. Y compris le drogué lui-même.

— Et quand on a pris cette place, dit Léonard en secouant la tête, il m'avait promis qu'il ne se camerait plus.

— Ils disent toujours ça, fit Sam en posant une main sur l'épaule de Léonard.

Celui-ci détourna les yeux de Sam pour regarder Rae.

— Mais, reprit-il, mon frère était tout aussi affolé que moi chaque fois qu'il entendait un pouls faible.

— Peut-être qu'on le paye pour faire semblant d'avoir peur, suggéra Rae.

Léonard s'essuya les yeux. Quel spectacle pitoyable, se dit Rae.

— Alors, demanda-t-il, qu'est-ce que je peux faire ?

— Simplement venir au commissariat avec moi, dit Rae.

— Mais mon frère ? fit-il d'un ton hésitant. Il faut que je lui parle d'abord.

— Vous pourrez lui parler plus tard, dit Sam.

— Non, dit Léonard avec véhémence. Je ne vais pas le balancer comme ça. C'est mon frère – mon frère jumeau... on fait tout ensemble.

— Très bien, soupira Rae. Parlez-lui d'abord.

— Mais qu'est-ce que je vais dire ? Et si vous vous trompez ?

— Je ne me trompe pas.

— Alors, vous venez avec moi. Dites-lui juste que vous avez trouvé des trous dans les poches et que vous voulez lui poser quelques questions. A ce moment-là, si je lui trouve un air coupable, je vous croirai et je le persuaderai d'aller au commissariat. Parce qu'ils vont vouloir le désintoxiquer, pas vrai ? Ça les intéressera plus de trouver la personne qui le paye pour perforer les poches...

— D'accord, d'accord, fit Rae. Mais finissons-en.

— Non, Rae, l'interrompit Sam.

— Je n'ai pas le choix ! riposta Rae.

— Alors, dit Sam d'un ton ferme, je viens avec vous.

— Où est-ce que je vous retrouve tous les deux ? demanda Rae.

— Chez moi dans une heure, répondit Léonard. Théo doit passer prendre quelques CD.

— Vous pouvez la retrouver à l'hôpital, suggéra Sam.

— Non, chez moi ou bien...

— Bon.

— Non, Rae.

— Sam, j'ai dit que nous n'avions pas le choix !

Rae nota l'adresse de Léonard. Comme ils rentraient à l'Hôpital, le bip de Sam se déclencha soudain. Un cardiaque venait d'être admis en catastrophe et avait besoin d'une intervention d'urgence.

— N'allez pas là-bas sans moi, la prévint Sam.
— Mais vous en avez pour des heures, protesta Rae.
— Alors, on les coincera demain, dit-il.
— Demain ce sera peut-être trop tard, répondit-elle.
— Quelquefois, fit Sam d'un air exaspéré, il faut savoir donner priorité à soi-même, Rae. J'espère que vous le comprendrez avant qu'il soit trop tard.
Puis il se pencha pour l'embrasser avant de prendre l'ascenseur qui allait au sous-sol.

Rae vérifia l'adresse que Léonard lui avait donnée. Sa maison était à West Berkeley, à dix minutes de là. Elle avait quarante-cinq minutes à tuer, alors elle se dirigea vers le distributeur pour prendre un Coca. Elle éprouvait un renouveau d'espoir : enfin une piste !
Pour aller jusqu'aux distributeurs, elle devait traverser la cafétéria. Là, dans un coin, elle aperçut Marco et Walker assis à une table. Le temps que le gobelet de Rae soit rempli, Marco s'était levé et braquait un doigt furieux sur Walker avant de tourner les talons pour quitter la salle.
— Ce pourrait bien être le dernier patient dont je m'occupe dans ce foutu hôpital, lui dit Marco en sortant en trombe.
— Ce n'est pas moi que ça gênerait, répliqua-t-elle, se rappelant qu'elle était suspendue.
Elle se dirigea vers Walker. L'objet de la discussion que Marco et lui venaient d'avoir ne la concernait pas. Elle avait assez de soucis comme ça... D'ailleurs, de quoi Marco pouvait-il bien discuter avec Walker ? C'était son service à elle qui était en péril, pas le sien. Et maintenant que la Commission médicale l'avait décrétée responsable de ce qui était arrivé aux bébés de Nola et de Meredith, la Clinique d'accouchement allait rester ouverte et sa maternité à elle allait fermer.
Marco lui saisit soudain le coude par-derrière.
— Quoi ? fit-elle en dégageant sèchement son bras.
— Rae, dit-il, Walker est votre copain. Vous feriez mieux de lui faire entendre raison. Monsieur le PDG a peut-être perdu sa chemise avec cette histoire de scanner à résonance magnétique

dans le Kentucky, mais ça ne veut pas dire qu'il ne peut pas tenir les promesses qu'il m'a faites. Je lui ai dit de ne pas faire le malin. Il va le payer, il va le payer cher.

Rae n'avait aucune idée de ce que racontait Marco.

— Pour l'instant, c'est à Walker que je veux parler, pas à vous, dit Rae en reculant d'un pas.

— Cet abruti est en train de laisser filer entre ses doigts avides l'occasion d'une vie, dit Marco. (Il lui prit de nouveau le coude et la dévisagea en plissant les yeux.) Transmettez-lui simplement mon message, dit-il.

— Au nom du Ciel, Marco, de quoi parlez-vous ? demanda Rae. (Elle libéra une nouvelle fois son bras et partit sans attendre de réponse à sa question.)

Walker terminait une tasse de café noir.

— Vous pourriez aussi bien être obstétricien si vous travaillez jusqu'à ces heures-là, lança Rae tout en se glissant dans un fauteuil en face de lui.

Elle sentait qu'il était aussi énervé que Marco. Qu'est-ce que celui-ci avait donc dit ? Une histoire à propos de Walker perdant de l'argent sur un scanner à IRM dans le Kentucky, qu'est-ce que c'était que ça ? Walker ne lui avait jamais parlé d'un scanner à IRM. S'il voulait discuter de ses investissements avec elle, elle devrait attendre qu'il aborde ce sujet. Elle tenait avant tout à lui parler des ambulanciers.

— Vous vous demandez probablement la raison de cette petite scène entre moi et le Grand Maître, dit Walker.

C'est vrai, se dit Rae, mais ça peut attendre.

— Marco fait toujours des scènes, dit-elle. Mais écoutez, il faut que je vous parle...

Rae s'arrêta en constatant que Walker fixait le plafond et l'examinait comme s'il y avait un message écrit là-haut. De toute évidence, il avait la tête ailleurs.

— Bon, d'accord, fit Rae en se redressant dans son fauteuil d'un air résigné. A propos de quoi vous disputiez-vous, Marco et vous ?

Walker se pencha en avant et joignit les mains.

— Vous garderez tout ça pour vous ? demanda-t-il.

Rae acquiesça.

— Eh bien, Howard Marvin, le PDG des Assurances Perfecta,

m'a appelé. Il veut que nous discutions de ce centre autonome de Cardiologie à propos duquel vous me questionniez l'autre jour.

— Quand a-t-il appelé ? demanda-t-elle en se penchant vers lui.

— Cet après-midi.

Rae pianota sur le plateau de la table en attendant que Walker continue. Comme il n'en faisait rien, elle demanda :

— Alors, qu'est-ce que vous lui avez répondu ?

— Je lui ai dit que le propriétaire de la Clinique d'accouchement n'était pas vendeur, dit Walker. Bien sûr, il le savait. Mais Marco veut que je le voie quand même. Il semble que Marco ait mis au point un plan pour obliger Bo à vendre la Clinique.

— Quel genre de plan ? interrogea-t-elle d'un ton méfiant.

— Allons, Rae, fit Walker, ne vous lancez pas de nouveau. Nous ne parlons pas de votre théorie du complot, d'accord ?

— Alors de quel genre de plan parlez-vous, Walker ?

Ses craintes de voir Marco impliqué dans l'affaire des bébés à problèmes déferlèrent de plus belle. Il avait un mobile et il avait l'argent. Ces quatre dossiers disparus, c'était lui qui les avait sortis... Et si Marco était impliqué – non, elle avait déjà décidé que Sam n'était pas dans le coup.

— Marco n'a pas voulu me dire en quoi consiste son plan.

— Alors, comment savez-vous que ce n'est pas lui qui fait du mal aux mères et aux bébés ?

— Parce que votre théorie ne tient pas debout, Rae ! dit Walker avec colère. Mais le problème, c'est que Marco menace d'emmener ses patients à l'Hôpital municipal si je ne vois pas Howard Marvin. Si Marco part, c'est tout notre programme cardiaque qui s'en va. Bon sang, c'est tout notre hôpital qui risque de trinquer.

— Pourquoi alors ne pas voir Howard ? demanda Rae. Qu'est-ce que vous avez à perdre ?

— Rien, à part mon poste, dit Walker. Le Conseil m'a spécifiquement interdit de rencontrer Howard Marvin à moins que Bo ne soit d'abord d'accord pour vendre sa Clinique. Actuellement, ce n'est qu'une possibilité de remplacement. Comme vous le savez, l'idée est de fermer votre service. Je tiens à bien préciser les choses. Quoi qu'il en soit, Bo a menacé de raconter toute l'histoire et de rendre notre hôpital responsable d'avoir mal soigné les patientes qu'il transfère ici. Et c'est vous, Rae, qui serez la première traînée dans la boue. J'ai dit à Marco que je ne laisserais pas cela se produire. Vous représentez trop pour moi.

— Dites-moi, Walker, reprit-elle, où Marco gagnerait-il plus d'argent, en dirigeant ici un service plus étendu ou bien en prenant la direction du centre autonome de Cardiologie pour Howard ?

Walker soupira et se frotta la barbe.

— Eh bien, voyons. (Il parut faire un bref calcul mental puis :) Ma foi, je crois bien qu'il doublerait ses revenus en travaillant au nouveau centre de Cardiologie. Il n'est déjà pas loin du million de dollars. (Walker émit un long sifflement.) Seigneur, pas étonnant qu'il menace de partir... En tout cas, il peut venir me trouver quand Bo sera prêt à vendre. Au train où vont les choses, je ferais peut-être bien de me chercher un charmant petit deux-pièces à Hawaï pour une retraite anticipée.

Rae se rappela les propos de Marco à propos de l'argent perdu par Walker sur un scanner à IRM dans le Kentucky.

— J'espère que Hawaï sera plus rentable que le Kentucky, dit-elle.

— Je vois que Marco a une grande gueule, dit Walker avec un pâle sourire. Mais, en tout cas, les Assurances Perfecta n'ont pas encore traversé le Pacifique.

Rae sentait que Walker n'avait pas envie de prolonger ce genre de conversation. Ils discutaient rarement de leur situation financière et elle ne pensait pas que le moment fût bien choisi pour aborder ce sujet maintenant.

— Les Assurances Perfecta, dit-elle d'un ton écœuré comme si elle venait de goûter au marc du café de Walker. Ces gens-là manipulent tout le monde. Pour l'instant, ils ont réussi à mettre un pied à Berkeley et à dresser les médecins contre les médecins, les médecins contre l'administration et les médecins contre le Conseil de Surveillance.

— A propos, dit Walker, je vais essayer de faire appel pour votre audition. La première chose que je compte faire, c'est trouver Bo et lui passer moi-même un sérieux savon.

— Mes résultats d'analyse sont arrivés, l'interrompit Rae. Ils ont démontré l'existence d'ocytocine dans la poche provenant de l'ambulance, mais pas dans celles de la Clinique et de l'entrepôt.

— Vous plaisantez ? fit-il. Vous en êtes certaine ? ajouta-t-il en la regardant d'un air incrédule.

— Oh, fit-elle, je vous ai dit depuis le début ce qui se passait. Voyons, Walker, vous commencez à parler comme Bo.

Walker passa les mains dans sa barbe blanche bien soignée.

— Pardon, fit-il. C'est simplement que, ma foi je suis surpris, voilà tout.

— Alors, vous me croyez maintenant ? interrogea-t-elle.

— Est-ce que Bo est au courant des résultats ? fit-il.

— Je les lui ai dits personnellement, dans son bureau, dit-elle.

— Je n'arrive pas à croire qu'il garde cet établissement ouvert ! s'exclama Walker. Enfin, c'est une chose de n'avoir aucune preuve à l'appui d'une théorie aussi ridicule...

— Je n'ai jamais dit qu'elle était ridicule...

— Mais vous avez une preuve et il garde sa clinique ouverte.

— C'est de ça que je veux vous parler, reprit Rae. J'ai rendez-vous avec les deux ambulanciers. Léonard a vu les trous dans les poches et a pratiquement avoué que Théodore se drogue à l'héroïne. Quelqu'un paye Théodore pour qu'il puisse s'approvisionner et c'est la même personne qui le charge d'injecter de l'ocytocine dans les poches. Je vais donc passer chez eux, Théodore doit être là pour qu'on parle. Ensuite nous allons tous au commissariat et je prouverai...

— Que nous avons un toxicomane qui conduit un de nos véhicules ? demanda Walker, sa voix de nouveau incrédule.

— C'est possible, confirma-t-elle.

— Et il se promène en tuant des bébés ?

— Et des femmes enceintes.

— C'est impossible ! s'écria Walker en se levant tout d'un coup.

— Ecoutez, Walker, dit Rae. (Elle n'allait pas le laisser refuser de la croire maintenant. Il y avait tant de choses en jeu et elle était à court d'options. Il fallait absolument que Walker la croie.)

Walker se rassit.

— Non, écoutez, Rae, dit-il. Vous n'irez pas voir ces ambulanciers. Vous dites que l'un d'eux est un drogué et qu'ils sont tous les deux impliqués dans cette histoire d'ocytocine. Alors qu'est-ce qui vous fait croire qu'ils ne vont pas s'en prendre à vous ? C'est un piège qu'ils vous tendent, Rae. Les rencontrer serait bien trop dangereux.

Rae se rappela que Sam lui avait dit la même chose.

— Alors, venez avec moi, suggéra-t-elle.

— Je n'irai pas et vous non plus. Mais je vais appeler leur patron et insister pour une confrontation immédiatement. C'est comme ça que ça se fait, vous savez.

— Nous n'avons pas le temps pour tout ça ! dit Rae, dont le ton montait. (Elle se leva.)

— Asseyez-vous, dit Walker.

Rae passa derrière Walker et le serra contre elle.

— Je ne voulais pas crier après vous, dit-elle, mais je ne suis plus cette petite fille qui sort de la fac de médecine. Sam m'a dit la même chose.

— Sam qui ? demanda Walker.

— Sam Hartman, fit Rae. (Elle lâcha Walker et s'adossa à la table.) Vous savez, le nouvel anesthésiste.

— Celui recruté par Marco ? demanda Walker en haussant un sourcil.

L'ombre de quelque chose – un doute ? un soupçon ? – passa sur son visage. Rae hocha la tête et Walker lui dit avec précaution :

— Qu'est-ce que Sam a à voir avec vous ?

— Il a offert de m'accompagner, fit Rae en croisant les bras. Mais il a été appelé pour une urgence cardiaque.

— Comme c'est commode, dit Walker.

— J'étais là quand il a reçu l'appel, dit Rae sur la défensive.

— Faites attention, Rae. Je ne me fierais pas à Marco pour l'instant et, d'après ce que j'ai vu à la réunion du Conseil, Marco et Sam ont l'air de s'entendre comme larrons en foire.

— J'y ai déjà pensé, Walker, dit-elle avec plus d'assurance qu'elle n'en éprouvait vraiment. Mais je lui fais confiance maintenant, suffisamment en tout cas pour...

Walker se leva à son tour.

— Faites attention à qui vous faites confiance, dit-il. L'amour est aveugle.

— Qui a parlé d'amour ? demanda Rae, sentant le rouge lui monter au visage.

Walker secoua la tête puis dit :

— Comment avez-vous dit que s'appelaient ces infirmiers ? Je ne veux pas de drogué dans mes ambulances.

Rae lui donna le nom des jumeaux et lui demanda :

— Marco dit que depuis que vous avez perdu votre chemise pour je ne sais quel scanner dans le Kentucky, vous n'osez pas vous lancer dans cette histoire de centre de Cardiologie avec Howard Marvin. Ce que je veux dire, Walker, c'est que, eh bien, si cette histoire ne vous embêtait pas, vous seriez-vous associé avec lui ?

— Il est tard, dit Walker en se frottant les yeux.

— Dites-moi, Walker, j'ai besoin de savoir, insista Rae.

— Marco n'a rien compris, Rae. J'investirais sans hésiter avec Howard Marvin si j'estimais que ce serait une bonne chose pour cet hôpital. Le fond de l'affaire, c'est qu'il veut que nous mettions cinq millions de dollars sur le tapis. Vous étiez à la dernière réunion du Conseil. Nous n'avons pas ce genre de somme sous la main. Cinq millions de dollars ? S'il pouvait se contenter de deux, nous aurions peut-être une chance. Et, en ce qui concerne ce scanner... ma foi, il y a des jours où on gagne, des jours où on perd. J'aurai d'autres occasions d'investir. Ce qui est important, c'est le résultat final.

— Ce qui est important, c'est de savoir qui manigance tout ça à la Clinique, dit Rae en consultant sa montre. Et c'est pourquoi je m'en vais chez Léonard. Je ne peux pas laisser d'autres bébés à problèmes sortir de là-bas.

— Laissez-moi régler ça, Rae, insista Walker.

— Je vous parlerai demain, dit Rae en sortant.

Pourtant, en s'en allant, elle se demanda ce qui la tracassait le plus : que Walker l'ait mise en garde contre un piège que pourraient lui tendre les jumeaux ou qu'il ait exprimé sur Sam des soupçons à peine voilés – des soupçons qu'elle avait écartés depuis des jours.

CHAPITRE VINGT-SIX

Comme d'habitude, Rae décida de passer par la sortie des Urgences puisque c'était la plus proche du parking. Il était près de neuf heures. Un calme étrange régnait dans la salle. La plupart des infirmières étaient occupées à mettre à jour leur paperasserie et le médecin de garde, Everett Lyon, vêtu de son treillis habituel, examinait un patient sur un chariot dans le coin de la salle.

Rae se dirigeait vers la sortie quand elle entendit la sirène d'une ambulance. Le bruit se fit de plus en plus fort jusqu'au moment où les lumières jaunes et rouges se mirent à clignoter à travers les portes vitrées.

— C'est le Code Trois qu'on attendait ? demanda Everett.

— Non, c'est l'ambulance de la Clinique d'accouchement ! dit l'employée des admissions, surprise.

Rae hâta le pas. Une ambulance de la Clinique d'accouchement n'aurait pas dû avoir besoin de sa sirène, à moins...

Elle se mit à courir, Everett et deux infirmières sur ses talons. Ils arrivèrent dehors juste au moment où les portières arrière de l'ambulance s'ouvraient. Rae resta le souffle coupé.

Allongée sur le chariot, la patiente de Rae, Anna Johnson. Elle était blême, le front baigné de sueur, les mains crispées sur son cou, elle suffoquait.

— Bon sang, qu'est-ce qui s'est passé, cette fois ? interrogea Everett tandis que Rae aidait les ambulanciers et les infirmières des Urgences à descendre le chariot d'Anna.

Mon Dieu, pria Rae, en remarquant la coloration bleue de la peau d'Anna, faites que ce ne soit pas ce que je crois que c'est. Un bleuissement de la peau signifiait qu'Anna ne recevait pas une quantité d'oxygène suffisante. Un brusque manque d'oxygène signifiait que quelque chose d'autre que l'air emplissait les poumons d'Anna. Symptôme plus inquiétant, les veines de son cou étaient dilatées comme des cordes, signe de défaillance du ventricule droit.

— Elle était très bien il y a une minute ! dit la jeune infirmière auxiliaire.

— Je n'arrive pas à respirer, haleta Anna. (Son visage devint soudain tout gris et sa tête retomba contre le chariot.)

— Hé, reculez ! cria l'infirmière à Rae. On vous a suspendue. Vous n'avez aucun droit d'être ici. Allez-vous-en ou j'appelle la Sécurité.

Sans s'occuper de l'infirmière, Rae se précipita vers l'avant du chariot et aida à le pousser dans la salle des urgences.

— Bon sang, demanda-t-elle, est-ce qu'il y a quelqu'un ici qui peut l'intuber ?

Heureusement, une autre infirmière poussait le chariot vers la porte. En un instant Rae envisagea les possibilités de ce qui avait pu arriver à Anna. Il n'y en avait que trois : une crise cardiaque, une embolie pulmonaire ou bien...

— Docteur Duprey ! vociféra l'infirmière en faisant de grands gestes vers le garde, j'appelle la Sécurité.

— Bon Dieu ! cria Rae, elle fait une embolie amniotique.

Elle n'avait pas besoin de se rappeler que ce genre d'embolie était la complication la plus redoutée en obstétrique, avec un taux de mortalité proche de cent pour cent. L'ancienne théorie était que l'ocytocine provoquait des contractions si violentes de l'utérus que le liquide amniotique était expulsé de la poche de l'amnios pour pénétrer dans les veines de l'utérus. De là, le fluide passait dans le sang et provoquait un collapsus total du cœur et des poumons.

La théorie nouvelle était que la victime souffrait d'une sévère réaction allergique au produit chimique introduit dans son sang durant le travail. Personne ne savait d'où venaient ces produits ni exactement comment ils agissaient, mais la réaction était comparable à un choc anaphylactique chez un sujet allergique à la pénicilline. Quelle que soit la théorie, se dit Rae, les résultats sont les mêmes.

Everett descendit un tube dans la gorge d'Anna et commença à forcer l'oxygène dans ses poumons en appuyant sur le ballon du respirateur. Une des infirmières vérifia le pouls sur la carotide. Rae saisit un Doppler sur le plateau et écouta le rythme cardiaque du bébé.

— Il est encore vivant ! cria-t-elle. Notre seule chance, c'est de l'amener en salle d'op !

Malgré les efforts d'Everett, le bleuissement du teint d'Anna ne s'améliorait pas. Elle avait les veines du cou toujours plus gonflées. Rae était certaine de son diagnostic.

— Martin ! hurla l'infirmière.

Rae se précipita vers l'arrière du chariot et se mit à le tirer vers le couloir.

— Elle s'appelle Anna Johnson ! Il faut l'emmener en salle d'op et la mettre en circulation extra-corporelle ! hurla Rae. (Elle avait fait tant de recherches sur l'ocytocine qu'elle était prête à en reconnaître chacune des complications, avec ou sans preuve.)

— Docteur Lyon ! insista l'infirmière ! Le docteur Duprey a été suspendue aujourd'hui...

— Elle fait une défaillance cardio-pulmonaire, vous ne voyez donc pas ! s'écria désespérément Rae tout en repoussant l'infirmière.

Un jeune Noir en uniforme de garde de l'hôpital saisit Rae par l'épaule.

— Docteur Duprey, il faut que vous partiez...

Rae se cramponna au chariot.

— Laissez-les glander ici encore un peu et vous aurez une morte sur les bras ! lança-t-elle. Il faut l'amener à un respirateur. Regardez-la ! Elle est en train de mourir sous vos yeux.

Everett palpa le cou de la patiente, cherchant le pouls sur la carotide.

— Bonté de merde, dit-il.

— Vous vous attendiez à quoi ? dit Rae en écartant l'infirmière. Elle fait une défaillance du cœur droit !

Rae se libéra de l'emprise du garde, mais l'infirmière lui barrait la voie. De toutes ses forces, Rae poussa le chariot en avant, bousculant l'infirmière au passage. *Sauver la vie ! Sauver la vie !* Rien d'autre ne comptait.

— Docteur Everett, hurlait l'infirmière, faites quelque chose.

— J'appelle la salle d'op, bon sang ! dit-il.

— Allons, ne reste pas plantée là ! cria l'infirmière à celle que Rae venait de bousculer. Donne-moi un coup de main, tu veux ?

— Vite ! cria Rae à l'équipe. Je vous retrouve en bas en salle d'op !

Elle se précipita dans le couloir. Son cœur battait si fort qu'elle avait l'impression que les murs en répercutaient les coups. En faisant vite, se dit Rae, Anna serait en circulation extra-corporelle dans moins de dix minutes. Cela signifierait qu'Anna et son bébé auraient une chance. Et elle allait faire tout son possible pour leur donner cette chance.

Au pied de l'escalier, il y avait des portes battantes. A travers la vitre, elle aperçut Sam qui accompagnait son patient cardiaque sur un chariot.

— Sam, attendez ! cria-t-elle en entrant dans le bloc opératoire, le même où on avait opéré Bernie.

— Rae ? Qu'est-ce que... commença Sam.

— J'ai besoin de votre machine cœur-poumons ! Une patiente arrive des Urgences, poursuivit-elle en essayant de reprendre son souffle. Encore une qui vient de la Clinique d'accouchement, Sam. Elle vient de faire une embolie amniotique. Si nous ne la mettons pas en circulation extra-corporelle, elle va mourir. Elle va mourir, vous comprenez ?

Les portes du bloc s'ouvrirent toutes grandes et Everett Lyon arriva en roulant le chariot. La même infirmière qui avait tant maltraité Rae était maintenant agenouillée sur le chariot, en train de faire à la patiente un massage cardiaque.

— Quelle salle ? demanda Everett.

Rae regarda le patient sur le chariot de Sam, puis leva les yeux vers lui.

— Elle va mourir, Sam, implora-t-elle. Une dérivation, c'est sa seule chance. J'ai lu quelque chose à propos d'un cas exactement similaire... la femme est morte quand même, mais le bébé... le bébé s'en est tiré, Sam, je vous en prie.

Sam examina le visage de son patient qui n'avait pas l'air d'avoir conscience de ce qui se passait.

— Diana ! cria Sam à une infirmière, demandez à la seconde

équipe de s'occuper de Mr Billings ici ! Le Dr Duprey a une patiente qui a besoin de la machine d'abord... et appelez le Dr Donavelli ! Tout de suite !

— Mais le Dr Duprey a été suspendue, répondit l'infirmière d'un ton hésitant.

— Je vais au vestiaire me changer ! annonça Rae.

Il lui fallut trente secondes pour arracher ses vêtements et passer la blouse et le pantalon blancs de chirurgien. Laissant par terre ses jeans, son blouson et ses chaussures, elle repartit vers la salle d'opération.

A l'intérieur, dix personnes au moins se préparaient. Sam avait débranché le tuyau de la sonde d'intubation de l'ambu pour le relier au ventilateur d'anesthésie. Mais Anna restait toujours aussi bleue, les veines du cou plus dilatées encore. On lui avait ôté la chemise vert citron de la Clinique d'accouchement pour badigeonner son ventre de femme enceinte et ses gros seins avec un antiseptique d'un brun doré, la Bétadine.

Rae passa ses gants. Malheureusement, la machine cœur-poumons avait déjà été préparée pour Mr Billings – le patient cardiaque de Marco –, se dit Rae. Le personnel se précipitait pour tout préparer dans la salle qui contenait assez d'équipement pour suffire à trois opérations en même temps.

— Nous ne connaissons rien aux bébés, dit nerveusement une des infirmières tout en remontant le champ sur Anna.

Rae monta sur une plate-forme.

— Qu'est-ce que fout Marco ? cria-t-elle.

— Je le vois qui arrive, répondit Sam.

— Qu'est-ce que Mr Billings fait dans le couloir ? demanda Marco d'un ton indigné en entrant dans la salle.

Rae allait répondre mais Sam la devança.

— Il faut qu'on mette cette patiente en circulation extra-corporelle tout de suite : elle est en pleine défaillance cardiaque.

Marco tendit les bras pour que l'infirmière puisse lui passer sa blouse.

— Je ne savais pas que j'avais une femme au programme, dit-il.

— Elle n'est pas au programme et elle est enceinte, précisa Sam.

— Enceinte ? De combien... et merde, peu importe, donne-moi simplement sa tension, Sammy.

— Pas moyen d'en être sûr. Tout ce qu'on a c'est une baie périphérique : on est en plein pilotage sans visibilité. Oh, et dès que nous en aurons terminé, Rae a besoin de lui faire une césarienne.

Sans un mot de plus, Marco se précipita vers la table et se planta juste en face de Rae. A sa droite, l'instrumentiste. Rae vit Marco utiliser son doigt ganté pour palper la patiente du haut en bas du sternum en même temps qu'il examinait un scope à côté de Rae.

— C'est son cœur ? demanda-t-il d'un ton incrédule.

— Soyez heureux que ça ne soit pas le vôtre, dit Sam.

Même Rae, qui n'avait pas l'habitude d'examiner les images aux ultrasons d'un cœur adulte, se rendait compte que le cœur qu'elle voyait sur le moniteur de Sam était beaucoup trop gros et trop flasque pour garder quelqu'un en vie.

— Bistouri ! aboya Marco puis, avec la lame d'argent, il ouvrit la peau d'Anna jusqu'au milieu de son torse.

Rae allait essuyer le peu de sang qui suintait des bords de la plaie mais décida d'attendre les instructions de Marco. Elle ignorait tout de la façon de procéder pour ouvrir le torse d'un patient. Le sang privé d'oxygène avait pris une couleur de confiture de raisin, au lieu du rouge fraise qu'il aurait dû avoir.

— Scie ! cria Marco.

L'instrumentiste tendit à Marco ce qui apparut à Rae comme une énorme agrafeuse argentée, du genre qui utilisait l'air sous pression pour planter des agrafes dans les murs. A l'extrémité, un petit crochet et un embout en dents de scie de cinq centimètres.

— Affaisse les poumons, Sam, dit Marco.

Là-dessus, il glissa le crochet sous le haut du sternum et, en moins de cinq secondes, il avait fendu l'os en deux. Le bruit rappelait celui d'une scie circulaire coupant du bois. Il y eut un léger saignement des os, et une odeur de chair brûlée emplit la salle.

— L'héparine est prête, Sammy ? demanda Marco. (Se servant de ses deux mains, il écarta encore davantage les deux côtés du thorax, comme on ouvre le plus possible un sac de voyage.

— L'héparine arrive !

Marco et l'instrumentiste disposèrent un grand écarteur en argent le long des bords du sternum ainsi découpé. Pendant ce temps, Rae prit sur le plateau une paire de ciseaux et découpa un trou dans la portion inférieure du champ recouvrant l'utérus d'Anna. Elle avait beau ne pas savoir si Anna et son bébé allaient s'en tirer – si même l'un ou l'autre était encore vivant actuellement ! –, elle savait en tout cas que dès que Marco aurait mis Anna en circulation extra-corporelle, elle devrait être prête à extraire le bébé.

Marco, vite ! se dit-elle en jetant un coup d'œil dans la cavité thoracique d'Anna. Il avait déjà découpé la mince enveloppe du péricarde. Il avait découvert l'épaisse paroi blanche de l'aorte qui jaillissait comme un tuyau de cinq centimètres de diamètre du ventricule gauche du cœur.

Un cœur qui devrait battre, se dit Rae tout en sentant la colère monter en elle. Ce qu'elle voulait, ce n'était pas le pitoyable tremblement qu'elle observait, caractéristique de la défaillance cardiaque. Le cœur était recouvert d'une couche de graisse jaunâtre d'où émergeait un petit bout de tissu rouge ressemblant à une petite oreille de chien. En regardant tout cela, Rae comprit à quel point un individu était toujours proche de la mort. A un battement près. A un trajet en ambulance près...

— Elle a son héparine ? demanda Marco.

— Elle est à vous, répondit Sam.

Rae jeta un bref coup d'œil à la pendule. Trois minutes s'étaient écoulées depuis qu'elle était entrée dans la salle. Mais Anna était toujours aussi bleue. Et son bébé... son bébé était-il encore vivant ?

Elle aurait voulu dire à Marco de faire vite, mais elle savait avec quelle rapidité il agissait déjà. Elle ne l'avait encore jamais vu opérer mais, à l'observer maintenant, à voir ses mains se déplacer avec une précision sans à-coups, elle ne pouvait s'empêcher d'éprouver un nouveau respect pour l'homme.

— Suture, dit-il. Et en trente secondes il avait cousu un fil de suture comme le cordon d'un sac dans la crosse de l'aorte. Rae savait que, s'il enfonçait trop profondément l'aiguille, il ferait jaillir le sang jusqu'au plafond. Elle travaillait sans cesse avec du sang. A la suite d'une hémorragie utérine, une femme pouvait perdre tout son sang en dix ou quinze minutes mais il ne fallait que trente secondes pour qu'une perforation de la plus grosse artère du corps vous vide de votre sang.

Marco découpa ensuite une fenêtre au milieu du cordon de la

petite bourse. Puis il enfonça la pointe effilée d'un tube en plastique transparent d'environ deux centimètres de diamètre dans la paroi de l'aorte.

— Tenez ça en place et ne bougez pas, dit-il à Rae.

— Pas un muscle, promit-elle tandis qu'il lui tendait le tube transparent. La solution limpide qu'il contenait se trouvait poussée vers l'extrémité par le sang de la patiente. Juste au moment où le sang arrivait à l'extrémité du tuyau, Marco plaça un clamp pour arrêter l'écoulement.

— Vous êtes toujours là, docteur Duprey ? demanda Marco sans lever les yeux.

— J'attends de faire quelque chose, répondit Rae.

Marco se saisit alors du petit bout de tissu en forme d'oreille de chien.

— Quand avez-vous vu pour la dernière fois l'appendice de l'oreillette droite ? demanda-t-il. (Mais avant qu'elle ait eu le temps de répondre qu'elle n'avait pas vu un cœur depuis son cours d'anatomie en première année de médecine, Marco demanda :) Depuis combien de temps son cœur s'est-il arrêté ?

— Trop longtemps... au moins cinq minutes, dit Rae en faisant un effort pour garder un ton calme.

— Et n'oubliez pas, Marco, que nous avons encore un bébé à mettre au monde, dit Sam.

— Qui pourrait l'oublier ?

— Dès que vous l'aurez mise en assistance respiratoire, ajouta Rae.

Marco fit une seconde suture en bourse encore plus vite que la première. Il utilisa un scalpel pour couper l'ouverture. Rae maintenant avait compris le mécanisme de l'opération. Dès que le sang jaillit par le côté droit du cœur, elle enfonça le second tuyau qu'on allait brancher sur la machine cœur-poumons.

— Approchez, Henry, ordonna Marco à l'opérateur de la machine tandis que Rae tapotait le tuyau pour évacuer les bulles. Pas la peine, dit Marco. Ce tuyau-là va dans la machine.

L'infirmière annonça à Marco que quatre minutes s'étaient écoulées depuis que la patiente était entrée en salle d'opération. L'opérateur arriva près de la table. Marco fixa ses deux tuyaux à ceux que Henry tenait entre ses mains. Quand Marco ôta les clamps, Rae vit le sang couler dans les tuyaux vers la machine. Le sang allait passer du côté droit du cœur de la patiente dans la machine où il recevrait de l'oxygène, puis il serait refoulé dans la crosse de l'aorte et de là irriguerait les organes de la femme.

Marco regarda par-dessus les boucles de son circuit chirurgical.

— Qu'est-ce qui lui est arrivé ? demanda-t-il.

— Un malentendu, dit Rae en se détournant pour regarder Henry mettre en marche l'appareil.

C'était un appareil extrêmement sophistiqué : une base rectangulaire en argent et en verre, de la taille à peu près d'un coffre à jouets d'enfant, contenait des disques tournant sur leur axe comme des bobines de films posées à plat.

— Le Dr Duprey croit que cette patiente nous a fait une embolie amniotique, dit Sam.

— Je *sais* qu'elle en a fait une, déclara Rae les yeux toujours fixés sur la machine. (D'ailleurs, elle n'osait pas regarder Anna. Si l'appareil ne fonctionnait pas, si l'on n'arrivait pas à oxygéner le sang d'Anna...)

— Une embolie ! rugit Marco. Je lui ai ouvert le thorax pour...

— Son taux d'oxygène remonte ! annonça Sam.

Rae regarda par-dessus le champ opératoire. Tout ce qu'elle apercevait, c'était le haut de la tête d'Anna. Mais c'était suffisant, se dit-elle, tout en imaginant le sang nouvellement oxygéné qui franchissait la membrane séparant l'utérus du placenta. Car la petite portion de son front qu'on pouvait voir virait du bleu au rose, de la mort à la vie.

Marco avait déjà fixé en place les canules artérielles et veineuses en faisant de nouvelles sutures.

— Nous discuterons plus tard du traitement d'une embolie amniotique, dit Rae. C'est absolument...

— Si on faisait une voie fémorale pour avoir une vraie tension, Sammy ? suggéra Marco en interrompant Rae.

— Ma foi, ça me serait très précieux, docteur Donavelli, dit Sam. Comme je vous le disais, je fais du pilotage sans visibilité.

— Et si on retirait ce bébé ? dit Rae.

Sans même attendre leur réponse, elle ouvrit l'abdomen d'Anna. Vingt secondes plus tard, elle avait ouvert l'utérus.

— Appuyez ici, dit-elle à Marco tout en soulevant la tête du bébé hors du bassin.

Elle devinait à la couleur du sang que la pompe fonctionnait. Et d'ailleurs, cinq secondes plus tard, elle avait mis au monde un petit garçon qui criait à pleins poumons.

Elle aurait voulu sauter de joie, mais elle se contenta de sourire tout en aspirant le nez et la bouche du petit bébé avec une seringue bleue.

— Une bruyante petite créature, observa Marco tandis que Rae tendait le bébé à l'infirmière.

— Oui, n'est-ce pas que c'est formidable ? fit Rae en riant. (En cinq minutes, elle avait refermé l'abdomen d'Anna.)

— N'allez pas raconter que les obstétriciens et les chirurgiens cardiaques travaillent ensemble, lança Sam. Ça pourrait vous faire virer tous les deux... Oh, pardon, Rae.

— Comment savez-vous quand il sera temps d'arrêter la dérivation ? demanda l'instrumentiste.

— Je crois en fait qu'elle est prête maintenant, dit Sam. (Il regardait le scope et Rae constata que le cœur avait repris sa taille normale. Elle vit le technicien appuyer sur quelques boutons. Le cœur d'Anna se remit à battre tout seul.)

— Sammy, mon vieux, tu es un génie, dit Marco.

— Vous ne vous en êtes pas trop mal tiré vous-même, Marco.

— Alors comment lui refermez-vous le thorax ? demanda Rae à Marco.

Après tout, ils avaient encore une opération à terminer et Rae un meurtrier à découvrir.

Marco répondit à la question de Rae en enfonçant une grosse aiguille entre les côtes de la patiente pour y introduire un bout de fil d'acier inoxydable : il fit ainsi cinq ou six points de suture puis rapprocha les deux côtés du sternum.

— Docteurs, fit Sam en se penchant sur la table, vous avez encore sauvé une vie. (Au fond de la salle, le bébé poussait des cris vigoureux.) Excusez-moi, deux vies, dit-il.

Rae arracha sa blouse et ôta ses gants. Marco faisait de même.

— Merci, Marco, dit-elle tandis qu'on installait Anna sur le chariot.

— Vous m'êtes redevable, Rae, dit Marco d'un ton tranchant.

J'espère simplement que vous avez laissé ce bébé avec une mère qui sera capable de lui apprendre à lacer ses chaussures lui-même.

La même idée avait déjà traversé l'esprit de Rae. Le cœur d'Anna battait tout seul, mais quelles lésions cérébrales avait-elle subies avant la mise en circulation extra-corporelle ? Allait-elle-même se réveiller ? Et si oui, serait-elle capable d'élever son enfant ?

— Son mari attend dehors, dit l'infirmière. Qui d'entre vous compte lui parler ?

— A vous, docteur, dit Marco en s'écartant. J'ai encore du travail sur Mr Billings.

— Maintenant, dit Rae en se dirigeant vers la porte, le plus dur reste à faire.

— Quand est-ce que je pourrai la voir, Rae ? demanda Tim Johnson, le mari d'Anna, qui avait accepté calmement et sans rien dire la nouvelle de l'intervention chirurgicale subie par celle-ci.

Mais Rae ne manqua pas d'observer le léger tremblement de ses mains qu'il tenait croisées sur ses genoux. Tout comme les larmes qui s'amassaient dans les coins de ses yeux.

— On va la transporter directement au service des Soins intensifs, expliqua Rae. Vous pourrez aller la voir là-bas. Mais, Tim, nous ne savons pas comment elle sera quand elle se réveillera.

— Si elle se réveille, l'interrompit Tim.

— Je suis vraiment désolée, fit Rae en hochant la tête.

— Comment est-ce qu'une chose pareille est arrivée ? interrogea-t-il. Qu'est-ce qui a bien pu se passer ?

— C'est ce que je cherche à découvrir, fit Rae en se levant. (Elle posa une main sur son épaule.) Pourquoi n'allez-vous pas à la pouponnière pour voir votre fils ? Dès que j'aurai trouvé quelque chose, je vous préviendrai.

Rae revint dans la salle d'opération et nota des instructions dans le dossier d'Anna. Elle se sentait un peu secouée. Elle imaginait sans mal ce qu'avait dû éprouver Tim Johnson. Anna avait frôlé la mort. En réalité, sans pouls ni respiration spontanée, elle avait été, du moins jusqu'à la mise en circulation extra-corporelle, en état de mort clinique.

L'intervention ne leur avait pris qu'une demi-heure et, avec un peu de chance, Rae n'aurait que quelques minutes de retard pour son rendez-vous avec les jumeaux. L'idée lui vint que la dernière patiente avait été transportée par deux autres ambulanciers. Elle était convaincue que ces derniers avaient dû en toute innocence utiliser une poche contaminée.

— Voulez-vous signer pour moi ces consignes postopératoires ? demanda-t-elle à Sam en se frottant les yeux. J'oubliais : je n'ai plus aucun droit ici.

— Comment saviez-vous qu'elle avait une embolie amniotique ? demanda Sam avec curiosité.

— Parce qu'elle arrivait de la Clinique. C'est à peu près tout ce qu'elle aurait pu avoir... enfin, si vous croyez qu'elle a eu une overdose d'ocytocine.

— Qu'est-ce qu'il y a, vous n'aimez pas mon écriture ? demanda-t-il quand il la surprit à le dévisager.

— J'ai encore un rendez-vous, dit-elle en se redressant sur son siège.

— Demain, dit Sam en posant sa main sur les siennes. Je vous en prie, n'y allez pas ce soir.

— S'ils ont quelque chose à me dire, il faut que ce soit ce soir, dit Rae. Vous ne voyez donc pas ce qui vient de se passer ici, Sam ? Nous n'avons eu aucun bébé à problèmes en provenance de la Clinique d'accouchement depuis la semaine dernière. Mais nous en avons eu deux ces deux derniers jours. A mon avis, la personne qui veut voir la Clinique fermer est de plus en plus désespérée. Je ne peux pas me permettre d'attendre demain, Sam.

— Mais vous ne pouvez pas y aller toute seule, insista-t-il.

— Pouvez-vous au moins m'accompagner jusqu'à ma voiture ? suggéra-t-elle.

Sam appela les admissions.

— J'ai dix minutes, dit-il.

Comme ils revenaient vers les Urgences, Rae songeait aux questions qu'elle allait poser aux jumeaux.

— Alors, vous m'appellerez en arrivant là-bas ? demanda Sam. Et en partant ?

— Hé, docteur ! cria une voix masculine à l'adresse de Rae.

Rae leva les yeux et vit Martin, le garde de la Sécurité, qui s'approchait d'elle.

— Comment est-ce que tout le monde s'en est tiré ?

— Tout le monde va bien. Merci de ne pas m'avoir jetée dehors, fit-elle en souriant.

Martin tendit la main et elle la serra.

— Elle était plutôt mal en point, c'est tout ce que je sais, dit-il.

Rae allait lui répondre, mais son attention fut attirée soudain par l'arrivée de la jeune infirmière, qui avait amené la dernière patiente de la Clinique d'accouchement, occupée à retirer des poches à perfusion d'un placard de l'Hôpital.

— Un instant, Martin, dit-elle en repartant vers le fond de la salle.

Sam lui emboîta le pas.

— Excusez-moi, mademoiselle ? dit Rae.

— Hé, bravo, fit l'infirmière en souriant. On m'a dit que vous lui aviez sauvé la vie. Je ne sais vraiment pas ce qui a pu se passer. Elle était très bien et une minute plus tard...

Rae posa sa main sur la poche.

— Qu'est-ce que vous faites de tout ça? demanda-t-elle. Je croyais que vous receviez vos poches de l'entrepôt d'Elmwood Street.

— C'est là où on prend toutes les autres, dit la femme, mais pas celles pour la Clinique d'accouchement. (Elle s'arrêta pour désigner des lettres au pochoir de vingt-cinq centimètres sur le haut du chariot.) C.A., lut-elle tout haut : Clinique d'accouchement. Toutes les poches à perfusion qu'on utilise dans l'ambulance de la Clinique sont entreposées ici.

— Qui donc m'a dit, fit Rae en regardant Sam, que les poches pour l'ambulance de la Clinique d'accouchement étaient stockées à l'entrepôt ? demanda-t-elle.

— Personne n'a pu vous dire ça, dit la jeune femme. Il y a un contrat spécial entre notre service d'ambulances et l'Hôpital. Toutes les poches à perfusion utilisées pour les patientes de la Clinique d'accouchement sont entreposées ici. Par commodité, du moins c'est ce qu'on m'a dit.

Rae empoigna l'infirmière par les épaules. La femme avait au moins vingt-cinq centimètres de plus que Rae.

— Vous en êtes sûre ? demanda-t-elle d'un ton violent. Vous en êtes absolument sûre ?

Ouvrant de grands yeux, la femme se contenta de hocher la tête.

— Mais oui, docteur, j'en suis certaine. Je ne fais que mon travail.

Rae sentit Sam qui la tirait en arrière.

— Pardon, fit-elle tandis que l'infirmière s'éloignait précipitamment.

Juste avant qu'elle arrive à la porte, Rae lui cria : « NON ! »

Elle courut jusqu'à la porte et lui arracha des mains les poches à perfusion.

— Je vous en prie, dit-elle d'un ton pressant, voudriez-vous me donner celles-ci et mettre plutôt dans votre ambulance les poches venant de nos coffres d'approvisionnement ?

— Non, docteur, dit l'infirmière, je ne peux pas faire ça. Mes ordres sont de...

— Qui vous a donné ces ordres ? interrogea Rae.

— Hé, qu'est-ce que j'ai fait ? demanda l'infirmière abasourdie.

— Rien, fit Sam d'un ton rassurant. Mais tout de même, je vous en prie... rien que pour cette fois... prenez une poche dans le coffre là-bas.

L'infirmière se tourna vers les stocks préparés pour la salle des urgences et haussa les épaules.

— Bah, fit-elle. Dès l'instant que c'est du Ringer lacté, pour moi, une poche c'est une poche.

Une fois l'infirmière partie, Rae dit :

— Je n'arrive pas à croire que j'aie pu être aussi stupide. C'était moi qui supposais que les poches pour l'ambulance de la Clinique sortaient de leur entrepôt. Alors, au service des Urgences, qui paye Théodore, Sam ?

— Qui dit que c'est quelqu'un de notre service des Urgences ? (Il lui avait pris une poche des mains et l'examinait pour y chercher les trous d'aiguille.) Tiens, regardez ça, fit-il.

Rae se pencha sur la poche qu'il tenait à la main.

— Bon Dieu ! fit-elle en apercevant la perforation.

Le petit orifice était à peine visible et personne ne l'aurait remarqué à moins de le chercher. A eux deux, ils découvrirent des trous sur cinq autres poches, des trous percés dans le plastique.

— Il faut s'en débarrasser, dit Rae.

Sam se tourna vers le coffre, et Rae en fit autant. Au total, il y avait une vingtaine de poches sur le chariot.

— Pourquoi ne les rangez-vous pas dans votre placard ? suggéra Sam.

— Je n'ai pas le temps, fit Rae en fronçant les sourcils. Je vais être en retard pour mon rendez-vous avec les jumeaux. D'ailleurs, je ne suis même pas sûre d'avoir encore un placard ici. Mais, Sam, vous pouvez les mettre dans *votre* placard à vous. Vous avez encore cinq minutes avant votre opération.

— Ça va me prendre plus de cinq minutes pour transporter tout ça là-bas, dit Sam.

Rae s'approcha d'un autre coffre à provisions et prit un rouleau de large ruban adhésif blanc. Il lui fallut une minute pour le coller en croix sur le coffre. Puis elle prit son stylo et écrivit sur le ruban : « Contaminé. Ne pas utiliser. »

— Bon, ça devrait faire l'affaire pour l'instant. Ensuite, vous pourrez ranger les poches quand vous aurez fini, Sam, dit-elle.

— En fait, je viens de me rappeler. Je n'ai pas de place, répondit-il. On m'a promis que j'aurais bientôt un placard à moi, mais pour l'instant, j'en partage un avec Marco.

— Très bien, très bien, fit-elle d'un ton absent tout en rangeant son stylo dans son sac. (Ils pourraient décider plus tard comment se débarrasser des poches.)

— Un tas de gens utilisent cette salle des urgences, dit Sam.

— Mais tous les jours ? demanda Rae. Ou autant de jours qu'il faut pour éliminer quelques bébés ?

— Même tous les jours, ça pourrait être une personne parmi cent, dit Sam.

— Alors, nous ferions mieux de trouver vite cette personne – ou ces personnes. Deux cas en un jour. Combien demain ?

Mais, au lieu de continuer son chemin, elle s'arrêta pour réfléchir à une idée qui venait de la traverser. Tout d'un coup, elle se mit à arracher le ruban adhésif qu'elle avait soigneusement placé sur le chariot.

— Peut-être, dit-elle, que la personne qui fait tout ça n'est pas celle qui approvisionne le coffre. Peut-être que le tueur se contente d'injecter l'ocytocine dans les poches une fois qu'elles sont ici. Cela expliquerait pourquoi six poches seulement – et non pas toutes les vingt – ont été trafiquées. Le coupable ne disposerait que d'un temps limité pour les perforer. Alors, remettons ces poches avec les neuves – je veux dire celles qui n'ont pas de trous. Et puis restons dans les parages pour voir qui vient leur injecter de l'ocytocine.

Maintenant qu'elle avait entièrement ôté le ruban, elle se mit à reprendre les poches contaminées dans le coffre pour les entasser derrière le chariot. Puis elle les remplaça par de nouvelles poches provenant de la réserve, après s'être bien assurée qu'il n'y avait pas de trous dedans. Par chance, le coffre était installé dans une alcôve du fond : personne, à part Sam, ne pouvait voir Rae.

— Vous croyez que cette personne va revenir ce soir ?

— Vous pouvez m'assurer du contraire ? riposta Rae.

— Qui va faire le guet pour vous ?

Rae se souvint qu'elle avait deux infirmiers à rencontrer et Sam une opération à faire.

— Je vais demander à une des infirmières, improvisa-t-elle.

— Je ne pense pas qu'elles croiront à votre théorie de l'ocytocine, dit Sam. Et, bien entendu, tout le monde est au courant pour votre suspension.

Le front soucieux, Rae posa la dernière poche neuve dans le coffre.

— Vous êtes de mon côté, vous vous souvenez ? fit-elle d'un ton pincé.

— J'essaie juste de vous faire comprendre à qui vous vous heurtez. Bien sûr, ils savent que vous aviez raison à propos de l'embolie amniotique, mais un maniaque lâché dans la nature, c'est une autre paire de manches.

— Allez faire votre opération, Sam, dit Rae. Pour l'instant, je n'ai pas besoin que ni vous ni quiconque vienne dresser d'autres obstacles sur mon chemin. Je vais trouver quelqu'un, d'accord ?

Sam se pencha pour l'embrasser.

— Soyez prudente, dit-il en la regardant au fond des yeux. Vous ne savez pas à qui vous avez affaire.

Une fois Sam parti, Rae avait une décision à prendre : aller à son rendez-vous avec les jumeaux ou surveiller le coffre des poches à perfusion. Une grande animation régnait maintenant aux Urgences.

Plusieurs patients qu'on venait d'admettre étaient déguisés et Rae se rappela soudain que c'était Halloween. Avec un soupir d'impatience, elle regarda sa montre : voilà vingt minutes qu'elle aurait dû être chez Léonard.

— La voilà !

Rae reconnut aussitôt la voix de basse d'Arnie Driver. Martin, le garde de la Sécurité, l'escortait.

— J'aurais pu vous faire arrêter pour coups et blessures, déclara Arnie.

— Fichez-moi la paix, Arnie.

Comme elle essayait de l'écarter pour passer, elle sentit sur son épaule une main douce mais ferme. Elle leva les yeux et vit Martin qui la dévisageait.

— Je suis navré, docteur Duprey, dit-il d'un ton d'excuse.

— Eh bien, moi sûrement pas, dit Arnie. Vous n'aviez aucun droit d'opérer cette patiente. Vous n'êtes plus autorisée à exercer ici, vous vous souvenez ? Alors, ou bien vous partez de vous-même, ou bien je vous ferai flanquer dehors par Martin. Et s'il ne le fait pas, je m'en chargerai !

Arnie avait le visage tout rouge. Quel crétin ! Même le fait que la dernière patiente de la Clinique d'accouchement eût frôlé la mort n'avait pas suffi à lui faire comprendre que la théorie de Rae sur l'ocytocine avait peut-être quelque fondement.

Rae tendit son coude à Martin comme une jeune épousée offrant son bras au marié.

— Je serais honorée de vous avoir pour m'escorter loin de cet idiot, fit-elle d'un ton suave.

— Et si je vous revois ici, lui cria Arnie, je vous jure que j'appellerai la police.

— Je suis désolé pour tout ça, dit Martin quand Rae eut franchi la porte.

— Vous ne faisiez que votre travail, Martin. Et maintenant, il faut que j'aille faire le mien.

— Je vous assure, docteur Duprey, renchérit Martin. J'ai vu cette dernière patiente arriver ici. J'ai cru qu'elle allait mourir dans nos bras. Sans vous... Bon, je ne suis pas médecin, mais ça fait assez longtemps que je suis ici pour savoir qu'elle n'avait pas une chance au monde si vous n'aviez pas trouvé ce qu'elle avait.

Rae était touchée par la sincérité de Martin.

— Merci, dit-elle.

— S'il y a quoi que ce soit – et je dis bien quoi que ce soit – que je puisse faire pour vous, docteur Duprey, vous n'avez qu'à me prévenir.

— En fait, Martin, il y a quelque chose que vous pourriez faire : surveillez le coffre des poches à perfusion de la Clinique d'accouchement. (Plissant les yeux, elle fixa le coffre.) Notez-moi le nom d'absolument tous les gens qui s'arrêtent là.

Martin prit un air interrogateur, mais il ne souffla mot.

— Je reviendrai dans la soirée, reprit Rae. N'oubliez pas : si quelqu'un tourne même la tête dans cette direction, je veux le savoir. D'accord ?

— Entendu, docteur, dit Martin.

Il sourit, Rae le remercia encore une fois puis monta dans sa voiture et fila en direction de West Berkeley.

CHAPITRE VINGT-SEPT

Rae dévala Marin Avenue et tourna à gauche sur San Pablo. Les maisons étaient de plus en plus petites et, même dans l'obscurité, elle pouvait voir que les jardins étaient de plus en plus moches et que les voitures garées dans la rue avaient une carrosserie plus cabossée, plus éraflée que celles des collines. Elle vérifia de nouveau l'adresse. A Ellis Street, elle tourna à droite et se gara devant la seconde maison après le coin.

Il n'y avait pas de voiture en stationnement devant la maison en bois marron de Léonard. Elle aperçut quand même une moto par la porte ouverte du garage. Un hamac était accroché à deux montants de la véranda. Sous le hamac, des poids.

Avant de frapper, elle regarda autour d'elle. Elle n'avait pas écouté Sam qui lui conseillait de ne pas venir – du moins pouvait-elle être aussi prudente que possible. Les lumières étaient allumées dans la maison, ce qui lui parut bon signe.

Soudain elle entendit un choc sourd sur la véranda, à sa droite. Elle sursauta, le cœur battant. Mais elle se calma en voyant un chat marron et blanc s'approcher d'elle et venir se frotter contre sa jambe.

— Bon sang, dit-elle en se penchant pour le caresser entre les oreilles, ne refais pas ça.

Quand elle frappa à la porte, le battant s'entrebâilla de quelques centimètres. Elle tendit l'oreille, à l'affût des bruits de la maison : rien. Elle frappa de nouveau. Toujours pas de réponse.

— Léonard, c'est moi, Rae Duprey, cria-t-elle par l'entrebâillement de la porte.

Comme il ne répondait pas, Rae poussa la porte. Elle grinça sur ses gonds et le chat revint se frotter contre sa jambe.

— Léonard ? répéta-t-elle, d'une voix plus hésitante. Il y a quelqu'un ?

Prenant une profonde inspiration, elle entra dans la maison et traversa le salon. Peut-être les jumeaux sont-ils déjà venus et repartis, se dit-elle en inspectant l'intérieur de ce qui était manifestement le domicile d'un célibataire : quelques meubles en bois, un poste de télé grand écran, une plante qui fanait dans un pot et quelques magazines de sport çà et là.

Sur sa droite, une porte ouverte, par laquelle elle apercevait un vieux réfrigérateur. Elle continua d'avancer vers ce qu'elle estima être la chambre à coucher. Sur sa gauche, une salle de bains avec quelques serviettes bleues accrochées. Juste en face, un placard ouvert. Plus loin dans le couloir, une autre pièce avec assez de matériel de sport pour rivaliser avec un petit gymnase.

Rae passa la tête à l'intérieur. Il y avait aussi une petite table près de la porte avec une grande photo encadrée des jumeaux en short noir et torse nu. Ils paraissaient dix ans plus jeunes, et Rae n'aurait pu les distinguer l'un de l'autre. Tous deux avaient une puissante musculature, du genre de celle que les garçons de quinze ans s'imaginent indispensable.

Il ne restait qu'une porte au bout du couloir et elle était fermée. Rae frappa, mais là non plus, pas de réponse. Elle frappa plus fort, pensant que Léonard s'était peut-être endormi.

— J'entre, le prévint-elle, alors vous feriez mieux de vous habiller.

Elle poussa la porte. Ce qu'elle remarqua d'abord, ce fut la traînée de sang sur le sol devant elle. Son regard la remonta jusqu'au lit et là, allongé sur le dos, se trouvait Léonard. Seule sa corpulence le distinguait de son frère. Ça, et le fait que Théodore était sans doute encore en vie.

Elle jeta un coup d'œil rapide autour de la pièce. La personne qui avait fait cela était-elle encore ici ? Elle s'approcha d'un pas incertain, prenant grand soin de ne pas marcher dans le sang. Même si son esprit continuait à fonctionner de façon rationnelle, Rae sentait une vague de terreur paralysante commencer à monter en elle. Elle avait les mains qui tremblaient, le cœur battant. Plus elle approchait du corps, plus elle était terrifiée.

Il était torse nu, comme sur la photo, mais son torse n'était plus maintenant qu'une plaie béante et ensanglantée et il ne respirait manifestement plus. Sans rien toucher d'autre, elle s'agenouilla pour poser ses doigts sur la carotide. Pas de pouls, et pourtant il avait la peau encore tiède. On l'avait tué tout récemment. Rae se releva rapidement : elle pourrait bien être la prochaine.

Sur la table de chevet, il y avait un téléphone. Elle le décrocha d'une main encore tremblante. Mais elle n'avait pas eu le temps de composer les premiers chiffres qu'elle entendit la sirène d'une voiture de police.

Elle se précipita dans le salon et sortit sur le perron. La voiture s'arrêta dans un crissement de pneus derrière sa Porsche et un policier en jaillit, pistolet au poing. Rae reconnut aussitôt l'inspecteur Mailer, celui qui avait été si désagréable après l'agression contre Bernie.

— Rangez ça, lui cria Rae.

— Les mains en l'air ! répliqua Mailer.

Une autre voiture de police vint s'arrêter juste au moment où Rae levait les bras.

— Qu'est-ce qui se passe ici, docteur Duprey ? demanda Mailer tandis que les renforts arrivaient.

Elle ne voulait absolument pas énerver Mailer. Il était assez stupide pour lui faire sauter la cervelle. Mais toute cette scène lui semblait surréaliste. Pourquoi un policier braquait-il son arme sur elle quand de toute évidence il y avait au moins un meurtrier en liberté dans les parages ?

L'autre policier, sur l'insigne duquel on pouvait lire DAVID NUNN, braqua son arme sur Rae et regarda Mailer, guettant une explication.

— Une voisine a déclaré avoir entendu tirer des coups de feu, Sergent, dit-il. J'ai trouvé le docteur Duprey qui sortait en courant de cette maison.

— J'avais rendez-vous avec les ambulanciers, expliqua aussitôt Rae, Quand je suis arrivée ici, l'un d'eux était mort.

Le sergent regarda d'abord Rae, puis Mailer.

— Gardez-la ici, dit-il. Je vais entrer. (Il revint quelques minutes plus tard.) Je vais demander aux hommes de venir recueillir les indices, dit-il. Mailer, pourquoi n'emmenez-vous pas ce bon docteur Duprey ?

— M'emmener où ? demanda Rae tandis que le sergent se dirigeait vers sa voiture. (Tout de même pas en prison !)

Mailer prit une paire de menottes. Rae ouvrit de grands yeux en les voyant.

— Vous plaisantez, non ? demanda-t-elle d'un ton nerveux.

— Tournez-vous, fit-il.

Elle ne bougea pas.

— Ecoutez, j'ai dit que j'étais venue ici pour le voir. Il était mort quand j'ai frappé à la porte.

Mailer saisit la main droite de Rae et lui tira le pouce en arrière. La douleur lui traversa le bras et elle crut qu'elle allait vomir. Il lui passa les menottes et les serra jusqu'au moment où le métal lui mordit la peau.

— Hé, Mailer, cria le sergent. Otez-lui ces trucs-là. C'est un témoin, pas une suspecte.

— Nous n'en savons rien, Sergent, riposta Mailer.

— Eh bien, moi je sais ! fit Rae en lui tournant le dos. Alors, ôtez-moi ces saletés-là !

Avec un grognement, Mailer les lui enleva. Il le fit avec autant de vigueur qu'il en avait mis à les lui passer. Se massant les poignets, Rae demanda d'un ton amer :

— Qu'est-ce que je vous ai donc fait ?

— Montez dans la voiture, docteur, répliqua Mailer en lui ouvrant la portière.

Rae inspecta l'intérieur de la voiture, et la banquette arrière. Même sans menottes, elle avait encore l'impression d'être une criminelle si elle montait là-dedans.

— J'ai dit : montez, répéta Mailer d'un ton bourru. (Il lui posa la main sur la tête et la garda là jusqu'à ce qu'elle fût à l'intérieur.)

D'autres voitures de police arrivèrent. Mailer finit par s'installer au volant et conduisit Rae au commissariat de Berkeley. Là, elle suivit ses instructions et s'assit sur une chaise à côté d'une salle de réunion.

— Combien de temps va-t-il falloir que je reste ici ? interrogea-t-elle. (Mais, comme Mailer s'éloignait sans répondre, elle lui cria :) Il faut que je passe un coup de fil !

Rae se pencha en avant et se prit la tête à deux mains. Qu'est-ce qu'elle allait faire maintenant ? Elle s'était imaginée revenant ici accompagnée des jumeaux qui raconteraient tout à propos des poches à perfusion. Et voilà qu'elle était un « témoin », comme l'avait dit le sergent Nunn. Il semblait certain que Mailer allait s'efforcer de convaincre le sergent qu'elle était la suspecte numéro un...

Elle leva la tête en reconnaissant une voix d'homme dont les échos retentissaient dans la salle de réunion. Quand elle s'était assise, elle avait remarqué dans la salle un certain nombre de gens rassemblés. Mais elle était trop préoccupée pour y accorder la moindre attention.

— Alors, mesdames, poursuivit la voix. (C'était le sergent Lane, le policier qu'elle avait rencontré aux Archives médicales peu après l'agression de Bernie.) Si jamais vous aviez le malheur de vous trouver prises comme otages et que quelqu'un vous braque sur la tête une arme... comme ceci...

Rae ne voyait pas ce qui se passait derrière la cloison, mais elle imaginait le sergent Lane faisant une démonstration à une volontaire en proie au fou rire.

— Rappelez-vous, dit-il, vous pouvez toujours faire un clin d'œil aux policiers présents. Ceux-ci devraient recevoir votre message. Attendez qu'ils vous fassent un signe en retour – et puis faites semblant de tomber évanouie.

Rae entendit un bruit sourd, puis les rires nerveux des femmes de la salle.

— Le criminel sera surpris et son arme aura tendance à s'éloigner de votre visage – comme vous venez de le voir – assez longtemps pour qu'un des policiers s'empare de lui.

— Qu'est-ce qui se passe si le policier le manque ? demanda une femme.

— Question suivante, dit le sergent.

Et Rae entendit l'assemblée éclater de rire.

Et voilà, se dit Rae en levant les yeux au ciel. (Désemparée, elle se remit à guetter le retour de Mailer.)

Le cours se termina et une trentaine de femmes sortirent en se bousculant. Quelques-unes regardaient Rae et elle leur fit un demi-sourire. Le sergent sortit enfin. Il tenait à la main un gros pistolet qu'il remit dans son étui.

— Sergent, dit Rae en se levant, il y a eu une terrible erreur et il faut que je vous parle.

— Docteur Duprey ? demanda-t-il, surpris.

— Sergent, dit Mailer en s'approchant d'un pas raide, je vous attendais.

— Et il faut que je passe un coup de fil, dit Rae.

— Nous devrions peut-être trouver un endroit plus calme, suggéra Lane.

On emmena Rae dans la même pièce où elle avait enregistré son rapport à propos de la Clinique d'accouchement. Mailer lui demanda comment elle connaissait les ambulanciers et pourquoi elle était allée là-bas. Elle lui parla de sa dernière conversation avec Léonard et comment celui-ci avait vu les perforations dans les poches qui se trouvaient dans son ambulance.

— Et je suis convaincue que celui qui l'a tué avait quelque chose à voir avec la mort des patientes provenant de la Clinique d'accouchement, conclut-elle.

Les deux policiers la contemplaient d'un air absolument incrédule. Ça commence à bien faire, se dit-elle. Elle leur avait maintenant raconté tout ce qu'elle savait : mais manifestement cela ne suffisait pas à les convaincre. Elle ne pouvait plus faire grand-chose ici.

— Est-ce que je suis en état d'arrestation ? finit-elle par demander en les regardant tour à tour.

— J'ai vraiment très envie de croire à votre histoire, docteur Duprey, dit Lane, mais, vous savez, elle me paraît encore incroyable.

— C'est ridicule, dit sèchement Mailer.

— Alors, je m'en vais, annonça Rae en se levant. Il faut que je retourne à ma salle des urgences et que je découvre le vrai meurtrier.

Elle prit son sac, tourna les talons et s'éloigna.

— Ne vous avisez pas de quitter la ville ! lui cria Mailer comme elle tournait le coin du couloir.

Vingt minutes plus tard, Rae entendit son bip se déclencher juste au moment où elle rétrogradait pour aborder la côte de Marin Avenue. Elle espérait que Martin, le garde de la Sécurité, était toujours aux Urgences. Mieux encore, elle espérait qu'il avait dressé une liste de tous ceux qui s'étaient approchés du coffre, comme elle le lui avait demandé.

Dans l'obscurité, elle pressa le bouton de son appareil pour éclairer l'écran. Le message précisait que Mr Théodore McHenry venait d'être informé de la mort de son frère et qu'il voulait la voir. Il y avait un numéro de téléphone que Rae composa aussitôt sur son portable.

— Docteur Duprey ? fit Théodore d'une voix étranglée, désespérée. Dieu merci, je vous ai trouvée ! Je viens d'apprendre... que Léonard est mort, docteur Duprey. Quelqu'un l'a abattu !

— Où êtes-vous maintenant ? demanda Rae. Il faut qu'on parle.

— Je n'arrive pas à croire qu'il est mort. Je venais de lui parler... au téléphone. Il m'a raconté ce que vous aviez dit. Mais je vous jure, je ne sais rien des trous qu'on a faits dans ces poches.

— Mais Léonard les a vus ! dit Rae en criant dans le combiné. (Elle se força à se calmer, en se rappelant que ce type venait de perdre son frère.) Je peux vous montrer les perforations moi-même, expliqua-t-elle aussitôt. Les mêmes que Léonard a vues. Mais promettez-moi, promettez-moi, quand vous les aurez vues, de venir au commissariat avec moi.

— J'ai peur, docteur Duprey, fit Théodore d'une voix chevrotante. Et Rae sentit qu'il pleurait.

— Ecoutez, Théodore, dit-elle en s'arrêtant dans le garage. Pouvez-vous me retrouver à l'Hôpital ?

— J'ai trop peur pour aller nulle part !

— Dans vingt minutes, dit Rae en serrant le frein.

— Peut-être que la personne qui a tué Léo va me tuer ensuite !

— Vous ne risquerez rien dans l'ambulance. Je vous retrouve devant les Urgences.

— Je ne peux pas...

— Mais si, vous pouvez ! Dans vingt minutes... Maintenant, dépêchez-vous !

On raccrocha.

Rae ne savait trop que penser, sinon que Théodore était impliqué. Selon toute probabilité, quelqu'un le payait pour accrocher les poches, pas pour les perforer. Tout ce que Théodore voulait, c'était de l'argent pour acheter de la drogue. Pour ça, il pouvait bien accrocher une poche à perfusion trafiquée, sans poser de questions.

Mais l'important, c'était qu'il fût disposé à l'aider. Le responsable des meurtres est plus désespéré que jamais, se dit-elle. Il ne se limitait plus à des femmes et des bébés sans défense. Tout le monde maintenant était une proie possible. La seule question était : qui serait le suivant ?

Le temps de poser le pied sur le trottoir, et elle avait la réponse : personne, se dit-elle. Pas si cela dépendait d'elle. Serrant son sac sous son bras, elle courut jusqu'à l'Hôpital.

De l'autre côté de la rue, Rae vit l'ambulance Hillstar garée devant l'entrée des Urgences. Théodore n'allait pas tarder à l'attendre, mais il fallait qu'elle parle à Martin avant qu'il s'en aille. Une fois de plus elle pensa à la mise en garde de Sam. Un peu de renfort ne lui ferait pas de mal. Après tout, Théodore avait fort bien pu tuer son frère.

Dans le hall d'entrée, elle décrocha un téléphone intérieur pour appeler Sam. L'infirmière qui lui répondit répliqua qu'il était encore occupé au bloc.

— Dites-lui de me retrouver devant la salle des urgences quand il aura fini, demanda Rae. C'est extrêmement important, ajouta-t-elle, mais l'infirmière avait déjà raccroché. (Elle se demanda si la femme avait même pris le message.)

Elle appela ensuite le bureau de Walker. Il travaillait rarement aussi tard, mais elle l'avait vu avec Marco seulement deux heures auparavant : il y avait donc un espoir. A la quatrième sonnerie il répondit.

— Rae, dit-il, je m'apprête à rentrer chez moi.

— J'ai besoin de vous voir tout de suite, insista-t-elle.

D'un air las il accepta de la voir.

Lorsqu'elle entra dans son bureau, Walker était assis à sa table. Des sorties imprimante étaient étalées devant lui.

— J'ai essayé de trouver un moyen de faire plaisir à Marco, dit-il sans lever les yeux. (De toute évidence, il était encore furieux de sa conversation avec lui.)

Rae se laissa tomber dans le fauteuil devant lui. Elle attendit qu'il lève les yeux.

— Un des jumeaux est mort, annonça-t-elle sans ambages.

— Quels jumeaux ? demanda Walker en reposant son stylo.

— Les ambulanciers. (Rae raconta comment elle avait découvert le corps de Léonard, le sang sur le plancher de la chambre, son passage au commissariat et sa conversation téléphonique avec l'autre jumeau.)

— C'est lui qui vous a appelée ? demanda Walker.

— Il m'attend, dit Rae.

Walker se leva et alla fermer la porte de son bureau.

— Quoi ? Vous êtes folle ? Vous allez le voir ?

— Il m'attend devant les Urgences, expliqua-t-elle, car elle comprenait l'inquiétude de Walker. Mais il faut d'abord que je voie un des gardes de la Sécurité. Je suis venue pour vous demander de m'accompagner, pas pour discuter si je dois ou non y aller.

— Qu'est-ce que le garde a à voir là-dedans ? demanda Walker, qui ne comprenait plus rien. (Il se leva et contourna son bureau pour aller s'asseoir auprès de Rae.)

Rae expliqua à Walker son arrangement avec Martin.

— C'est pour ça vraiment que je suis revenue ici, Walker. Si je dois me planquer toute la nuit aux Urgences, bon sang, je le ferai. Mais je veux pincer la personne qui fait ça. Croyez-moi, la prochaine fois que je parle à Mailer et à Lane, il faudra bien qu'ils me croient.

— Rae, doucement, fit-il avec un geste apaisant. Réfléchissons d'abord.

Il se leva et se mit à marcher de long en large devant les baies vitrées, les bras croisés sur sa poitrine.

— Bonté divine, Rae, fit-il enfin, il faut bien que je vous rappelle que la dernière chose dont nous avons besoin pour notre réputation, c'est qu'on nous traîne dans la boue à la une du *Oakland Tribune*...

— Mais il ne s'agit pas de ça, Walker !

— Pour moi, ce pourrait bien être cette foutue Clinique d'accouchement qui serait derrière tout ça. Ou l'Hôpital municipal, qu'est-ce que nous en savons ? Mais qui que ce soit, je ne vais pas laisser accuser cet hôpital pour quelque chose que nous n'avons pas fait.

— Je me fiche pas mal qu'on parle de nous, même dans le *Wall Street Journal* ! s'écria Rae.

— Mais vous avez tort, Rae ! répliqua Walker. Vous sapez la

réputation de cet hôpital et vous allez vous retrouver à faire des accouchements dans votre cabinet au lieu de le faire à la maternité du deuxième étage !

— C'est à peu près le seul endroit où je peux faire des accouchements pour l'instant, fit Rae d'un ton sarcastique.

Ses doigts pianotèrent sur l'appui du fauteuil.

— Je vais voir Théodore avec ou sans vous. Alors, vous venez ou pas ? demanda-t-elle d'un ton glacial.

— Bien sûr que je viens, dit Walker. Mais attendez une minute, d'accord ? Il faut me laisser le temps de digérer ça. C'est incroyable, impensable...

Rae se leva. Par la fenêtre, elle apercevait les lumières de la Clinique d'accouchement qui brillaient innocemment devant elle.

— Je ne connais pas d'autre façon de vous convaincre, Walker, reprit-elle. Sinon, je l'aurais fait voilà des jours.

— Très bien, Rae, dit-il. Si vous êtes vraiment persuadée, alors je marche avec vous. Mais que le Seigneur nous vienne en aide si ce que vous dites est vrai.

— Merci, Walker, dit Rae. (Si elle en avait eu le temps, elle l'aurait serré dans ses bras. Elle se contenta de le regarder penché sur son bureau pour décrocher le téléphone.)

— Allez devant. J'arrive. Mais d'abord, dit-il, il faut que j'appelle la police. Promettez-moi seulement que vous m'appellerez des Urgences si l'ambulancier arrive avant moi.

— Il ferait mieux d'arriver, dit Rae en se dirigeant vers la porte. Sinon nous irons le trouver.

CHAPITRE VINGT-HUIT

Rae traversait la salle des urgences quand elle se rendit compte qu'elle n'avait pas beaucoup réfléchi à la façon dont allait se terminer toute cette affaire : même si elle réussissait à mettre la main sur le meurtrier, il pourrait y avoir un retour de flamme et tout ça finirait par ruiner la réputation de l'Hôpital. Qui alors voudrait accoucher là ? Pas étonnant que Walker ait du mal à accepter ses soupçons.

— Vous avez vu Martin ? demanda-t-elle à la secrétaire, une jeune femme aux lèvres rouge sang et coiffée d'un chapeau de sorcière. (Rae marqua un temps en constatant que toutes les infirmières portaient la même coiffure.)

— C'est vous, docteur Duprey, demanda la réceptionniste, où est votre costume de Halloween ?

— Il faut que je trouve Martin, insista Rae. Il fait une pause ?

— Martin n'est pas costumé non plus, ajouta la réceptionniste en riant. Je lui ai dit...

— Peu m'importe, dit Rae, son regard scrutant la salle.

— Il serait vraiment mignon en petit lap...

— Bon Dieu, aboya Rae, dites-moi juste où il est !

Quelques autres infirmières derrière le bureau se tournèrent vers Rae.

— Il fait une pause, dit la jeune femme d'un air boudeur.

Rae marmonna un vague « Merci » et s'éloigna. Elle sentait le regard furieux de la secrétaire la suivre dans le couloir. Au cours des dix minutes suivantes, les portes coulissantes de la salle des urgences s'ouvrirent et se refermèrent, mais pas trace de Martin.

Ses pauses sont bien longues, se dit Rae. Par la porte vitrée elle aperçut la forme blanche de l'ambulance Hillstar. Elle jeta de nouveau un coup d'œil à sa montre. Ses vingt minutes étaient passées. Théodore attendait.

Retournant au bureau des infirmières, Rae dit à la jeune réceptionniste :

— Quand Martin finira par revenir, dites-lui de ne pas s'en aller avant mon retour.

— Comme vous voudrez, répondit la secrétaire d'un ton glacial.

Rae s'en alla mais, en franchissant la porte coulissante, elle se demanda si la réceptionniste dirait quoi que ce soit à Martin.

C'était une soirée parfaite pour Halloween. Un temps assez frais pour être à l'aise sous un déguisement, et c'était la pleine lune, si bien qu'on avait à peine besoin de l'éclairage des rues. Elle se dirigea vers l'ambulance et se dressa sur la pointe des pieds pour regarder par la vitre du conducteur. Personne. Ou bien Théodore n'était pas encore arrivé ou bien il était déjà venu et reparti.

— Bon sang ! cria-t-elle en frappant du poing contre la portière.

Elle se retourna et repartit vers la salle des urgences. Sa seule chance maintenant de sauver les bébés, c'était de parler à Martin en espérant que sa liste désignerait le meurtrier. Mais brusquement les portes de la salle coulissèrent une nouvelle fois pour livrer passage à Théodore.

Elle poussa un profond soupir et dit :

— Ouf ! J'ai cru que je vous avais manqué.

— Montez, dit sèchement Théodore.

Rae sursauta en entendant son ton cassant.

— Ecoutez, Théodore... commença-t-elle.

Il s'approcha de la portière et l'ouvrit toute grande.

— Après vous, docteur, dit-il.

Rae ne bougea pas. Quelque chose n'allait pas. Théodore n'avait plus du tout l'air de l'homme accablé de chagrin qui lui avait parlé quelques instants plus tôt au téléphone. Elle recula d'un pas.

— Je viens de me rappeler qu'il fallait que j'aille...

— Dedans, ordonna Théodore en l'empoignant par le coude.

Mais Rae était rapide. Elle se dégagea et courut vers l'Hôpital. La terreur déferlait en elle. Il la rattrapa avant qu'elle ait pu faire un pas et lui enfonça le canon de son pistolet si profondément sous la cage thoracique que c'était à peine si elle pouvait respirer.

— Bon, bon, fit-elle, haletante.

Théodore la terrifiait, mais elle était tout aussi terrifiée à l'idée de monter dans l'ambulance.

Elle fit un pas en arrière. Elle sentait ses jambes se dérober sous elle. Encore un pas. Elle avait le souffle court. Un pas encore. Maintenant c'était son cœur qui battait. Battait. Battait à tout rompre. Pour finir, craignant d'être au bord de l'évanouissement, elle se rattrapa à la portière de l'ambulance.

— Montez, ordonna Théodore.

Mais elle en était incapable. Elle ne pouvait même pas faire un geste. Elle avait la bouche si sèche qu'elle n'arrivait pas à avaler. Théodore s'approcha et lui enfonça une nouvelle fois le canon de son arme dans les côtes. La douleur était insupportable.

— J'ai dit : montez, garce, dit-il.

La douleur la fit tressaillir. Elle attrapa la poignée intérieure. Ses mains glissèrent. Elle l'attrapa une nouvelle fois. Elle parvint à lever le pied droit et à se hisser à la place du conducteur.

Théodore monta derrière elle et claqua la portière.

— Poussez-vous, dit-il.

Entre les sièges se trouvait une grosse console avec un équipement radio et des haut-parleurs. Rae se glissa du mieux qu'elle pouvait. Elle sentait son pouls s'affoler. Elle haletait.

Pourquoi n'avait-elle pas écouté Sam ? Ni Walker ? Où étaient-ils maintenant ?

— Qu'est-ce que vous voulez ? demanda-t-elle en essayant de garder un ton calme.

Il ne répondit pas. A vrai dire, c'était à peine s'il semblait l'entendre. Sous l'éclairage fluorescent de la plate-forme des Urgences, elle avait remarqué qu'il avait les pupilles comme des trous d'aiguille. Il avait dû se piquer récemment. Pour tout arranger, elle sentait aussi dans son haleine les âcres relents de l'alcool bon marché.

Théodore coinça son arme entre le volant et son pouce gauche et se servit de sa main droite pour tourner la clé de contact. Rae regarda par la fenêtre, espérant pouvoir faire signe à quelqu'un... Mais personne ne se dirigeait vers les Urgences. Même si ç'avait été le cas, on aurait fort probablement cru que Rae faisait une balade en ambulance le soir de Halloween.

Le véhicule fit un bond en avant. Le hurlement de la sirène et les gyrophares emplirent aussitôt la nuit. Personne ne se douterait qu'on est en train de me kidnapper dans cette ambulance, se dit Rae. Tout comme personne ne croirait qu'il ait pu s'y passer quelque chose d'anormal au cours des deux derniers mois.

Au bout de l'allée, la voiture tourna brusquement à droite, mais au lieu d'aller vers la Clinique d'accouchement, elle se dirigea droit vers Marin Avenue.

Rae envisagea rapidement les différentes solutions. Théodore emballa le moteur et ils s'apprêtèrent à dévaler la pente. Où allaient-ils ? Comment allait-elle échapper à Théodore ? Et les bébés ? Sans Léonard pour confirmer son histoire, elle n'avait rien dans son dossier.

L'ambulance brûla le premier stop.

— Bouclez votre ceinture, docteur. Je ne voudrais pas que vous vous blessiez, dit-il avec une feinte sollicitude.

Mais s'attacher à un siège à côté d'un fou était une chose dont Rae était incapable.

Brusquement la main de Théodore s'abattit sur sa bouche avec une telle violence qu'elle sentit le goût du sang.

— J'ai essayé de vous le demander gentiment, dit-il d'un ton froid.

En tâtonnant, elle trouva la ceinture de sécurité et la serra. L'ambulance prenait de la vitesse. Malgré tout, se dit-elle, il faut pas perdre la tête.

— Où allons-nous ? interrogea-t-elle en fixant le pistolet que Théodore tenait dans sa main gauche. Il ne se servait que de la droite pour tourner le volant.

— Plus de questions ! aboya-t-il.

Rae détourna les yeux du volant et regarda devant elle.

— Attention ! cria-t-elle en voyant la portière d'une voiture s'ouvrir de son côté.

Mais son avertissement arriva trop tard. L'ambulance arracha la portière et le bruit du choc retentit aux oreilles de Rae.

— Salopard ! cria Théodore par la vitre ouverte, et Rae entendit le fracas du métal sur l'asphalte derrière eux.

Rae se cramponna aux côtés de son siège. Elle jeta un coup d'œil à la poignée de sa portière. Non, se dit-elle. Si elle essayait de sauter, elle arriverait morte sur la chaussée.

— Je vous en prie, Théodore, dit-elle, décidant que son seul choix était de le raisonner. On peut vous aider. J'ai parlé à notre PDG : il veut bien vous aider.

Théodore éclata de rire. Un rire de fou, vibrant de démence, dépourvu de tout sentiment.

— Alors maintenant tout le monde veut aider le pauvre petit Théodore.

— C'est vrai, Théodore.

— La ferme ! rugit-il.

Et Rae vit de nouveau sa main foncer vers son visage.

Elle leva les siennes pour se protéger, mais le coup fut si violent qu'il les percuta et l'atteignit une nouvelle fois en plein visage. Elle sentit à nouveau sa lèvre éclater sur ses dents et un goût chaud et salé lui emplit la bouche. Elle pensa à Bernie et se demanda si l'agresseur avait opéré de la même façon.

L'ambulance était maintenant au milieu de la descente. De sa main droite, Rae essuya le sang de sa bouche. Son regard se porta une fois encore sur la poignée de la portière. Mieux valait s'écrouler sur la chaussée que rester une minute de plus avec ce malade. Si seulement elle réussissait à l'ouvrir avant qu'il puisse l'empoigner. Mais cela supposait qu'elle détache sa ceinture et s'y prenne de telle façon que Théodore ne s'en aperçoive pas.

Elle laissa ses doigts glisser lentement vers la boucle. Mais juste au moment où elle croyait l'avoir ouverte, Théodore lui empoigna le bras. Une fois de plus, elle resta figée tandis qu'il lui enfonçait si fort les doigts dans sa chair qu'elle poussa un cri de douleur.

— Elle a fait le même bruit, cette infirmière, fit Théodore. Non, un peu plus fort.

— C'est vous qui avez essayé de tuer Bernie ? fit Rae en ouvrant de grands yeux.

— Ouais, c'est comme ça qu'elle s'appelait, marmonna Théodore.

Emplie d'une rage soudaine à la pensée de Bernie luttant pour sa vie au service des Soins intensifs, Rae plongea vers le volant, et cette fois la crosse de son pistolet la cueillit en plein visage. La douleur explosa dans sa tête et elle retomba contre la portière.

— Je lui ai dit de s'occuper de ses oignons ! expliqua Théodore. Mais elle s'est mise à me poser toute sorte de questions. Tout comme vous n'arrêtez pas de le faire.

Jamais auparavant Rae n'avait eu envie d'être un homme, mais aujourd'hui, elle aurait donné cher pour devenir un grand gaillard, assez costaud pour étouffer lentement ce type.

— Je ne vois pas pourquoi votre frère prenait la peine de se faire du souci pour vous, fit Rae d'une voix vibrante de mépris.

— Mon frère m'aimait ! cria Théodore. (Il voulut la frapper encore mais manqua son coup.)

— Il ne vous aimait pas, fit Rae d'un ton sarcastique. Il voulait vous dénoncer. C'est ce qu'il m'a dit.

— La ferme ! cria Théodore. Il ne vous a rien dit du tout !

— Pourquoi croyez-vous qu'il m'avait demandé de vous retrouver ce soir ? répliqua Rae. Il savait ce que vous aviez fait... les trous dans les poches...

— Salope de menteuse ! hurla Théodore.

— Il allait raconter à tout le monde que c'était vous qui aviez tué ces femmes, ces bébés.

Il faut que je parle vite, se dit-elle. Ne pas lui laisser le temps de réfléchir.

— Toutes ces drogues, toutes les fois où il a dû vous servir de couverture. Eh bien, il m'a dit qu'il en avait marre, qu'il en avait marre de vous.

— Il voulait que j'arrête la came, c'est tout ce qui l'intéressait ! répliqua-t-il d'une voix tremblante. Mais il ne comprenait pas ce que c'est. J'ai besoin de ma dose. Toutes les trois heures, comme un bébé a besoin de téter. Je lui ai dit, mais il ne comprenait pas. (Il s'arrêta pour essuyer son front baigné de sueur.) Mais pas question que je fasse de la taule.

— Qui est votre patron, Théodore ? demanda Rae. Qui est-ce qui vous paye ?

— Ça n'est pas comme de trouver ce qu'il me faut dans la rue, reprit Théodore. J'ai essayé de passer un marché avec Léo. Je lui ai dit qu'il fallait simplement qu'on aille ailleurs... comme on le fait toujours. Je lui ai dit ce soir... mais lui, il a continué à geindre, à parler de vous et de ces foutus bébés.

— C'est *vous* qui l'avez tué ? demanda Rae, sentant déferler en elle une nouvelle vague de terreur.

— Pourquoi est-ce que vous n'avez pas voulu nous foutre la paix, docteur Duprey ? Pourquoi ne pas laisser tomber ?

Théodore se balançait d'avant en arrière derrière son volant. Tout en parlant, il avait ralenti son allure.

— Mais Léonard, c'était votre frère !

— Tout ce que j'ai fait, ç'a été de changer quelques poches à perfusion sur le trajet de l'Hôpital, dit Théodore qui sanglotait maintenant. Vous parlez d'une affaire ! Mais Léonard n'a rien voulu entendre. Il m'accusait tout le temps d'avoir tué ces femmes... ces bébés. Mais je n'ai tué personne, docteur Duprey. J'ai juste changé les poches.

— Alors qui a injecté de l'ocytocine dedans, Théodore ? insista Rae.

— Je vous assure que je ne sais rien du tout à propos de cette foutue ocytocine ! Comme je l'ai dit à Léonard : je devais seulement changer les poches quand il me le demandait.

— Qui ça ? demanda Rae très excitée. Qui vous disait de les changer ?

— J'avais pas le choix : il fallait que je le tue, murmura Théodore, puis il écrasa la pédale d'accélérateur et l'ambulance fit un bond en avant.

— Qui a mis dans les poches l'ocytocine qui a tué ces femmes et ces bébés ?

Mais Théodore s'était replié dans son monde, marmonnant des propos incohérents tandis qu'ils fonçaient dans les rues sombres. Rae essayait désespérément de trouver un nouveau moyen de l'atteindre. Le klaxon d'une voiture interrompit ses pensées. Levant les yeux, elle vit une Volvo qui arrivait droit sur eux.

Une nouvelle fois Rae saisit le volant. Théodore la repoussa. Elle avait les yeux fixés sur la chaussée droit devant. L'ambulance allait heurter la Volvo de plein fouet. Mais à la dernière seconde Théodore fit une embardée à droite... A peine avait-il évité le choc qu'une camionnette débouchait d'une rue latérale à la droite de Rae.

— Attention ! hurla-t-elle.

Mais c'était trop tard. L'ambulance heurta l'avant droit de la fourgonnette, la faisant tourner comme un jouet et la renversant. Rae se cramponna à son siège tandis que l'ambulance manquait se renverser à son tour.

— Ouah, ma jolie ! cria Théodore en redressant. J'aimais mon frère, docteur Duprey. Je l'aimais plus que tout au monde !

— Mais votre frère est mort et c'est vous qui l'avez tué ! s'exclama Rae.

— Je ne l'ai pas tué... C'est vous qui m'avez obligé à le tuer ! hurla-t-il.

Théodore s'essuya le nez du revers de la main qui tenait toujours le pistolet.

— Tout ça, c'est votre faute... votre faute docteur Duprey... Mais ça n'a plus d'importance, n'est-ce pas ? Il nous attend, tous les deux. Je vous ai dit que je l'aimais.

Théodore emballa le moteur et déclencha la sirène. Rae vit le compteur monter à cent kilomètres à l'heure. A chaque carrefour l'ambulance décollait et retombait sur la chaussée dans un fracas assourdissant, la projetant presque jusqu'au toit.

Rae aperçut la fontaine droit devant eux. Théodore avait dû la voir aussi !

— Vous allez nous tuer tous les deux, crétin ! cria-t-elle.

Le compteur indiquait maintenant cent vingt. Théodore avait la main gauche crispée sur le volant, la droite étreignait toujours le pistolet. Impassible, il gardait les yeux fixés sur la fontaine.

— Alors, de qui est-ce que vous êtes en train de sauver la vie cette fois-ci, docteur Duprey ? s'exclama Théodore tandis que l'ambulance fonçait sur la fontaine.

— La mienne, connard ! dit Rae.

Cette fois elle déboucla sa ceinture et, de toutes ses forces, projeta son corps contre celui de Théodore.

Le coup partit au même instant. Le pare-brise vola en éclats et, instinctivement, elle se recroquevilla contre son siège. Des éclats de verre lui cinglèrent le dos comme des grêlons. Théodore poussa un hurlement de douleur et elle sut qu'il avait été touché en plein visage.

Il lâcha le volant. Elle s'y cramponna et le tourna vers la gauche aussi fort qu'elle pouvait. L'ambulance bascula puis heurta la route, dans un bruit de métal qui frottait contre la chaussée comme si c'était la fin du monde.

Je vais mourir, songea-t-elle avec une brusque certitude.

Le fracas continua tandis qu'elle se cramponnait désespérément au volant. Son seul espoir, c'était que l'ambulance s'arrête avant d'emboutir la fontaine. Elle entendit les portières arrière s'arracher. L'ambulance changea brusquement de direction et Rae comprit qu'ils avaient fini par heurter la fontaine.

Soudain, ce fut le silence. L'ambulance avait stoppé. Lentement, Rae se souleva. Sa tête heurta le volant et elle tressaillit de douleur. Des éclats de verre glissèrent de son dos sur la banquette. Elle leva les yeux et, là où aurait dû se trouver le toit, c'était la fenêtre du passager. Elle était coincée : elle se glissa donc par le pare-brise fracassé.

Une foule d'enfants déguisés en fantômes et en superhéros s'étaient rassemblés à quelques mètres de l'ambulance. Rae vit le corps de Théodore sur la chaussée : il avait le visage tourné vers elle et, à la lumière de la pleine lune, Rae put voir que dans la mort il avait gardé les yeux grands ouverts.

Elle s'extirpa de l'ambulance et s'éloigna rapidement. Elle entendit un des enfants lui crier : « Hé ! » mais elle n'avait pas le temps de s'arrêter. Il ne lui manquait plus que de voir les flics arriver pour trouver à côté d'elle un autre ambulancier mort.

Elle commença par se réfugier en boitillant dans l'arrière-cour d'une des maisons dont les lumières étaient éteintes. Elle profita de l'épais feuillage pour s'y cacher tandis que deux voitures de police et une autre ambulance arrivaient sur les lieux. Il y avait plusieurs rues parallèles à Marin Avenue et Rae prit l'une d'elles en remontant la côte.

Qu'avait donc dit Théodore qui la tracassait ? Quelque chose à propos de changer les poches à perfusion. Oui, elle s'en souvenait, c'était ça. Selon lui, c'était quelqu'un d'autre qui les avait trafiquées. Qui ? se demanda-t-elle.

La douleur qui lui martelait le crâne la rendait presque incapable de réfléchir. Elle entendit la sirène d'une voiture de police et, en se retournant, vit le faisceau des projecteurs qui balayaient les cours à quelques dizaines de mètres derrière elle. Elle s'accroupit aussitôt derrière un buisson. La voiture passa et continua sa route. L'hôpital était à huit cents mètres de là : il fallait qu'elle y arrive le plus vite possible.

Sa dernière chance de découvrir le meurtrier, décida Rae en arrivant près de l'hôpital vingt minutes plus tard, c'était de faire le guet toute la nuit à côté de la salle des urgences. Mais comment ? Elle n'avait plus le droit d'exercer. Elle ne pouvait pas se permettre d'être vue. Sa vie était sans doute encore en danger. Elle devait être invisible.

Derrière l'hôpital, se trouvait la plate-forme de chargement. A côté, un ascenseur spécial qui servait à transporter les cadavres de la morgue jusqu'au fourgon des entreprises de pompes funèbres ou du laboratoire municipal. Si seulement le ciel était plus nuageux, songea-t-elle, désespérée, en contemplant la scène brillamment éclairée.

Elle se trouvait là quand un fourgon vint s'arrêter devant l'ascenseur de service. Un homme vêtu d'un costume noir approcha en poussant un chariot et attendit l'arrivée de l'ascenseur. Quand la porte s'ouvrit, il roula le chariot à l'intérieur et, juste au moment où les portes se refermaient, Rae se précipita.

— Hé, vous ne pouvez pas entrer ici, protesta l'homme.

— J'y suis déjà, répondit Rae.

— Mais...

— Ecoutez, fit Rae, je suis en retard pour mon travail, d'accord ? Je ne veux pas que mon patron me voie encore une fois arriver en catimini. Je ne peux pas me permettre d'être virée. Il faut que j'entre par une autre porte.

L'homme la toisa de la tête aux pieds puis dit :

— Je parie que le macchabée qui m'attend a meilleur air que vous. Qu'est-ce qui vous est arrivé ?

Les portes de l'ascenseur s'ouvraient directement sur la morgue : l'odeur bien reconnaissable du formol les accueillit.

— Merci pour la balade, dit-elle en sortant de l'ascenseur et en s'engouffrant dans le vestibule.

Elle suivit sans bruit le couloir et, une quinzaine de mètres plus loin, prit la porte à gauche qui menait au service d'Accouchement.

Quelle ironie, songea-t-elle, que la morgue de l'Hôpital fût si proche de l'endroit où la vie commençait.

Au fond du couloir, elle atteignit la porte du vestiaire. Une fois à l'intérieur, elle se dirigea vers le lavabo et s'empressa de laver le sang séché qui lui recouvrait les mains et le cou. Puis elle enfila une blouse blanche. Dans un placard elle prit un seau et un balai-éponge et elle emplit le seau d'eau savonneuse. Elle fourra ses vêtements dans une poubelle et se regarda dans le miroir.

Quelle meilleure façon de se déplacer sans que personne la reconnaisse ? songea-t-elle en souriant. L'Hôpital de Berkeley Hills recrutait essentiellement du personnel blanc. Faire semblant d'être une femme de ménage noire devrait être facile. Elle serait invisible.

Et de fait, tandis qu'elle se dirigeait en poussant son balai vers la salle des urgences, personne ne fit attention à elle. Elle gardait la tête baissée – elle avait observé tant de fois Claudia qui faisait semblant de ne rien voir, de ne rien entendre mais qui, en fait, absorbait tout comme une éponge.

Arrivée aux Urgences, elle nettoya le même coin de sol pendant l'heure suivante tout en attendant que quelqu'un s'approche des poches à perfusion dans le coffre de la Clinique d'accouchement. Des ambulances arrivaient et repartaient, des malades étaient admis ou sortaient, médecins et infirmières faisaient de leur mieux pour satisfaire tout le monde. Mais personne n'approchait du coffre marqué C.A.

Les minutes s'écoulaient, les heures, et Rae sentait le besoin de dormir s'abattre lentement sur elle comme un linceul. Le carré de sol qu'elle avait inlassablement frotté lui semblait maintenant noyé dans une brume blanchâtre. Ce qu'il lui fallait, c'était une chambre de garde pour dormir un peu. Mais si le meurtrier se montrait pendant son sommeil ? Peut-être rôdait-il quelque part en attendant qu'elle – la femme de ménage – lui laisse le champ libre.

Elle jeta un coup d'œil à la pendule. Cinq heures du matin. Plus question de dormir. Elle allait plutôt sortir respirer un peu d'air frais. Une fois dehors, elle posa son éponge sur un chariot et s'adossa au mur. Elle ferma les yeux et inspira profondément. Dans deux heures, le soleil allait se lever et son déguisement ne tiendrait plus.

— Hé, docteur Duprey !

Rae sursauta en entendant la voix masculine qui l'interpellait. Là-dessus, elle se rappela qu'elle n'était pas le Dr Duprey : elle était la femme de ménage.

Alors, au lieu de lever les yeux vers l'homme qui l'appelait, elle les baissa vers son chariot et se mit à le pousser vers la salle des urgences.

— Joli déguisement, docteur Duprey.

Cette fois, Rae dut bien lever la tête. Elle trouva planté là Martin, le garde de la Sécurité. Autant pour le camouflage.

— Où étiez-vous ? demanda-t-elle en parlant à voix basse bien qu'ils soient dehors. Vous avez ma liste ?

Martin haussa les épaules et fourra les mains dans ses poches.

— Ça n'est pas la peine, dit-il. Je n'ai vu s'approcher de ce coffre que des gens qui avaient à faire par là.

— La personne que je recherche estimerait avoir les meilleures raisons du monde de s'approcher de ce coffre, dit-elle. Alors je veux les noms de tous ceux que vous avez vus – tous.

De la poche droite de son blouson, Martin tira un bout de papier froissé et le lui tendit.

— La plupart des gens n'ont fait que passer, docteur Duprey. Vous comprenez, c'est sur le chemin des toilettes. Mais j'ai fait comme vous aviez dit.

Sur la liste de Martin se trouvaient plusieurs noms griffonnés au stylo bleu. Rae les parcourut rapidement. Dix au total, y compris le nom du médecin de garde et de l'infirmière-chef.

— C'est tout ? demanda-t-elle.

— Il y en a encore de l'autre côté, dit Martin.

Rae retourna la feuille. De ce côté-là, il n'y avait qu'un seul nom. Elle dévisagea Martin.

— Vous êtes sûr d'avoir vu le Dr Hartman ? interrogea-t-elle en relisant le nom.

Martin se pencha et lut le nom.

— C'est le nouveau, hein ? J'ai dû lui demander son nom. Je ne l'avais jamais vu. C'est le seul qui se soit vraiment arrêté près du coffre.

— Vous êtes certain que c'était lui ? fit Rae qui ne voulait pas y croire.

Martin se redressa.

— Aussi certain que vous n'êtes pas la femme de ménage, dit-il.

— Qu'est-ce que vous l'avez vu faire avec les poches ? murmura-t-elle.

— J'allais lui poser la question, dit Martin. Mais, en me voyant arriver, il est parti. J'ai pensé qu'on l'avait bipé ou quelque chose. Vous autres docteurs, ça n'arrête pas... Hé, vous, ça va ?

Mais Rae avait repris son seau et son éponge et se dirigeait vers la salle des urgences.

Non, pas Sam, se disait-elle. Pas Sam.

CHAPITRE VINGT-NEUF

De retour aux Urgences, Rae essaya de se convaincre que Sam Hartman n'était pas le tueur de bébés. Comment eût-il pu l'être ? Il avait passé tout son temps en chirurgie. Rae pouvait faire semblant d'être une femme de ménage, mais que Sam se trouve dans deux endroits à la fois ? Impossible.

Pour en avoir la preuve, elle se leva et utilisa le téléphone intérieur pour appeler le bloc. Elle prétendit être une infirmière des Urgences qui voulait savoir si le Dr Hartman était toujours en chirurgie. On lui répondit que le Dr Hartman devrait avoir terminé dans environ une heure.

— Merci, dit Rae tandis qu'une grande vague de soulagement déferlait en elle. Je ne sais pas comment ils font pour rester si longtemps en chirurgie.

— Oh, le Dr Hartman fait toujours une pause une fois que le patient est en circulation extra-corporelle, précisa l'infirmière avec entrain.

— Vous voulez dire qu'il a pu quitter la salle d'op ?

— Pour au moins une demi-heure, répondit l'infirmière.

Les jambes molles, elle raccrocha le téléphone et revint auprès du coffre. Elle examina la poche du dessus et constata qu'on l'avait perforée. Elle s'empressa d'examiner les dix autres. Chacune avait un trou au-dessus de la tétine.

— Alors, demanda Martin, vous avez trouvé ce que vous cherchiez ? (Rae ne l'avait pas vu approcher.)

— Il était tout le temps sous mon nez, dit Rae en reprenant son éponge. Je crois que nous ne voyons que ce que nous voulons voir, Martin. Nous croyons ce que nous avons envie de croire.

Là-dessus elle s'éloigna en direction du bureau de Walker. C'était lui le PDG de l'hôpital. Walker saurait quoi faire.

Torturée par le chagrin et l'inquiétude, toujours déguisée en femme de ménage, Rae traversa comme une somnambule les couloirs de l'Hôpital, et poussa la porte ouverte du bureau de Walker. La pièce était dans l'obscurité : elle alluma donc la lumière. Walker n'arriverait pas avant deux heures mais elle ne pouvait pas attendre. Il fallait qu'elle lui parle tout de suite de Sam, pendant qu'il était encore en salle d'opération.

Elle se demanda si Walker avait appelé la police pour convaincre les inspecteurs du bien-fondé de ses soupçons. Etait-il au courant maintenant de la mort de Théodore ? Allait-on l'appeler au milieu de la nuit simplement parce qu'un conducteur d'ambulance s'était tué dans un accident de la circulation ?

Elle décrocha le téléphone. Même le fait qu'elle aimait Sam ne pouvait l'empêcher de le dénoncer. Avec des doigts qui lui semblaient en plomb, elle composa le numéro personnel de Walker. Occupé : elle essaya encore. Toujours occupé. A qui donc Walker pouvait-il parler à cinq heures du matin ? Là-dessus elle se souvint que sa fille était allée s'installer à New York et qu'elle appelait souvent Walker à huit heures, heure de la Côte Est. Rae raccrocha, elle réessaierait dans quelques minutes.

Elle s'effondra dans le fauteuil de Walker, se rappelant soudain quelle impression ça faisait d'embrasser Sam et comment ses mains la réchauffaient en se promenant sur son corps. Etaient-ce vraiment les mêmes mains qui avaient injecté dans des litres de Ringer lacté des doses mortelles d'ocytocine ? Ça lui semblait impossible. Mais Martin avait noté le nom de Sam. Sam avait à la fois le mobile et l'occasion.

Mais Rae croyait-elle vraiment qu'il l'avait fait ? N'est-ce pas ce que Sam lui avait dit à propos de l'amour ? Est-ce que croire la parole d'un autre n'était pas plus important que les faits auxquels elle était confrontée ?

Son regard se posa de nouveau sur le téléphone. Elle trouva cette fois qu'elle ne pouvait pas se décider à appeler Walker. D'ailleurs, que comptait-elle exactement lui dire ? Pour l'instant, il ne croyait pas un mot de ce qu'elle lui avait dit. Sam du moins croyait à sa théorie de l'ocytocine. C'était en tout cas ce qu'il disait. Etait-ce pour la lancer sur une mauvaise piste ? Aurait-il menti aussi régulièrement rien que pour obtenir la fermeture de la Clinique d'accouchement ? Voulait-il cela aussi fort, plus que n'importe qui...

Un coup frappé à la porte la fit sursauter. Qui savait qu'elle était là ? L'avait-on suivie ?

La porte s'ouvrit. Elle bondit de son fauteuil et se précipita pour saisir son éponge. Elle gardait la tête baissée, trop effrayée pour lever les yeux.

— Il y a quelqu'un ? demanda une voix de femme hésitante.

La voix paraissait familière à Rae, mais elle était trop affolée pour l'identifier.

— Il faut que je fasse la poussière.

C'était Claudia ! Rae se dirigea vers la porte et l'ouvrit toute grande. Elle sourit devant l'air stupéfait de Claudia.

— Qui êtes-vous ? demanda celle-ci.

— C'est moi, Claudia, dit Rae. La gestion des soins a tellement réduit mes revenus que j'ai dû prendre un second boulot.

— Docteur Duprey ? demanda Claudia en ouvrant de grands yeux.

— Mais c'est Halloween, dit Rae.

Elle s'écarta, mais Claudia ne bougeait pas.

— Qu'est-ce que vous faites ici à une heure pareille, mon chou ?

— Il fallait que je parle à Walker, Claudia, dit Rae en soupirant. Je me suis dit que j'allais l'appeler d'ici.

— Vous n'avez pas de téléphone chez vous ? demanda Claudia d'un air soucieux.

— Je m'en vais attendre quelques minutes encore, fit Rae en riant, avant de passer mon coup de fil. Entrez et nettoyez si vous voulez.

— Je pourrais revenir.

— Non, vraiment, je serais ravie d'avoir un peu de compagnie, fit Rae pour la rassurer.

— C'est bien vous, docteur Duprey, répéta Claudia, abasourdie. Mon Dieu, vous m'avez vraiment fait marcher. (Elle poussa son aspirateur devant elle et, en sifflotant se mit à nettoyer le bureau.)

Rae composa le numéro de Walker puis fronça les sourcils en entendant de nouveau le signal occupé.

— Tiens, tiens, tiens, on dirait que Mr Stuart a laissé cela ouvert. Il ne fait jamais ça.

Rae leva les yeux et vit Claudia plantée devant la vitrine.

— Vous voulez entendre un peu de musique, Claudia ? demanda-t-elle en s'approchant.

— Vous, fit Claudia en gloussant, vous avez l'air d'avoir des problèmes d'homme, mon chou, dit-elle.

Rae songea à la conversation qu'elle allait avoir avec Walker. Elle haussa les épaules et soupira.

— Pourquoi finit-on toujours par faire du mal à ceux qu'on aime, Claudia ? demanda-t-elle.

— On ne fait jamais de mal à son véritable amour. Le Seigneur y veille, d'une façon ou d'une autre.

Comme Rae avait envie de la croire !

— Allons, j'ai fini ici, ma petite, dit Claudia. Mr Stuart est très ordonné. Je fais toujours le ménage ici en un rien de temps.

— Vous êtes sûre que vous ne voulez pas écouter un peu de musique ? demanda Rae plantée devant la vitrine. (La porte en effet était entrebâillée.)

— Je ne peux pas, dit Claudia en reculant avec son aspirateur. Je n'ai même pas le temps de faire le travail pour lequel on me paye.

Quand elle fut partie, Rae ouvrit la porte du petit meuble et prit le berceau. Walker allait de nouveau tout arranger et, si le Comité de Gestion acceptait de conserver le service de Rae, Walker ferait tout pour qu'il reste la première maternité de l'Etat.

Rae aimait sentir sous ses doigts la douceur du satin. Elle ouvrit le berceau et constata que le compartiment secret lui non plus n'était pas fermé à clé. Une berceuse, c'était exactement ce qu'il lui fallait.

Ouvrant la minuscule porte, elle y plongea les doigts pour tourner le bouton. Mais ils ne rencontrèrent que ce qui lui sembla être plusieurs petites ampoules de médicament. Rae en prit une, elle était là entre ses doigts comme si elle lui collait à la peau. Elle la contemplait incrédule : c'était une ampoule d'ocytocine. Aussitôt elle retira les autres. Au total il y en avait dix. Dix ampoules emplies d'un liquide transparent qui brillaient à la lumière comme les ampoules d'un arbre de Noël. Mais ces petites fioles-là n'étaient pas des cadeaux. Elle sentit son pouls battre à tout rompre. C'était Walker – pas Sam – le tueur de bébés !

Elle s'empressa de remettre les ampoules dans le berceau et de reposer le berceau sur l'étagère.

Elle se précipita sur le combiné mais aussi vite le reposa. Comment pouvait-elle savoir que c'était Walker qui avait mis ces ampoules d'ocytocine dans le berceau ? Comment être sûre qu'il avait quelque chose à voir dans tout cela ?

Parce qu'elle le croyait, comprit-elle. *Les gens désespérés font des choses désespérées*. Les paroles de Walker retentissaient dans son esprit. Elle ne s'en était pas rendu compte sur le moment, mais il lui avait parlé du fond du cœur.

Une nouvelle fois elle décrocha le téléphone et appela le bloc. Mais l'infirmière n'avait pas encore répondu que Rae entendit tourner le bouton de la porte. Elle reposa le combiné et saisit son éponge. La tête baissée, elle se mit à pousser son chariot dans le couloir.

Elle ne leva pas la tête. Mais son cœur faillit s'arrêter quand elle aperçut les chaussures de Walker. Personne à l'hôpital ne portait des richelieu aussi étincelants. Les chaussures s'arrêtèrent pour la laisser passer. Elle espérait seulement qu'il ne l'avait pas reconnue.

L'eau savonneuse giclait hors du seau tandis qu'elle se précipitait dans le couloir vers l'ascenseur de service. Elle ne cessait de jeter des coups d'œil par-dessus son épaule, s'attendant à voir Walker sur ses talons. Mais le couloir était toujours vide. Quand les portes s'ouvrirent, elle heurta le seau contre les montants. De l'eau vint tremper le bas de son pantalon avec un bruit à réveiller les morts. Prenant une profonde inspiration, elle se dit de rester calme.

Elle laissa le seau et le balai devant le vestiaire des médecins femmes mais, lorsqu'elle ouvrit la porte, une autre doctoresse aux yeux rougis par le manque de sommeil se dressa devant elle. Rae aussitôt baissa la tête et fit semblant de préparer la pièce pour y passer l'aspirateur en attendant que la doctoresse sorte. Tout le monde savait que Rae avait été suspendue. Elle ne pouvait pas se permettre de laisser l'obstétricienne appeler la Sécurité.

La femme finit par s'en aller sans même jeter un coup d'œil à Rae. Celle-ci se précipita vers le téléphone mural juste à sa gauche.

— Bon sang ! fit-elle après avoir appelé le bloc et trouvé la ligne occupée.

Il fallait qu'elle parle à Sam ! Elle refit le numéro. Toujours occupé. La pendule indiquait 5 heures 25. Dans une demi-heure Sam devrait avoir terminé son opération. La seule solution était de descendre en salle d'op. Mais il lui fallait d'abord ôter ses vêtements trempés. On n'admettait en bas que les blouses stériles.

D'un doigt nerveux, elle tourna les chiffres de son cadenas. Mais sa main tremblante lui fit faire un tour de trop et elle dut recommencer. Ce fut alors qu'elle entendit le déclic de la porte du vestiaire qui s'ouvrait. Elle leva la tête, s'apprêtant à expliquer à la personne qui entrait qu'elle était juste en train de ranger son placard. Mais les mots s'arrêtèrent dans sa gorge. Walker était planté là, tenant le berceau de satin rouge.

Rae lâcha le cadenas. Son pouls battait à toute vitesse. Walker savait-il qu'elle savait ?

Désignant du pouce la porte, elle dit avec un sourire forcé :

— Walker, le vestiaire des garçons est au fond du couloir.

Il ne souriait pas.

— Je vous avais dit que je m'occuperais de tout, dit-il en jetant le berceau sur le sol. (On entendit quelques notes de la berceuse de Brahms, puis tout devint silencieux.)

— Ecoutez, Walker... commença Rae, mais elle s'arrêta en le voyant plonger la main dans la poche de son costume et en tirer un pistolet. Elle ouvrit de grands yeux. La lumière du plafond alluma un reflet sur le canon de son arme tandis qu'il la pointait vers elle.

— Il ne faut jamais se fier à un camé, dit-il. Je devrais peut-être vous remercier de m'avoir débarrassé de lui.

Rae se souvint du spectacle du cadavre de Théodore étalé sur la chaussée.

— Je ne sais pas ce que vous voulez dire, Walker, dit-elle d'une voix rauque.

— Peut-être que si vous n'aviez pas laissé cette boîte ouverte, dit-il, je n'aurais pas fait le rapprochement. Votre déguisement... il a failli marcher. Mais j'avais vu Claudia quitter mon bureau plus tôt. D'ailleurs, vous ne marchez pas comme une femme de ménage. Il s'en faut de beaucoup.

Rae eut un petit rire mal assuré et, terminant de tourner la combinaison de son cadenas, elle ouvrit son placard.

— Vous vous trompez complètement, Walker.

— Sortez de là ! cria-t-il brusquement.

Elle s'arrêta. Elle eut l'impression que son cœur allait en faire autant. Walker avait tué tant de gens. Il la tuerait aussi, elle n'en doutait pas. Il doit bien y avoir un moyen, se dit-elle. Ça ne pouvait pas se terminer comme ça.

— Je vous assure, Walker. Vous ne comprenez pas.

— J'ai dit : sortez de là, fit-il en approchant d'un pas.

Le dictaphone était posé sur une pile de vêtements dans son placard. En se tournant vers Walker, elle le ramassa prestement et le glissa dans la poche droite de son large pantalon de toile blanche. Elle espérait que son corps avait masqué son geste aux yeux de Walker.

— Vous auriez dû m'écouter, dit-il.

Son cœur battait à tout rompre. Il l'avait vue ! Réfléchis, Rae, réfléchis ! Elle referma la porte du placard d'une main tremblante.

— Je vous en prie, Walker, commença-t-elle, il y a eu assez de meurtres.

Elle s'arrêta en le voyant braquer le pistolet vers sa tête. Entendrait-elle la détonation juste avant que la balle ne s'enfonce dans son cerveau ? Est-ce que ça ferait mal ? Y avait-il une vie après la mort ? Sam saurait-il jamais qu'elle l'aimait ?

Elle serra les yeux très fort. Il n'y avait rien d'autre à faire.

— Maintenant, allons-y, dit Walker.

Abasourdie, Rae rouvrit les yeux. Il était planté devant la porte ouverte, le pistolet toujours braqué dans sa direction. Affolée et terrorisée, elle ne bougea pas.

— Rappelez-vous : si vous dites quelque chose, si vous faites quelque chose, vous vous retrouverez comme les autres. Oh, et ne vous inquiétez pas de votre tenue. Personne ne s'occupe d'une femme de ménage, n'est-ce pas ? Maintenant, en route. Prenez votre seau et votre balai avec vous.

— Où allons-nous ? demanda-t-elle tandis qu'il la prenait par le coude et la poussait dans le couloir désert.

Si seulement quelqu'un passait ! songea-t-elle, éperdue.

— Eh bien, nous allons piquouzer quelques poches, dit Walker avec une feinte douceur.

La salle des urgences ! se dit Rae. Peut-être aurait-elle une chance de s'échapper.

Walker lui enfonça le canon de son pistolet dans le flanc. Elle tressaillit de douleur.

— Je sais à quoi vous pensez, mais oubliez ça, dit-il. Nous sommes ensemble dans cette histoire, comme toujours.

CHAPITRE TRENTE

Il régnait dans les couloirs un silence de mort. Rae marchait auprès de Walker qui regardait droit devant lui. Elle se demandait combien de fois il s'était rendu aux Urgences en sachant que son geste allait tuer des femmes innocentes et leurs bébés. Du temps, j'ai besoin de temps, se dit-elle. D'une façon ou d'une autre, elle allait échapper à Walker. Ou bien mourir en essayant.

Après avoir pris l'ascenseur de service, ils traversèrent le couloir du fond qui menait aux Urgences. Comme ils s'y engageaient, Rae s'arrêta et demanda :

— Est-ce que nous ne devrions pas prendre la porte de derrière ?

— Pourquoi ferions-nous ça ? riposta Walker. Je suis le PDG. Vous êtes la femme de ménage. Qui s'intéresse à ce que nous faisons par ici ?

Aux Urgences, c'était un vrai cirque. On aurait dit une grande soirée avec des gens déguisés, les cheveux teints en vert et en rouge et des maquillages sombres qui leur donnaient l'air de cadavres. Une seconde, Rae pensa à détaler ou à se perdre dans la foule. Mais Walker risquait de tirer sur elle. Elle ne pouvait pas prendre le risque d'être blessée ou qu'il touche un passant innocent.

— Par ici, dit-il en tapant sur l'épaule de Rae.

Elle le suivit dans un autre corridor qui menait directement au coffre marqué C.A. qui contenait les poches à perfusion. Elle ralentit le pas et heurta le mur avec son chariot.

— Pourquoi êtes-vous si nerveuse ? demanda Walter en lui tapotant l'épaule comme un vieux copain. Ces heures matinales, ce sont les meilleures. Il n'y a généralement pas grand monde dans les parages et ceux qui passent sont si endormis qu'ils ne font pas grande attention.

— Cette nuit, dit Rae, il y a pas mal de monde.

— Ils ne s'intéressent pas à ce que nous faisons, Rae : c'est la nuit de Halloween. Vous êtes censée avoir l'air effrayé.

— Mais le PDG... les gens vont se demander pourquoi vous êtes ici, suggéra-t-elle.

— Pas quand vous êtes connu pour avoir des heures tardives et matinales.

Il sourit, et pour la première fois, Rae remarqua l'arrogance de son expression. Comment avait-elle pu si mal l'interpréter pendant tant d'années ? Mais, comme le lui avait dit Sam, les gens croient ce qu'ils ont envie de croire.

Sam, songea-t-elle. Comme elle aurait voulu le voir là !

Walker s'arrêta devant le coffre. Rae regarda autour d'eux et, comme il l'avait dit, il n'y avait personne. Les voix des malades et du personnel semblaient ici bien lointaines.

— Le PDG de l'Hôpital est au-dessus de tout soupçon, dit Walker en prenant dans la poche de sa veste six seringues auxquelles étaient déjà fixées de grosses aiguilles. Rae constata qu'elles étaient pré-remplies d'ocytocine.

— C'est ravissant, dit-il en brandissant fièrement les seringues. Si simple. Comme vous pouvez le voir, je suis venu bien préparé. Je dirais que j'ai poussé la chose jusqu'à en faire une science.

Exactement comme un bourreau, se dit Rae en se rappelant leur conversation Chez Panisse. Il avait alors prétendu ne rien connaître à la chimie de l'ocytocine. Quelle idiote elle faisait. Pourquoi lui avait-elle fait confiance ? Pourquoi ne s'était-elle pas souvenue qu'il avait un diplôme de chimie ? C'était lui qui avait le mobile le plus fort, la plus grande facilité d'accès...

— Comme vous semblez l'avoir deviné, dit-il, jetant toujours aux seringues un regard d'adoration comme des parents regardent un nouveau-né, j'ai tout simplement vidé ces petits bijoux dans les poches et puis j'ai passé mon coup de fil à Théodore. Au début, je ne perforais les poches que quand Bo était de service à la Clinique. Je pensais qu'après quelques bébés à problèmes, il allait fermer son foutu établissement et ramener sa clientèle ici.

— Mais il ne l'a pas fait, fit Rae tristement.

— Eh non. Il aurait pu la fermer... Il aurait dû le faire quand il en a eu l'occasion et vendre la Clinique à Howard Marvin...

— Howard Marvin ? demanda Rae, incrédule.

— Bon sang, Rae, ne soyez pas si naïve, dit Walker. (Ils parlaient d'une voix étouffée, mais Walker avait haussé le ton et la regardait maintenant de haut comme un père réprimande un enfant.) Pourquoi croyez-vous que j'aie fait tout ça ? demanda-t-il. Ça n'est pas simplement pour le bien de nos patientes. J'en tire quelque chose aussi. Vous avez entendu Marco. Oui, j'ai investi dans ce scanner à IRM de Louisville. C'était le dernier – et malheureusement le plus mauvais – d'une succession d'investissements plutôt malheureux. L'argent que j'avais mis de côté pour les études de droit de ma fille, nos économies, mon assurance retraite : tout ce que j'ai pu trouver, je l'ai englouti dans l'affaire d'une vie, m'a-t-on dit. Naturellement, Denise n'était pas au courant. Elle n'aurait jamais approuvé. Mais les femmes... Bah, qu'est-ce que la vie si on ne prend pas quelques risques ?

Rae observait le visage de Walker. Il ne ressemblait même pas à l'homme qu'elle connaissait et respectait depuis tant d'années. Il avait un air dur et cruel comme si dans son cœur il n'y avait plus place pour la moindre compassion. Rae était malade à l'idée qu'elle lui avait confié la vie de tant de gens. Mais elle réfléchirait à tout ça plus tard. Pour l'instant, elle avait des vies à sauver.

— Alors, demanda-t-elle, qu'est-ce qui s'est passé ?

— Cette foutue affaire a capoté, dit-il. Howard a perdu de l'argent là-dedans aussi, mais qu'est-ce que deux cent cinquante mille dollars quand on a des millions ? Un jour, il m'a appelé. Il m'a fait ses condoléances et tout ça. Il m'a proposé un marché : j'ai accepté. Tout ce que j'avais à faire, c'était de persuader Bo de vendre la Clinique à Howard pour que celui-ci puisse en faire ce centre autonome de Cardiologie dont Marco vous a parlé, et il me rendrait les deux cent cinquante mille dollars que j'avais investis – une prime, si vous voulez. Tout redeviendrait parfait. En fait, ce serait même mieux qu'avant. On ne fermerait pas votre service, Marco serait content, le Conseil serait ravi de tous les nouveaux revenus provenant de notre part du centre de Cardiologie...

— Toute une grande famille heureuse, dit Rae.

— Exactement, fit Walker.

— Alors, en fait, c'est Howard Marvin qui a vraiment tué les bébés ? demanda Rae.

— Fichtre non, dit Walker avec un sourire terrible. J'en revendique tout le mérite. Le Conseil me dit que cet hôpital doit faire des bénéfices – mais pas *comment* en faire. Le seul à savoir quelque chose, c'était ce camé. Peu importait à Howard comment je décidais Bo à vendre. C'est un assureur, Rae. Tout ce qui l'intéresse, c'est l'argent.

— Ça m'a l'air de quelqu'un avec qui j'aimerais dîner, dit Rae d'un ton amer.

— Bref, reprit Walker, quand Bo a refusé de vendre sa précieuse petite Clinique d'accouchement, je me suis dit que peut-être les autres toubibs qui faisaient accoucher leurs patientes là-bas allaient comprendre le message. J'ai donc chargé Théodore de changer les poches à perfusion le jour où Nola Mahl a été transportée ici.

— Pourquoi Nola ? demanda Rae qui avait de plus en plus de mal à maîtriser la colère qui montait en elle.

— Ça m'était égal de savoir quelle patiente était transférée, dit Walker. C'était un coup de dés : puisque je ne savais jamais vraiment si quelqu'un allait arriver de la Clinique d'accouchement ou pas. (Il marqua un temps et sourit.) Je savais que vous étiez de garde cette nuit-là. J'ai pris le risque que, si quelqu'un était bel et bien transféré, vous seriez au moins la personne à assister le médecin de la Clinique si vous ne vous retrouviez pas à faire l'accouchement vous-même. Vous étiez mon dernier ressort, Rae. Je savais que vous voudriez découvrir pourquoi une femme pouvait partir de la Clinique d'accouchement avec un rythme fœtal normal et avoir un bébé pratiquement mort le temps qu'elle arrive ici.

— Vous m'avez monté un coup ? murmura Rae. (Elle se rappela soudain ce matin-là. Elle plissa les yeux. Cela avait donc été prévu et exécuté avec une précision militaire, se dit-elle. Et elle y avait joué le rôle d'un lieutenant.)

— Même chose avec le bébé de Meredith, dit fièrement Walker. Quand c'est arrivé, je savais que deux bébés à problèmes coup sur coup éveilleraient certainement votre attention.

— Et Bernie ? demanda Rae. Avez-vous essayé de la tuer aussi ?

— Ce foutu camé, dit Walker en fronçant les sourcils. Tout ce qu'il était censé faire, c'était de remettre les dossiers en place. Il fallait que je les examine pour être sûr que Bo n'avait rien modifié pour se protéger. Je n'ai jamais eu confiance en lui, Rae. Je ne sais pas ce que vous avez jamais vu chez ce type. Bref, j'ai dit à Théodore de ne pas s'inquiéter. Personne ne traînerait aux Archives à une heure aussi matinale. Mais Bernie était là...

— A essayer de m'aider, fit Rae.

— C'est ce que j'ai pensé, dit Walker. Théodore a dû la voir et il a perdu la tête.

— Vous avez utilisé le nom de Marco pour sortir les dossiers, dit-elle.

— Tiens, demanda Walker visiblement impressionné, comment avez-vous su ça ?

— Un coup de chance.

Walker lui tapota la tête. Elle eut envie de le gifler. Mais elle avait un plan et envers et contre tout, elle était déterminée à le mettre à exécution. Si seulement elle pouvait gagner un peu de temps.

— Bon, fit Walker, allons-y. Puisque Théodore n'est plus avec nous, il va falloir attendre que le nouvel ambulancier utilise ces poches sur les patientes suivantes. Voyons... j'ai six seringues. Ça devrait créer des ennuis à trois patientes au moins, vous ne croyez pas ? J'ai remarqué, après avoir examiné les dossiers, que ce produit marche mieux sur les femmes qui ont déjà eu au moins un bébé. Cette patiente, qui a eu une rupture d'utérus l'autre jour, en avait eu trois.

Il tendit une des seringues à Rae.

— Pourquoi ne me faites-vous pas l'honneur? demanda-t-il doucement.

Rae contempla la seringue.

— Je... je pense que je devrais d'abord voir comment vous vous y prenez, fit Rae, d'un ton nerveux.

Elle savait maintenant que Walker était fou. Etait-ce la pression de son poste, de la famille, ou bien un mauvais investissement qui était à l'origine de sa démence, Rae n'en avait cure. Quoi qu'il en fût, Walter avait perdu tout contact avec la réalité. Elle avait affaire à un malade, un dément.

Walker tapota la poche de sa veste, celle dont Rae savait qu'elle contenait le pistolet.

— Allons, Rae. Même une novice pourrait faire ça, dit-il.

— Mais je ne pense pas que je saurais planter l'aiguille au bon endroit.

— Il y a un silencieux sur ce pistolet, expliqua Walker comme s'il s'adressait à une enfant particulièrement stupide. (Elle percevait dans sa voix un frémissement de colère.) Je n'ai pas besoin de vous dire à quel point j'ai besoin que Bo vende cette clinique. Alors faites-le. Maintenant.

Walker brandit les six seringues devant le visage de Rae. Lentement, elle les lui prit et en rangea cinq dans la poche de poitrine de sa blouse de chirurgie. Des images de bébés morts et de mères mortes lui emplissaient l'esprit. Je peux peut-être piquer Walker avec les aiguilles, se demanda-t-elle. Mais il l'abattrait d'abord. L'ocytocine ne lui ferait aucun mal. Elle devait donc obéir et prier pour que quelqu'un surgisse.

Walker lui tendit une poche. Il la retourna pour qu'elle puisse voir l'embout comme une tétine en caoutchouc à travers l'emballage en plastique.

— C'est comme voler des bonbons à un bébé, dit-il.

— Mais celles-là ont toutes des trous, dit Rae.

— Ah, mais oui, dit Walker. J'avais oublié que je venais de les ranger. Juste après avoir vu le Dr Hartman quitter le secteur. Ah, et juste après que Martin a pris sa pause.

Pas étonnant que Martin n'ait pas noté le nom de Walker sur sa liste, songea-t-elle amèrement. Elle s'arrêta une nouvelle fois puis plongea l'aiguille à travers le plastique et dans la tétine.

— Maintenant, appuyez, dit-il.

Et elle enfonça le piston. L'ocytocine entra aussitôt, disparaissant dans la solution aqueuse avec une terrifiante rapidité.

Rae soudain entendit du bruit. Levant les yeux, elle vit l'inspecteur Mailer planté un peu plus loin dans le couloir. Auprès de lui, le sergent Lane. Tous deux avaient dégainé leur pistolet. Deux infirmières ainsi que le Dr Everett observaient la scène. Rae regarda Walker, puis la poche puis la seringue vide qu'elle avait à la main.

— Ah, j'oubliais de vous dire, murmura Walker. J'ai appelé ces représentants de l'ordre de Berkeley avant d'entrer dans votre vestiaire. (Puis il s'écarta d'un pas et lança d'un ton autoritaire :) Parfaite synchronisation, messieurs. Puis-je vous présenter votre tueuse de bébés, le Dr Rae Duprey.

— Mais non, c'est lui qui... commença Rae.

— Ecartez-vous ! cria Mailer.

— Mais...

— J'ai dit écartez-vous !

Rae laissa tomber la poche et la seringue. De la main gauche, elle fouilla dans sa blouse.

— Les mains en l'air ! cria Mailer d'une voix perçante.

Incapable de parler, tout ce qu'elle pouvait faire, c'était lever lentement les mains en montrant du mieux qu'elle pouvait le dictaphone.

— Ne m'obligez pas à me servir de cette arme, dit Mailer.

— Pas si vite, messieurs. Je crois que j'ai quelque chose que vous voudriez sans doute entendre.

— *Docteur*, fit Mailer d'un ton froid, c'est le dernier avertissement.

— Elle bluffe ! dit Walker en la considérant d'un air incrédule.

Rae comprit qu'elle devait faire vite sans lui laisser le temps de retrouver son sang-froid.

— Oh, vraiment ? demanda-t-elle en appuyant sur le bouton pour rembobiner la cassette. J'ai ici, cria-t-elle à la petite foule rassemblée devant elle, les aveux de Walker. C'est lui qui a trafiqué les poches. C'est lui qui a tué les bébés. J'ai tout ici.

— Elle n'a rien du tout ! s'exclama Walker.

— Alors, écoutez !

Avant que Rae puisse déclencher l'appareil, Walker le lui fit lâcher d'un coup sur le poignet et l'envoya valser. Elle essaya de se précipiter pour le ramasser mais il l'empoigna et la plaqua contre sa poitrine. Il avait sorti son pistolet et lui appuyait le canon sur la tempe.

— Je vais l'abattre, je vous jure que je vais lui faire sauter la cervelle ! cria-t-il.

— Reculez, tout le monde ! cria Lane.

Horrifiée, Rae vit les deux policiers et le personnel des Urgences disparaître au coin du couloir. Walker la garda là quelques secondes. Elle était trop terrifiée pour faire un geste, pour respirer.

— Bougez-vous ! fit Walker en la poussant vers le fond du couloir. Sortons d'ici !

— Lâchez votre arme, Mr Stuart, déclara le sergent Lane. Ensuite, lâchez-la et personne ne sera blessé.

Il était arrivé à l'endroit où se trouvait quelques instants plus tôt les policiers. Walker lui enfonçait le canon de son pistolet si fort contre la gorge qu'elle avait du mal à avaler.

— Bon sang, Rae ! dit-il d'une voix qui se brisait.

Rae se força à rester en alerte. Walker lui avait passé un bras autour du cou comme un étau si bien qu'elle avait du mal à voir autant à gauche qu'à droite. Mais comme ils tournaient le coin, elle aperçut l'ensemble de la salle des urgences. Faisant un effort pour tourner la tête, elle aperçut les policiers en position derrière un coffre et, sur leur droite, une foule de patients et de personnel médical qui regardaient la scène.

— Je veux que ces gens sortent d'ici ! clama Walker.

Là-dessus, un mouvement se fit dans la foule et Rae vit un homme déguisé en betterave se frayer un chemin jusqu'au premier rang.

— Hé ! cria-t-il d'une voix avinée, qui est-ce qui joue à Jimmy Cagney là-bas...

Le fracas de la détonation faillit percer les tympans de Rae. De toute évidence, Walker avait menti en parlant de silencieux. Rae vit le corps de l'homme s'effondrer. Elle sentit aussitôt le canon de l'arme se presser contre sa tête.

— Je ne plaisante pas ! dit Walker. Maintenant posez vos armes ou je tue le docteur !

Personne ne bougea.

— J'ai dit : posez vos armes ! hurla une nouvelle fois Walker.

Qu'est-ce que le sergent Lane avait donc dit quand il y avait une prise d'otage ? songea-t-elle désespérée. Quelque chose à propos de distraire le preneur d'otages, mais comment ? Walker la tenait si serrée que c'était à peine si elle pouvait respirer, encore moins penser.

Ça lui revint tout d'un coup. Faire un clin d'œil au policier. Lane avait dit de faire un clin d'œil au policier. Mais est-ce qu'on voit bien mon visage, se demanda-t-elle, affolée. Elle tourna la tête une fraction de seconde vers la gauche, dans la direction de Lane. Le canon du pistolet de Walker s'enfonça plus profondément et plus douloureusement dans son crâne.

Elle avait espéré que Lane était le plus proche d'elle, mais il s'avéra que c'était Mailer qui voyait le mieux son visage. Vrillant son regard dans le sien du mieux qu'elle pouvait, elle fit un clin d'œil. Comme il ne réagissait pas, elle recommença.

Elle le vit la dévisager sans comprendre. Bon sang ! se dit-elle. Elle cligna une troisième fois. Qu'est-ce que le sergent avait donc dit ? Faire un clin d'œil et, quand le policier donnait le signal, elle était censée s'évanouir ? Mais quel était le signal ? Elle ne l'avait jamais découvert.

— Espèce de salaud ! dit-elle à Walker. Allez-y, abattez-moi. Ensuite c'est vous qu'ils abattront et c'est tout ce qui compte.

Walker enfonça plus fort le pistolet. Au même instant Rae vit deux infirmières qui approchaient dans la direction opposée.

— Hé ! cria l'une d'elles.

— Reculez ! cria Mailer.

Walker fit feu à deux reprises. Avec des hurlements, les deux infirmières se jetèrent sur le sol tandis que des balles criblaient le mur derrière elles.

— Je ne plaisante pas ! cria Walker.

Sur ces entrefaites, Rae, horrifiée, vit Sam entrer dans la salle. Il la regarda fixement dans les yeux.

— Non ! cria-t-il en se précipitant vers elle.

— Sam, arrêtez ! fit Rae. (Elle se débattit contre Walker mais le coup partit quand même.) Mailer ! cria-t-elle. (Il se tourna vers elle et elle cligna lentement des yeux. Est-ce que cette fois ça allait marcher ?)

Il la dévisagea une seconde, puis hocha la tête. Il leva la main et se gratta le nez. Est-ce qu'il lui donnait le signal ? Elle ne pouvait que le supposer. De toute façon, elle risquait d'être bientôt morte.

Maintenant ! se dit-elle. Elle laissa son corps s'affaler contre celui de Walker. Elle entendit le bruit d'un coup de feu venant d'une autre arme. Tout d'un coup, elle était libre et s'écroulait sur le sol...

Mais le corps de Walker ne l'accompagnait pas dans sa chute.

— Il s'enfuit ! cria Lane tandis que Walker fonçait vers la foule.

Les gens hurlaient. Tournant la tête, Rae le vit disparaître. Les policiers ne pouvaient pas tirer : ils ne feraient que blesser des innocents.

Rae se releva et se précipita sur Sam, tout comme plusieurs infirmières des Urgences. Avec une grimace de douleur, il essayait de se soulever sur sa main gauche. Du sang ruisselait de son épaule droite et imbibait sa blouse blanche de chirurgien.

— Everett, vous ne pouvez pas lui donner quelque chose ? demanda-t-elle d'un ton suppliant au médecin des Urgences tout en aidant Sam à monter sur le chariot.

— Ça va ? demanda Rae en prenant entre ses mains la tête de Sam.

— Si ça va ? fit Sam avec un sourire douloureux. C'est vous le médecin. Qu'est-ce que vous en pensez ?

Rae se pencha et lui posa un baiser sur le front.

— Je vous le dirai plus tard, fit-elle. Il faut que j'y aille.

— Rae ! lui cria Sam.

Mais elle dévalait déjà le couloir. Elle avait un meurtrier à rattraper.

Walker C. Stuart.

CHAPITRE TRENTE ET UN

A peine sortie de la salle des urgences, Rae sentit une poigne solide la saisir par l'épaule. Elle se retourna, affolée, s'attendant à trouver Walker et son pistolet. Mais ce n'était que le sergent Lane. Il la tenait solidement tout en parlant calmement dans un téléphone mural.

— Lâchez-moi, dit Rae en essayant de se libérer.

— Vous restez avec moi, lui dit le sergent. (Puis, parlant dans le téléphone, il reprit :) Bon, compris. Mailer est à ses trousses. Il a une radio. Nous allons l'avoir. Amenez simplement votre équipe ici. (Il raccrocha et regarda Rae.) Un coup de chance, expliqua-t-il. L'équipe de la Brigade d'Intervention était déjà rassemblée : une séance d'entraînement à West Berkeley. Sinon, il aurait fallu les faire venir de diable sait où. (Il s'arrêta pour regarder sa montre.) Ils seront là dans dix minutes.

— Nous n'avons pas dix minutes, siffla Rae, et cette fois elle réussit à se libérer de l'emprise de Lane.

Soudain, une voix sortit de la radio du policier dans un crépitement de parasites et Rae reconnut Mailer.

— Il est ici... Il y a une sorte de jardin...

— Il est au septième étage ! dit Rae en fonçant vers l'escalier.

Le sergent Lane la rattrapa et l'empoigna par le dos de son corsage.

— Ecoutez, dit-il. Il est armé et dangereux. Vous, vous restez ici.

— Il est peut-être sur le toit maintenant, mais il ne va pas y rester, dit Rae. (Elle s'était retournée vers le sergent.) Vous connaissez bien cet hôpital ?

— Ça n'est pas la première fois que je viens ici, si c'est ce que vous voulez dire, répondit-il, sur la défensive.

— Je vous en prie, dit-elle, décidant tout d'un coup de changer de méthode. Il a tué ces femmes, ces bébés. Il a failli tuer ma meilleure amie. Je ne peux pas rester ici... Personne ne connaît cet hôpital mieux que moi... Je peux vous montrer les raccourcis. Il faut qu'on le prenne.

Le sergent fronça les sourcils mais Rae lut dans ses yeux une lueur de compréhension, la même qu'elle voyait quand on administrait à une patiente un traitement douloureux mais qui avait néanmoins des chances de la guérir.

— Bon, mais je ne vous quitte pas des yeux, lança-t-il.

Rae gravit en courant les sept étages, avec Lane sur ses talons. Il n'y avait que deux portes qui donnaient sur le jardin. Un groupe d'infirmières s'était rassemblé à la porte ouest : Rae comprit que Walker était passé par là.

— Bougez-vous ! dit le sergent en fonçant à travers le petit groupe.

Rae le suivit dans la nuit.

Tout semblait calme. Soudain, Mailer jaillit de derrière un buisson qui bordait l'allée. Tenant son pistolet à deux mains, il marchait en se baissant autant qu'il le pouvait. Lane tira son arme et dit à Rae de rester en arrière.

Il courut jusqu'à l'un des buissons et s'accroupit. Rae regarda derrière elle pour voir si elle apercevait Walker. Au fond du jardin, l'autre porte de sortie, toujours fermée. Si Walker s'était échappé du jardin en terrasse, Mailer l'aurait vu. Mais Walker pouvait être dans une foule d'endroits. Ce qui de jour était un magnifique jardin devient la nuit un véritable refuge à fugitifs, se dit Rae. Et Walker Stuart était un fugitif. L'homme à qui le Comité de Gestion de l'Hôpital avait fait confiance pour diriger l'établissement était maintenant bel et bien en fuite.

Mailer s'approcha de l'autre extrémité du jardin. Il avançait à pas furtifs, surveillant ses arrières, baissant la tête, tenant solidement son arme à deux mains. A quelques centimètres du bord, il se pencha comme s'il s'attendait à trouver Walker suspendu à la corniche. Rae vit soudain une vague silhouette foncer vers lui.

— Mailer ! cria-t-elle.

Mais son avertissement arrivait trop tard. Walker avait jailli de l'ombre et fonçait sur Mailer du côté où celui-ci ne pouvait pas le voir. Comme au ralenti, Walker s'accroupit et donna un coup d'épaule dans le dos de Mailer. L'arme de celui-ci partit, le fracas du coup de feu déchirant l'air de la nuit comme le pneu d'un camion qui explose.

Le corps de Mailer heurta la corniche et ses pieds passèrent pardessus sa tête. Son cri d'agonie emplit la nuit. On entendit aussitôt une autre détonation – le pistolet de Lane – mais la silhouette de Walker disparut derrière un autre buisson. Rae ferma les yeux en imaginant Mailer heurtant le trottoir, sept étages plus bas.

— Baissez-vous ! cria Lane en direction de Rae tout en progressant d'un buisson à l'autre.

Là-dessus, la porte du fond s'ouvrit et la silhouette de Walker se glissa à l'intérieur du bâtiment.

— Où donne cette porte ? cria Lane à Rae qui s'était déjà précipitée pour le rejoindre.

— Sur l'escalier de derrière...

— Venez ! fit Lane.

Il entra le premier, en disant à Rae de rester en arrière jusqu'au moment où il se serait assuré que Walker n'était pas à l'affût.

Le dos plaqué contre le mur de béton, Rae attendit le signal.

— Quand est-ce que la Brigade d'Intervention arrive ? murmura-t-elle.

— Ils ne feront pas grand-chose tant que nous ne l'aurons pas coincé, siffla Lane.

Soudain, dans le lointain, Rae entendit le hurlement des sirènes. On entendait aussi la clameur d'une voiture de pompiers.

— Suivez-moi, dit Lane en lui faisant signe d'entrer.

Rae acquiesça et suivit le sergent dans l'escalier. A chaque palier, il passait devant elle. Toutes les portes qu'ils passaient étaient fermées. Le sergent s'arrêta, hésita, puis continua.

Quand ils arrivèrent au second étage – à la maternité – elle vit que la porte était restée entrouverte. Lane s'immobilisa et dit à Rae de reculer. Il jeta un coup d'œil prudent à l'intérieur. Rae s'attendait à entendre le fracas de l'arme de Walker retentissant dans la cage d'escalier. Mais il n'y eut que le silence.

— Il va lui falloir un autre otage, dit Lane. Sa meilleure chance, c'est de trouver une autre femme.

Ils étaient maintenant à l'intérieur de la maternité, dans le couloir d'un blanc nu qui pour Rae était comme une seconde maison.

— Mais les infirmières vont le voir, dit Rae.

— Il a un pistolet, vous vous rappelez ? dit Lane. Ça aide, dans les négociations.

Et, de fait, Rae entendit des hurlements provenant des salles de travail. Lane partit vers la droite.

— Non ! lui cria Rae. Il va prendre à gauche.

— Ecoutez, dit le sergent en s'arrêtant net, je sais où est la maternité.

Rae réfléchissait à toute vitesse. Elle avait une intuition et, plus elle y songeait, plus elle se sentait certaine.

— Vous disiez qu'il avait besoin d'un otage. Je crois que Walker va quelque part où c'est vraiment facile d'en prendre un.

— C'est-à-dire ?

— Dans la pouponnière ! cria Rae. Il va chez les bébés !

— Seigneur ! fit Lane. Vous êtes sûre ?

— Venez ! cria Rae en se précipitant vers la pouponnière.

— Hé, je vous ai dit de rester avec moi !

Mais Rae fonçait déjà dans le couloir, laissant Lane derrière elle. Elle se sentait la gorge sèche et irritée. Elle avait de plus en plus de mal à respirer. Non parce qu'elle n'était pas en forme mais parce qu'une peur épouvantable lui emplissait le cœur. Elle craignait pour la vie des bébés de la pouponnière. Ces bébés innocents, à la peau lisse et au nez aplati qu'elle aimait plus que sa propre vie.

Empruntant un petit couloir peu utilisé, Rae gagna prudemment une réserve qui donnait accès à la pouponnière dont elle n'était séparée que par une porte avec un petit hublot. Une tache embuait la vitre. Rae la frotta de la main : Walker était bien là, lui tournant le dos.

Devant lui se tenaient deux infirmières, l'air abasourdi. Walker se tourna légèrement et Rae aperçut au creux de son bras gauche un nouveau-né tout nu. Le canon du pistolet de Walker était appuyé contre la tête du bébé.

Il fallut à Rae toute sa volonté pour ne pas se précipiter aveuglément sur lui et empoigner le bébé. Le pauvre petit bébé ! Il fallait le sauver !

Rae regarda autour d'elle : que pouvait-elle utiliser comme arme ? Si seulement elle pouvait se glisser derrière lui et le frapper sur la tête ou détourner son attention assez longtemps pour que le sergent Lane l'abatte. Où diable était-il d'ailleurs, celui-là ? se demanda-t-elle. Et la Brigade d'Intervention ? Qu'est-ce qu'ils attendaient ?

Se passant les mains dans les cheveux, elle inspecta la pièce. Il n'y avait que des blouses chirurgicales, quelques poches à perfusion, un évier et un distributeur de papier. Rae regarda dans la pouponnière. Peut-être pourrait-elle ramasser quelque chose : quelque chose de lourd qui d'un seul coup enverrait Walker au tapis. Mais pas lourd au point qu'elle ne puisse pas le soulever pour frapper avec force...

Du coin de l'œil, elle vit de l'autre côté de la salle sur sa gauche une silhouette franchir une porte. Ça devait être un membre de la Brigade d'Intervention. L'homme avait à la main un fusil braqué droit sur Walker.

Pourquoi ne tire-t-il pas ? se demanda Rae désemparée. Mais comment pourrait-il le faire avec tous ces bébés partout ? De là où était Rae, de l'autre côté de la porte, elle entendait le chœur des nouveau-nés qui pleuraient dans leurs moïses, comme s'ils savaient que Walker était là et braquait un pistolet sur l'un d'eux.

Elle ne pouvait quand même pas rester là sans rien faire. Et où étaient les autres membres de la Brigade d'Intervention ? Où était le sergent Lane ? Qu'est-ce qu'ils avaient tous ces gens ? Pourquoi n'arrivaient-ils pas ?

Le téléphone de la pouponnière sonna et Rae sursauta. Elle regarda Walker, son arme toujours braquée sur le bébé, faire signe à une des infirmières de répondre. C'est Jessica, observa-t-elle avec consternation. Jessica décrocha puis tendit le combiné à Walker.

— Dites-leur que je veux parler à ma femme ! cria Walker, sa voix se brisant. Je veux parler à Denise !

Jessica dit quelques mots dans le combiné.

— Ils vont trouver votre femme... mais il leur faut du temps.

— Trois minutes !

— Ils ont dit qu'il leur faudrait un quart d'heure pour l'amener ici ! cria Jessica. (Elle avait les mains qui tremblaient et même Rae pouvait voir les larmes dans ses yeux.)

— Expliquez ça à ce bébé ! répliqua Walker. Trois minutes !

Rae vit l'aiguille des secondes avancer sur le cadran de la pendule. Trois minutes à vivre ! Le bébé ne devait pas avoir plus de deux heures. Deux heures et trois minutes sur cette Terre : pas question, se dit Rae. Fichtre non, pas question.

De nouveau, elle inspecta la pièce en quête de quelque chose qu'elle pourrait utiliser contre Walker. Peut-être que si elle se contentait de pousser violemment la porte et de le bousculer, elle n'aurait pas besoin de le frapper.

Le téléphone sonna une troisième fois.

— Elle arrive, elle est en route ! hurla Jessica d'un ton frénétique.

— Deux minutes ! cria Walker.

Qu'est-ce que Walker avait dit d'autre à propos des gens désespérés ? Les gens désespérés font des choses désespérées. Il ne parlait pas d'un désespoir silencieux, celui que tant de gens connaissent dans leur existence. Non, il parlait de cette forme de désespoir qui s'exprimait en actions, pas en pensées, en désirs ou en rêves.

— Je vous en prie, Mr Stuart, déclara une autre infirmière d'un ton suppliant : laissez les bébés en paix. Vous nous avez nous.

— Taisez-vous ! dit Walker. Taisez-vous ! Et amenez-moi ma femme !

L'infirmière se tut mais les bébés se mirent à hurler plus fort.

— Je sais que vous êtes là ! dit-il. Je sais ce que vous pensez !

Rae crut d'abord que Walker entendait des voix, qu'il avait des visions. Elle inspecta les vitres qui entouraient la pouponnière. Elle ne vit personne. Puis elle comprit ce que voulait dire Walker : le reste de la Brigade d'Intervention les cernait mais restait hors de vue. Qu'est-ce qu'ils attendaient exactement ?

Là-dessus, Rae vit une autre silhouette se glisser dans l'ombre auprès du commandant de la Brigade qu'elle avait vu précédemment. C'était Bo ! Il la vit aussi et posa un doigt sur ses lèvres.

— Walker ! cria-t-il. C'est moi, Bo ! Je vous en prie, posez votre arme. Je vendrai la Clinique d'accouchement... Tenez, je vais la fermer tout de suite ! Mais lâchez ce bébé, Walker. Laissez tous ces gens s'en aller !

— Trop tard ! cria Walker, qui pleurait maintenant. Rae ! cria-t-il. Je sais que vous êtes là aussi. Dites-leur, Rae ! Dites-leur que je veux parler à Denise !

Que ce téléphone sonne, qu'il sonne ! se dit Rae. Les gens de la Brigade d'Intervention n'étaient certainement pas assez stupides pour penser que Walker bluffait ? Ils n'attendaient sûrement pas que soit écoulé le délai imposé par Walker pour voir ce qu'il allait faire.

— Dites-leur, Rae ! fit Walker en sanglotant. Dites-leur qu'ils ont le choix. Ils peuvent perdre encore du temps ou bien amener Denise pour sauver cet enfant ! Elle est tout ce qui me reste, Rae. Vous le savez. Qui voulez-vous sauver, Rae ? Dites-leur qu'ils doivent sauver ce bébé ! Dites-leur pour moi : Vous êtes la seule à pouvoir le faire !

Entendre Walker s'adresser directement à elle, c'était comme recevoir une gifle en plein visage. Il a raison ! se dit Rae avec stupéfaction.

Sauver la vie ! Sauver la vie ! Elle savait exactement comment sauver la sienne et celle des bébés à qui elle avait consacré son existence. Maintenant elle avait les idées claires, un plan aussi précis que la lame de son bistouri favori.

Lentement elle s'accroupit à quatre pattes. Le carrelage semblait frais sous ses paumes. Elle poussa la porte avec précaution, espérant qu'on ne remarquerait pas ce mouvement. La seule personne qui pouvait la voir, c'était le membre de la Brigade d'Intervention tapi dans le petit recoin de l'autre côté de la salle.

Le cœur battant, elle se coula dans la pouponnière. Elle retint la porte pour qu'elle se ferme doucement. Guettant un sursaut d'une des infirmières ou un cri de Walker, elle attendit toujours à quatre pattes. Mais on n'entendait que les cris de plus en plus frénétiques des bébés.

Levant lentement la tête, elle avança. La surface dure lui blessait les genoux et elle se demanda un instant pourquoi diable les bébés commençaient à se traîner à quatre pattes pour se déplacer. Elle apercevait le profil de Walker. Ses cheveux d'ordinaire soigneusement peignés étaient ébouriffés. Sa cravate desserrée. Son arme était maintenant appuyée contre la joue du bébé et Rae sentit son cœur aller vers la petite créature, surtout quand elle le vit ouvrir la bouche vers le canon du pistolet comme s'il s'apprêtait à téter.

Elle était maintenant cachée derrière un comptoir, hors de vue de tous ceux qui se trouvaient dans la salle. A sa droite, une autre porte et, plantés là, quatre membres de la Brigade d'Intervention, le fusil à la main. Elle fit le tour du comptoir et, à un mètre devant elle, elle aperçut l'arrière des jambes de Walker. En levant les yeux, elle voyait le bébé dont la bouche cherchait toujours à téter le canon du pistolet. Au-dessus d'elle, l'aiguille des secondes avançait : c'était maintenant ou jamais.

Rae se releva d'un bond. Dans sa main, elle tenait les cinq seringues que Walker lui avait données quelques instants plus tôt, la gaine protectrice ôtée. Elle les serrait dans sa paume et prit son élan. Elle entendit une infirmière étouffer un cri.

Walker se retourna mais avant qu'il ait eu le temps de viser, elle lui plongea les cinq aiguilles dans le côté gauche du cou. Sauver les bébés ! C'était ce qu'on lui avait appris à faire. Elle sentit les aiguilles s'enfoncer dans la chair de Walker et elle poussait toujours, dans l'espoir de toucher le plexus brachial, l'ensemble des nerfs qui va du cerveau au bras.

Walker poussa un cri terrible et, comme au ralenti, Rae vit le bébé commencer à tomber. Elle plongea, son corps heurtant le carrelage froid juste avant celui du bébé qui se retrouva dans ses bras tendus.

Elle entendit au-dessus d'elle le bruit de la fusillade. Levant la tête, elle vit le corps de Walker s'écrouler, masquant la lumière dans un jaillissement de sang et de bruit : elle baissa de nouveau la tête en serrant fort le bébé contre sa poitrine. Le choc du corps de Walker s'affalant sur elle lui coupa le souffle, mais elle se cramponna au bébé comme si c'était la chose la plus importante qu'elle avait à faire au monde.

Un piétinement de lourdes bottes se précipitant dans la pouponnière la décida enfin à lever les yeux. Les hommes de la Brigade d'Intervention l'entouraient, l'arme au poing. Quelqu'un fit rouler Walker sur le sol et elle regarda le bébé qui la dévisageait d'un air interrogateur. Un garçon, songea-t-elle, abasourdie. Un magnifique petit garçon.

— Ça va, docteur Duprey ?

C'était la voix du sergent Lane. Il se pencha pour lui prendre le bébé. Mais elle le garda quelques minutes encore et ce fut seulement après s'être assurée qu'il n'avait rien qu'elle le remit au policier.

En se remettant sur ses pieds, elle examina Walker. Par sa veste ouverte, on apercevait sa poitrine criblée de balles. Son visage était intact. Il a l'air paisible, songea-t-elle. Il ressemblait au Walker qu'elle avait vu pour la première fois, un homme qui rêvait du plus grand hôpital du monde.

Des flaques de sang s'étalaient sous lui sur le carrelage. Rae se tâta et sentit sur son cou un peu du sang de Walker. Elle regarda ses doigts, puis se tourna vers le bébé.

— Frais comme l'œil, dit le sergent, devinant ses pensées.

— Il faut que je retourne aux Urgences, dit-elle à Lane.

— Rae.

Elle se tourna. Bo était planté devant elle.

— Je suis vraiment désolé, dit-il. Je n'aurais jamais cru...

— Aucun de nous, dit-elle.

CHAPITRE TRENTE-DEUX

— Ça ne me fait mal que quand je ris, expliqua Sam à Rae tandis que le médecin des Urgences finissait de lui bander le bras. (Elle avait pris une douche et remis sa tenue de ville.)

— Revenez dans cinq jours, et je vous enlèverai les agrafes, dit le Dr Lloyd en griffonnant une ordonnance sur un bloc.

Sam le remercia en souriant, puis se tourna vers Rae :

— Il devrait peut-être ajouter un somnifère pour vous.

Rae n'eut pas le temps de répondre : elle aperçut deux ambulanciers qui passaient, poussant un chariot recouvert d'un drap. Dessous, on devinait le contour d'un corps humain.

— C'était mon ami, dit Rae. Un de mes très bons amis.

Sam se leva et lui prit la main.

— Non, Rae, absolument pas. Allons voir une véritable amie.

Dans la salle des Soins intensifs, Rae, auprès de Sam, était au chevet de Bernie.

— Si je vous laissais toutes les deux seules un moment, dit Sam.

Elle approcha une chaise du lit de Bernie. Par la fenêtre, le soleil se levait à l'horizon de San Francisco. Les eaux de la Baie étaient calmes : pas un mouton en vue. Sous le pont du Golden Gate, l'horizon était net comme un trait de crayon. Rae prit dans sa main les longs doigts effilés de Bernie. Ils étaient tièdes et vivants et, pour Rae, c'était tout ce qui comptait maintenant. De nouveau elle regarda par la fenêtre et se dit que ce serait une bien belle vue que Bernie aurait quand elle se réveillerait.

— On a découvert la personne qui t'a fait ça, Bernie, dit-elle. Tu peux te réveiller maintenant : tu n'auras plus jamais à t'inquiéter pour ça.

Elle serra plus fort la main de son amie et attendit que les mots s'imprègnent – pas seulement dans l'esprit de Bernie, mais dans son cœur à elle. Elle en avait bien besoin.

— Il paraît qu'elle va mieux, dit Sam en venant la rejoindre.

— Elle va se rétablir très bien, Sam, fit Rae en se levant.

Dans l'ascenseur, avec Sam à côté d'elle, Rae appuya sur le bouton du second étage.

— Quoi encore ? Vous ne pensez pas que vous devriez rentrer chez vous ? demanda Sam.

— Presque, répondit Rae.

Quand les portes s'ouvrirent, Rae entraîna Sam à la pouponnière. Le bébé qui avait été pris en otage par Walker était maintenant enveloppé dans une épaisse couverture et tétait d'un air satisfait le sein de sa mère, pendant que celle-ci discutait avec deux des pédiatres du service. Les autres bébés dans la salle étaient silencieux, ce qui était rare.

— *Maintenant* je peux rentrer chez moi, dit Rae avec un sourire satisfait.

Au milieu du couloir, Rae vit Nola Mahl qui s'avançait vers elle et, marchant à son côté, une infirmière tenant dans ses bras un énorme nouveau-né : Bébé Jésus ! La dernière fois qu'elles s'étaient vues, Nola ne l'avait pas reconnue. Malgré tout, Rae se sentit pleine d'orgueil de la voir avec son bébé.

— Bébé Jésus, dit Nola.

Elle s'arrêta, l'infirmière s'arrêta aussi. Rae examina le bébé qui la fixait de ses grands yeux ardoise. Puis il sourit. Qu'on essaie donc de la convaincre que c'était de la foutaise !

— Bébé Jésus, répéta Nola.

Mais Rae n'avait pas besoin qu'on lui dise de quel bébé il s'agissait ni par quel miracle il était revenu de ce qu'on pouvait imaginer de plus proche de la mort. En le contemplant, avec ses petites fossettes et son triple menton, elle se sentit envahie d'une émotion trop longtemps réprimée.

Une larme glissa sur sa joue et s'arrêta à la commissure de ses lèvres. Elle en sentit le goût salé avec étonnement : cela faisait tant d'années qu'elle n'avait pas pleuré qu'elle en avait oublié le goût des larmes.

— Hé, ne pleurez pas ! Il va se rétablir sans problème, dit l'infirmière avec entrain.

— Je sais, je sais, fit Rae en souriant.

Et, quand la seconde larme arriva, elle ne prit pas la peine d'essuyer celle-là non plus. La première larme, c'était pour le bébé de Nola. Celle-ci, pour sa mère. Avec presque vingt-cinq ans de retard.

CHAPITRE TRENTE-TROIS

Escortée de Sam, Rae retraversa la salle des urgences. Ce serait si bon de rentrer à la maison, songea-t-elle, épuisée. Ce serait si bon de s'endormir dans les bras de Sam.

A la sortie, ils tombèrent sur Bo.

— Est-ce que je pourrais te parler une minute en privé? demanda-t-il.

— Excusez-nous, Sam, dit-elle.

— Pas de problème.

Elle suivit Bo dans un coin.

— Ça t'intéressera peut-être de savoir que j'ai pris une décision, déclara Bo. Je ne vais pas fermer la Clinique...

Rae attendit la suite des mauvaises nouvelles.

— ... mais, poursuivit-il, je vais en faire une clinique pour des consultations externes. Plus d'accouchements là-bas, Rae. Je ramène toutes mes patientes ici. Comme tout le monde.

Rae le dévisagea, abasourdie.

— Eh bien, demanda-t-il, qu'est-ce que tu en penses ?

Lentement, un sourire s'épanouit sur le visage de Rae.

— ... Et tous mes vœux, Rae. Personne n'est plus qualifié que toi pour être chef de notre service l'année prochaine, ajouta-t-il en lui tendant la main.

Rae la serra.

— Il y a encore ce petit problème de ma suspension, dit-elle.

— Quelle suspension ? demanda Bo.

Il lui lâcha la main, ils échangèrent un regard complice. Puis il s'éloigna, laissant Rae avec le sentiment qu'elle venait de dire adieu à un étranger et bonjour à un nouvel ami.

— Docteur Duprey ! Docteur Duprey !

C'était Sylvia, l'infirmière des Urgences.

— Vous avez fait tomber ça, vous vous rappelez ? demanda Sylvia. Je pense que les policiers ne vont pas tarder à revenir le chercher.

Sylvia tenait à la main le dictaphone de Rae. Elle le prit et le mit en marche.

— « Des os pour Léopold », dit l'appareil.

Rae éclata de rire.

— Quoi donc ? demanda Sam.

Elle rendit le dictaphone à Sylvia et glissa sa main sous le bras valide de Sam.

— Je te raconterai plus tard, fit-elle.

Dehors, l'air était vif et elle sentait la brise salée qui venait de la Baie. Devant elle, des reporters brandissant des caméras et des microphones étaient rassemblés autour de Heidi O'Neil qui, comme d'habitude, tirait sur la veste de son tailleur rouge.

— Alors, demanda Sam, où va-t-on ?

— Eh bien, si tu tiens à le savoir, dit-elle en se cramponnant à son bras valide et en se blottissant contre lui, tout ce que j'ai envie de faire, c'est de rentrer chez moi, de manger un morceau, de prendre une douche brûlante et de dormir un peu. Mais tu ferais mieux de rester dans les parages parce que, quand je vais me réveiller, nous allons faire l'amour follement et passionnément. C'est bien toi qui m'as dit qu'il fallait que ce soit la médecine qui ait une place dans ma vie et pas le contraire ?

Sam la prit par les épaules.

— Ça m'a l'air d'être une ordonnance à suivre au pied de la lettre, dit-il. Après tout, c'est toi le médecin.

Rae sourit et, après être restée quelques minutes songeuse, elle dit :

— Ça, c'est vrai, docteur Hartman. C'est rudement vrai.

Le traducteur tient à remercier le professeur Pigné pour sa relecture attentive et ses conseils éclairés.

DANS LA COLLECTION
« GRAND FORMAT »

SANDRA BROWN
Le Cœur de l'autre

CLIVE CUSSLER
L'Or des Incas
Onde de choc
Raz de marée

LINDA DAVIES
Dans la fournaise
L'Initiée
Les Miroirs sauvages

ALAN DERSHOWITZ
Le démon de l'avocat

JANET EVANOVICH
La Prime
Deux fois n'est pas coutume

GINI HARTZMARK
Crimes au labo
Le Prédateur
La suspecte
La sale affaire

ROBERT LUDLUM
Le complot des Matarèse

STEVE MARTINI
Principal témoin
Trouble influence
Pas de pitié pour le juge

DAVID MORRELL
In extremis
Démenti formel

PERRI O'SHAUGHNESSY
Amnésie fatale
Intimes convictions

MICHAEL PALMER
De mort naturelle
Traitement spécial
Situation critique

JOHN RAMSEY MILLER
La dernière famille

LISA SCOTTOLINE
Rien à perdre
La bluffeuse

SIDNEY SHELDON
Rien n'est éternel
Matin, midi et soir
Un plan infaillible

Cet ouvrage a été réalisé par la
SOCIÉTÉ NOUVELLE FIRMIN-DIDOT
Mesnil-sur-l'Estrée
pour le compte des Éditions Grasset
en octobre 1999

Imprimé en France
dépôt légal : octobre 1999
N° d'édition : 11290 - N° d'impression : 48611
ISBN : 2-246-57641-5